Strasbourg doğumlu **Elif Şafak,** çocukluğunu ve gençliğini Ankara, Madrid, Amman, Köln, İstanbul, Boston, Michigan ve Arizona'da geçirdi. ODTÜ Uluslararası İlişkiler Bölümü'nü bitirdi, yüksek lisansını aynı üniversitede Kadın Çalışmaları Bölümü'nde, doktorasını ise siyasetbilimi alanında tamamladı. İlk romanı *Pinhan*'la 1998 Mevlâna Büyük Ödülü'nü aldı. Bunu *Şehrin Aynaları* (1999) ve Türkiye Yazarlar Birliği Ödülü'nü kazandığı *Mahrem* izledi (2000). Ardından her ikisi de çok satan ve geniş bir okur kitlesine ulaşan *Bit Palas* (2002) ve İngilizce kaleme aldığı *Araf* (2004) yayımlandı. *Med-Cezir*'de (2005) kadınlık, kimlik, kültürel bölünme, dil ve edebiyat konulu yazılarını topladı. 2006'da senenin en çok okunan kitabı olan *Baba ve Piç* yayımlandı. Ardından aylarca satış listelerinden inmeyen ilk otobiyografik kitabı *Siyah Süt*'ü yazdı. Doğan Kitapçılık tarafından 2009 Martı'nda yayımlanan *Aşk* Türk yayıncılık dünyasında önemli bir rekora imza atarak, en kısa sürede en çok satan roman oldu. Tüm eserlerinden seçkiler niteliğinde olan *Kâğıt Helva* Aralık 2009'da, gazete yazılarından derlediği *Firarperest* Kasım 2010'da yine Doğan Kitapçılık tarafından yayımlandı.

Eserleri otuz dile çevrilen Elif Şafak'ın romanları Viking, Penguin, Rizzoli ve Phebus gibi dünyanın en önemli yayınevleri tarafından yayımlanmaktadır.

www.elifsafak.com.tr

İSKENDER

Yazan: Elif Şafak
Çeviren: Omca A. Korugan

Yayın hakları: © Doğan Egmont Yayıncılık ve Yapımcılık Tic. A.Ş.

1. baskı / Ağustos 2011 / ISBN 978-605-09-0251-8
Sertifika no: 11940

Kreatif direktör: Uğurcan Ataoğlu
Sanat yönetmeni: Pemra Ataç
Fotoğraf sanatçısı: Timur Çelikdağ
Prodüksiyon: PPR Turkey
Baskı: Mega Basım, Baha İş Merkezi A Blok,
Haramidere-Avcılar - İSTANBUL
Tel. (212) 422 44 45

Doğan Egmont Yayıncılık ve Yapımcılık Tic. A.Ş.
19 Mayıs Cad. Golden Plaza No. 1 Kat 10, 34360 Şişli - İSTANBUL
Tel. (212) 373 77 00 / Faks (212) 355 83 16
www.dogankitap.com.tr / editor@dogankitap.com.tr / satis@dogankitap.com.tr

İskender

Elif Şafak

Çeviren: Omca A. Korugan
(Yazarla birlikte)

Birdenbire yalnız kaldığını hissediyor; hem kendisinin hem de arkasındaki annesinin.

J. M. Coetzee
Taşra Hayatından Manzaralar[*]

* Çev.: Suat Ertüzün, Can Yayınları, 2011.

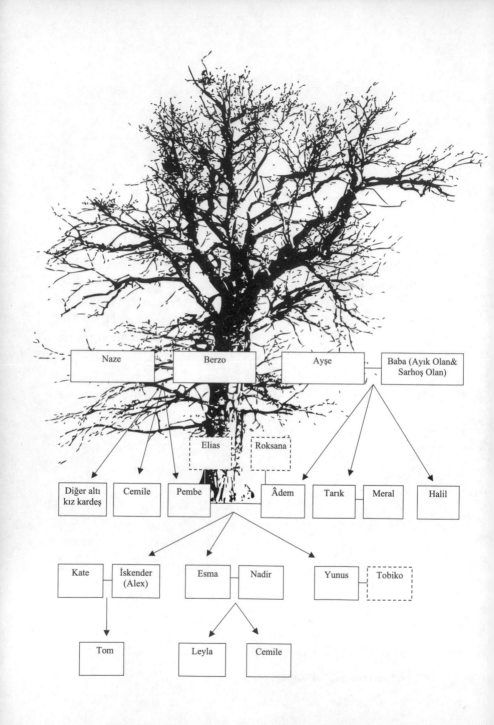

Başlarken...

Benim annem iki kez öldü. Onun hikâyesinin unutulmasına asla izin vermeyeceğime dair kendi kendime yemin etmiştim ama bu konuda yazacak cesareti ya da şevki bir türlü bulamadım. Ta ki şimdiye kadar. Herhalde hiçbir zaman yazar olamayacağım, hani şöyle meşhur bir romancı. Ama bunu dert etmiyorum artık, gam değil. İnsan belli bir yaşa gelince kendi hududu ve hatalarıyla barışmaya başlıyor. Ben de kendimi olduğum gibi kabullenmeyi öğrendim. Ama annemi anlatmak zorundaydım – tek bir kişiye bile olsa. Evrenin herhangi bir köşesine, bizden uzaklarda serbestçe salınacağı bir yere göndermeliydim bu hikâyeyi. Hiç olmazsa bu kadarcık özgürlüğü borçluydum beni dünyaya getiren insana. Ve ona dair her şeyi bu sene kaleme almam gerekiyordu. İskender hapisten çıkmadan evvel.

Birkaç saat sonra bir tencere irmik helvası kavurup eviyenin yanında soğumaya bırakacak, gözlerindeki endişeli bakışı fark etmezden gelerek kocamı öpeceğim. Sonra ikiz kızlarımla –yedi yaşındalar, dört dakika ara ile doğdular– birlikte evden çıkıp onları bir doğum günü partisine götüreceğim. Yolda muhtemelen kavga edecekler ama bu sefer kızmayacağım onlara.

"Acaba partide palyaço var mı?" diye soracaklar. "Ya da sihirbaz!"

"Harry Houdini gibi" diyeceğim.

"O da ne?"

"Huu-di-ni dedi ya şapşal!"

"O kim, anne?"

Bu masum soruyu duymak canımı yakacak. Arı sokmasına benzer bir sızı. Yüzeyde, görünürde belli belirsiz bir iz ama dipte, derinde zonklayan bir yara. Daha önce defalarca olduğu gibi, kızlarımın aile geçmişimiz hakkında hiçbir şey bilmediklerine tanık olacağım. Bilmiyorlar, çünkü onlarla paylaşmadım. Bir gün anlatırım elbet, hazır olduklarında. Ben hazır olduğumda.

Doğum günü partisinin verildiği eve varınca oradaki diğer annelerle biraz çene çalarım herhalde. Ev sahibine kızlarımdan birinin fıstığa alerjisi olduğunu anlatırım. Ama ikizleri birbirinden ayırt etmek zor olduğu için her ikisine de göz kulak olmasını ve içinde fıstık olan hiçbir şey –pasta dahil– yemediklerinden emin olmasını tembihlerim. Adil değil tabii. Alerjisi olmayan diğer kızıma biraz haksızlık oluyor ama kardeşler arasında hep olur böyle şeyler – yani haksızlıklar.

Sonra tekrar arabama, kocamla dönüşümlü olarak kullandığımız kırmızı Austin Montego'ya binerim. Londra'dan Shrewsbury'ye yol neredeyse üç buçuk saat sürer. Bir ara ufak bir mola vermem gerekebilir. Sürekli radyo dinlerim. Müzik iyi gelir ruhuma, yardım eder endişeleri uzak tutmaya. Bir de hayaletleri.

Geçmişte öyle zamanlar oldu ki onu ellerimle öldürmeyi düşündüm. Ateşli silahlar, zehir ya da daha iyisi –adalet yerini bulsun diye– bir sustalı kullanarak. Ayrıntılı planlar yaptım zihnimde. Kimi günlerse affetmeyi geçirdim içimden, tamamen ve samimiyetle. Sonunda galiba, varıp varabildiğim bu noktada, ne öldürmeyi başardım İskender'i, ne de affetmeyi.

🞤🞤🞤

Shrewsbury'ye ulaştığımda arabayı istasyonun önüne bırakıp bakımsız hapishane binasına kadar yürüyeceğim. Beş dakikalık bir mesafe. Sonra caddede volta atarak ya da ana girişin karşısındaki duvara yaslanarak onun çıkmasını bekleyeceğim. Bu ne kadar sürer kestiremiyorum. Beni gördüğünde ne yapacağını da bilmiyorum. Görüşmeyeli bir yıldan fazla oldu. Eskiden düzenli olarak ziyaret ederdim ağabeyimi, ama salıverileceği tarih yaklaştıkça bıraktım gitmeyi. Kısa veya uzunca bir bekleyişin ardından, heybetli demir kapı açılacak ağırdan. On dört sene sonra hapisten çıkacak İskender. Başının üstünde sonsuz semayı görmeye alışkın olmadığından bakışlarını bulutlara çevirecek. Karanlık bir mağaradan kaçmış bir yaratık gibi gün ışığına bakarken gözlerini kırpıştırdığını hayal edebiliyorum. Bu esnada ben olduğum yerde durup, içimden ona ya da yüze veya üç bine kadar sayıyor olacağım. Yanıma vardığında birbirimize sarılmayacağız. Tokalaşmayız da. Kuru bir selamlaşmayla yetinip karşılıklı kafalarımızı eğeriz hafifçe. İstasyona yürürüz yan yana. Arabaya atlarken ne kadar atletik olduğuna hayret ederim. Ne de olsa hâlâ gencecik bir adam.

Arabayı ben kullanacağım, İskender yan koltukta oturacak. Şayet sigara içmek isterse karşı çıkmayacağım, her ne kadar tütün kokusundan nefret etsem ve zavallı kocamın yakınımda içmesine izin vermesem de. Saatte altmış kilometre yaparak yeşil çayırlar ve açık arazilerden geçecek, İngiltere kırsalını kat edeceğiz. Halimi hatırımı, kızlarımı soracak. İyi olduklarını, hızla büyüdüklerini söyleyeceğim. Gayet mütebessim, başını sallayacak, çocuk yetiştirmek konusunda en ufak bir fikri varmış gibi. Bense ona tek bir soru bile sormayacağım.

Arabada vakit geçirmek için bir kaset olacak yanımda. ABBA klasikleri – annemin yemek ya da temizlik yaparken mırıldandığı şarkılar. *Take a Chance on Me, Mamma Mia, Dancing Queen, The Name of the Game...* Çünkü eminim annem bizi izliyor olacak. Kâinatın bir yerinden, açık bir pencerisinden. Anneler ölünce hemen cennete gitmezler. Yeryüzünde biraz daha kalıp çocuklarına göz kulak olabilmek için Tanrı'dan özel izin alırlar. Fani ömürlerinde evlatlarıyla aralarında her ne geçmiş olursa olsun. Londra'da, Barnsbury Meydanı'na vardığımızda park yeri arayacağım. Yağmur yağmaya başlayacak – ufacık billur damlalar. Sonunda arabayı sıkıştıracağım bir boşluk bulacağız. Bir düzine manevra yapmam gerekecek. Fena bir şoför sayılmam ama park etmeye gelince iş, beceriksizin tekiyim. Tipik bir kadın sürücü olduğumu düşünüp benimle alay edecek mi acaba? Eskiden olsa ederdi, biliyorum.

Birlikte eve doğru yürüyeceğiz; sokak, sessiz ve sakin uzanacak önümüz sıra ve ardımızca. Kısacık bir an için de olsa bulunduğumuz çevre ile geçmişteki hayatımızı, Lavanta Sokağı'ndaki eski evimizi karşılaştıracak, şimdi her şeyin ne kadar farklı olduğuna ve biz yaşananları ardımızda bırakamasak da zamanın nasıl akıp gittiğine şaşıracağız.

Eve gelince ayakkabılarımızı çıkaracağız – İskender'e kocamın kahverengi terliklerini vereceğim; ben de ponponlu, erguvan rengi bir çift giyeceğim. Bir an için durakalacak, durgunlaşacak. Yüreğine su serpmek için ayağımdakilerin bana kızlarımdan hediye olduğunu söyleyeceğim. O zaman anlayacak ki benzerlik sadece tesadüften ibaret. Annemizin eski terlikleri değil bunlar.

Ben çayları doldururken İskender göz ucuyla seyredecek – bol demli, bol şekerli hazırlayacağım, tabii eğer hapishanede alışkanlıkları değişmediyse. Sonra irmik helvasını çıkaracağım. Elimizde porselen fincanlar ve tabaklar, iki kibar yabancı gibi pencerenin önünde oturup yağmurun arka bahçedeki begonyaların üzerine yağışını seyredeceğiz. Aşçılığımı övüp irmik helvasını ne kadar özlediğini itiraf edecek ama tabağına biraz daha koymaya kalktığımda nazikçe reddedecek. Annemizin tarifini harfi harfine uyguladığımı, gene de asla onun kadar güzel pişiremediğimi anlatacağım. Aniden susacak. Göz göze geleceğiz; havada ağır, iğreti bir sessizlik. Kendini yorgun hissettiğini ve mümkünse dinlenmek istediğini söyleyerek izin isteyecek. Ona odasını göstereceğim. Sonra usulca kapatacağım kapıyı; ağabeyimin, geçmişin, bir türlü geçip gitmeyenlerin üzerine. Orada bırakacağım onu. Evimdeki bir odada. Ne uzak ne de gereğinden yakın. Dört duvar arasında, yüreğimdeki bir kutuda duracak; ne sevmekten ne de nefret etmekten vazgeçebildiğim İskender.

O benim ağabeyim.

O bir katil.

3 Ekim 1992
Londra

VARIŞ

Pembe

Pembe dünyaya geldiğinde Naze o kadar üzülmüş ki yirmi saat boyunca çektiklerine ve çarşaflara bulaşan kana rağmen kalkıp gitmek istemiş. En azından o rüzgârlı günde doğum odasında bulunan herkesin istisnasız söylediğine göre.

Alıp başını kaçmak istediyse bile sonuçta hiçbir yere varamamış Naze. Odadaki kadınları ve avluda bekleyen kocasını şaşırtma pahasına yeni bir sancı dalgasıyla tekrar yatağa düşmüş. Üç dakika sonra ikinci bir bebeğin başı görünmüş. Bolca saç, kıpkırmızı bir ten, sırılsıklam ve buruşuk. Gene bir kız; bu seferki biraz daha ufak tefek.

Bu kez kaçmaya kalkışmamış Naze. Hafif bir iç geçirmeyle başını yastığa gömüp esen yelin fısıltısını duymaya çalışırcasına yüzünü pencereye dönmüş. Yeterince dikkatle dinlerse şayet, göklerden gelecek yanıtı duyabilecekmiş gibi. Ne de olsa bir nedeni, sarih bir açıklaması olmalıymış mutlaka. Yüce Yaradan neden iki kız evlat daha vermiş ki onlara? Halihazırda altı kızları varken ve hiç ama hiç oğulları olmamışken.

Böylece yeni anne susuvermiş. Koparılmış dal, söndürülmüş mum gibi. Allah bu Naze kuluna yaptığının hikmetini anlatıncaya kadar konuşmamaya ant içmiş. Uykusunda bile sımsıkı kenetli kalmış dudakları. Tam kırk gün kırk gece tek kelime dahi söylememiş. Ne kuyrukyağlı nohut pişirirken, ne altı kızını leğende tek tek yıkarken, ne otlu peynir yaparken, ne de kocası bebeklerin adını ne koymak istediğini sorduğunda. O kadar durgunmuş ki, tüm ölmüşlerinin mekânı olan ve bir gün kendisinin de gömüleceği mezarlıktan bile sessizmiş. Yolsuz, elektriksiz, hekimsiz, mektepsiz, küçük ve ücra bir Kürt köyüymüş onlarınki. Dış dünyanın haberleri, büründükleri yalnızlık zırhını aşıp da kolay kolay ulaşamazmış. Ne İkinci Dünya Savaşı, ne atom bombası, ne İspanya'da Franco... Köylülerin bunların hiçbirinden haberleri yokmuş. Afakta, yani Fırat kıyılarının berisinde, tuhaf şeylerin döndüğünden eminlermiş. Âlemin hallerine zaten vâkıf olduklarını düşünür, bu topraklardan ötesini görmeye heves etmezlermiş. Ezelden beri süregelen ve ebediyete dek sürecek her şey zaten gözlerinin önündeymiş, şimdi ve burada. İnsana vacip olan, bir ağaç ya da kaya gibi sabit ve sağlam durmakmış. Tabii eğer şu üçünden biri değilse: geçmişini yitirmiş bir abdal, aklını yitirmiş bir aptal ya da sevdiğini yitirmiş bir mecnun.

Dervişler, aklı kıtlar ve âşıklardan gayrı kimse için şaşılası bir şey yokmuş evrende; her şey olması gerektiği gibiymiş, ne bir eksik ne bir fazla. Her şey yerli yerinde. Köyün bir köşesinde çıt çıksa anında herkes duyarmış. Sır sahibi olmak zenginlere has bir ayrıcalık iken *Mala Çar Bayan* (Dört Rüzgârın Evi) nam bu köyde kimse müreffeh sayılmazmış.

Köyün üç yaşlısı, kambur bedenleri ve kederli çehreleriyle bütün gün kahvede oturup ömür kadar narin, gönül gibi sırça bardaklarla çaylarını yudumlar, Allah'ın hikmetlerine ve siyasetçilerin hilelerine akıl sır erdirmeye çalışırlarmış. Naze'nin sessizlik andı uzayınca onu ziyaret etmeye karar vermişler.

"Yaptığın şey küfre girer bilesin, seni ikaz etmeye geldik" demiş birinci ihtiyar. Öyle cılızmış ki, hafifçecik bir meltem yetermiş onu devirmeye.

"Peygamberler ve evliyalardan başkasına seslenmemiş Yaradan'ın seninle konuşmasını nasıl umarsın?" demiş ikinci ihtiyar, ağzında kalan birkaç diş arasından. "Kadından peygamber olmayacağına göre..."

Üçüncü ihtiyar, ağaç dalları gibi kaskatı parmaklarını sallamış. "Sen konuşacaksın, Rab dinleyecek. Öbür türlü olmasını isteseydi seni insan değil, balık yaratırdı zaar."

Naze yemenisinin ucuyla gözlerini silerek söylenenleri dinlemiş. Bir an için nehirde balık olarak tahayyül etmiş kendini – yüzgeçleri güneşte parıldayan, benekleri solgun halkalarla çevrelenmiş, kocaman, külrengi bir alabalık. Nereden bilebilirmiş çocuklarının ve torunlarının da çeşit çeşit balıklara bağlanacağını ve sualtı dünyasına duyulan muhabbetin sülalede kuşaktan kuşağa geçeceğini?

"Konuş!" demiş birinci yaşlı adam. "Susmak senin cinsinin tabiatına sığmaz. Meşrebine karşı çıkan, Allah'a karşı çıkar."

Naze hiçbir şey dememiş. Muteber misafirleri gider gitmez kalkıp ikizlerin uyumakta olduğu beşiğe yaklaşmış. Ocakta yanan ateşin ışığı odaya altın sarısı bir huzme, bebeklerin tenine yumuşacık, neredeyse meleksi bir ışıltı veriyormuş. Yüreği yumuşayıvermiş. Yamacına yanaşıp boy sırasına dizilmiş olan altı kızına dönüp kısık bir sesle konuşmuş: "İsimlerini buldum bebelerin."

"Söylesene ana!" diye bağrışmış kızlar, annelerinin sesini yeniden duymanın sevinciyle.

Naze boğazını temizleyip yenik bir sesle eklemiş: "Bununki *Bext* olacak, öteki *Bese.*"

"Bext ve Bese" diye tekrarlamış kızlar hep bir ağızdan.

"He ya."

Naze usulca büzmüş dudaklarını; isimler ağzında keskin bir tat bırakmışçasına. Kürtçeleri Bext ve Bese, Türkçeleri Kader ve Yeter, anlamlarıysa dünya yüzünde konuşulan her dilde aynı. Böylece, her ne kadar kaderine boyun eğse de artık kız doğurmaktan canına tak ettiğini ve tekrar hamile kaldığında –ki bunun son gebeliği olacağının farkındaymış, çünkü artık kırk birindeymiş ve yaşı geçmekteymiş– ona bir oğul ve muhakkak bir oğul vermesi gerektiğini kendince anlatmış Rabbe.

O akşam babaları eve geldiğinde kızlar koşturmuş muştulamak için:

"Baba! Aney konuşuyor."

"Baba! Aney bebelere isim koydu."

Karısının yeniden konuşmaya başladığını duyduğuna sevinse de onun ikizlere verdiği adları duyunca yüzü kararıvermiş Berzo'nun. Başını iki yana sallayıp uzun ve sıkıntılı bir an boyunca sessizce durmuş.

"Kader ve Yeter" diye mırıldanmış. "Sen bebelere isim vermemişsin ki. Göklere mektup yazmışsın."

Naze başını önüne eğmiş, yün çorabındaki delikten çıkan parmağına takılmış gözü.

"Hüsranını ilan etmişsin. Allah'ın gücüne gider valla" diye devam etmiş Berzo. "Ne lüzum var buna?"

Böyle dedikten sonra aklındaki adları açıklayıvermiş: Pembe ve Cemile. Çayda eriyen şeker küpleri gibi yumuşacık ve tatlı, her türlü sivrilikten uzak isimler.

Ne var ki Berzo'nun kararı nihai olsa da Naze'nin seçtiği isimlerden vazgeçilmemiş. Hafızalarda yer etmişler; ağaç dallarına takılı iki uçurtma gibi dolanıp kalmışlar soyağacına. Böylece ikizler çifter isimle bilinir olmuşlar: *Pembe Kader ve Cemile Yeter.* Gün gelip de bunlardan birinin dünyanın dört bir yanındaki gazetelerde yazılacağını kim bilebilirmiş ki o zaman?

İskender

Bir bahar günü, hakkında çok şey duyduğu ama yüzünü hiç görmediği bir adamdan kaçmaya kalkıştığında yedi yaşında bile değildi İskender. Adam düşündüğünden farklıydı farklı olmasına da, daha az ürkütücü değildi. Burun ucunda duran kalın çerçeveli gözlüğü, dudaklarının arasında yanmayan bir sigara ve içinde keskin aletler ile kurbanlarından topladığı deri parçalarını koyduğu rivayet edilen siyah bir çantası vardı. Onu görmesiyle korkudan dizlerinin bağının çözülmesi bir oldu İskender'in. Elindeki kızılcık şerbeti dökülüp al lekeler bıraktı ak gömleğinde; kar üstünde kan damlaları gibi. Lekeleri önce eliyle, sonra pelerininin ucuyla silmeye kalkıştı. Ama nafile. Kıyafeti mahvolmuştu.

Öyle de olsa, uzun gümüşi pelerini, parlak taşlarla süslü şapkası ve elindeki göz kamaştırıcı asasıyla gene de bir prensti. Tüm öğleden sonra, topraklarını denetleyen bir asilzade edasıyla yüksekçe bir sandalyede oturmuştu – gerçi yaşına göre boyu az biraz kısa olduğundan bütün sandalyeler yüksek geliyordu ya. Sol tarafında ondan yaşça büyük, boyca uzun ama benzer giyimli dört oğlan vardı. Kavgada rakibini tartarcasına tepeden tırnağa her birinin giysisini incelemiş ve hiçbirinin kendisininki kadar göz alıcı olmadığına karar vermişti İskender.

Diğer prensler ağızlarına akide şekerleri doldurup kaba saba şakalar yaparken İskender bacaklarını sallayarak bekledi.

Başlarına ne geleceğini bile bile nasıl böyle umursamazca davranabildiklerini aklı almıyordu. Endişe ile göz gezdirdi etrafa. Odayı dolduran o kadar insandan hiçbirinin, hatta annesinin bile onu kurtarmayacağından adı gibi emindi. Bilhassa annesinin. Bütün sabah ağlayarak oğlunun gerçek bir erkek olmasından gurur duyduğunu söylemişti. Bir parçasını bıçağa kaptırmakla nasıl erkek olabileceğine aklı ermiyordu İskender'in. İçinden çıkılmaz bir bilmeceydi. Azalarak artıyor, eksilerek büyüyordun. Zihninin almadığı bir diğer husus, canının yanacağı besbelliyken neden herkesin ona sakın ola ağlamamasını söylediğiydi – oysa annesi istediği kadar gözyaşı dökebilirdi, hem de ona hiçbir şey olmayacağı gün gibi ortadayken.

Yan gözle siyah çantalı sünnetçiyi izleyen İskender, adamın sol yanağından çenesine dek uzanan bir yara izi olduğunu fark etti. Belki de sünnet ettiği oğlanlardan biri yapmıştı bunu. Bir an için, operasyon esnasında kendisini tutan ellerden kurtulup bıçağı kaptığı gibi adamın sağ yanağını yardığını hayal etti. Önce kendini kurtarırdı, sonra diğer oğlanları. Hep birlikte zafer naralarıyla kapıya koşup ortadan kaybolabilirlerdi. Ama hayali uzun sürmedi. Tekrar gözünü açtığında odayı olduğu gibi buldu – kör bir hafız Kuran-ı Kerim okumakta, bir kadın çay ve bademezmesi ikram etmekte, misafirler kendi aralarında kısık sesle konuşmakta ve o en korktuğu an giderek yaklaşmaktaydı.

İskender yavaşça sandalyeden aşağı kaydı. Ayakları halıya değince soluğunu tuttu; birisinin çıkıp da nereye gittiğini sormasını bekledi. Ama baktı ki kimse durdurmuyor, parmak uçlarına basarak köşeye yerleştirilmiş iki kişilik yatağın yanından geçti – ferforje başlı karyola, işlemeli yastıklarla, nazarlıklarla ve çini mavisi saten bir yatak örtüsüyle donatılmıştı. İskender'in en sevdiği renkti mavi. Oğlan çocuklarının rengiydi, keza gökyüzünün de. Nehirler ve göllerin de. Ve henüz görmediği okyanusların...

Her adımda biraz daha hafifleyip cesaretlenerek arka kapıdan dışarı süzüldü. Bahçeye çıkar çıkmaz, yayından kurtulmuş ok gibi atıldı; koşmaya başladı. Kuyunun etrafından dolanırken hızlandı; yoldan aşağıya seyirtip komşu evlerin önünden ıslık gibi geçerek tepeye doğru sardırdı. Giysisi kirlenmişti ama umurunda değildi. Artık önemi kalmamıştı. Geri dönmeye niyeti yoktu. Siyah çantalı adam çok istiyorsa buyursun, başka oğlanları sünnet etsindi.

Annesi Pembe'nin ellerini düşünmeye çalıştı – kestane rengi, dalgalı saçlarını tarayışını, toprak kaplara yoğurt çalışını, hamurdan hayvan şekilleri yapışını. Meşeye ulaşana dek başka bir şey düşünmedi.

Kökleri dört yana varan, dalları bulut kümelerine uzanan yaşlıca bir ağaçtı bu. Soluk soluğa tırmanmaya başladı; hızlı ve azimliydi. Kayan elleri yüzünden iki kez düşecek gibi olduysa da toparlanıp dengesini sağlayabildi. Daha önce hiç bu kadar yükseğe tırmanmamıştı; etrafta başarısını görecek kimse olmamasına hayıflandı. Bu yükseklikten gökyüzü öyle yakın görünüyordu ki elini uzatsa adeta dokunabilecekti. O bulut örtüsünün altında kendinden hoşnut ve mağrur oturdu – ta ki aşağıya nasıl ineceğini bilmediğini idrak edene dek.

⬛⬛⬛

Bir saat kadar sonra bir kuş kondu yakınlardaki bir dala. Gözlerinin çevresinde sarımtırak halkalar ve kanatlarında yakut gibi parlak kırmızı benekler olan narin bir yaratık. O an eğer kuş biraz daha yakınına gelmiş olsa İskender onu elleriyle yakalayabilir, minik yüreğinin çarpmasını teninde hissedebilirdi. Avuçlarının içine alıp sevebilir, koruyabilirdi. Ya da tek ve ani bir hareketle boynunu kırabilirdi.

Bunu düşünmesiyle derin bir pişmanlık hissetmesi bir oldu. Kafalarında böylesi günahlar kuranlar için cehennemde dev kazanlar fokurduyordu. Gözleri doldu. Annesinin onun yokluğunu hemen fark edip arkasından mahalleliyi yollayacağını sanmıştı ama gelen giden yoktu. Burada ölüp gidecekti. Ya soğuktan ya açlıktan. Herkes ya hastalıktan ya kazada ölürken onun sonu ödleklikten olacaktı anlaşılan. Gururuna yediremedi.

Kim bilir, belki onu yanlış yerlerde aramış, sonunda kaybolduğuna kanaat getirmişlerdi. Belki de kurt saldırısına uğradığına hükmetmişlerdi. Vahşi hayvanların pençelerinde korkunç bir ölüm tahayyül etti. Annesi perişan mı olurdu acaba, yoksa besleyecek boğaz sayısı azaldı diye gizlice sevinir miydi?

Giderek acıkıyordu İskender. Ama esas acil sorun çişinin gelmiş olmasıydı. Daha fazla tutamayacağını anlayınca pantolonunu indirip, başına bunca dert açan pipisini tuttu. İşemeye henüz başlamıştı ki aşağıdan birinin bağırdığını duydu.

"İşte orada! Yukarıda! Buldum onu!"

Bir iki saniye içinde bir adam göründü, sonra biri daha, derken on tane daha. Ağacın yanında tek sıra dizilip ona baktılar. İskender, ne yapsın, onca meraklı göz önünde işemeye devam etti. Nihayet fermuarını çekmiş, aşağı inebilmek için seyircilerinden yardım istemeyi düşünürken siyah çantalı adamın da aralarında olduğunu fark etti.

İşte o zaman tuhaf bir şey oldu. Daha sonraki yıllarda tekrar tekrar zuhur edecek ama o güne kadar hiç bilmediği bir şey: Dondu kaldı İskender. Yolda, araba farları karşısında kalakalmış bir alageyik gibi ne hareket edebiliyor ne de soluk alabiliyordu. Uzuvları tutmuyordu; dili uyuşmuş, midesinin yerine bir koca taş gelip oturmuştu. İnsanların ona aşağı inmesi için yalvardıklarını duysa da yanıt veremiyordu. Ağacın bir parçası haline gelmişti. Meşe palamudundan bir oğlan.

Aşağıdakiler ilk başta onun ölü taklidi yaparak daha fazla ilgi çekmeye çalıştığını sandı. Ama bir süre sonra çocuğun rol yapmadığını, gerçekten tutulduğunu anlayarak onu kurtarmanın yollarını aramaya başladılar. Komşulardan biri yukarı tırmanmaya talip olduysa da İskender'in tünediği dala ulaşamadı. Bir başkası daha denedi ama o da hüsrana uğradı. Bu sırada diğerleri çocuk atlasın diye battaniyeler germekle ya da neye yarayacağını kimsenin kestiremediği kementler yapmakla meşguldü. Hiçbiri işe yaramadı. Merdivenler fazla kısa, ipler cılız, çocuksa âcizdi.

Tam o anda tanıdık bir ses havada çınladı.

"Ne işi varmış orada?" Pembe idi bağıran, yanında birkaç komşu kadınla birlikte tepeye tırmanıyordu.

"Aşağı inemiyor senin oğlan" diye durumu açıkladı birileri.

"Daha neler! Niye inemeyecekmiş?" dedi Pembe. Kaşlarını çatıp evladının daldan sallanan kürdan gibi ince bacaklarına bağırdı: "İskender, sana diyorum, çabuk gel buraya!"

O an, güneşi görünce eriyen karlar gibi tüm vücudunun çözüldüğünü hissetti İskender.

"İn aşağı dedim sana! Babanı rezil ettin. Senden başka herkes sünnet oldu. Bir sen ödlek çıktın."

Ne var ki İskender ne kadar uğraşsa da hareket edemedi. Onun yerine sırıtıverdi. Hani durumu hafife alırsa badireyi daha kolay atlatırdı belki. Ama öyle olmadı. Onun sırıttığını görünce Pembe'nin tepesinin tası atıverdi.

"Seni şımarık piç kurusu! Derhal aşağı inmezsen kırarım o bacaklarını senin! Erkek olmak istemiyorsun herhalde."

İskender bunu biraz düşündü: "Yok, istemiyom."

"Ama çocuk kalırsan hiç araban olmaz."

İskender omuz silkti. Ne olacak, her yere yürürdü. Ya da otobüsle giderdi.

"Kendi evin de olmaz o zaman."

Gene umursamadı İskender. Eve de ihtiyacı yoktu. Pekâlâ çadırda yaşayabilirdi. Hippiler ya da Çingeneler gibi.

"Bak evlenemezsin o zaman. Kimse senin karın olmaz."

İşte burada afalladı İskender. Güzel bir karısı olsun istiyordu. Hani annesine benzeyen, ama onu hiç azarlamayan, paylamayan, cezalandırmayan bir hanımı olmalıydı. Dudaklarını ısırdı. Hiç bitmeyecekmiş gibi gelen bir bekleyişin ardından annesinin yüzüne bakacak cesareti buldu. Sarmaşık dalları gibiydi Pembe'nin bakışları; usulca ama kararlılıkla oğlunu kendine doğru çeken koyu yeşil gözler. "Peki" dedi Pembe içini çekerek. "Sen kazandın. Sünnet münnet yok sana. Gel hadi buraya. Kimse kılına dokunmayacak, merak etme."

"Ana söz mü?"

"Söz, paşam. Söz, sultanım."

Sesinin yumuşaklığı, sıcaklığı güven veriyordu insana. O konuştukça korkusunun akıp gittiğini hissetti İskender. Ayak parmaklarını oynatabildiğini fark etti evvela. Sonra da birkaç dal aşağı inerek ağaca dayanmış merdivenin en üst basamağında bekleyen adama ulaşmayı başardı.

Nihayet sağ salim yere indirildiğinde ağlaya ağlaya annesine koştu.

"Oğlum benim" dedi Pembe, cümle âleme ilan etmek istercesine. Öyle sıkıca sarılmıştı ki İskender'e, anasının göğüs kafesinde çarpan yüreğini duyabiliyordu çocuk. "*Mala min,** aslanım."

Ayaklarını tekrar toprağa basabildiği için rahat bir nefes aldı İskender; annesinin sevgisi karşısında ikiye katlandı mutluluğu. Ne var ki bu sarılışta içini bayan, hatta soluğunu kesen bir şeyler olduğunu hissediyordu. Annesinin nefesi, bedenini kavrayan elleri bir tabut gibi sarıyordu onu.

İskender'in aklından geçenleri okumuş gibi Pembe evladını omuzlarından tutup itti ve gözlerini gözlerine dikti. Aniden bir tokat attı oğluna. "Bana bak, sakın ola bir daha babanı atanı utandırmayasın!"

Ardından siyah çantalı adama doğru dönerek ekledi: "Al kardaş bunu!"

İskender'in yüzü kireç gibi bembeyaz kesildi. Korkudan

---

* *Mala min:* (Kürtçe) Evim, yuvam.

ziyade şaşkınlıktı hissettiği. Annesi herkesin önünde kandır-
mıştı onu. Üstelik tokatlamıştı. Oysa bugüne kadar ondan fis-
ke bile yememişti. Böyle bir şey olabileceği aklına gelmezdi.
Konuşmaya çalıştıysa da yapamadı, sözcükler cam bilyeler gibi
yuvarlanıp tıkadı boğazını.

Akşamın ilerleyen saatlerinde herkes gururla İskender'in
sünnet masasında ne kadar cesur olduğunu anlatacaktı. Tek
damla gözyaşı dökmediğini, tam bir erkek gibi davrandığını
söyleyeceklerdi. Ama seneler sonra kendisi bunun yiğitlikle
alakası olmadığını itiraf edecekti. Sünnet esnasında donuk ve
tepkisiz durmasının tek bir sebebi vardı: Annesinin onu nasıl
ve neden kandırdığını düşünüyor olması. Hazmedememişti
İskender bu ihaneti. Sevip de kandırmayı. İnsanın canı kadar
sevdiği birini oyuna getirebileceği aklının ucundan dahi geç-
memişti. O güne dek bilmezdi, birine bütün kalbinle muhab-
bet besleyip yine de onu incitmek istemenin mümkün olabile-
ceğini.

Sevginin ve aşkın karmakarışık halleri üzerine aldığı ilk
hayat dersiydi bu.

Yunus

Yunus, Toprak ailesinin İngiltere'de dünyaya gelen tek evladıydı. İngilizcesi mükemmel, Türkçesi tutuk, Kürtçesi ise hiç yoktu. Uçları buklelenen kestane rengi saçları, yanaklarına serpilen çilleri ve kepçe kulaklarıyla öyle sevimliydi ki onu gören gülümsemeden edemezdi. Kafası bedenine göre azıcık oransız, yaşına göre biraz büyüktü – *Fazla düşünmekten,* derdi Pembe. Gözlerinin rengi ruh haline ve üzerindeki giysinin tonlarına göre değişir, camgöbeği ile yosun yeşili arasında gidip gelirdi. Peygamber Yunus'un adını vermişlerdi ona. Hani insanlara duymaya hazır olmadıkları hakikatleri bildirmekle görevlendirildiğini öğrenince endişeye kapılan ve tabanları yağlayan, derken kendini bir balinanın midesinde bulup orada pişmanlık içinde üç karanlık gün ve gece geçiren peygamberin adını.

Yedi yaşındaki Yunus bu hikâyeyi dinlemeye bayılır, balığın midesini tahayyül etmeye çalışırdı. Bunların, ilgisini çekmesinin bir sebebi daha vardı: Tıpkı peygamber gibi Yunus da zora gelince kaçmaya meyyaldi. Derslerden sıkıldığında okuldan, ailesinden bunaldığında evden sıvışırdı. Zora geldiği an fırlayıp gitmeye hazırdı. Annesinin tüm gayretlerine rağmen vaktinin çoğunu sokaklarda geçirdiğinden Kuzey Londra'nın kestirme yollarını, sapaklarını kırk yıllık taksi şoförlerinden iyi bilirdi.

Pembe her zaman üç çocuğunun üçünün de nasıl birbirinden bu kadar farklı olduğuna akıl sır erdiremediğini söylerdi. Ve Yunus hakikaten farklıydı. İçedönük, gözlemci, sakin tabiatlıydı. Filozof ve hayalperestti. Sessiz bir mağarada yaşayacak kadar münzevi; zenginliği basit şeylerde, güzelliği bir yağmur damlasında bulacak kadar mütevazıydı. İskender ile Esma ha bire başkalarını kıskanır, içinde bulundukları koşullarla didişirken Yunus'un kimseyle bir alıp veremediği yoktu. Farklı nedenlerle de olsa ailedeki herkes kendini yabancı hissederken Yunus cümle âlemle barışıktı. Kendi içine çekildiğinde öyle mutmaindi ki başka hiçbir şeye ihtiyaç duymazdı. Hani mecbur kalsa pekâlâ yaşayabilirdi bir balığın midesinde; şikâyetsiz, dertsiz.

Pembe'ye göre ana rahmine de, sütüne de doyamamaktandı tüm bunlar. Üç çocuğu içinde bir tek Yunus erken doğmuş, meme emmemekte direndiği için mamayla beslenmişti. "Neye yaradı?" derdi şaka yollu. "Ulaşılmaz oldu oğlan."

İskender dünyayı yönetmek, Esma hepten değiştirmek isterken, Yunus'un tek arzusu âlemi anlamaktı. O kadar.

⊠ ⊠ ⊠

1978 sonbaharında, hayatlarının altüst olacağı dönemece girdiklerinde, Pembe'ye bir haller olduğunu ilk fark eden Yunus'tu. Hep dalgın, düşünceliydi annesi. Birkaç kez Yunus'a harçlık vermeyi unutmuştu. Üstelik onu daha az besliyor, eskisi kadar çok yiyecek tıkmıyordu ağzına. Yunus'u şüphelendiren de buydu zaten. Pembe asla unutmazdı onu beslemeyi. Kıyamet gününün sabahı dahi olsa ne yapar eder karnı tok gönderirdi Yunus'u cennete.

Yunus kendisi için endişeleniyor değildi – o hep başkalarını düşünürdü. Zaten harçlığını çıkarmanın yolunu bulmuştu. Hem de kat kat fazlasını.

Gittiği ilkokulun birkaç sokak ötesinde bir ev vardı. Viktorya Dönemi'nden kalma bu salaş, terk edilmiş binanın hayaletli olduğuna inanırdı çevredekiler. Dik bir çatı, çepeçevre dolanan bir veranda ve sivri kemerli pencereler. Yunus burayı mahallede gerçekleştirdiği sayısız keşif gezilerinden birinde bulmuştu. Bir grup radikal genç binayı işgal edip içine yerleşmişti. Punklar, anarşistler, nihilistler, çevreciler, pasifistler, toplumdan dışlanmış ya da toplumu dışlamışlar... Rengârenk bir gruptu bunlar, bilhassa siyah ve kırmızı tonlarında. Kimse Yunus'un onlarla nasıl tanıştığını bilmiyordu ama belli ki kısa zamanda sevdirmişti kendini işgalcilere. Hareket edemeyecek kadar bitkin, bezgin ya da kafayı bulmuş olduklarında alışverişe gönderirlerdi onu. Ekmek, peynir, süt, jambon, çikolata, tütün, sarma kâğıdı... Yunus her birinin en ucuza nereden alınacağını öğrenmişti.

Arada, bisikletle on dakikalık mesafedeki izbe bir evde yaşayan asık suratlı bir adamdan paketler almaya gönderdikleri de olurdu. Adam ona hiçbir şey sormadığı, hatta bahşiş verdiği halde Yunus hoşlanmıyordu bu vazifeden. Rahatsız edici bir hava –çürük ve hastalıklı bir koku– vardı orada. İşgalcilerin binası da kokuyordu aslında. Ama burada, herkesin ve her şeyin üzerine çöken o ağır rayihanın ötesinde başka katmanlar vardı: çiçek ve baharat esansları, tomurcuklanan baharın, umudun kokusu.

İşgal evinde takıldığı bütün o zaman zarfında bir kez bile kendisine verilen bir görevi reddettiği olmamıştı Yunus'un. Bunun tek bir sebebi vardı: aşk!

▓▓▓

Evin içinde, kıvrılarak üç katı tırmanan bir tahta merdiven vardı. Öylesine dik ve çürüktü ki ne zaman biri inecek ya da çıkacak olsa gıcırtısından durulmazdı. İşgalciler ilk iki kattaki ara duvarları yıkıp açık alanlar yaratmıştı; küvetler bile yatağa dönüştürülmüştü. Üçüncü kata *agora* adını vermişlerdi; eski Yunan şehir-devletlerinin yurttaşları gibi orada toplanır, tartışır, oylama yapar ve komünle ilgili kararları kesinleştirirlerdi.

Evdeki mobilyaların çoğu *agora*'ya ayrılmıştı: bitpazarından tekeş tükeş lâmbalar, koltuklar, sandalyeler, leke ve sigara yanıklarıyla dolu kanepeler. Yerde solgun kırmızı bir Şark halısı. Kimse nereden geldiğini bilmiyordu. Hayli eskimiş olsa da hâlâ güzeldi ve muhtemelen evdeki en değerli eşyaydı. Her yerde üst üste yığılmış kitap, dergi ve fanzinlerden oluşan kuleler vardı; kirli kahve fincanları, şarap bardakları, bayat bisküviler, mızıkalar, kutular, birilerinin bahçesinden yürütülmüş balonlar ve bir de kimsenin tamir etmeye kalkışmadığı bozuk bir kasetçalar. Bu evde özel mülkiyet yoktu. Her nesne herkese aitti.

Evde ikamet edenlerin sayısı her hafta değişiyordu. Yunus bunu daha ikinci ziyaretinde yeni yüzlerle karşılaşınca fark etmişti.

"Burası ev değil, gemi" diye açıkladı işgalcilerden biri, yüzünde haşhaştan yamulmuş bir gülümsemeyle. "Bilinmeyene doğru pupa yelken gidiyoruz. Yol boyunca bazı yolcular inerken başkaları biniyor."

Bunları söyleyen adamın saçları turuncuya boyanmış, tutam tutam dikilmişti. Öyle ki uzaktan bakınca kafası tutuşmuş gibi görünüyordu.

"Evet, aynen Nuh'un Gemisi gibi" dedi badem gözlü, kömür karası saçlı genç bir kadın. Sonra Yunus'a dönüp kendini tanıttı: "Merhaba. Benim adım..."

Ne var ki ismi duymadı Yunus. Ne o zaman ne daha sonra. O esnada kızın dudağındaki halkaya, kaşlarındaki küpelere ve kollarını, omuzlarını, bağrını kaplayan dövmelere bakmakla meşguldü. Çocuğun şaşkınlığını fark eden kız onu yanına çağırıp, tablo koleksiyonunu misafirine gezdiren bir sanat koleksiyoncusu edasıyla dövmelerini gösterdi. Sol kolunda bir oğlak vardı, burcunu temsilen. Oğlak orada yalnız kalmasın diye yanına ağzından ateş püskürten bir ejderha yaptırmıştı. Ense kökünden başlayıp her iki omzuna doğru genişleyen, beyazlı neftili nilüfer çiçeğinin kökleri sırtından aşağılara kadar iniyordu. Sağ kolunda bir bordo gül, altında iki sözcük vardı: *Rara avis.*

"Ne demek bu?" diye sordu Yunus.

"Nadir kuş demek."

Yunus büyülenmiş gibi kafasını salladı. "Peki ya öbürü?" Kızın bileğinin hemen üstünde yazılı olan ismi işaret ediyordu: *Tobiko.*

"Ah o mu? Uzun hikâye" dedi kız omuzlarını silkerek.

"Esma der ki uzun hikâye diye bir şey yok" dedi Yunus. "Bir anlatmak istediğimiz hikâyeler var, bir de anlatmak istemediklerimiz."

"Esma da kim? Sevgilin mi?"

Kıpkırmızı oldu Yunus. "Hayır, ablam" dedi. "Günün birinde yazar olacak. Kimsenin âşık olmadığı romanlar yazacak, çünkü aşk aptallar için."

Kız kahkahayı bastı. Sonra dövmesinin hikâyesini anlatmaya başladı. Dedi ki vaktiyle "Toby" yazıyormuş bileğinde, erkek arkadaşının ismi. Müzisyenmiş; hep sarhoş olur, dağıtırmış. Ama yine de seviyormuş kız onu. Bir gün ona hamile olduğunu söylemiş. Yalanmış halbuki. Sırf onun tıynetini anlamakmış niyeti, çünkü erkekler böyle bir haber duyunca allak bullak olur, iki zıt tepki verirlermiş. Ya sevinçli bir kabul, ya kızgın bir ret. Kimin nasıl davranacağını önceden kestirmek imkânsızmış. En kibar erkek kabalaşabilir, en sorumsuz olan tam bir ermiş kesilebilirmiş.

"Bir erkeğin karakterini anlamak istiyorsan ona pat diye hamile olduğunu söyleyeceksin. En emin kişilik testi!"

"Peki Toby ne yaptı?" diye sordu Yunus.

"Ah, sorma, çıldırdı. Kafayı yedi pis herif!"

Toby hemen bebeğin kendisinden olup olmadığını sormuş.

Her halükârda onu ilgilendirmezmiş bu mesele. İşte o zaman kız anlamış ki bu adam ona göre değil; kıçına tekmeyi vurmuş. Dövme sildirmek kolay iş değilmiş, kalıcı leke bırakırmış. İzlerle bir derdi yokmuş kızın, onları hayatın bir parçası olarak görürmüş ama *böyle nahoş bir herifin* izini taşımaya niyeti yokmuş. O da dövmeciye gidip Toby'yi Tobiko'ya dönüştürtmüş.

"Vaay. Peki ne anlama geliyor?"

"Bir Japon yemeği" diye açıkladı kız. "Uçan balık yumurtaları."

"Uçan balık yumurtaları" diye fısıldadı Yunus, büyülenmiş gibi.

Bundan daha gerçeküstü, daha tılsımlı bir şey duymamıştı. Yedi yaşındaki Yunus'un gözlerinin önünde düzinelerce uçan balık sudan fırlayıp batan güneşe doğru kaydı. Kıza Tobiko ismini verdi gönlünde. Yunus, adını bir balinanın midesinden canlı çıkmayı başaran peygamberden alan çocuk, âşık olmuştu.

O günden sonra her fırsatta soluğu işgalcilerin evinde aldı. Onlar da onu kabullendiler, yaptıracak iş olmadığında bile kalmasına izin verdiler. Tobiko'nun yanına oturur, onun ağzından çıkan her kelimeye kulak kesilirdi ama konuştukları konulardan hiçbir şey anlamazdı. *Yanlış bilinç, üretim araçları, lümpen proletarya, kültürel hegemonya, meta fetişizmi, küçük burjuvazi...* Sistemin dışında kalırsan içeride anlamlı bir değişiklik yapabilmenin mümkün olmadığını öğrendi. Ancak sistemin bir parçası haline gelmek de insanın ruhunu yok ederdi. *Söyle bakalım, bir şeyin içindeyken dışında durmayı nasıl başarırsın ufaklık?*

Yunus uzun uzun düşündü bu soruyu ama kendini ne kadar zorlarsa zorlasın bir yanıt bulamadı. Onu şaşırtan bir diğer konu da işgalcilerin sık sık "dalga"lardan bahsetmeleriydi.

"Ruhum dalgalı" diyorlardı. "Foş foş!"

"Kafam güzel oldu! Bütün oda dalga dalga."

Geceleri rüyasında Yunus, martıların uçuştuğu bir gökle bütünleşen masmavi, dalgalı bir denize doğru açıldığını görürdü. İşgalciler gülüşüp bağrışarak denizkızları gibi şen, kulaç atardı. Tobiko da orada olurdu; bir yamaçta durur, siyah saçları rüzgârda savrulurken el sallardı. Yunus güneşi yüzünde hisseder, maviliklere dalar, latif ve hafif yüzerdi. Sabah uyandığında ıslak bir yatakta bulurdu kendini, gene yatağına işemiş olarak.

⊠⊠⊠

İşgal evinde, uyduruk çorbalar ve kıymalı fasulye dışında pek yemek pişmezdi. Akşam yemeği yerine bisküvi, çikolata, elma, muz ve süpermarketten alınmış, son kullanma tarihi geçmiş unlu mamuller tüketilirdi. Keyfi yerindeyse eldeki malzemeleri kullanarak kekler yapardı Tobiko. Binbir çeşit reçete uydururdu: limonlu pancarlı uydur buydur kek, kahveli portakallı ıvır zıvır kek. Pişirdikleri her şeye muhakkak bol bol haşhaş koyuyorlardı.

Belediye meclisi uzun zamandır işgalcileri çıkarmaya çalışıyordu. Böylece ev yenilenebilecek ve okkalı bir kârla satılabilecekti. İşgalcilerle belediyeciler arasında sürüp giden bir soğuk savaş söz konusuydu. Son olarak elektriklerini kesmişti meclis. Artık evin her katında mumlar ve gaz lâmbaları vardı; duvarlarındaysa ürkütücü gölgeler. Tuvalet sık sık tıkanırdı. Su kıttı. Yunus, Tobiko'nun neden hâlâ burada yaşadığını anlayamıyordu. Keşke yetişkin olsaydı. Mesleği ve mekânı olsaydı, hemen Tobiko'ya yanına taşınmasını teklif ederdi. Ama Tobiko muhtemelen grubun lideri Kaptan'ı da getirmek isterdi. Ve liderlerin kitlelere ihtiyacı olduğundan Kaptan bütün çeteyi davet ederdi; böylece herkes Yunus'un evine doluşur, birkaç hafta içinde orası da işgalcilerin evine benzerdi.

Herkesin "Kaptan" diye seslendiği genç adam kurşun grisi gözleri olan, dişleri tütünden sararmış, saçları rengi anlaşılamayacak kadar kısa kesilmiş, tığ gibi incecik bir üniversite öğrencisiydi. Aklına her geleni söyleyivermek gibi bir huyu vardı. İyi bir hatipti. Konuştukça coşar, dinleyicilerini büyülerdi. Kaptan, Yunus'a "Muzzie"* diye hitap eden ilk kişiydi. Oğlan bu sözcüğü daha önce duymamış, duyunca da hoşlanmamıştı. "Takma kafana" dedi Tobiko, Yunus'a. "Kaptan ırkçı değildir. Antifaşist birinin ırkçı olması kuramsal olarak imkânsız zaten, değil mi?"

Sorudan bir şey anlamayan Yunus gözlerini kırpıştırdı.

"Demek istediğim, Kaptan herkesi kümelere koymaktan hoşlanır, kimin nereye ait olduğunu anlamak için yapar bunu. Kafası öyle çalışıyor."

"Esma da kelimeleri sever" dedi Yunus yersiz bir laf ettiğini bile bile.

Tobiko başını salladı. "Kaptan kelimeleri sevmiyor ki. Onlarla sevişiyor!"

Kıskançlık ve umutsuzluk çocuğun yüzünden okunmuş olmalı ki Tobiko bir anda onu yakalayıp kendine doğru çekti ve alnından öpüverdi.

"Ah, keşke on yaş büyük olsaydın!"

"Olacağım" dedi Yunus kulaklarına kadar kızararak. "On yıl sonra."

"O zamana kadar ben yaşlanırım. Erik kurusu gibi kırış kırış olurum" dedi Tobiko.

"Ben de hızlı büyürüm o zaman" diye atıldı Yunus.

"Eminim öyle olur" dedi Tobiko aniden ciddileşerek. "Daha şimdiden benim tanıdığım en yaşlı çocuksun."

Sonra bir kez daha öptü onu, bu kez dudaklarından, hafifçecik ve ıslak. Yağmuru öpüyormuş gibi hissetti Yunus. Yüreği hop etti.

---

* Muzzie: İngiliz argosunda Müslüman birine hitap etmek için kullanılan bir terim. Kendi başına aşağılayıcı bir nitelik taşıdığı söylenemezse de o niyetle kullanıldığı durumlar olabilir.

"Asla değişme, olur mu?" diye fısıldadı Tobiko. "Açgözlü materyalist kapitalist sistemin seni ele geçirmesine izin verme."

"Pe...ki."

"Söz ver bana. Yok... dur. Senin için kıymetli bir şeyin üstüne yemin et."

"Kuran olur mu?" diye sordu Yunus çekinerek.

"Hımm, olur. Tamam."

Annesi Yunus'un boynuna ufacık bir Kuran-ı Kerim takardı, gümüş kolye ucunda. Onu çıkarıverdi Yunus. Ve böylece, yedi yaşındaki oğlan hemen oracıkta Kuran'a el basarak materyalist kapitalist sistemi yanına yaklaştırmayacağına ant içti. Tek mesele, bunun ne anlama geldiği hakkında en ufak bir fikrinin bile olmamasıydı.

Cemile

12 Ekim 1977
Fırat Nehri yakınlarında bir köy

Seneler var ki hasret çekiyordu Cemile. Eş ikizi, aynadaki yansıması, kalbinin yarısı, hayatta en çok sevdiği insan gitmişti. Pembe artık başka bir göğün altında uyuyor, ara sıra mektuplar ve üzerinde kırmızı, iki katlı otobüslerin ya da saat kulelerinin olduğu kartpostallar yolluyordu. Ziyarete geldiğinde –olur da gelirse– giysileri değişik kokuyor, yumuşacık oluyordu. Cemile'yi her seferinde şaşırtırdı kız kardeşinin bavulunu açışıyla birlikte o yabancı topraklara ait kokuların etrafa yayılışı. Pembe, nasıl olsa tez zamanda temelli döneceğine ve her şeyi aynen bıraktığı gibi bulacağına inanarak gitmişti gurbete. Ama ne buralar aynı kalmıştı, ne de giden geri gelmişti.

Pembe İngiltere'deki hayatını anlatan mektuplar yolluyordu ikizine. Çocuklar da zaman zaman bir iki satır yazıyordu. En çok da Yunus. Cemile bu mektupları yatağının altında, teneke bir çay kutusunda saklıyordu, gizli bir hazine gibi. Ona kalsa daha sık yazardı ama anlatacak pek fazla şeyi yoktu ya da öyle sanıyordu. Londra'ya yolladığı mektupların bazıları yerine ulaştıysa, bir o kadarı da yollarda kaybolmuştu.

Bir ay önce Cemile, Yunus'a kraliçeyi görüp görmediğini, gördüyse neye benzediğini sormuştu. O da yanıtlamıştı.

Kralçe Sarayda yaşar. Saray öyle büyükti içinde kaybolur. Ama bulup tahtına oturturturlar. Her gün farklı elbise giyer ve komik Şapga takar. Şapgayla elbiseyin aynı renk olması şart. Elleri yumşak ve beyaz çünkü eldiven giyer ve krem sürer. Bulaşık yıkamaz. Okulda resmini gördüm. İği birine benziyor.

Cemile, Toprak ailesinin bu kadar uzun süredir o adada yaşadıkları halde nasıl olup da kraliçeyi dergiler ve gazeteler dışında görmediklerini anlayamıyordu. Bazen ikizinin, bulunduğu mahalleden dışarı çıkıp çıkmadığını merak ediyordu. Eğer sürekli dört duvar arasında kapalı kalacaktıysa o kadar uzak bir ülkeye gitmesinin ne anlamı vardı? Neden insanlar doğdukları yerde yaşayıp ölemiyorlardı? Cemile büyük şehirleri boğucu buluyor, bilmediği yerleri düşününce bile ürküyordu – binalar, caddeler ve kalabalıklar kaya olup göğsüne oturuyor, soluğunu kesiyordu.

Mektuplarında Pembe, genellikle sonlara doğru bir yerde hep aynı soruyu sorardı: "Bana kızgın mısın? Affettin mi?" Oysa yanıtı zaten biliyordu. Cemile ne ona ne bir başkasına kırgındı. Nihayetinde her insan alnına yazılanı yapardı. Gene de Cemile bu sorunun zaman zaman sorulması gerektiğinin farkındaydı; tıpkı düzenli olarak pansuman edilmesi gereken cerahatli bir yara gibi.

Kız Ebe derlerdi ona. Cemile'nin bu yoksul diyarın son yüz yılda gördüğü en maharetli ebe olduğu söyleniyordu. Varlığı bile doğumun kolay geçeceğine işaretmiş, Azrail'in uzak durmasına yetermiş gibi rahatlardı hamile kadınlar o işbaşında olunca. Kocaları da bilmiş bilmiş kafa sallayıp, "Kız Ebe burada. Her şey yolunda gidecek hayırlısıyla. Önce Allah'a, sonra ona emanet" derlerdi.

Cemile bunları duyunca irkilir, beklentilere karşılık verememekten endişe ederdi. O da biliyordu mesleğinde iyi olduğunu. Ama her zirvenin bir sonraki aşaması iniş demekti. Gün gelecek, yaşlılıktan, dermansızlıktan ya da sırf talihsizlikten işini yapamaz olacaktı. Her ebe gibi o da adının Allah'ın adıyla bir nefeste anılmasından rahatsızdı. Ne vakit köylülerin böyle densizce konuştuğunu duysa, kendi kendine mırıldanırdı *tövbe tövbe* diye. Kimse duymasa da olurdu, Allah işitse yeterdi. Cemile dindar kadındı. Yaşamın tek kaynağı ve koruyucusu olan Rabbe, O'nunla rekabete kalkışmadığını anlatmak zorundaydı.

Başarının pamuk ipliğine bağlı olduğunun farkındaydı. Sen kendini istediğin kadar deneyimli ve bilgili san, öyle bir doğum çıkardı ki bazen karşına, elin ayağına dolaşır, adeta çaylağa dönüverirdin. Arada sırada, var gücünle uğraşsan dahi bir şeyler ters, hem de çok ters giderdi. Sebepsiz, öylesine. Bazen de zamanında yetişemediği, geldiğinde anneyi kendi kendine doğum yapmış, hatta göbek bağını kör bir bıçakla kesip saç teliyle bağlamış vaziyette bulduğu olurdu. Cemile bütün bunları Allah'ın ona faniliğini hatırlatmak için yolladığı işaretler olarak yorumlardı.

Yine de uzak köylerden, ıssız mezralardan gelirlerdi onu almaya. Evlerine daha yakın başka ebeler olsa bile onlar illa Cemile'yi isterdi. Seveni çoktu bu topraklarda. Adını ondan alan düzinelerce kız vardı – Cemile Yeter.

"Biz senin ismini verdik, Allah da senin yarın kadar pak olmak nasip etse yeter" diye dua ederdi doğurttuğu kızların babaları.

Kinayenin farkında olan Cemile dinlerdi hiçbir şey demeden. Kızlarının namuslu ve erdemli olmasını elbette isterdi bu babalar, ama zamanı gelince evlenip çoluğa çocuğa karışmalarını da arzu ederlerdi bir o kadar. Kızlarının adları benzeyebilirdi Ebe Hanım'a ama yazgıları benzesin istemezlerdi.

Omzunda el örgüsü şal, elinde isli bir lâmbayla pencereye yaklaşıp gözlerini kısarak karanlığa baktı. Geçit vermez çalıları ve meşakkatli toprağı ile yorgundu vadi; gecenin kalın örtüsü altına kıvrılmış, çıplak ve çorak uyumaktaydı.

Cemile bu zorlu diyarı, içinde altın gibi bir kalp gizleyen sert çehreli bir adama benzetirdi. Bu kadar ücra, böylesine çetin bir mekânda tek başına yaşamak zorunda değildi. O da gidebilirdi. Herhangi bir yere. Ne var ki farklı bir toprakta her şeye baştan başlamak için ne yeterli imkânı ne de ona yardım etmeye yanaşacak yakınları vardı. Otuz birindeydi, yaşı geçmiş, evde kalmıştı. Aile kurmak için geçti artık. *Kuru bir rahim içi geçmiş kavun gibidir. Dışarıdan iyi görünse de yaramaz*, derdi köylüler onun gibi kadınlar için.

Öyle de olsa hâlâ onu alacak birileri çıkabilirdi – bir dula ya da engelliye veya ihtiyara varabilirdi. Birilerinin ikinci karısı olmayı kabullenmek de bir seçenekti – ya da üçüncü karısı, belki dördüncü. Bu durumda yalnızca ilk eş yasal oluyordu tabii. Hastaneye, mahkemeye ya da vergi dairesine gidip, meşru çocuklara sahip evli bir kadın olduğunu sadece o iddia edebilirdi. Ama bu diyarlarda bir kadın şayet bulaşıcı hastalıktan ölmüyorsa, başı sıkışmamışsa ya da aklını peynir ekmekle yemediyse zaten öyle yerlere gitmezdi. O durumda da ha birinci eş olmuşsun, ha dördüncü, ne fark ederdi ki?

Evi —eğer bu barakaya ev denebilirse— kendisinin ve yedi kız kardeşinin dünyaya geldiği Mala Çar Bayan köyünün hemen dışında, bir vadinin yakınlarına kondurulmuştu. Yamaçtan aşağıya bakınca ta uzakta, taş kesilmiş devleri andıran ve güneş vurduğunda yakut gibi parlayan öbek öbek kayalar görülürdü. Bu kayalarla ilgili bir sürü efsane vardı, her efsanenin ardında da bir yasak aşk öyküsü. Hıristiyanlar, Müslümanlar, Zerdüştiler ve Yezidiler yüzyıllar boyunca buralarda yan yana yaşamış, sevmiş, didinmiş ve gene yan yana vefat etmişlerdi. Ama onların torunları, ırak memleketlere gitmişti çoktan. Kala kala bir avuç köylü kalmıştı – bir de Cemile.

Zamanında hayat dolu olan topraklar gün gelip terk edildiklerinde bir tür hüzün çöker coğrafyaya; havada dolanıp duran, bulduğu her çatlaktan içeri sızan bir keder bulutu asılı kalır.

Belki de bu yüzden metruk mahallerin sakinleri yaşadıkları yerlere benzer; ketum ve kapalı. Ne var ki bu, yüzeyde görünen resimdir ve tıpkı yerküre gibi insanların da dışı nadiren içiyle aynı olur. O ihtiyatlı katmanın altında sıcak, sevecendir yöre insanı. Güvendiğine açar içini.

Giydiği kat kat giysilerin, takındığı katı hallerin altında bambaşka bir Cemile vardı – gülüşü gümüş bir çıngırağın çınlamasını andıran, genç, güzel ve şen bir kadın. Ama nicedir ortalarda dolaşan o değildi; odun kıran, tarlaları tırpanlayan, su çeken, merhemler hazırlayan bir başkasıydı. Ruh sağlığı için endişeleniyordu bazen. Bu kadar yalnızlık belki de yapacağını yapmış, kemirmeye başlamıştı aklını.

Rüzgâr uzaklardaki dağlardan estiğinde, beraberinde yaban çiçeklerinin, taze otların ve çiçeklenen fundaların rayihalarını getirirdi. Ama bazen insanın tenine sinen ağır bir et kokusu taşıdığı da olurdu. Bölgede kaçakçılar ve haydutlar vardı – mağaradan mağaraya, kayalıktan kayalığa dolaşıp durur, hiçbir yerde bir günden fazla kalmazlardı. Aysız gecelerde, karanlıkta yıldızlar gibi parıldayan kamp ateşlerini görebilirdi Cemile. Ne yediklerine ve ne mesafede dolandıklarına bağlı olarak havadaki kokular da değişirdi.

Kurtlar da vardı. Cemile onların sesini hep duyardı – gündüz, akşama doğru, gece yarısı. Hırlayıp homurdanır, tiz perdeden ve birbiri ardınca ulurlardı. Arada bir Cemile'nin kapısına kadar geldikleri olur, sinsice yaklaşır, yalnızlığını koklarlardı. Sonra suratlarını asıp çenelerini kapatır, onu yeterince iştah açıcı bulmamış gibi çekip giderlerdi. Cemile endişe etmezdi hayvanlardan. Kurtlarla aralarında bir düşmanlık yoktu. Haydutlara gelince, onlar basit bir ebeden daha semiz ödüller peşindeydiler. Ona ilişmezlerdi. Cemile vadiden korkmazdı. Zaten tehlikenin insanın en az beklediği yerden geldiğine inanırdı.

Bir çıranın tutuşmasıyla, ocakta közlenmiş öbek birden can-

landı. Cemile'nin yüzü aydınlandı ama evin geri kalanı gölge-
lere gömülüydü. Köylülerin onu sevmediğini ama saydıklarını
tahmin ediyordu. Başka hiçbir kadının ayak basamayacağı
yerlere girmesine izin verilirdi. At, eşek, katır sırtında gezer,
bazen de at arabasıyla giderdi. Çoğu zaman yanında bildiği
birileri olsa da yabancılarla birlikte yola düştüğü de olurdu.

"Hemen gelesin bacım!"

Daha önce hiç tanımadığı bir adam gecenin bir yarısı kapı-
sını çalar, yalvarırdı: "Karım doğuruyor. Durumu iyi değil.
Acele etmek lazım."

Yalan söylüyor olabilirdi. Art niyetli olabilirdi. Cemile, peşi-
ne düşüp gecenin içine doğru yola çıktığı adamın onu kaçırıp
ırzına geçebileceğini, hatta öldürebileceğini bilirdi. Ama
güvenmek zorundaydı; ona değil, O'na. Öte yandan aklı başın-
da kimsenin çiğnemeye cesaret etmediği birtakım yazılmamış
kurallar vardı buralarda. Bir ebe, bebekleri dünyaya ulaştıran
biri, kadından öte bir varlıktı. Görünmeyen âlemle görünen
arasında köprü vazifesi yapan, iki tarafta da yeri olan, yarı
kutsal, yarı lanetli biriydi o.

Bir çıra daha atarak ocaktaki alevleri besledi. Bakır cez-
veyi ateşe yerleştirdi. Su, şeker ve kahve. Üçü de birbirinden
kıttı. Ama aileler ona sürekli hediyeler –kına, bisküvi, safran,
antepfıstığı, yerfıstığı, kaçak tütün– getirirlerdi. Cemile bilir-
di ki yaptığı iş karşılığında para almaya kalksa ücreti bir kere
ödenir, konu kapanırdı. Oysa insan emeğinin karşılığında ıvır
zıvır aldığında hayat boyu sürüyordu ödemeler.

Eğer evde kalmışsan, hele bir de başka hiçbir kadının yap-
madığı işlere girişmişsen sırtına görünmez bir zırh geçirmiş-
sin demekti. İnsanlar senden uzak durur ve hatta sana acır-
lardı belki ama yine de saygıyla yaklaşırlardı. Eline erkek eli
değmemiş bir kadın hem sakınılacak hem de hürmet edilecek
biriydi.

Kahveyi yavaşça karıştırdı. Dediklerine göre kahve aşk gibiydi, ne kadar sabır ve özen gösterirsen tadı o kadar güzel olurdu. Cemile pek bir şey bilmiyordu bu hususta. Yalnızca bir kez âşık olmuştu. Dili yanmış, yüreği dağlanmış; bir daha asla kalbini kimseye açmamıştı.

Kabarmakta olan köpükten gözünü ayırmaksızın çevresini saran uzak ve yakın seslere kulak kesildi. Ruhların cirit attığı vadi capcanlıydı. Pirinç tanesinden basit, gözün göremeyeceği kadar minik ama bir o kadar kudretli ve tehlikeli yaratıklar vardı. Kuşlar pencerelere vurur, böcekler suyun yüzeyinde sekerek dolaşırdı kovalarda. Her şeyin bir dili olduğuna inanırdı Cemile. Gökleri gümbürdeten fırtınanın, sabah çiyinin, şeker kavanozunda dolanan böceklerin... Bazen onların ne dediklerini anladığını sanırdı. Ya da aklını yitiriyordu.

Ebelik yapmaktan daha fazla sevdiği bir şey yoktu. Hayattaki amacı, yegâne servetiydi bu. O yüzden de yoğun sis, kavurucu güneş ya da metrelerce kar demeden, gece gündüz her an hazır ve nazır beklerdi kapısının çalınmasını. Kimseler bilmese de yüreğinin derinlerinde o çoktan evlenmişti. Yazgısıyla evliydi Cemile. Kaderine varmıştı.

❌ ❌ ❌

Dışarıda gecenin sesleri yankılandı. Cemile kahveyi ateşten alıp kırık saplı bir porselen fincana koydu. Ufak yudumlarla içti. Ateşin için için yanışını kendine benzetti. O da kimseyi yakınına yaklaştırmıyor; arzularının, gençliğinin yanıp köze dönmesine izin veriyordu.

Uzaklarda bir kuş öttü – bir baykuş. Harabelerin bekçisi. Bir daha öttü, bu kez daha cesurca. Cemile, gözleri sımsıkı kapalı vaziyette düşüncelere dalmıştı. Zorluklara rağmen mutlu bir çocukluktu hatırladığı. Kendilerini yalnız hissettikleri günler olmuştu elbet, sekiz çocuklu bir ailede insan şaşırtıcı ölçüde yalnızlık çekebilirdi. Öyle zamanlarda ikizlerden biri anne olurdu, diğeri bebek. Üç dakika daha büyük olmasına rağmen

Pembe hep bebek olmak isterdi. Cemile ise anne rolü yapar; onu denetlemeye, esirgemeye çalışırdı. Yavrusunu ninnilerle sallar, şakacıktan emzirirdi. Şimdi dönüp baktığında o oyunlara, ne kadar ciddi olduklarına şaşıyordu Cemile.

Babaları Berzo'nun bir keresinde onları götürdüğü kasabayı ve orada keşfettikleri Dilek Çeşmesi'ni hatırladı. Evladı olmayan kadınlar, gelinlerinin dilini kesmek isteyen kaynanalar, zengin koca bulma hayalleri kuran bakireler buraya gelip suya bozuk para atardı. Etrafta kimseler kalmadığında Pembe paçalarını sıvamış, havuza girip paraları toplamıştı. Sonra ikisi birlikte heyecan çığlıkları atarak en yakındaki bakkala koşmuş, bayat çikolatalar ve horozşekerleri almışlardı.

Bu maceradan ne kadar hoşlansa da kendini suçlu hissetmişti Cemile. Hırsızlıktı yaptıkları. Daha beterdi. İnsanların dileklerini çalmak, cüzdanlarını almaktan daha fenaydı.

"Duygusal olma" demişti Pembe, Cemile kaygılarını ona açınca. "Onlar zaten paraları atmışlardı, biz de topladık, ne var?"

"Evet ama o paralara dualarını bağlamışlardı. Birisi senin dileğini çalsa sen bozulmaz mısın? Ben bozulurum vallahi."

Pembe sırıtmıştı. "Ee, neymiş bakalım senin dileğin?"

Cemile köşeye sıkıştırıldığını hissederek afallamıştı. Bir gün evlenmek istiyordu —bir gelinlik ve şehirde yaptıkları türden beyaz kremalı pasta harika olurdu— ama o kadar önemli değildi. Çocukları olsun istiyordu ama gerçekten böyle bir arzu duyduğu için mi, yoksa herkes bunu salık verdiği için mi? Keza bir çiftlik evi ve arazisi olsa hoş olurdu ama bu bir tutkudan ziyade hevesti. Düşündükçe, Dilek Çeşmesi'nin önüne ziyaretçi olarak gelmediğine, yalnızca bir hırsız olduğuna sevindi Cemile. Demek biri dilekte bulunması için eline para tutuştursa, aklına hiçbir şey gelmeyecekti.

Onun tereddüdü karşısında dudak bükmüştü Pembe. "Ben denizci olup dünyayı dolaşacağım. Her sabah başka bir limanda uyanacağım."

İçi cız etmişti Cemile'nin; hiç bu kadar yalnız hissetmemişti kendini. Her konuda aynı olmalarına karşın aralarında hayati bir fark vardı: Hayalperestlik! Pembe, Fırat Nehri'nin ötesindeki dünyayı merak ediyordu. Başkalarının onun hakkında ne düşündüğüne aldırmadan yüreğinin peşinden gidecekti. Hayatın, ikiziyle yollarını bir gün mutlaka ayıracağı korkusu bir anda gelip oturmuştu Cemile'nin yüreğine.

Babaları Berzo ikiz olmanın hem şans hem lanet olduğunu söylerdi. Şanstı, çünkü her zaman güvenebilecekleri biri vardı. Ama aynı zamanda lanetti, çünkü içlerinden biri herhangi bir talihsizlik yaşadığında ikisi birlikte acı çeker; hüzünleri katmerli yaşarlardı. "Eğer öyleyse" diye düşündü Cemile, "acaba hangisi daha çok üzecek bizi – Pembe'nin tutkuları mı, yoksa benim tutkusuzluğum mu?"

Günlerden salıydı. Daha dün gibi hatırlıyorum. O ana dek hayatımda hiç kekelememiştim. 14 Kasım 1978. Bir bıçak edinmeye karar verdiğim gün.

Okulun yemekhanesindeydik bizim çocuklarla. Mavi plastik tepsiler. Fırında püreli et yemeği, reçelli tatlı, metal sürahiler, her zamanki gevezelikler. Espriler patlatır, milletle "çak!"laşıp dururken bir anda her kelimede teklemeye başladım. O kadar aniydi ki herkes şaka yaptığımı sandı.

Ertesi günkü maçtan bahsediyorduk. Chelsea, Dinamo Moskova karşısında. Dostluk maçıydı gerçi ama seyretmeye değerdi. Arşad —günün birinde Nottingham Forest defansında oynamayı hayal eden, kısa boylu, tıknaz bir Pakistanlı— bizimkilerin ortalığı silip süpüreceğine dair yeni Doc Martens botları üstüne bahse gireceğini söyledi ama oralı olmadık. Palavralarına alışkındık.

Ciddiye alınmadığına bozuldu Arşad. Gözleri parlayarak bana döndü ve önümdeki tepsiyi işaret etti: "Alex be, şu tatlıyı bana versene" dedi.

Başımı salladım. "H...ha...yattt...ta o...ol...m...maz! Ha...di i...kii...ki...le."

Durup yüzüme baktı. Öbürleri de bakıyordu; sanki hayatlarında ilk kez görüyorlardı beni. Sonra birisi üst sınıftaki bir çocuktan bahsetti. Öyle fena kekelerdi ki garibim, kimse konuşmazdı onunla. Onunla dalga geçtiğimi sanarak gülmeye başladılar. Ben de güldüm. Ama içimde, ta derinlerde bir panik dalgası büyüdü. Tepsimi Arşad'a doğru itip başımla tatlıyı alabileceğini işaret ettim. İştahım kaçmıştı.

Teneffüs sonrası sınıfa döndüğümde moralim sıfırdı. Nasıl böyle durup dururken konuşma bozukluğuna tutulmuştum? Ailemizde hiç kekeme yoktu. Bu tip şeylerin irsi olması gerekmez miydi? Anlık bir sorundu herhalde. Geçici bir dil dolaşması. Belki de geldiği gibi gidecekti. Emin olmak istedim. Saatimi cebime atıp vakti sormak bahanesiyle köşede duran kızlara yaklaştım. Ama konuşmaya kalktığımda ağzımdan çıkan tek şey boğuk bir ses oldu.

Kızlar kıkırdaştılar. Kuş beyinliler! Onlara abayı yaktığımı filan sanmış olmalılar. Geri döndüm, yüzüm alev alev. Kate'in gözünün üstümde olduğunun farkındaydım. Tarih dersi başlayınca bana bir not fırlattı:

Maggie, Christine, Hilary. Oğlan olursa, Tom

Kâğıdı buruşturup cebime koydum. Anında bir tane daha attı:

Neyin var senin?

Omuzlarımı silkip, önemli değil manasına gelen bir el hareketi yaptım. Ama Kate mesajı aldıysa da ikna olmuşa benzemiyordu. Ben de ona not yazdım:

Sonra söylerim! Uzatma!

Ders boyunca, hoca sözlüye kaldıracak diye ödüm koptu. İşte o zaman milletin dilinden kurtulamazdım. Neyse ki soru filan sormadı. Eziyet biter bitmez sırt çantamı kapıp kapıya yöneldim. Kalan dersleri asmaya, ilk defa eve erken gitmeye karar vermiştim.

❌❌❌

Eve varıp zili çaldığımda saat üç buçuktu. Kapının açılmasını beklerken gözüm zildeki isme takıldı:

Âdem Toprak

Kız kardeşim Esma bunu o süslü el yazısı ile yazmıştı. İstemeye istemeye. "Biz de burada oturuyoruz, değil mi?" diye homurdanmıştı. "Niye sadece babamın adını yazıyoruz?"

Esma ufak tefek bir kızdı ama hep kocaman laflar ederdi: hürriyet, fırsat eşitliği, sosyal adalet, kadın hakları, insan hakları... Arkadaşlarım onun ya deli ya da gizli komünist olduğunu düşünüyorlardı. Esma'ya kalsa şöyle yazardı:

Toprak Ailesi

Ya da

Âdem, Pembe, İskender, Esma, Yunus ve Japon Balığı

Benimse umurumda değildi. Bana sorsalar boş bırakırdım isim yerini. Öylesi daha doğru olurdu. Burada kimse yaşamıyor anlamında. Biz bu dairede barınmıyorduk ki, geçici ikametti bizimkisi. Ev dediğimiz, tek yıldızlı otelden farksızdı; çarşafları oda hizmetçileri yerine annem yıkıyordu ve kahvaltı her sabah aynıydı: beyazpeynir, siyah zeytin, cam bardaklarda demli çay.

Arşad ileride bir gün pekâlâ birinci ligde oynayabilirdi. Ceplerini mangırla, arabasını fıstıklarla doldurabilirdi ama bizim gibiler her zaman dışlanmaya mahkûmdu. Yabancı geldiysen yabancı giderdin, kaçarı yoktu.

İngilizlerin bizi kendi dengi gibi görebileceklerini düşünmek rüzgâra karşı işemek gibiydi. Bazıları sevgiden, barıştan, kardeşlikten dem vurmayı âdet edinmişti. Ama sonra hayatın gerçekleri, bütün o sevginin, barışın ve kardeşliğin içine ediyordu. Arşad'ın bunlara kafası basmıyordu ama ben farkındaydım. Toprak ailesinin, Londra'nın yanlış yakasında oturan yarı Türk yarı Kürt bir ailenin, bu şehirde kalıcı olmadığını çakozlamıştım.

Zile bir daha bastım. Çıt çıkmıyordu. Annem ne cehennemdeydi? Kuaföre gitmiş olamazdı. Birkaç gün evvel işten ayrılmıştı. Mademki babam gittiğinden beri bu ailenin reisi bendim, annemin çalışmasına karşıydım. Ağlamış ama direnmemişti. Haklı nedenlerim olduğunu biliyordu. Herkes dedikodu yapıyordu. İnanmayanlar bile "Ateş olmayan yerden duman çıkmaz" diyordu. Ben de anneme evde oturmasını söylemiştim.

Okulda kimsenin bunlardan haberi yoktu. Bilmeleri gerekmiyordu zaten. Okul okuldu, evse ev. Kate de bir şey bilmiyordu. Manita manitaydı, aileyse aile. Birbirine karışmaması gerekiyordu. Tıpkı su ile yağ gibi.

Annemin bakkala gitmiş olabileceği geldi aklıma. Anahtarımı çıkarıp deliğe soktum ve çevirdim ama açılmadı. Kapı içeriden sürgülenmişti. Birden koridorda ayak sesleri duydum.

"Kim o?"

"Bb...be...nim, a...a...ann...ne."

"İskender, sen misin?"

Kötü bir şey olacakmış gibi bir panik havası vardı sesinde. Pes perdeden, hızlı hızlı bir fısıltı duydum. Annemin sesi değildi bu. Kalbim gümbürdemeye başladı, soluksuz kaldığımı hissettim. Ne ileri ne geri gidebiliyor, salak gibi anahtarla uğraşıp duruyordum. Bir dakika, belki daha uzun bir süre devam etti bu hal, sonra kapı açıldı.

Annem kapıda dikilmiş, girişi kapatıyordu. Dudakları gülümsercesine yukarı kıvrılmıştı ama yeşil gözlerinde tuhaf bir sertlik vardı. Topuzunun dağıldığını fark ettim, bir de bluzunun düğmelerinden birinin yanlış iliklendiğini.

"İskender, oğlum" dedi. "Erken gelmişsin."

Cevap vermedim.

"İyi misin?" dedi annem. "Betin benzin atmış sultanım."

"Bana öyle seslenme!" diye haykırmak istedim. "Bana artık hiçbir şey deme!" Onun yerine sustum, ayakkabılarımı çıkarıp içeri girdim; geçerken neredeyse deviriyordum onu.

Doğruca odama gidip kapıyı çarptım ve kimse girmesin diye arkasına bir sandalye koydum. Yatağa atlayıp yorganı kafama çektim; soluğuma odaklandım – boks dersinde öğrettikleri gibi. Nefes al. Nefes ver. Nefes al. Nefes ver...

Dışarıdan belli belirsiz sesler geliyordu: yer döşemelerinin çıtırtısı, rüzgârın esişi ve çiseleyen yağmur. Tüm bu karmaşanın içinde sokak kapısının açıldığını ve birisinin fare gibi sessizce dışarı süzüldüğünü işittim.

Annem eskiden ne çok severdi beni – ilk çocuğu, ilk oğlu, roniya çavê min.* Şimdi her şey değişmiş, bozulmuştu. Gözlerim doldu. Ağlamamak için kendimi tokatladım. İşe yaramadı. Tekrar tokatladım, bu kez daha sert.

Koridordan gelen ayak seslerini dinledim, kalp atışları gibi hafif ve düzenli. Annem kapımda durdu ama çalmaya cesaret edemedi. Hareketlerini hissediyor, suçluluğuna dokunabiliyor, utancının kokusunu alıyordum. Öylece birbirimizin soluklarını dinleyerek ve birbirimizin aklından geçenleri kestirmeye çalışarak ne kadar durduğumuzu Allah bilir.

Sonra gitti – söyleyecek hiçbir şeyi yokmuş, herhangi bir açıklama borçlu değilmiş, benim fikrimin ya da öfkemin bir önemi yokmuş gibi. İşte o zaman Tarık Amcamın annem hakkında söylediği o korkunç lafların doğru olduğunu anladım. Bıçağı satın almak o vakit düştü aklıma. Tahta saplı, düğmesine basılınca açılan cinsten. Tabii ki yasadışı. Hiç kimse benim gibi birine sustalı satarak aynasızlarla başını derde sokmak istemezdi. Ama ben aradığımı nerede bulacağımı biliyordum. Bu işin tam adamını tanıyordum.

Kimsenin canını yakmak değildi niyetim. Sadece korkutacaktım; ya annemi ya da buluşup durduğu o pis herifi.

İskender Toprak
Shrewsbury Hapishanesi, 1990

* Roniya çavê min: (Kürtçe) Gözümün nuru.

Âdem

Âdem mutsuz bir adamdı. Belki de Pembe'nin ona kızamamasının nedeni buydu; onunla az biraz zaman geçiren herkes kederini apaçık görebilirdi. Sık sık çocukluğundan söz eder, aynı anıları tekrar tekrar anlatırdı. Hani zararlı olduğunu bile bile atıştırmaktan vazgeçilemeyen çerezler gibiydi onun için geçmiş. Elinde olmadan, belki farkında bile olmadan başlayıverirdi gene eskilerden bahsetmeye.

Pembe'nin doğasına aykırıydı geriye bakmak. Ya zamanın ya dualarının işleri mutlaka yoluna koyacağına inanır, zerre kadar isyan etmeden, umutsuzluğa düşmeden var gücüyle asılırdı hayata. Yaşanan her şeyin er ya da geç bir hayrı dokunacağına emindi. Gelecek onun için bir vaatler ülkesiydi. Henüz görmemiş olmakla birlikte parlak ve güzel olduğuna emindi. Bir sonsuz potansiyeller diyarıydı yarın. Pembe'nin kendini geleceğe böylesine adayışını açıklayabilecek tek bir kelime vardı: "inanç" – görmeden inanma yetisi.

Âdem içinse bir mabetti geçmiş. Güvenilir, sağlam, değişmez ve hepsinden önemlisi kalıcıydı. Her şeyin başlangıcına dair sahip olduğu kavrayışın kaynağıydı: Ona tutarlılık ve süreklilik hissi verirdi. Dünü büyük bir bağlılıkla tekrar tekrar ziyaret etmesine neden olan şey ihtiyaçtan ziyade bir görev duygusuydu – daha büyük bir iradeye boyun eğmek gibi. Karısının geleceğe olan inancına karşılık Âdem geçmişe iman etmişti sanki. Aralarındaki en büyük fark buydu ve sonuna kadar da öyle kaldı.

⊠⊠⊠

Arkadaşlarının aksine, çocukken iki babası olmuş Âdem Toprak'ın: ayık babası ve sarhoş babası. Aynı bedende yaşamakla birlikte iki adam birbirlerinden gündüz ile gece kadar farklıymış. Aralarındaki zıtlık öyle çarpıcıymış ki Âdem, babasının her akşam içtiği sıvının sihirli bir iksir olduğundan şüphelenirmiş. Kurbağayı prense ya da ejderhayı cadıya çevirmiyormuş belki ama sevdiği adamı bir yabancıya dönüştürebiliyormuş.

Düşük omuzlu, konuşkan bir adam olan Baba (Ayık Olan), üç oğluyla (Tarık, Halil ve Âdem) vakit geçirmeyi sever, her gittiği yere onlardan birini –sevgi ve ilgi piyangosu kime çıktıysa– yanında götürürmüş. Günün talihlisi, babasıyla İstiklal Caddesi'nde dolaşmaya çıkar, bazen de onun işyerine –Taksim yakınlarında bir oto tamircisinde ustabaşıymış babaları– gidermiş. Karmaşık isimli, kocaman arabalar olurmuş orada. Chevrolet Bel Air, Buick Roadmaster, Cadillac Fleetwood ya da yeni Mercedes Benz. Deri döşemeler, krom telli jant kapakları ve göz kamaştıran iki tonlu boyalar. Bu modellere sahip olmak öyle herkesin harcı değilmiş; sahipleri çoğunlukla politikacılar, işadamları, kumarhane sahipleri ya da futbolcularmış. Duvarlarda tamircilerin, nüfuzlu müşterileri ve onların lüks arabalarıyla yan yana fotoğrafları asılıymış. Kimi arabalar şoförler tarafından getirildiği ve esas sahipleri hiçbir zaman buralara ayak basmadığı için fotoğraflarda poz verenlerin bazıları bu şoförlermiş; bir anlığına da olsa patron olmanın keyfiyle gülümserlermiş objektife.

Bazen babasıyla mahalle kahvesine gidermiş Âdem; akşamı salep, ıhlamur ya da çay içerek, her yaştan erkeklerin tavla ya da dama oyunlarını seyrederek geçirirlermiş. Politika rağbet gören bir konuymuş. Bir o, bir de futbol ve üçüncü sayfa haberleri. Genel seçimlerin yaklaşmasıyla kahvehane hararetli tartışmalara sahne olmaktaymış. Başbakan Menderes Demokrat Parti'nin seçimlerden ezici bir oy üstünlüğüyle çıkacağını iddia ediyormuş. O günlerde kimsenin aklına gelmezmiş iki kez daha seçileceği ve sonunda darbeciler tarafından asılacağı.

Böyle durağan öğleden sonralarda Âdem babasını (Ayık Olan) taklit eder, şeker küpünü ağzına atıp dilini şaklatır, çay bardağını tutarken serçeparmağını havaya kaldırırmış. Öyle çok duman olurmuş ki etrafta, eve döndüklerinde saçları kül tablası gibi kokarmış. Annesi Ayşe doğruca banyoya götürürmüş Âdem'i. Halbuki o bunu istemezmiş. Saçları tütün kokunca büyümüş hissedermiş kendini. Erkek gibi. Bir gün bunu babasına itiraf edince adam gülerek şöyle demiş:

"Bir oğlan çocuğundan erkek çıkaracak iki şey vardır bu dünyada. Unutma! Birincisi bir kadının aşkıdır. İkincisi de başka bir adamın nefreti."

Babası (Ayık Olan), bunlardan yalnızca ilkini bilenlerin yumuşayıp hanım evladı olduklarını, yalnızca ikincisini bilenlerinse katılaşıp taş kestiklerini, adam gibi adam olabilmek içinse her ikisini de öğrenmek gerektiğini anlatmış. Sonra soruvermiş: "Kılıç nasıl yapılır biliyor musun?"

Âdem bu soruya verecek yanıt ararken babası devam etmiş sözüne: "Çeliğe su vererek tabii ki!"

Bir kılıca dikkatlice bakarsan üzerindeki menevişleri görebilirdin. Suyun bu kadar sert ve sağlam bir malzemede iz bırakabilmiş olması şaşırtıcı gelebilirdi. Oysa hünerli ustalar bilirdi ki metali sertleştirmenin yolu onu önce ateşte ısıtmak, sonra suya daldırmaktı.

"Erkekler için de aynı. Aşkla ısıtmak gerekir onları, nefretle sertleştirmek" diye toparlamış babası lafını.

Böylesi güçlü duyguları hiç yaşamamış oluşu Âdem'i kaygılandırsa da kuruntularını kendine saklamış. Aynı yıl ilk defa astım atağı geçirmiş; hayatı boyunca peşinden ayrılmayacakmış bu illet.

Arada sırada, Baba (Ayık Olan) yakınlardaki bir mezbahadan artıklar getirirmiş eve – et parçaları, kemikler ve sakatat. Öyle zamanlarda patronun kamyonetini ödünç alır, aileyi pikniğe götürürmüş. Âdem ve iki ağabeyi arkada oturur, kaç parça sucuk ya da köfte yiyebileceklerine dair birbirlerine meydan okurlarmış. Yanında karısıyla önde oturan Baba şakalar yapar, hatta keyfi yerindeyse camı açıp şarkı mırıldanırmış. Şarkıların hepsi yürek parçalayan cinsten olurmuş ama o onları öyle neşeli söylermiş ki kimse fark etmezmiş. Boğaz sırtlarına doğru yol alırken, kamyonetleri tabak, çanak ve örtülerle dolu, yürekleriyse hafif ve şen olurmuş. Piknik yaptıkları yerin yakınlarında mezarlık olması canlarını sıksa da yapacak bir şey yokmuş. Ezelden beridir şehr-i şehir İstanbul'un manzarası en güzel ve en yeşil yerlerinde ölüler ikamet edermiş.

Oraya vardıklarında çocuklar koşup gölgede bir yer ararlarmış. Oturmadan önce anneleri ölülerin ruhlarına dua okur, onlardan arazilerinde misafir olmak için izin istermiş. Neyse ki ölüler her seferinde olumlu yanıt verirmiş. Ayşe birkaç saniye bekledikten sonra müteşekkir bir edayla başını sallar ve herkese üzerine oturacakları kilimleri dağıtırmış. Sonra da mangalı yakar, yemeği hazırlamaya başlarmış. Bu arada oğlanlar etrafta hoplayıp zıplar, tepelerden aşağı koşturur, karınca yuvalarını dağıtır, çekirgeleri kovalar, ebelemece oynarlarmış. Cızırdayan etin kokusu etrafa yayılırken babaları ellerini çırparak onları sofraya çağırır, kendisi de ilk rakı şişesini açarmış.

Bazen ağırdan alır, zamanla hızlanırmış. Bazense daha en başından bir hız tutturur, normalde bir duble içeceği sürede üç tane deviriverirmiş. Ama öyle ya da böyle, her yemeğin sonunda illaki zilzurna sarhoş olurmuş.

Şişe dibini bulur bulmaz malum belirtiler ortaya çıkmaya başlarmış. Kaşlarını çatar, kendi kendine küfredermiş Baba; çocukları iki dakikada bir öyle sudan şeyler için azarlarmış ki nedenini kimse hatırlamazmış sonradan. Her şey sinirine dokunmaya başlarmış: Yemeğe tuzlu, ekmeğe bayat der, buzu yeterince soğuk bulmazmış. Sinirlerini yatıştırmak için ikinci şişeyi açarmış.

Güneş batmaya yüz tutarken, martılar çığlıklar atarmış tepelerinde. Zaman yavaşlar, keskin bir anason kokusu havada asılı kalırmış. Baba içkisine su koyar; saydam sıvının, kafasındaki düşünceler gibi bulanarak gri bir renk alışını izlermiş. Bir süre sonra zar zor ayağa kalkar, vakur bakışlar ve küstah bir edayla az ötedeki mezarlığa kadeh kaldırırmış.

"Ulan mevtalar, sizdeki şans kimde var be" dermiş Baba sendeleyerek. "Ödenecek kira yok, alınacak benzin yok, doyuracak boğaz yok. Dırdır eden karı yok. Fırça atan patron yok. Ah bir bilseniz ne kadar talihli olduğunuzu."

Mezarlar dinler, alçaktan esen yel kuru yaprakları sağa sola savururmuş. Dönüş yolunda oğlanların önde, onlarla birlikte oturması konusunda ısrar edermiş Baba. Çocuklar ne kadar dikkatli olsalar, ağızlarından çıkan her kelimeye, her nefese mukayyet olmaya çalışsalar da bir terslik olur, illaki bir şey babalarını çileden çıkarıverirmiş. Yoldaki çukurlar, kenarda bir levha, kamyonetin önüne atlayan bir sokak köpeği, tam onlar geçecekken kırmızıya dönen trafik ışığı, radyodaki haberler. Kruşçev denen herif ne yaptığını bilmiyormuş, votkadan yumuşamış beyni; votka zaten adi bir içkiymiş, rakının eline su dökemezmiş; Nâsır Araplardan fazla şey bekliyormuş, aynı dili konuşsalar da birbirlerini dinlemiyorlarmış ki; İran şahı kendisine bir veliaht veremeyeceği bariz olan ikinci karısını niye boşamıyormuş?

"Şu hale bak. Ne menem bir yer oldu bu dünya! Çivisi çıktı." Baba (Sarhoş Olan) çöpçülere, belediye başkanına, mebuslara –eski, yeni, sağcı, solcu demeden siyasetçilere– söylenirmiş. Sonraki birkaç dakika boyunca hiddeti dışarıdaki âleme yönelir, ailesine ilişmezmiş. Derken, kamyonetin içindekilerden biri onu sinir edecek bir şey yapıverirmiş illaki. Çocuklardan biri kıpırdanır, hıçkırır, geğirir, gaz çıkarır ya da kıkırdar veya daha kötüsü, karısı Ayşe yavaş sürmesini rica etme gafletinde bulunurmuş. Tek bir kıvılcım yetermiş.

"Gene n'oluyo lan size?" diye sorarmış Baba. "Kafamı dinleyemeyecek miyim ben? Haa? Patlamamı mı istiyorsunuz siz benim? Bu mu ha derdiniz?"

Kimse yanıt vermezmiş. Oğlanlar ellerine, çelimsiz dizlerine ya da açık camdan içeri girmiş, şimdiyse dışarı çıkamayan karasineğe dikerlermiş gözlerini.

Baba sesini yükseltirmiş. "Ulan, benim kıçım çıkıyor çalışmaktan. Her Allah'ın günü. Eşek gibi! Niçin? Sizi beslemek için. Ben bu ailenin eşeği miyim?"

Birisi estağfurullah diyecek olsa da bu zayıf çaba duyulmazmış bile.

"Vampirsiniz, kanımı emiyorsunuz." Ellerini direksiyondan kaldırıp onlara doğru uzatarak bileklerinin solgunluğunu gösterirmiş. "Sizi doyuracak kanım mı kaldı?"

"Lütfen tut direksiyonu" diye fısıldarmış karısı.

O zaman daha da öfkelenirmiş Baba. "Kapa o kahrolası çeneni kadın! Araba kullanmayı senden mi öğrenicem?"

Âdem, babası için üzülmeden edemezmiş. Suçluluk beynini kemirirmiş. "İşte yine yaptık yapacağımızı" dermiş içinden. "Defalarca uyarmasına rağmen yine kızdırdık adamcağızı." Nasıl da gönlünü almak istermiş babasının, elini öpmek, bir daha kanını emmeyeceğine söz vermek.

"Ben sana fasulyeyi nasıl pişireceğini öğretmeye kalkıyor muyum? Ya da nohudu? Tabii ki kalkmıyorum. Çünkü o benim işim değil. Araba kullanmak da sana düşmez! Sen ne anlarsın arabadan, motordan, ha? Ne anlarsın lan?"

Bir keresinde Baba öyle bir asılmış ki frene, kamyonet buzda paten yaparcasına kendi etrafında dönmüş. Son hızla yolun öbür yanına doğru savrulup bir çiçek tarhına girmiş de birkaç metre ötedeki hendeğe düşmekten şans eseri kurtulmuşlar. Âdem daha evvel bilmediği bir sükûnete açmış gözlerini. Kazalardan sonra olay yerine çöken o mükemmel sessizlik. Rüzgârın fısıltısını ve havadaki ışık huzmelerini fark etmiş. Ağabeyi Tarık dirseğini tutuyormuş, yüzü acıyla çarpılmış halde. Dudağı kanayan Baba dışarı çıkmış. Kamyonetin etrafından dolaşıp karısının kapısını açmış.

"Çık dışarı!"

"Lütfen yapma" demiş Ayşe, benzi kül gibi.

"Sana çık dedim!"

Kolundan tutup dışarı çekmiş karısını ve motor kapağına doğru sürüklemiş.

"Madem o kadar çok biliyorsun, hadi tamir et bakalım."

Annelerinin yüzünde tek bir kas bile oynamıyormuş. Baba, kadının kafasını tuttuğu gibi motorun içine doğru sokmuş.

"Ne o? Tamir edemiyor musun?"

Anneleri bir şeyler mırıldanmış ama öyle boğukmuş ki ağzından çıkanlar, Âdem de, ağabeyleri de ne dediğini anlayamamışlar. Ama babalarının ne cevap verdiğini işitmişler: "O zaman çeneni kapa, bir daha bana nasıl araba kullanacağımı öğretmeye kalkma!"

Oğlanlardan ikisi ve Baba hep birlikte iterek arabayı tarhtan çıkarmışlar. Tarık kırılan kolunu tutarak tek kelime etmeden izlemiş onları. Anneleri de ağlayarak bekliyormuş yolun kenarında. Her seferinde aynı şey olurmuş. Her piknik büyük umutlarla başlar, gözyaşlarıyla noktalanırmış.

Gece çökünce Âdem, gürleyip esen o adamın öteki babası olduğunu hatırlatırmış kendine; tıpkı direksiyonu/duvarları/masaları/kapıları/mutfak dolaplarını yumruklayan, bunlar yetmezse onları sopayla/kayışla/kemerle döven ve bir keresinde karısının kasığına tekme atarak merdivenlerden düşmesine neden olan adamın öteki babası olduğu gibi. İki ayrı babası olduğunu hatırlamak iyi geliyormuş. Acıyı ya da korkuyu dindirmese de, ertesi sabah ikisinden birini (Ayık Olan) sevmeye devam edebiliyormuş o zaman.

Pembe

Pembe köpekleri severdi, çocukluğundan beri. Onların sadakatine, gözleri yumuluyken bile insanın içini okuyabilmelerine hayrandı. Pek çok kişi köpeklerin anlayışının kıt olduğunu düşünse de o bunun doğru olmadığına inanırdı. "Onlar her şeyin farkındalar" derdi. "Ama hep affederler."

Küçükken Pembe'nin düşkün olduğu bir çoban köpeği varmış Mala Çar Bayan köyünde. Sarkık kulaklı, uzunca burunluymuş; kalın kürkü siyah, beyaz ve kahverengi. Kelebek kovalamayı, atılan dalları yakalamayı seven, ne verilirse mideye indiren munis bir hayvanmış. Qitmîr derlermiş ona, bazen de Quto ya da Dodo. İsmi de gözlerindeki parıltı gibi durmadan değişirmiş.

Bir gün durup dururken içine cin girmiş gibi tuhaf hareketler yapmaya başlamış hayvan. Pembe uzanıp göğsünü okşamaya kalkınca üzerine atılıp elini ısırmış. Isırıktan ziyade hayvanın karakterindeki ani değişim olmuş herkesi endişelendiren. Son zamanlarda bölgede kuduz vakaları görüldüğünden köyün üç yaşlısı bir hekime götürülmesi konusunda ısrarcı olmuşlar. Olmuşlar da yakınlarda doktor filan yokmuş.

Böylece Pembe, babası Berzo ile birlikte önce bir minibüse, sonra bir otobüse binerek büyük şehre, Urfa'ya gitmiş. Cemile'den ayrı bir gün geçirme fikri bile sırtında ürpertilere neden olsa da babasıyla baş başa kaldığı için mutluymuş. Sağlam yapılı, iri kemikli, palabıyıklı bir adammış Berzo; yüz hatları sert, şakakları kır, elleri nasırlıymış. Çukura kaçmış ela gözleri yumuşak bakışlıymış ve sinirlendiği anlar dışında sakin mizaçlıymış – tek derdi soyadını dünyanın sonuna dek sürdürecek bir oğlu olmamasıymış. Az konuşan ve ender gülen bir adam olmasına rağmen çocuklarıyla karısından daha iyi anlaşırmış. Buna karşılık kızlar da bir avuç yemi gagalayan tavuklar misali yarışır dururlarmış adamın sevgisini kazanmak için. Şehre gitmek eğlenceli ve heyecanlı, hastanede beklemekse kahırmış. Doktor kapısında sıralanmış tam yirmi üç hasta varmış. Pembe sayıyı biliyormuş, çünkü köydeki diğer sekiz yaşındaki kızların aksine o ve Cemile okula –kırk dakikalık yürüme mesafesinde bir başka köyün tek katlı okuluna– gidiyorlarmış. Sınıfın ortasında ısıdan çok duman saçmaya yarayan bir soba varmış. Küçükler sobanın bir tarafına, daha büyük çocuklar da öbür yanına otururlarmış. Pencereler nadiren açıldığından içerideki hava talaş gibi yoğun olurmuş.

Okula başlamadan önce dünyadaki herkesin Kürtçe konuştuğunu sanırmış Pembe. Ama durumun böyle olmadığını biliyormuş artık. Bazı insanlar hiç Kürtçe bilmiyormuş. Mesela öğretmenleri. Seyrekleşen saçlarını yana tarayan bu efkârlı adamın gözlerinden İstanbul'da bıraktığı hayata beslediği özlem, böylesi ücra bir yere gönderilmiş olmaktan duyduğu sitem okunurmuş. Öğrencileri söylediklerini anlamadığında ya da kendisi öğrencilerin aralarında yaptıkları Kürtçe şakaları kavrayamadığında sinirlenirmiş. Bir süre önce birtakım kurallar koymuş. Sınıfta her kim tek kelime Kürtçe konuşacak olsa tahtanın yanında, sırtı arkadaşlarına dönük şekilde tek ayak üstünde duracakmış. Öğrencilerin çoğu orada yalnızca birkaç dakika dikilir, aynı hatayı bir daha yapmamaları koşuluyla affedilirmiş. Ama ara sıra bir öğrencinin orada unutulduğu ve bütün dersi o vaziyette geçirdiği olurmuş. Bu ceza, ikizlerde zıt tepkilere yol açmış. Cemile içine kapanıp herhangi bir dilde konuşmayı hepten reddederken, öğretmenin dilini öğrenmeyi ve böylece kalbine ulaşmayı kafaya koyan Pembe Türkçesini ilerletmek için çırpınırmış.

Bu arada, nasılsa çok geçmeden hepsinin teker teker evleneceğini düşünen anaları Naze bunca sözcük ve sayıyı öğrenmek için neden bu kadar zahmete girdiklerini anlamazmış. Ama kocası bütün kızlarını okutmak konusunda kararlıymış.

"Her gün onca yol gidip geliyorlar. Ayakkabıları eskidi" diye söylenirmiş Naze. "Ne için?"

"Anayasayı okuyabilsinler diye" dermiş Berzo.

"Anayasa ne ola ki?"

"Kanun tabii, cahil kadın! Büyük kitap! Müsaade edilen şeyler var, yasak olan şeyler var; aradaki farkı bilmiyorsan yanmışsın demektir."

Hâlâ ikna olmayan Naze dudaklarını büzermiş. "Kızların koca bulmasına ne faydası olacak bunun?"

"Bir gün kocaları onlara fena muamele ederse sineye çekmeleri gerekmez. Çocuklarını alıp çıkıp giderler."

"Ya nereye gidecekler?"

Berzo bu sorular karşısında şaşalarmış; bunları hiç düşünmemiş ki. "Babalarının evine sığınırlar elbet."

"Hmmm, demek bunun için her gün onca yol yürüyüp kafalarını dolduruyorlar, ha? Doğdukları evde kalsınlar diye, he mi?"

"Kalk da bana çay getir hadi. Fazla da konuşma!"

"Allah yazdıysa bozsun" diye mırıldanırmış Naze mutfağa yollanırken. "Kızlarımdan hiçbiri kocasını terk etmeyecek. Eden olursa eşek sudan gelinceye kadar döverim, o zamana ölmüş olsam bile. Hortlak olur geri gelirim vallahi!"

Kimse bunu bilmese de öylesine savrulmuş bu tehditler kehanet olup çıkacaktı. Öldükten yıllar sonra bile Naze gelip kızlarını ziyaret edecekti. Ne de olsa inatçı kadındı. Hiçbir şeyi unutmazdı. Ve köpeklerin aksine, asla affetmezdi.

Hastanede beklerken koridorda sıralanmış hastalara bakmış Pembe, kocaman açılmış çocuk gözleriyle. Kimi sigara içer, kimi evden getirdiği bazlamaları kemirirken, kimisi yaralarıyla ilgileniyor ya da acıyla feryat ediyormuş. Her şeyin üzerinde ağır bir koku –ter, dezenfektan ve öksürük şurubu karışımı– asılıymış. Hastaların durumunu inceledikçe henüz tanışmadığı doktora karşı hayranlık beslemeye başlamış Pembe. Bunca derde derman olabilen birisi olağanüstü bir adam olmalı diye düşünmüş. Bir kâhin belki. Ya da falcı. Mucizevi parmakları olan bir büyücü. Sıra onlara geldiğinde merakı had safhaya ulaşmış ve muayene odasına yönelen babasını sabırsızlıkla takip etmiş.

İçeride her şey beyazmış. Çeşmede çamaşır yıkarken su üstünde oluşan köpükler gibi ak değilmiş. Bir kış gecesi yağan kar ya da otlu peynir yapmak için yabani sarmısakla karıştırdıkları lor gibi de değilmiş. Daha önce hiç görmediği türden bir beyazmış – mutlak ve yapay. Öyle soğuk bir renkmiş ki, irkilmiş Pembe. Sandalyeler, duvarlar, muayene masası, hatta çanaklar bile bu renkteymiş. Beyazın bu kadar dayatmacı, bu kadar ırak, bu kadar karanlık olabileceğini bilmezmiş Pembe o güne dek.

Onu esas şaşırtan şeyse doktorun kadın olmasıymış – ama anasından, teyzelerinden, komşularından farklı bir kadınmış. Pembe'nin bildiği bütün kadınsı niteliklerden yoksunmuş. Uzun gömleğinin altında dizine kadar inen taba rengi eteği, yün çorabı ve deri çizmeleri varmış. Köşeli gözlüğüyle bilmiş, huysuz bir baykuşa benziyormuş. Sabahtan akşama dek tarlada çalışıp, güneş altında gözlerini kısmaktan yüzleri kırışan ve oğul doğurmak için can atan/can veren kadınlardan ne kadar da farklıymış. Ağzından çıkan her sözün herkes tarafından dinlenmesine alışık olduğu belliymiş. Zaten Berzo bile kasketini çıkarıp omuzlarını düşürüvermiş onun karşısında.

Doktor hanım baba-kıza gönülsüz bir bakış atmış. Sanki varlıkları onu yoruyor, hatta üzüyormuş. Belli ki bu yoğun günün sonunda kimseyle uğraşası yokmuş. Soru sorma işini hemşireye bırakıp muhatap olmamış onlarla. *Nasıl bir köpekti? Ağzı köpürüyor muydu? Su görünce tuhaflaşıyor muydu? Köyde başka kimseyi ısırmış mıydı? Sonrasında gözlem altında tutulmuş muydu?* Bir yerlerde tıklayıp duran bir saat varmış ve süreleri doluyormuşçasına hızlı konuşmuş hemşire. Pembe annesinin yanlarında olmadığına sevinmiş. Naze olsa Türkçe bilmediğinden bu konuşmaları takip edemez, envai çeşit yanlış fikir üretip endişelenirmiş. Doktor reçeteyi yazarken hemşire çocuğun karnına iğne yapmış. Feryadı basmış Pembe. Koridora çıktıklarında hâlâ bağıra bağıra ağlıyormuş, etraftaki yabancıların ilgisi kahrını katlamaktan başka işe yaramamış. İşte o zaman Berzo eğer sakin olursa onu sinemaya götüreceğini söyleyivermiş kulağına.

Pembe'nin sesi anında kesilmiş, gözleri beklentiyle parıldamış. "Sinema" kelimesi parlak kâğıda sarılı şekerler gibiymiş: İçinde ne olduğunu bilmemekle birlikte tatlı bir şey olduğundan eminmiş.

⊠⊠⊠

Şehirde iki sinema salonu varmış. Büyük olan, yerel sanatçılardan ziyade şehre gelen siyasetçiler tarafından kullanılırmış. Seçimlerden önce erkeklerden müteşekkil kalabalıklar toplanır, ateşli konuşmalar yaparmış; vaatler, sözler ve propagandalarla arı kovanı gibi vızıldarmış ortalık.

Diğer salon daha mütevazı olmakla birlikte en az öbürü kadar rağbet görürmüş. Maceraları nutuklara tercih eden salon sahibi, tütün, çay ve başka mallarla birlikte filmler getirmeleri için kaçakçılara para öder, değişik ayarlarda binbir çeşit yeni eser gösterirmiş salonunda. Urfalılar bu sayede John Wayne'li kovboy filmlerini, *Alamo Kalesi'ndeki Adam*'ı, *Jül Sezar*'ı, *Altına Hücum*'u ve ufak tefek, bıyıklı, komik adamı seyredebilmişler.

O gün oynamakta olan siyah-beyaz Türk filmini başından sonuna kadar ağzı açık seyretmiş Pembe. Kadın kahraman narin, fakir bir kızmış; zengin ve şımarık bir oğlana abayı yakmış. Oğlan onu küçümsese de zamanla değişmiş. Aşkın büyüsüymüş bu. Başta oğlanın anne-babası olmak üzere herkes genç âşıkları hor görüp ayırmak için kumpaslar kurarken onlar bir nehir kıyısında, söğüt ağacının altında gizlice buluşurlarmış. Orada el ele tutuşup şarkı söyler, ağaçlara isimlerini yazarlarmış. Sinemaya hayran kalmış Pembe – oymalı girişe, dökümlü perdelere, katlanan koltuklara, çevresini saran kesif karanlığa. Bu harikulade dünyayı Cemile'ye anlatmak için sabırsızlanıyormuş. Dönüşte otobüste filmin şarkısını tekrar tekrar söyleyip durmuş.

İsmin dudağımda hece
Aşkın bana bilmece
Başkasına bakarsan
Gündüzüm olur gece

Pembe kıvırtıp oynadıkça diğer yolcular tempo tutup el çırpıyormuş. Çocuk sonunda sustuğunda Berzo gülmüş. "Aferin benim kabiliyetli kızıma" demiş sesinde gururla.

Pembe, yüzünü babasının geniş göğsüne gömüp bıyıklarındaki gülyağı kokusunu içine çekmiş. O henüz bilmese de hayatının en mutlu anlarından biriymiş bu.

Ne var ki eve döndüklerinde Cemile'yi berbat bir halde bulmuşlar – gözleri şiş, yüzü kıpkırmızı. Meğer bütün gün cam önünde oturmuş, dudaklarını kemirerek bekleyip durmuş. Derken sebepsiz yere korkunç bir figan tutturmuş. Bacıları sakinleştirmek için ne yaptılarsa fayda etmemiş, dinmemiş feryatları.

"Cemile ağlamaya başladığında saat kaçtı?" diye sormuş Pembe.

Naze durup bir düşünmüş. "Öğleden sonraydı herhalde. Niçin sordun?"

"Hiiiç."

Pembe istediği cevabı almış. Anlamış ki, o ve ikizi, aralarında kilometrelerce mesafe olduğu halde iğnenin yapıldığı an birlikte ağlamışlar. İkizlerin iki bedende ikamet eden tek bir ruh olduğu söylenirmiş. Ama onların yakınlığı bundan da öteymiş. Onlar tek beden, tek ruh imişler. Pembe ve Cemile, Kader ve Yeter. Biri gözünü kapadı mı öbürü kör olurmuş. Biri yaralandı mı diğeri kanarmış. Ve ne zaman biri kâbus görecek olsa diğerinin yüreği göğsünü dövermiş delice.

✕✕✕

Aynı akşam Pembe, Cemile'ye filmden öğrendiği dans hareketlerini göstermiş. Dönüşümlü olarak kadın kahramanın yerine geçerek, âşık bir çift gibi sarılıyor, öpüşüyor, kendi etraflarında dönüp kıkır kıkır gülüyorlarmış.

"Ne bu tantana?" diye seslenmiş Naze. Tepsiye yaydığı pirinçleri ayıklamakla uğraşmaktaymış.

Pembe iç geçirmiş. "Hiç. Dans ediyorduk sadece."

"Nerden çıktı bu şimdi?" dermiş Naze. "Orospu mu olacaksınız başımıza?"

Pembe, orospunun ne olduğunu bilmiyormuş ama soracak cesareti yokmuş. Kırgınlıkla kızgınlık arası bir duygunun her yanını sardığını hissetmiş – neden sanki annesi otobüsteki yolcular gibi keyif alamıyormuş şarkılarından? Nasıl oluyor da yabancılar insanın yakınındakilerden daha hoşgörülü oluyormuş? O hâlâ bu açmaza kafa yorarken Cemile'nin, suçu kendi üstüne alırcasına bir adım öne çıkarak mırıldandığını duymuş:

"Bağışla ana. Bir daha yapmayız."

Kendisini ihanete uğramış hisseden Pembe, ikizine ters bir bakış fırlatmış.

"Sizin iyiliğiniz için söylüyorum" demiş Naze. "Çok gülen çok ağlar."

"Niye ki? Şimdi gülsek, sonra gene gülsek olmaz mı?" diye

yapıştırıvermiş soruyu Pembe.

İkizine dönüp kaş çatma sırası Cemile'deymiş. Kardeşinin pervasızlığı karşısında hem afallamış hem tırsmış. Başlarına geleceklerden endişe ederek soluğunu tutmuş. Ne zaman kızlar hadlerini aşacak olsalar onları oklavayla dövermiş Naze. Sırtlarına, kıçlarına, bacaklarına indirirmiş sopayı; yüzlerine asla vurmazmış – bir kızın güzelliği çeyiziymiş zira. Fakat o akşam kimseyi cezalandırmamış Naze. Dalgın, uzaklara bakmış; başka diyarlarda olmak ister gibi bir hali varmış. Tekrar konuştuğunda sakinmiş sesi: "Namus kadının zırhıdır" demiş. "Zırhınızı kaybederseniz bakır akçe kadar kıymetiniz kalmaz, unutmayın. Zalimdir bu dünya. Gözünüzün yaşına bakmaz."

Pembe hayalinde havaya bir kuruş atıp avucuna düşmesini seyretmiş. Yalnızca iki yüzü var demir paranın, diye düşünmüş. Kazanmak ve kaybetmek arasındaki çizgi ne kadar inceymiş.

Pembe Kader ile Cemile Yeter'in doğduğu diyarlarda "şeref" bir kelimeden ibaret değilmiş. Aynı zamanda özel isimmiş. Çocuğuna Şeref adını verebilirmiş insan, tabii eğer oğlansa. Şeref ve haysiyet erkeklere mahsusmuş. Yaşlılara, orta yaşlılara, gençlere, hatta ağzı süt kokan oğlanlara. Hepsinin onuru varmış. Kadınlarınsa yokmuş. Onların kısmetine düşen kelime başkaymış: ar.

"Kadın kısmı incecik, ak patiskadan yapılmıştır" diye devam etmiş Naze. Erkeğin kumaşıysa kalın ve koyu renkliymiş. Yaradan böyle yaratmış: Birini diğerine üstün kılmış. Niye böyle yaptığına fanilerin aklı ermezmiş; o yüzden soru sormamak en iyisiymiş. Beyazın üstünde en ufak kir bile gözden kaçmazken siyah zemin leke göstermezmiş. Aynı şekilde, alnına leke sürülen kadınlar hemen fark edilir, tıpkı kabuğun danelerden sıyrıldığı gibi ayrılırmış diğerlerinden. Yani bir bakire kendini bir erkeğe verdiğinde –sevdiği de olsa– her şeyini kaybedermiş ama erkeğe hiçbir şeycik olmazmış.

Bunları dinlerken doktorun odasındaki mutlak beyazlığı hatırlamış Pembe. Orada hissettiği rahatsızlık geri gelmiş, bu sefer daha güçlü şekilde. "Peki ya diğer renkler?" diye sormak istemiş. Eflatunlar, turuncular, menekşeler... Ya diğer kumaşlar? Pazenler, basmalar, ipekler, kadifeler... Ne demeye siyahbeyaza indiriyorduk şu âlemi, bu kadar çeşitli yaratmışken Yaradan? Naze ve Pembe arasındaki gerilim hiç dinmemiş.

Ne hikmetse Naze'den dinlemekten nefret ettiği o kuru, katı nutukları İngiltere'de kızına kelimesi kelimesine tekrar edecekmiş Pembe...

Âdem

Üretim bandından aldığı yulaflı bisküvileri teneke kutuya yerleştirmek üzereyken aniden bir şeyin farkına vardı Âdem: Annesinin yüzünü hatırlamıyordu. Tepeden tırnağa ürperdiğini hissederek durakladı – bir sonraki bisküvi öbeğini kaçırmasına neden oldu bu kesinti. Aynı hatta, birkaç metre ötede çalışmakta olan Bilâl hatayı görüp sessizce toparladı durumu. Âdem olan biteni fark etse hiç değilse bir baş işaretiyle teşekkür ederdi ama o sırada o hâlâ annesinin yüzünün neye benzediğini hatırlamaya çalışıyordu.

Aklının ücra köşelerinde belli belirsiz bir kadın imgesi duruyordu, bir sis perdesi ardında. İnce yapılı, uzun boyluydu kadın, mermer gibi duru bir yüzü vardı; soluk renkli gözleri sakin ama kaygılıydı. Kafesli bir pencereden süzülen ışık huzmesi başının arkasına vuruyor, yüzünün yarısını gölgede bırakıyordu. Saçları bakıra çalan kestane, hazan yapraklarının rengiydi. Ama giderek koyulaşıp kömür karası oldular. Dudakları dolgun ve yuvarlaktı. Belki değildi. Emin olamıyordu. Belki nadiren gülümseyen incecik dudakları vardı. Her saniye değişiyordu zihnindeki resim. Balmumundan yapılmış gibiydi annesinin yüzü.

Ya da belki kendisini doğuran kadına dair hatıralarıyla karısının imgesini karıştırıyordu. Şu anda gördüğü uzun, dalgalı saçlar Pembe'ye aitti, annesi Ayşe'ye değil. Karısı varlığının bu kadar ayrılmaz bir parçası haline mi gelmişti; tüm anılarını kaplayacak kadar? Ağırlığını bir ayağından diğerine aktarıp gözlerini kapadı.

Bir başka hatıra geldi aklına. Annesiyle ikisi bir baraja tepeden bakan zümrüt yeşili bir çayırlıktaydılar. Yedi ya da sekiz yaşlarında olmalıydı Âdem. Poyraz annesinin saçlarını savurmaktaydı. Cömert bir mavilikle uzanıyordu gökyüzü ve uzaktaki tepelere altın, kalay ve gümüş pullar saçılmıştı adeta. Barajın sayısız kapaklarından yalnızca birkaçı açılmıştı, su seviyesi düşüktü. Aşağıda çalkalanan sulara baktıkça başı dönüyordu. Başka zaman olsa annesi kenara gitmemesi konusunda uyarırdı ama nedense karışmıyordu o gün.

"Şeytan bekler kenarlarda, fazla yaklaşanları aşağı çekiverir."

Herkesin düşüp durmasının nedeni buydu – balkon demirlerinden sarkan çocukların, cam silmek için pencere pervazına çıkan ev kadınlarının ya da saçaklarda dolaşan baca temizleyicilerin. Şeytandı hepsini bileklerinden yakalayıp aşağıdaki hiçliğe çekiveren. Yalnızca kedilere bir şey yapamıyordu; dokuz canlı olduklarından sekiz kere ölme hakları vardı.

Tepeden aşağı el ele yürüyerek barajın bir kenarı boyunca uzanan devasa duvarlara ulaştılar. Annesi Ayşe suyun yukarısında durmuş, sessizce seyrediyordu. Şeytanın kol gezdiğini unutmuş gibiydi. Ya iblis şuradaki çalıların ardında bir yerlerde saklanmış, onları boşluğa itmek için fırsat kolluyorsa? Ani bir dürtüyle elini kurtarıp döndü Âdem ve etrafta kimselerin bulunmadığından emin olmak için arkasına baktı. Başını tekrar çevirdiğinde annesi yoktu.

❌❌❌

Âdem gözlerini açtığında Bilâl'i kaygıyla ona bakar buldu. "N'oluyor birader?" diye sordu Bilâl makine gürültüsünün üstünden. "Bir düzine öbek kaçırdın yahu."

"Yok bir şey." Sağ elini sol göğsüne hafifçe vurdu. "İyiyim."

Endişesi dağılmadıysa da dostane gülümsedi Bilâl. Başını sallayıp işinin başına döndü. Âdem de aynısını yaptı. Günün geri kalanında tek bir bisküvi bile kaçırmamayı başardı. Ama onu iyi tanıyan biri kafasını meşgul eden bir şeyler olduğunu kolayca anlayabilirdi. İradesi dışında, gücünün ötesinde, ruhunun ta derinlerinde fırtına bulutları gibi netameli, sancılı bir huzursuzluk dolanmaktaydı.

Nesi olduğunu biliyordu aslında: Köşeye sıkışmış bir hayvan gibi korkuyordu Âdem. Damarlarına zehir zerk edilmiş gibi ağırlaştığını hissediyordu. Ne yana dönse peşindeki avcıların gölgesini görüyordu. Kumar borcundan kaçacak yer yoktu – tek çare İngiltere'yi terk etmekti. Ama eline bakan bir karısı ve çocukları varken nasıl sıvışabilirdi ki? Ailesini de götürmeye kalksa para bulması gerekecekti. Çok para. Saplanıp kalmıştı. Çinliler de bunun farkındaydı. Bu yüzden her gün gelip kontrol etmeye gerek görmüyorlardı. İstedikleri an –tek bir ödemeyi kaçırdığı an– onu bulabileceklerini biliyorlardı.

Ama Âdem'in bir yere gidememesinin bir nedeni daha vardı: Roksana.

⊠⊠⊠

İki buçuk ay kadar önce bir sabah Âdem sıra dışı bir hisle uyanmıştı. Alametler vardı; işaretlerin onu yanılttığı hiç olmamıştı. Avuçları kaşınıyor, kalbi her zamankinden hızlı çarpıyor, sol gözü seğiriyordu. Göklerden gelen şifreli bir mesaj gibi belli belirsiz bir tik. Öğleden sonra herkes ona, o da herkese nazik davrandı. Güneşli, güzel bir gündü ve gökyüzünün Thames Nehri üzerindeki yansıması vaatlerle doluydu.

Hava kararınca kendini gene kumarhanede buldu. Çok yakında hepten bırakacaktı bu mereti. Habis alışkanlığı kıracak, sağlıklı bir ağacın hastalıklı dalını budar gibi kesip atacaktı bünyesinden. Bu illet ebediyen eksilecekti hayatından.

Ama şimdi değil. Vazgeçmeye hazır değildi henüz. *Bir iki el oynamanın zararı yok*, dedi kendi kendine. *Bugün işaretler lehime.*

Kumarhane Doğu Londra'da, eski mi eski bir tuğla evin bodrumundaydı. Ama içerisi bambaşka bir dünyaydı. Beş oda vardı. Her biri bilardo oynayan ya da yirmi bir, barbut, poker masalarının etrafında toplanmış adamlarla doluydu. Dumandan göz gözü görmüyordu. Kendini yormak istemeyenler için koridorlara makineler yerleştirilmişti. En esaslı oyunlar arka odada dönerdi. Sımsıkı kapalı kapının ardından mırıltılar, ara sıra yükselen heyecanlı homurtular ile rulet çarkının dinmeyen tıkırtısı duyulurdu.

Erkeklere ait bir mekândı burası. Kırıta kırıta ortada dolaşan tek tük kadın mevcutsa da onlar sahipli, yani dokunulmazdı. Herkesin harfiyen uyduğu kurallar vardı. Pakistanlılar, Endonezyalılar, Bangladeşliler, Karayipliler, İranlılar, Türkler, Yunanlılar, İtalyanlar... Hepsi İngilizce konuşur, ama iş küfür, şikâyet ya da dua etmeye gelince herkes anadiline dönerdi. *Kovuk* deniyordu buraya. Sahipleri, kuşaklar boyunca Vietnam'da yaşadıktan sonra savaşın ardından ülkeyi terk eden bir Çinli aileydi. Âdem onların yanında hep huzursuz hissederdi kendini. Çinliler ne İtalyanlar gibi birbirlerini kollardı ne de İrlandalılar gibi fevriydiler – ama tekinsiz bir yanları olurdu hep. Hava durumu gibiydiler, her an bozulmaya meyyal.

O akşam Âdem biraz yirmi bir oynayıp birkaç da zar oyunu çevirdikten sonra rulete yöneldi. İlk önce siyaha oynadı. Şans getirdi bu başlangıç. Sonraki elde karma oynadı. Talihi yine yaver gitti ama meblağ büyük değildi. Kırmızıya döndü ve her seferinde bir önceki elden kazandıklarını bir sonraki el için masada bırakarak arka arkaya üç kez kazandı. Ruleti yalnızca gözüyle görmekle kalmayıp ruhuyla da hissedebildiği o büyülü anlardan birindeydi. Aynı bahsi üst üste yüz kere oynasanız da kazanma şansı her seferinde aynıydı. Âdem de hafızasız bir oyun tutturdu ve her yeni bahsi ilk ve son bahsiymiş gibi oynadı.

Odadaki adamlar sırtını sıvazlıyor, mimikleriyle onu yüreklendiriyordu. Tanımadığı insanlardan böyle saygı görmek fevkalade bir duyguydu. Ona karşı hayranlık ve kıskançlık duyuyorlardı besbelli. Tam da ihtiyacı olan şeydi bu. İlaç gibi gelmişti. Dışarıda hiçti belki ama şu anda burada kraldı. Bir tur daha oynayıp yine kazandı. Masanın etrafındaki kalabalık iyiden iyiye artmıştı. On beş dakika sonra hâlâ topun çarkın üstünde dönüşünü seyretmekte, hâlâ kazanmaktaydı. Krupiye bir mola istedi.

Âdem temiz hava almak için sokağa çıktı. Fabrikadan tanıdığı irikıyım bir Faslı kaldırıma oturmuş, tek başına sigarasını tüttürüp içkisini içiyordu.

"Ne ballı adamsın" dedi Faslı.

"Kısmet işte. Bugün böyle oldu."

"Allah seni sınıyor olmasın." Duraklayıp şöyle bir süzdü Âdem'i. "Ne demişler, *yağız ata binmek isteyen belini kırabilir.*"

"Ne demek şimdi bu?"

"Bilmem. Kulağa hoş geliyor ama."

Güldüler, kahkahaları geceye yayıldı.

"Peki o zaman, şunu dinle" dedi Âdem. "*Niyetin tükürmekse, bari rüzgâra karşı durma!*"

"Doğru! *Dünyanın öbür ucuna kaçsan da kendi kıçından kurtulamazsın.*"

"*Gördüğün kötülüğü suya, iyiliği mermere yaz.*"

"Harbiymiş!" Faslı tam kadehini kaldıracaktı ki ahbabının elinin boş olduğunu fark etti.

"İçki içmem ben" dedi Âdem.

Berikinden soğuk bir gülüş geldi. "Vay vay. Bak sen! Paçasını kumara kaptırmış ama içkiye gelince Müslüman kesiliyor başımıza."

Âdem'in yüzü bir anda karardı. Bağımlı değildi o. İstediği

an bırakabilirdi kumarı. İçki içmemesinin nedenine gelince, bu ender konuştuğu bir konuydu, hele yabancılarla. Ama o akşam bir istisna yaptı. "Babam çok içerdi" dedi usulca. "Kusura bakma. Ne oldu peki?" diye sordu Faslı, aniden ciddileşerek. "Babama mı? Ona değil de, ailesine oldu olan, bize oldu." Âdem bodruma daha yeni dönmüştü ki elektrikler kesildi. Bir haftada üçüncüydü bu. Gündüzleri yağmur bulutları yüzünden grilere bürünüyordu Londra, geceleriyse elektrik kesintileri yüzünden karalara. *Semtteki mumcu dükkânında işler tıkırında olsa gerek*, diye geçirdi aklından. Mum, ekmek ve süt kadar elzem hale gelmiş, toptancılara iyi para getirir olmuştu.

Âdem loş koridorda önünü görmekte zorlanarak arka odaya ulaştı. Masada bir gaz lâmbası, etrafında asık suratlı üç Çinli vardı – ketum tiplerdi, yüz ifadelerinden bir şey anlamak imkânsızdı. Âdem onları görür görmez artık gitme vaktinin geldiğini anladı. Kazandığıyla yetinmeliydi. Ceketini aldı. Tam krupiyeye bahşişini vermiş, kapıdan çıkmak üzereydi ki durakladı.

Sonraları ne zaman bu anı hatırlasa trenlerdeki acil durum frenleri gelecekti aklına. Hiç tecrübe etmişliği yoktu ama bu fren kolları çekildiğinde trenin aniden duruverdiğini biliyordu. O gece kendi sırtında da benzer bir fren kolu varmış da birisi o kola asılıvermiş gibi aniden durmuştu. Çünkü genç bir kadın, gölgeler âleminden süzülürcesine odaya girmişti. Lâmbanın zayıf ışığında esrarengiz pırıltılar saçan sarı saçları küçük ve zarif kulaklarının altında kıvrılıyordu. Deri mini etek, boyundan bağlamalı beyaz ipek bluz ve ayaklarda sipsivri stilettolar. Orada olmaktan duyduğu memnuniyetsizlik, biçimli yüzünün her santimetrekaresinden okunuyordu. Belli ki gönlü uzaklardaydı. Çinlilerden birinin yanına oturup kulağına bir şeyler fısıldadı. Adam yarım ağız gülümseyip kadının bacağını okşadı. Âdem'in içinde bir şeyler koptu o an.

"Demek hâlâ buradasın. Bir el daha oynamak ister misin ahbap?"

Aynı adamdı soruyu soran; başını kaldırıp kimseye bakmadan konuşmuştu. Yine de Âdem de, odadaki insanlar da sorunun kime yöneltildiğini anlamışlardı. Herkesin bakışlarını üzerinde hissediyordu Âdem ama onu esas delip geçen genç kadının gözleriydi – bir çift mavi safir gibiydiler. Hayatında hiç bu kadar iri, bu kadar parlak ve bu kadar mavi gözler görmemişti. Karısı görse nazar değer diye korkardı. Pembe'ye göre böyle gözleri olan birinin bir bakışına maruz kalmak bile derhal eve koşup tuz yakmak için yeterli sebepti.

Âdem'in yüzü alev alevdi. Kumarda yapılabilecek en büyük hatayı yapmak üzere olduğunun farkındaydı: Birilerinin dolduruşuna gelmek. Ama fark etmek başka şeydi, idrak etmek başka. Başını hafifçe eğerek yanıtladı: "Olur, oynarım."

Bir kez daha tutturdu ama bu kez farklıydı. Etrafındaki enerji değişmişti. Rulet çarkı ve o, iki ayrı varlıktılar artık, aralarındaki ahenk bozulmuştu. Yine de kıpırdamadı. Oturduğu yerden kalkmadan, topun dönüşünü seyreden mavi gözlü kadını seyre daldı.

Elektrikler geldiğinde bunu hayra yorup oynamaya devam etti. Tekrar kazandı. Bahis miktarları hayli yükselmişti. Tehlikeliydi. Delilikti. Çinliler umursamıyormuş gibi görünmeye çalışsalar da gerginlikleri belliydi. Âdem'in gözü kalabalığın arasından ona bakan Faslıya takıldı, adamın kaşları kaygıyla çatılmıştı. Uzaktan başını iki yana salladı: "Yeter, dur artık!"

Ama bırakamadı Âdem. Kadın, masanın öbür ucundan gözlerini dikmiş, ona bakıyordu; kiraz dudakları dolgun ve davetkârdı. Âdem, kazanmaya devam ettiği takdirde onun kalbini de kazanma ihtimali olduğu hissine kapılmıştı – belki binde birlik bir şanstı ama denemeye değerdi. Birkaç saniye sonra birilerinin bu periye seslendiğini duydu ve böylece adını öğrenmiş oldu: Roksana.

Bütün pullarını on dört numaranın üzerine koydu. Zıt yönlerde döndü top ve çark; tıpkı yaşamın onu iki farklı yöne savuran rüzgârları gibi – aile ve hürriyet. Seyirciler soluğunu tuttu. Top, oluklardan birine yerleşip kalmadan bir kez daha sekti. Çark bir tam tur daha attı. Roksana'nın yüzü yarı şaşkınlık, yarı hayranlıkla aydınlandı. Âdem gene kazanmıştı.

Tam o sırada Çinlilerden biri ağzının içinde gevelercesine sordu: "Evde bekleyen kimin kimsen yok mu ahbap? Ailen merak etmiştir seni. Geç oldu."

Aile sözcüğü adamın sesindeki gizli tehditle birleşmiş, Âdem'i rulet masasından, odadan ve Roksana'dan ayıran kalın bir perde oluvermişti. Kalktı; kutuya doldurduğu fişleri nakde çevirdi. Yolun yarısına kadar bir tanıdığın arabasıyla gitti, geri kalan mesafeyi de yürüdü.

Kuzey Londra sokaklarında çöp yığınları vardı, çürümüş atıklar her yana saçılmıştı. Herkes grevdeydi bu aralar: itfaiyeciler, madenciler, fırıncılar, sağlık çalışanları ve şimdi de çöpçüler. Artık kimse oyuna devam etmek istemiyordu. Kumarbazlar ve hayatı bir kumar olarak görenler dışında.

Lavanta Sokağı'na ulaştığında saat sabahın dördü olmuştu. Kanepeye oturup bir sigara yaktı. Tütün parmaklarının arasında küle dönüşüyor, sıcak para destesi yanı başında duruyordu. Tam on altı bin dört yüz sterlin. Herkes derin uykuda olduğundan zaferini paylaşamamıştı ailesiyle. Beklemek zorundaydı. Loş oturma odasında gözleri açık uzanırken birden içini baş edilmez bir yalnızlık hissi doldurdu. Karısının soluk alıp verişlerini duyabiliyordu. İki oğlu ile kızınınkileri, hatta Japon balığınınkini. Esrarengiz bir huzur örtüsünün altındaydılar hep birlikte.

Âdem bunu askerdeyken fark etmişti ilk kez. Ne zaman üç ya da daha fazla kişi dar bir alanda uyusalar, er ya da geç soluk alıp verişleri eşzamanlı oluyordu. Belki de bu, Tanrı'nın bize didişip durmaktan vazgeçtiğimiz takdirde eninde sonunda birbirimize uyum sağlayacağımızı anlatma şekliydi. Daha önce aklına gelmemiş olan bu fikir hoşuna gitmişti. Ama bir yerlerde bir ahenk varsa bile o bunun bir parçası olamıyordu. Evet, o da herkes gibi biriydi, başkalarından ne daha iyi ne daha kötüydü, ama değer verdiği insanları hep yüzüstü bırakıyordu. Kim bilir, belki de etrafta olmasa daha iyi olurdu çoluğunun çocuğunun ahvali. Onların ayaklarına bağ gibi görüyordu kendini.

Uyku tutmadı; şafak sökerken çıktı evden. Akılsızca bir iş yaptığını bile bile kazandığı tüm parayı yanına aldı. Bu kadar yüklü bir meblağ için kaburgalarını kırmakta sakınca görmeyecek yankesiciler ve hırsızlarla doluydu Kuzey Londra. Sokakta yabancı biri yakınından geçecek olsa adımları hızlanıyor, bedeni savunma dürtüsüyle irkilip, eli ayağı buz kesiyordu. Nihayet bisküvi fabrikasına vardığında krallar gibi karşılandı. Herkesin haberi vardı. Öğle arası Tarık uğradı kutlamaya – ve bir ricada bulunmaya.

"Yengeni biliyorsun" dedi Tarık, sesini mahrem konulara uygun fısıltı seviyesine düşürerek. "Mutfak yüzünden başımın etini yiyor ne zamandır."

Tarık'ın İngiliz mutfaklarıyla ilgili bir teorisi vardı. Ona göre İngiltere'de mutfakları mahsus bu kadar küçük ve kasvetli yapıyorlardı ki herkes çıkıp dışarıda, şık restoranlarda yemek zorunda kalsın. Restoran sahiplerinden rüşvet alan mimarların, belediye meclis üyelerinin ve hatta sendikacıların parmağı vardı bu işte. Tarık bu konuya bir girdi mi onu susturamazdınız.

Ağabeyinin niyetinin ondan mümkün olduğunca çok borç alıp sonra bunun yalnızca bir bölümünü mutfak için kullanmak, geri kalanını bankaya yatırmak olduğunu hissettiği halde gülümsedi Âdem. Cimrinin tekiydi Tarık, bayılıyordu para istiflemeye. Gençliğinde iki kardeşini cömertçe desteklemişse de o adamla bugünkünün aynı kişi olduğuna inanmak zordu. Babaları öldüğünde Âdem'le Halil'e bakabilmek için var gücüyle çalışmıştı Tarık. Ama yıllar geçtikçe pintileşmiş, gazetelerdeki indirim kuponlarını toplamaya, diş macununu son damlasına kadar kullanabilmek için tüplerin dibini kesmeye, termosifonu kapalı tutmaya, aynı çayı iki kere demlemeye kadar vardırmıştı işi. Her şeyi elden düşme alır olmuş, ailesine de kendisine sormadan herhangi bir şey satın almayı yasak etmişti. Sorduklarında yanıtı belliydi: "Ne lüzumu var masraf etmenin."

"Ee, ne diyorsun? Verecek misin biraz borç?"

Âdem ağabeyine duyduğu minnettarlığı ifade etmenin tam zamanı olduğunun farkındaydı. Ne var ki aklı başka yerdeydi. Tarık'la aralarında beş yaş vardı. *Çocukluğumuzla ilgili benden fazla anısı olmalı.* Derin bir nefes alıp sordu: "Abi, annemizi düşünüyor musun hiç?"

Öyle beklenmedik bir soruydu ki Tarık bir an ne yanıt vereceğini bilemedi. Kaşlarının arasında beliren kırışık, oradan alnına, eski bir deri hastalığından kalma beyaz lekelere uzandı. Konuşabildiğinde sesi boğuk ve sertti. "Neden sordun?"

"Çocukluğumuzu hatırlayamıyorum. Delireceğim."

Başka zaman olsa Âdem böyle konuşmaya cesaret edemezdi. Ama şimdi hazır ağabeyi gelip ondan bir ricada bulunmuşken fırsattan yararlanabileceğini umdu. Vereceği paranın karşılığında birkaç masum hatıra dinlemeyi hak ediyor olmalıydı.

"Anamız şırfıntının tekiydi" dedi Tarık. "Hatırlaman gereken tek şey bu."

Peki ama yaşayıp yaşamadığını, başka çocukları olup olmadığını, bizi özleyip özlemediğini merak etmiyor musun? Sormak istedikleri dilinin ucuna gelmişti Âdem'in. Onun yerine tok bir sesle konuştu: "Bu akşam size uğrar, parayı bırakırım. Yengeme söyle, hayalindeki mutfağa kavuşacak hayırlısıyla."

Ne var ki akşam olunca, şayet gene kumar oynar ve gene kazanırsa elindeki parayı ikiye katlayacağı fikri düşüverdi aklına. O zaman yalnızca Tarık'a değil, başkalarına da para verebilirdi; üstelik tek kuruş bile geri istemek zorunda kalmadan. Bu asil amaçla harekete geçen Âdem Doğu Londra'daki bodrum katına geri döndü. Orada bir kez daha mavi gözlü Roksana'yı gördü. Yine onun çarkın etrafında dönen topu seyredişini seyretti. Yine büyük oynadı. Ve kaybetti. Her şeyini.

Sonunda geldi. Harry Houdini posteri. Kelepçelere ve prangalara meydan okuyan adam! Hapishanelere de tabii. Eski fotoğraflarından biri. Siyah-beyaz ve gri tonlarda. Houdini'nin genç hali – geniş alnı ve çarpıcı gözleriyle sırım gibi bir delikanlı. Smokininin kollarını sıyırmış, bileklerindeki yarım düzine kelepçeyi gösteriyor. Yüzünde korkudan eser yok. Yalnızca dalgın, düşünceli bir hali var. Sanki bir rüyadan uyanıyor.

Duvara asıyorum. Uçuk sırıtıyor görünce. Hücre arkadaşımın adı Patrick ama bu ismi kimse kullanmıyor, kendisi bile. Ne zaman dikkatini çeken bir şey görse, "Vay, amma uçukmuş!" diyor. Lakabı bu yüzden Uçuk.

Uçuk benden küçük, biraz da kısa. Solgun benizli, saçları tepeden açılıyor; koyu kahve gözleri, gür kirpikleri var. Mahkûm kısmı, yaşları kaç olursa olsun, annelerinin gözünde hep masumdur; hani kötü arkadaşlara uymuşlardır. Çoğunlukla palavradır tabii bu. Ama Uçuk için geçerli. Saf bir delikanlıyken yanlış tiplere bulaşmış. İşin berbat yanı, o herifler paçayı kurtarırken Uçuk on sene hapis yemiş. Bu işler böyledir. Çakallara bir şey olmaz. Yalnızca çakalcılık oynayanlar yakalanır. Bizim gibilerin daha iyi olduğumuzu iddia etmiyorum. Çakalcılık oynamak çakal olmaktan beterdir bazen.

Ona bunu hiç söylemedim ama Uçuk'un gözleri Yunus'unkileri çağrıştırıyor. En çok erkek kardeşimi özlüyorum galiba. Hiç iyi bir ağabey olamadım ona. Yanlış davalar uğruna dövüşmekle öyle meşguldüm ki bana en çok ihtiyacı olduğu zamanlarda yanında durmadım.

Yunus şimdi büyük adam oldu. Yetenekli bir müzisyen. Öyle diyorlar. On iki yılda yalnızca iki kere geldi beni görmeye. Esma hâlâ arada ziyaret ediyor; gerçi son zamanlarda o da arayı açtı. Geldiğinde beni ne kadar özlediğini, bana ne kadar acıdığını ve benden ne kadar nefret ettiğini söyleyip gidiyor. Yunus ise gelmiyor. Her zamanki gibi basıp gitti. Esma'nın en dikenli sözleri bile küçük kardeşimin yokluğu kadar acıtmıyor canımı. Keşke beni affedebilse. İçi elverse. Beni sevmesini beklemiyorum. Boş bir hayal olurdu bu. Kendi iyiliği için istiyorum beni affetmesini. Öfke zararlı şey; adamı kanser eder. Benim gibiler alışkındır ama Yunus daha iyisini hak ediyor.

"Kim bu adam?" diye soruyor Uçuk, duvarı göstererek.

"Sihirbaz Houdini. Müthiş biriydi. Sihirbazların en iyisi."

"Hadi ya?"

"Ya, bazı numaralarının sırrı hâlâ çözülemedi."

"İnsanları yok edebiliyor muydu?"

"Canına yandığımın fillerini bile yok edebilirdi."

"Vay, amma uçukmuş!"

Bütün öğleden sonrayı Houdini'den bahsederek geçirip, kafalarımızı hikâyelerle dolduruyoruz – Uçuk'unki aynı zamanda uyuşturucuyla dolu. Bana uymaz. Arada sigara tüttürmeyi severim ama o kadar. Hapla, taş kokainle, eroinle işim olmaz. Asla denemedim, denemem de. O yollara sapmaya niyetim yok. Uçuk'a ne zaman bu naneleri bırakması gerektiğini hatırlatsam başparmağını ağzına sokup emmeye başlar: "Ah, annecim, teşekkür ederim beni düşündüğün için."

"Kapa çeneni!" derim.

Yaramaz bir oğlan çocuğu gibi sırıtır. Ama ısrar etmez. Benimle bu şekilde konuşabilecek tek kişi olduğunu bildiği gibi sabrımın sınırını da bilir.

Akşam, yoklamadan kısa bir süre sonra, Gardiyan Martin yanında daha önce hiç görmediğimiz kısa boylu tıknaz bir herifle belirdi. Adamın çenesinde bir gamze vardı, saçlarıysa öyle siyahtı ki boya mı diye merak ettim.

"Memur Andrew bugün başladı. Hücreleri dolaşıyoruz."

Martin yakında emekliye ayrılacaktı. Belli ki yerini alacak bu genç adama saygı göstereceğimizden emin olmak istiyordu. Ne diyeceğimizi bilemiyormuşuz gibi sıkıntılı bir sessizlik oldu. Birden Martin'in gözü arkamdaki postere takıldı.

"Kimin başının altından çıktı bu?" diye mırıldandı. Yanıt vermemizi beklemeden bana döndü. "Alex, bu senin fikrin, değil mi?"

Halbuki bu posteri daha evvel görmüştü. O onaylamasa alamazdım zaten. Ama şimdi sanki ilk kez görüyormuş gibi yapıyordu. Amacı, emeklilik yaşına gelmiş olsa da hâlâ hiçbir şeyi kaçırmadığını göstermekti yeni delikanlıya. Bunca yıldır mahkûmların duvarlarına her türlü fotoğraf –karılarının, ailelerinin, dini sembollerin, film yıldızlarının, futbolcuların, Playboy kızlarının– astığını gördüğünü söyledi; ama Houdini, ilk defa.

"Kafayı mı yiyorsun acaba?" dedi Martin gülerek.

"Olabilir" dedim.

Memur Andrew yaklaşıp iz peşinde av köpeği gibi havayı kokladı. "Ya da kaçmayı planlıyordur. Houdini'nin uzmanlık alanı zincirlerden kurtulmaktı."

Hiç hoşlanmadım bu yorumdan. Alnımdaki damar hafifçe zonkladı. "Niye yapayım ki böyle bir şey?" dedim.

"Sahi, niye yapsın ki?" dedi Martin, bakışları birden sertleşmişti. Sonra yeni memura dönüp açıkladı. "Bizim Alex 78'den beri burada. Yalnızca iki senesi kaldı çıkmaya."

"Bir yıl, on ay" diye düzelttim.

"Evet, aynen" dedi Martin.

Her zamanki gibi Martin'in yüzünde iki zıt ifade gördüm – tiksinti ile saygı karışımı. İlki –hayatta en korkunç suçu işlemiş ve Tanrı'nın ona verdiği şansı mahvetmiş benim gibi bir adama karşı duyulan küçümseme– geldiğim günden beri vardı ve hiç kaybolmadı. Hürmet ise çok sonra ve hiç beklenmedik şekilde geldi. Ortak bir tarihimiz var – Martin ile benim.

Ama Memur Andrew'un yüzü başka telden çalıyordu. "Senin davanı biliyorum" dedi ruhsuz bir sesle. "Gazetede okuduğumu hatırlıyorum. İnsan öz annesine böyle bir şeyi nasıl yapar diye merak etmiştim."

Aynı yaşlarda olduğumuzu fark ettim. Sadece o değil. Kumaşımız da aynı bana kalırsa. Yeniyetmeliğimizde aynı kafelere takılmış, aynı kızları öpmüş bile olabiliriz. Bozuk bir aynaya bakıyor gibiyim. Hayatta başka bir yoldan gitmiş olsaydım ben de bir Andrew olabilirdim. Ve o son anda çark etmemiş olsa dönüşmek üzere olduğu mahkûm bendim.

"On dört yıl, ha? Çok yazık" dedi.

Martin gergin gergin öksürdü. Bir adama durup dururken, havadan sudan bahseder gibi suçunu hatırlatmak olacak iş değildir. Ancak bıçak kemiğe dayanınca söylenir böyle şeyler. Aksi halde kimse kimseye dünü hatırlatmaz. Hapisteki bir adam zaten geçmişe hapsolmuştur.

"Alex son birkaç yılda büyük değişim gösterdi" diyerek turist rehberi gibi araya girdi Martin. "Zor bir dönem geçirdi ama şimdi iyiye gidiyor."

Sevgili Martin. Ne büyük iyimserlik. Feleğin çemberinden geçtiğim doğru. Ama onun, Uçuk'un ve annemin hayaletinin gayet iyi bildiği gibi, ben hâlâ aynı yerdeyim, cehennemdeyim.

Feci bir şöhretim vardı burada. Hâlâ da var. Beni neyin ne zaman sinirlendireceğini kestiremezlerdi. Çoğu zaman ben bile bilmezdim. Ayarım bozulunca saldırganlaşırdım. Sol yumruğum tuğla kadar sertti. Durup dururken patlıyordum. Benim dışımda böyle krizler geçiren bir tek kokain bağımlıları vardı. Canları mal çekip de bulamadılar mı tepeleri atardı. Oysa ben bağımlı değilim. Bu beni daha ürkütücü kılıyor galiba. Ayıkken ruh halim bu. Kendime zarar verirdim. Kafama. İçindekilerden hoşlanmıyordum. Avuçlarımın içinde sigara söndürürdüm. Şişmiş gözler gibi kabarırlardı. Bacaklarıma kesikler atardım. Bacaklarda et çok malum; baldırlar, dizler, bilekler. Bol seçenek. Hapishanede tıraş bıçağı altın değerindedir ama bulmak imkânsız değildir.

"Siz ikiniz birbirinizi zamanla tanırsınız" dedi Martin.

"Eminim" dedi Memur Andrew pis bir ifadeyle.

Uçuk gerginliğin tırmanışını kaygıyla izledi. Ne olup bittiğinin farkındaydı. Daha önce de görmüştü benzer şeyleri. Bazen bir gardiyan birimize kafayı takar ve öyle de gider. Kötü bir başlangıç yaptın mı o iş hiç düzelmez.

Martin vaziyeti düzeltmek için yeni bir hamle denedi. "Alex boksördür. Sporcumuzdur. Okuldayken kazandığı bir madalyası var."

Beni savunmak için bunu söylüyor olması hem acıklı hem komikti ama kimse gülümsemedi. Martin'e bana arka çıktığı için teşekkür etmek istesem de gözlerimi genç memurun üzerinden ayırmadım; yoksa açık vermiş olurdum.

Benim öyle kolay lokma olmadığımı anlamalıydı. En büyük korkaklığım bundan seneler evveldi. Sünnetçiden kaçıp ağaca tırmanan bir çocuktum. İşe yaramadı. O günden sonra asla kaçmadım. Hep yüzleştim. Korkularımla, düşmanımla, cümle âlemle. Hata yaptığım oldu. Hem de ne vahim hatalar. Ama kaçmadım. O yüzden geri çekilmedim, bakışlarımı kıpırdatmadım; gözlerimi, muhtemelen aynı kahrolası nedenlerle gözlerini bana dikmiş olan Memur Andrew'un gözlerinden ayırmadım.

Sonra çıkıp gittiler.

❌❌❌

Gecenin bir yarısı sıçrayarak uyandım. Annemin beni ziyarete geldiğini sandım önce. Ama ne kadar uğraşsam da hissedemedim varlığını. Ne bir hışırtı ne parıltı vardı. Yalnızca horlayan, osuran, dişlerini gıcırdatan, iblisleriyle kavga eden Uçuk'u duydum. Yatakta dimdik oturup beni uyandıran şeyin ne olduğunu anlamak için etrafıma bakındım. Ve sonra gördüm.

Yerde bir kâğıt vardı. Birisi kapıdaki demirlerin arasından içeri itmişti. Koridordan gelen ölgün sarı ışıkta kâğıdı yerden aldım ve ne olduğunu anladım. Bir gazete kupürüydü, 1978'den kalma.

THE TIMES - 1 Aralık 1978

Delikanlı "namus" uğruna annesini öldürdü

Dün Kuzey Londra'da yaşanan bir töre cinayeti olayında Türk/Kürt asıllı 15 yaşında bir çocuk annesini bıçaklayarak öldürdü. İskender Toprak, Pembe Toprak'ı Hackney'de Lavanta Sokağı'ndaki evlerinin önünde bıçakladı. 32 yaşındaki üç çocuk annesi kadının, evlilik dışı bir ilişki içinde olduğu iddia ediliyor. Komşulardan alınan bilgiye göre Âdem ve Pembe Toprak hâlâ evli olmakla birlikte ayrı yaşamaktaydı ve aileyi geçindirme sorumluluğu Pembe Toprak'ın üzerindeydi. Bir görgü tanığının "Baba etrafta olmazsa annenin şerefini korumak en büyük oğluna düşer, o da İskender'di" dediği kaydedildi.

Polis şu anda aranmakta olan İskender Toprak'ın kendi başına mı hareket ettiğini, yoksa diğer aile bireyleri tarafından piyon olarak mı kullanıldığını araştırıyor.

Scotland Yard sözcüsünün *The Times*'a verdiği bilgiye göre bu, İngiltere ve Avrupa'da yaşanan ne ilk ne de son vaka. Sözcü, şu anda töre cinayetleriyle bağlantılı olabileceği düşünülen 150 ölüm olayını incelemekte olduklarını belirtti. Yazık ki gerçek rakamlar daha yüksek olabilir, çünkü bu tür olayların hepsi polise intikal etmiyor. Aile bireyleri bütün bildiklerini devlet güçleriyle paylaşmaya yanaşmıyorlar. Polis için çok kıymetli olabilecek istihbaratı hasıraltı edenler genellikle kurbanların en yakınındaki insanlar oluyor.

Sözcü ayrıca şöyle dedi: "Bazı topluluklarda ailenin şerefi bireylerin mutluluğunun ve iyiliğinin üstünde tutuldukça bu tür olaylar modern toplumun içinde kanser gibi büyüyecektir."

Ellerim titriyor. Canım sigara istiyor. Ya da bir içki. Şöyle kuvvetli, sek bir şey. Babam bunu bilmezdi ama ara sıra arkadaşlarla bir bira ya da şarap içmişliğimiz vardı. Hiç viski içmezdik ama. Bambaşka bir kulvardı o. Viskiyi ilk tadışım bu çatının altındadır. Biraz yolunu biliyorsan her şey bulunur hapiste.

Gazete kupürünü ikiye katlıyor, sonra da büküyorum. Bir dikdörtgen, bir kare, iki üçgen... Köşeleri birleştirip üçgenleri ayırıyorum. Kâğıttan bir gemi oluyor. Yere bırakıyorum. Ne yüzdürecek su var ne de yelkenleri dolduracak rüzgâr. Sanki betondan yapılmış. Hiçbir yere gidemiyor. Tıpkı göğsümdeki ağrı gibi.

İskender Toprak
Shrewsbury Hapishanesi, 1990

Roksana

Sahnenin arkasında bir kulis vardı. Gerçi kimsenin oraya kulis dediği yoktu ya – Roksana'dan başka. Sigara, talk pudrası, parfüm ve ter kokan bu soğuk ve sıkışık soyunma odasını sanatçıların sahneye çıkmadan evvel dinlendikleri alan olarak düşünmek isteyen tek kişi oydu. Bu kendisini bir *sanatçı* olarak gördüğü anlamına gelmiyordu. Sorulduğunda başka sözcükler kullanırdı mesleğini tarif etmek için – *oyuncu, dansöz, eğlence sektörü çalışanı,* hatta *egzotik dansçı* der, ama asla sanatçı demezdi. Ona ayrıcalıklı ve saygın gelen bu kelimeyi kendisi için kullanmaya cüret edemezdi. Zira şu dünyada geçirdiği yirmi dört yılın tek bir anında bile kendini ne ayrıcalıklı ne de saygın hissetmişti Roksana.

Neredeyse gece yarısı olmak üzereydi. On beş dakika sonra sahneye çıkma sırası ona gelecekti. Kostümünü gözden geçirip göğsüne altın yaldız serpti. İlk bölümde samba dansçısı kılığındaydı. Gösterişli eflatun tüylerle bezenmiş bir taç, parlak taşlar ve pullarla donatılmış bir bikini üstü, gümüşi bir şort, içinde de ufacık bir tanga –bu sonuncusu gösterinin finalinde çıkacaktı ortaya. Giysisinin göz alıcılığına karşın, dudağına sürüverdiği ruj dışında makyaj yoktu yüzünde. Kostümü ile yüzünün solgunluğu arasındaki zıtlık öyle belirgindi ki her an üzerine bir kot pantolon ve bol bir kazak geçirip kimselere fark ettirmeden arka kapıdan süzülüp gidebilirmiş gibi duruyordu.

Ama Roksana'nın gösteriye çıkmadığı olmamıştı hiç. Yılın on iki ayı, haftada dört gece buradaydı. El alışkanlığıyla makyaj setini açıp pamukları ve farklı boydaki fırçaları düzenledi. Set eskiydi, kim bilir ne kadar zamandır onca kadın tarafından kullanıla kullanıla yıpranmıştı. Yağlısından kurusuna, dirisinden yorgununa her cins cilde uygulanmıştı aynı fondöten. Bar sahibi yeni bir set alacağına söz vermişti –piyasadaki son model takma kirpikler, geniş renk paleti– ama bir daha ses çıkmamıştı. Süngerler mantar rengine bürünmüştü artık, rimel fırçalarına yapışan boyalar sertleşmiş, kaskatı olmuştu; tükenen renklerden geriye kalan yuvarlak oyuklar göz çukurları gibi bakıyorlardı insana. Roksana'nın sevdiği renklerden ne turkuvaz kalmıştı ne platin ne de şampanya. O da mecburen mora ve pembeye yöneldi. Yine.

Yüzünü bu kadar boyamaktan hoşlanmıyordu. İlk zamanlar bir gece makyajsız çıkmıştı sahneye. Ama parlak spotlar altında yolunu kaybetmiş bir hayalete benzediğini söyleyen patronundan sıkı bir fırça yemişti. Böyle yaparsa müşterilerden tepki geleceğini anlatmıştı adam; "Verdikleri paranın karşılığını almak seyircinin en doğal hakkı" demişti. Bu delikte bir seneden fazla süre geçirdikten sonra, kimsenin samba müziği eşliğinde kıvırtan solgun bir hortlak görmek istemediğini Roksana da anlamıştı artık. Çıkık elmacık kemiklerine allık sürerken aynada kendine göz kırptı. En iyi arkadaşı gene kendisiydi. Kimsenin anlamadığı kadar iyi anlıyordu kendini – ihtiyaçlarını, pişmanlıklarını, kaygılarını. Bazen bir anne, bazen bir yoldaş olur, kendi kendini avuturdu.

Dudaklarına pembe, parlak bir ruj, üstüne bir kat parlatıcı sürdü. Son olarak göğüslerini yukarı ittirip düzelterek fırfırlı sutyenin içinde büyük ve dolgun görünmelerini sağladı. İngiltere'de kimse "göğüs" demiyordu. Onun yerine birbirinden komik isimler kullanıyorlardı – memişler, cicikler, ikizler, füzeler, kavunlar, ayvalar, balkon, teras... Roksana, azimli bir öğrenci gibi, bazen aynanın önünde tekrarlardı bu sözcükleri.

Bir keresinde, gizlice kürk ticareti yaptığı söylenen bir Muhafazakâr Parti milletvekili için dans etmişti. Yaşlı beyefendi ona "Salla şu güğümlerini bakayım güzelim" deyince, adamın tam olarak neden bahsettiğini anlamak için birkaç saniye düşünmesi gerekmişti Roksana'nın.

Bir yanıyla İngilizlerin cinsellikten bu kadar dolaylı konuşmalarını anlamıyor, bir yanıyla onlara hak veriyordu. *Hem zaten bu konuda laf edecek son kişi ben olmalıyım,* derdi kendi kendine. Sonuçta Roksana (ya da insanların kafalarına göre kullandıkları Roksi, Roksan ya da Rokselan) gerçek adı değildi. On altı yaşındayken, törensiz merasimsiz vermişti bu adı kendine.

"Alımlı bir dansçı için mükemmel bir isim" diye mırıldandı kendi kendine.

Yıllar içinde İngilizcesi kayda değer şekilde ilerlemişti ama inatçı aksanı hâlâ oldukça kuvvetliydi. Zaman zaman r'lerin üstüne bastırıyor, u'ları uzatıyor, bile bile w'ların yerine v diyordu. Madem kurtulamıyordu aksanından, en iyisi daha da ağırlaştırmaktı. İngiltere'de herkes bir Rus'un nasıl konuşmasını bekliyorsa o da öyle konuşuyordu. Ne de olsa yeni tanıştığı herkese Rus olduğunu söylüyordu Roksana.

Halbuki Bulgar'dı. Ama İngiltere'de, hatta sokaklarında her çeşit dil ve lehçenin konuşulduğu Londra'da bile insanlar Bulgaristan hakkında hiçbir şey bilmiyorlardı. *Şu küçük Balkan ülkelerinden biri...* İngilizler Balkanlar'la coğrafi bir bölgeden ziyade bir kavram olarak ilgiliydi. Balkanlar, her bir parçası kulağa diğerinden daha tekinsiz ve esrarengiz gelen binbir parçalı bir yapbozdu onlar için. İngilizler −özellikle striptiz kulüplerine takılanlar− Rumenleri Macarlarla, Yugoslavları Arnavutlarla karıştırırlardı, Karadağ'ın nerede olduğu hakkındaysa en küçük bir fikirleri bile yoktu.

Eğer Bulgar olduğunu söylese, biliyordu ki bütün yapacakları kibarca gülümsemek olacak, konu orada noktalanacaktı. Oysa Rusya'da doğup büyüdüğünü söylediğinde soru yağmuruna tutuyorlardı. Doktor Jivago'nun ülkesinden olmak ilginç, cazip ve romantik geliyordu. İnsanların akıllarına ilk gelen lapa lapa kar, votka, havyar, seksi KGB ajanları ve donmuş göllerde buz pateni yapan uzun boylu ve çekici Moskovalılar oluyordu. Kimi insan kendi kendinin mucididir. Roksana da böyleydi. Bir isim, bir aidiyet, bir geçmiş, bir gelecek ve hayali bir yaşaöyküsü bulmuştu kendine. Gerçek, yani onun gerçeği, eski zaman kadınlarının giydiği iç etekler gibi kat kat derinlerde saklanmış değildi. O, söylediği bütün yalan ve uydurmaların toplamından ibaretti – Bulgaristan'ın ufak bir kasabasından gelip de Rus olduğunu iddia eden ve Londra'da bir barda Brezilya sambalarıyla striptiz yapan bir kız.

Roksana'yı bu halde görse kim bilir nasıl kızardı babası. *Tatko** kimsenin onu kendisi gibi sevemeyeceğini söylerdi hep. Roksana'ya göre iyi bir şeydi bu; zaten kimsenin onu öyle sevmesini istemiyordu.

Annesi kadife kalpli, tatlı dilli bir kadındı; lisan öğrenmeye olan merakını kızına da aşılamış bir Fransızca öğretmeni. Roksana on beş yaşındayken annesi bir trafik kazası geçirip, ters giden bir kalça kırığı ameliyatının ardından yatalak kalmıştı. Tatko suçu doktorlarda, hastanede, Komünist Partisi'nde bulmuştu. Roksana'nın ablası evliydi ve bakması gereken bir ailesi vardı, ağabeyi ise yeni nişanlanmıştı. Annesine bakmak, onu her gün yıkayıp giydirmek ve yemeğini yedirmek Roksana'ya (o zamanlar Elena'ydı adı) kalmıştı. O da canı gönülden yapmıştı bunları. Ne sürgüyü temizlemek ne kadıncağızın yaralarına merhem sürmek zoruna gitmişti. Zaman zaman ona Fransızca kitaplar okurdu. Romanlar ister acıklı ister komik olsun, annesi yüzünde hep aynı durgun ifadeyle dinlerdi.

* *Tatko:* (Bulgarca) Baba.

Tatko oldum olası çok içerdi – tek değişen kazadan sonra evde içmeye başlamasıydı. Roksana yemeği yapıp sofrayı kurar, ikisi beraberce oturup yerlerdi. Tatko kızından annesinin sandalyesine oturmasını, geceliğini giymesini, parfümünü sürmesini, annesinin yerini almasını ister oldu – her anlamda. Roksana annesinin durumu bilip bilmediğinden emin olamıyordu. Geceleri idrar, ilaç ve yalnızlık kokan ayrı bir odada, başucundaki azizlerin kederli bakışları altında uykusuz yatarken sesleri duyuyor muydu acaba? Tatko'nun sarhoş halde gelip, Roksana'nın kapısına önce hafifçe, sonra giderek artan bir şiddetle vuruşunu; onunla konuşması gerektiğini, sabahı bekleyemeyeceğini söyleyişini; kahrolası kapıyı açması için yalvarışını, küfredişini, lanet okuyuşunu; kapı açılmayınca anlaşılmaz bir söyleve girişip sonunda denemekten yorularak çekip gidişini ya da yerde sızıp kalışını.

Ertesi gün babası hiçbir şey hatırlamıyormuş gibi derli toplu hayatına geri dönerdi. Sonra haftalarca her şey yolunda gider, yine o eski kibar ve neşeli Tatko oluverirdi – o kadar ki Roksana kendinden şüphe etmeye başlar, belki de yanlış anlamış olduğunu düşünürdü. Ta ki bir gece geç saatte yine kapının öbür yanında Tatko'nun soluk alıp verdiğini, tıklattığını, yetmeyince yumrukladığını duyana dek. Bu iki yıl boyunca Roksana sık sık kendisini odasına kilitleyip aynı romanları tekrar tekrar okudu. Kitaplar onu ayakta tuttu.

On yedinci doğum gününden kısa süre sonra duruma dayanamayıp evden kaçtı. Yalnızca babasından ya da eve yayılmış ölüm ve çürüme kokusundan kaçmıyordu. İç karartıcılıktan, sıradanlıktan ve kayda değer bir yaşam sürmenin imkânsızlığından da kaçıyordu. "Yüksekleri hedefleyen kızlar fena batar" diyordu herkes. Bu doğru olsa bile, sonunda tökezleyip düşse ve hayalleri bir kelebeğinkilerden daha kısa sürse bile, gene de tırmanmaya değmez miydi?

Bir bahar günü Roksana annesinin su bardağını doldurup

saçlarını taradıktan sonra çekine çekine gideceğini söyledi. Annesinin ağlamaya başlamasından ve kalmasını istemesinden korkuyor, böyle bir talebe nasıl karşılık vereceğini bilemiyordu. Oysa beklediğinin aksine, hasta kadının yüzüne bir memnuniyet ifadesi yayıldı. Gülmeyi unutmuş ya da belki hiçbir zaman tam öğrenememiş biri gibi, titrek dudaklarını incecik araladı ve gülümseyerek, "Git Elena" dedi. "Allah yolunu açık etsin *çedo moe*.*"

Sofya büyük ve karmaşık bir şehirdi ama ne büyüklüğü ne de ihtişamı korkuttu Roksana'nın gözünü. İlk ayları değişik insanların yanında geçirdi – uzak bir akrabanın, bir arkadaşın arkadaşının. Onlarca işe başvurdu, reddedildi. 1971 yılında etrafta çok sayıda genç ve elinden iş gelen insan vardı. Ana babalarınınkinden daha müreffeh bir yaşam umuduyla şehre gelmiş köylü çocuklarıydı çoğu. Çekoslovakya'da üç yıl önce yaşanan Prag Baharı bütün Balkanlar'da olduğu gibi Bulgaristan'da da umut kıpırtılarına yol açmış, buna karşılık BKP toplum üzerindeki baskıyı artırmıştı. Parti *halkın maksimum birlik ve istikrarı*'nı sağlamaya yemin etmişti. Sovyetler Birliği'ne kayıtsız şartsız bağlılık ve muhalefete daha az hoşgörü anlamına gelen bu söz, aynı zamanda daha az iş olanağı demekti.

Aylar sonra bir ahbabı ona saygın bir felsefeciden, muteber bir entelektüelden söz etti. Adam yeni bir kitap üzerinde çalışmaktaydı ve bir asistan arıyordu. Tatminkâr bir ücret ve yemek, bir de kalacak yer söz konusuydu.

Ertesi gün soluğu, verilen adreste aldı Roksana – Georgi Dimitrov Bulvarı'nda güneşli bir daireydi. Evin duvarlarını kaplayan gömme kütüphanenin yerden tavana kadar bütün rafları kitaplar ve ansiklopedilerle tıka basa doluydu. Odalarda ve koridorlar boyunca, her masa ve koltuğun üstünde ve hatta mutfakta kitaplar, dergiler ve dosyalar devrilecek gibi duran kuleler halinde yığılmışlardı. Karışıklığa ve havada

* *Çedo moe:* (Bulgarca) Evladım.

asılı tütün kokusuna karşın evin davetkâr bir havası vardı. Heyecanla kendini tanıttı Roksana. Felsefeci yayvan yüzlü ve geniş alınlıydı; kırlaşmış saçları aslan yelesini andırıyordu. Yaşını kestirmek imkânsızdı. Sahip olduğunu bilmediği bir özgüvenle içindeki öğrenme aşkından ve kitapları ne çok sevdiğinden bahsetti Roksana. Konuşması bitince adam, "Çok güzel, aferin" dedi. "Şimdi eteğinizi kaldırabilir misiniz lütfen?"

Roksana güldü. Sofrada tuzu uzatmasını rica edercesine sakin ve doğal söylemişti adam bunu. Şaka olmalıydı. Ne sesinde müstehcen bir tını ne de gözlerinde şehvet ışıltısı. Tatko'nun böyle anlardaki küstah ve buyurgan tavrının aksine bu adamın gayet efendi, kibar ve kültürlü bir hali vardı.

"Yazık ki bu görüşmeye bütün günümü ayıramam hanımefendi. Lütfedip eteğinizi kaldırırsanız ikimize de zaman kazandırmış olursunuz."

Hipnotize olmuş gibi kendisine söyleneni yaptı Roksana; eteğini dizlerinin biraz üstüne kaldırdı.

"Daha yukarı lütfen."

Roksana kızararak eteğini beline kadar çekti; uzun bacaklarını gösterdi.

"Şimdi de arkanızı döner misiniz lütfen?"

Bu daha da utanç vericiydi ama bir kez daha itaat etti. Sadece birkaç saniyeydi ama ona bir ömür gibi geldi. Adam ne yerinden kalktı ne de ona elini sürdü.

"Peki, yarın sabah bekliyorum" dedi felsefeci. "Saat tam dokuzda. Bavulunuzu da getirin. İşe alındınız."

⊠⊠⊠

İlk kez beraber olduklarında Roksana'nın bakire olduğunu görünce şaşırdı felsefeci. Hem hayret etti hem hiddetlendi.

"Niye söylemedin?" dedi yüzüne bile bakmadan. "Hiç hazzetmem bakirelerden. Talepkâr, kaprisli ve şımarık olurlar.

93

Sana kıymetli bir armağan verdiklerini sanıp ömür boyu minnet duymanı beklerler."

Roksana bir şey söylemek istediyse de yapamadı. "Ezelden beri kadınlar bedenlerini kullanarak erkekleri kandırır" dedi felsefeci. "Önce bekâretlerini kullanırlar. Sonra hamilelik gelir, çocuklar doğunca onları kullanırlar kocalarını tuzağa düşürmek için. Ama ben bu oyunlara gelmem, bilesin! Dünkü çocuk değilim!"

Ertesi gün soğuk ve mesafeliydi. Bütün gün sessizce çalıştılar. O bir köşede oturup sinirli sinirli bir şeyler yazıp çizdi, Roksana da başka bir tarafta bu notları temize çekti. Öğleden sonra adama bir fincan çay ve biraz da bisküvi getirdi ama o bunlara dokunmadı bile. Üçüncü gün farklıydı adam, sanki konuyu bir kez daha düşünmüş ve o eski müşfik ve uygar haline geri dönmüştü.

Sonraki on ay boyunca Roksana, Georgi Dimitrov Bulvarı'nda daktilo ve tütün, mürekkep ve seks kokan dairede felsefeciyle beraber yaşadı. Sanki adamın maaşlı yardımcısı değil de evin hanımıymış gibi daireyi biblolarla süsledi. Babasına mektup yazıp merak etmemesini, durumunun iyi olduğunu ve yakında annesi için para göndereceğini yazdı. Yanıt yazabilsin diye adresini bildirdi. Ama babasından hiç haber alamadı. Her ay maaşının yarısını ona gönderdiğinde bile.

Felsefeci hayata kötümser bakmayı seven biriydi; ancak başkalarında, özellikle de kadınlarda melankoliye tahammülü yoktu. Roksana'yı hep neşeli görmek isterdi. Kız ne zaman kasvetli düşüncelere dalacak, halinden azıcık şikâyet edecek ya da ağlayacak olsa adamın yüzü gölgelenirdi. Roksana'nın mutluymuş gibi yaptığı zamanları hemen anlar, somurturdu. Roksana için en zoru sürekli şen şakrak olmaktı. Ne işin yoğunluğu ne bir apartman dairesinde kapalı olmak ne de canını yakan yalnızlık bezdiriyordu onu bu zorunlu saadet kadar.

Felsefecinin ona olan ilgisini kaybettiğini hemen fark etti, çünkü adam bunu gizleme zahmetine girmedi. Düş kırıklığı gözlerinden okunuyordu. Roksana'dan sıkılmış, başka bir asistan –daha latif bir mizacı ve daha biçimli bacakları olan birini– ister olmuştu. Bütün bunlar sözcüklere başvurmadan anlatılmış ve anlaşılmıştı. Roksana bavulunu ve biblolarını alıp oradan ayrıldı. Yaşam çemberi bir dönüşü tamamlamıştı. Daha önce nasıl annesini ve evini terk ettiyse, şimdi de iyi kötü kurduğu bir başka düzeni geride bırakıyordu.

Sonraki yıl çetindi. Daha tırmanmadan düşmeye başlamış gibi hissetti kendini. Derken şehirdeki kısa ziyareti sırasında kendisine eşlik edecek birine ihtiyacı olan ve onu görür görmez beğenen bir İngiliz işadamıyla tanıştı. O aralar Bulgar hükümeti Batı'yla ilişkilerini düzeltmeye çalıştığından yabancı yatırımcılar sık sık gelir olmuştu başkente.

İşadamında Roksana'nın dikkatini ilk çeken, temizlik konusunda takıntı düzeyinde hassasiyet göstermesiydi. Su kıt olduğunda bile her gün uzun duşlar alır, cildini hep bavulunda taşıdığı yasemin ve papatya kokulu sabunlarla ovalardı. İşini *emlak ve genel müteahhitlik* olarak tanımlamıştı ama Roksana onu çalışırken görmemişti ve için için adamın hükümetle, görünenden daha gizli bağları olduğundan şüpheleniyordu. Roksana'ya ilk İngilizce sözcüklerini o öğretti – bunların hiçbiri kitaplardan öğrenebileceği şeyler değildi.

Roksana'yı seks konusunda eğitti – neyi nasıl istediğini öğretti. Yatakta kendisine kötü muamele edilmesinden hoşlanıyordu. Roksana adamın ona aldığı ipek fularla ellerini bağlarken "Yaramaz çocuk!" diye azarlar, yüzüne tükürürdü; o da her seferinde bahtsız bir kurban gibi hüngür hüngür ağlardı. Diğer zamanlarda ise oyun değişir, bu kez aşağılanma sırası Roksana'ya gelirdi. O zaman o yaramaz kız olur, tokatlanmayı hak ederdi.

Öte yandan Roksana'ya kendine güvenmenin önemini öğreten de aynı adam oldu. "Başkalarının yanında övünmek ayıptır" derdi, "ama yalnızken, kendinle baş başayken her zaman

değerini bil ve kimsenin seni ezmesine izin verme."
İngiltere'ye beraber geldiler. Roksana'nın pasaportu dahil seyahatle ilgili her belgeyi işadamı ayarladı. Baker Sokağı'nda ufak bir daire tuttu ona, karısından ve çocuklarından uzakta. Evin yer döşemeleri gıcırdıyor, boruları sızdırıyordu; tavanında küf, dolaplarında güve vardı. Roksana yemek pişirir, akşam adam yemeğe gelmezse kahrolurdu. Belki tam olarak aşk denemezdi buna ama ömrü hayatında aşka en fazla yaklaştığı nokta bu olacaktı.

1975 Eylülü'nde bir gün Hilton Oteli'nde Fransız bir yatırımcıyla görüşmesi vardı adamın. Roksana'nın da gelmesini istemişti. Yolda trafiğe takılınca randevuya geç kaldılar. Otele on dakika önce varmış olsalardı IRA'nın yerleştirdiği ve iki kişinin ölümüne, altmıştan fazlasının da yaralanmasına neden olan bomba patladığında lobide olacaklardı.

O olaydan sonra değişti işadamı. Sanki bomba kafasının içinde patlamış ve alışkanlıklarını tuzla buz edivermişti. Neleri yitirmek üzere olduğunu anlayıp karısına dönmek, ailesiyle daha fazla vakit geçirmek ister olmuştu. Belki aynı zamanda Roksana'dan soğumaya başlamıştı. Sofya'dayken egzotik ve etkileyici bulduğu kadın Londra'da ona kaba saba, hatta basit gelmeye başlamıştı ama bunu açıkça söylemeyecek kadar nazıkti. Roksana onun işini kolaylaştırdı. Bir not bırakarak terk eden o oldu. Papatya sabununun üzerine minicik bir not iliştirdi:

Ruhum! Belki bu akşam artık
Son akşamım olacak. Aşkım içimde kaldı.

İşadamı bunu bilmiyordu ama bu dizeler bir romanda Cyrano nam karakterin sevdiceği *Roxane*'a vedasıydı. Yıllar sonra karısıyla izledikleri bir amatör tiyatro oyununda aynı sözcükleri duyunca irkilecek, ancak o zaman anlayacaktı.

⊠⊠⊠

Makyajını tamamlayan Roksana sahne arkasında, asırlardır yıkanmamışa benzeyen vişne çürüğü perdelerin ardında hazır ve nazır beklemekteydi. Aradan şöyle bir göz attı ve içerisinin dolu olduğunu gördü. Bu gece de yoğundu. Müdavimler dışında yeni müşteriler vardı: bekârlar, bekârlığa veda partisi yapanlar, boşanmışlar ve kıdemli kocalar. Her ırktan erkek. Genç ve yaşlı, ama çoğunlukla orta yaşlı.

Derken onu gördü. Barda oturmuş, ihtiyatla yudumluyordu sodasını. Koyu renk saçlı, az konuşan biriydi ve yüzünde sonsuz bir umutsuzluk ifadesi vardı. Hayata bakışını, atılması gereken yamalı bir ceket gibi üzerinde taşıyordu. Roksana onu ilk kez Çinli patronlardan birinin davetlisi olarak gittiği izbe kumarhanede görmüştü. Adını da orada öğrenmişti: Âdem.

Roksana onun herkesin ağzını sulandıracak büyüklükte bir meblağ kazanışına tanık olmuştu. Başkası olsa o parayı gönlünce çarçur ederdi. Oysa o ertesi gün geri gelmiş, daha da büyük oynamış ve kaybetmişti. Roksana'nın bir yanı bu aptallığından dolayı onu hor görüyordu. Ama bir yanı da gözü karalığına hayran olmuştu.

Son beş haftadır Roksana'nın hiçbir gösterisini kaçırmıyor, her seferinde gösteriden sonra ona viski ısmarlıyor ama kendi damla içmiyordu. Roksana'dan kısaydı boyu. Yakışıklı sayılmazdı. Kibar davranıyor, Roksana'ya geçmişiyle ilgili sorular soruyordu. O da hakikati anlatmak yerine hikâyeler uyduruyordu. Moskova'daki maceralarından, kızaklardan, balolardan, ailesine kurulan kumpaslardan bahsediyordu. Anlattıkları komünist bir ülkeden ziyade peri masallarında yaşanacak türden şeylerdi ama adam pek farkında görünmüyordu.

Ağzından kaçırdığı tek gerçek, babasının içki alışkanlığıydı. "Sahi mi?" demişti Âdem. "Demek senin baban da benimki gibiydi. Benimki karaciğer belasından öldü sonunda. "

İşte o zaman midesinde bir şeylerin düğümlendiğini hissetmişti Roksana; beklenmedik bir engele takılıp tökezlemişti.

Pişmanlık sızı gibi yayılmıştı bedenine. Belli ki bu adamın hazin bir hikâyesi vardı. Öğrenmek istemiyordu. Kimsenin kederini merak etmiyordu. Tek istediği kendi yalanlarını uydurmak ve onların gerçek olmayışlarında teselli bulmaktı. Adama soğuk davranabilir, bir daha gelmemesini söyleyebilirdi. Bu kalbini kırardı belki ama daha hayırlı olurdu o ve ailesi için. Belki o zaman karısına geri dönerdi ama sanmıyordu Roksana. Onun gibi adamlar bir kez buralara dadanmaya başlayıp, hayatın onlara çok gördüğü kaçamakların hayalini kurunca, başlarına bir felaket gelene dek yuvalarına dönmezlerdi. Doğrusu adamda onunla muhabbeti sürdürebilecek para olduğunu ummuyordu. Ama Roksana'yı şu anda heyecanlandıran Âdem'i sağmak değildi. Onun gözünde adeta bir kraliçeydi. Daha önce hiç böyle bir şey yaşamamıştı. Eskiden kendi yaşamını sıkıcı ve iç bunaltıcı bulurdu, tıpkı aynı kitabı tekrar tekrar okumak gibi. Yeni maceralar keşfetmek istemiş ve bunları büyük bedeller ödeyerek gerçekleştirmişti. Erkekler onu hep aramış, arzulamış ve kullanmışlardı. Fakat asla kimsenin gözünde kraliçe mertebesine varmamıştı.

Orada durmuş, az sonra kendisini seyredecek olan kalabalığa bakarken gayet iyi biliyordu ki, Elena adlı kız olsa Âdem'in yakasını onun selameti için bırakır, onu bu delikten uzaklaştırırdı. Oysa Roksana olarak nam salmış kadın tam tersini yapacak, Âdem'e daha sıkı sarılacaktı.

Perdeyi aralarken kendi kendine mırıldandı: "Yaramaz kız seni!"

KÖPRÜLERİ ATMAK

Pembe

Pembe batıl inançları çokça olan bir kadındı. Ailesi onun bu halini hayatın nice tuhaflıklarından biri olarak kabullenmişti. Seneler içinde kademe kademe gelişmiş bir özellik değildi bu. Aksine birdenbire ortaya çıkmıştı, neredeyse bir gecede: İskender'in doğduğu gece.

Pembe anne olduğunda on yedi yaşındaydı; genç, güzel ve evhamlıydı. Loş bir odada durmuş, beşiğe bakıyordu. Minnacık burnunda morumsu bir leke bulunan, yumuk elli, saydam tenli bu bebeğin onun çocuğu olduğuna hâlâ inanamıyordu sanki. Bir oğlu olmuştu – annesi Naze'nin tüm yaşamı boyunca sahip olmak için heves ve sitem ve dua ettiği oğul.

Pembe Kader ve Cemile Yeter'den sonra bir kez daha gebe kalmıştı Naze. Bu kez oğlan olmak zorunda, diyordu – başka yolu yoktu. Allah bunu borçluydu ona. Böyle konuşarak günaha girdiğini bile bile *Rabden bir alacağı olduğunu* söylüyordu. Yaradan'la arasında bir anlaşma olduğuna inanıyordu. Bunca kızı telafi etmek için bir şey yapacaktı elbet. Öyle sağlamdı ki inancı, hamileliği boyunca durmadan erkek bebek için patikler, hırkalar, battaniyeler, yelekler ördü. Kimseyi dinlemedi – hatta onu muayene eden ve bebeğin pozisyonunun düzgün olmadığını, şehre gitseler daha hayırlı olacağını söyleyen ebeyi bile. Hâlâ zaman var, demişti ebe. Hemen yola çıkarlarsa doğum başlamadan yetişebilirlerdi hastaneye.

"Daha neler" diye çıkıştı Naze.

Her şey O'nun elindeydi. Naze kırk dokuz yaşındaydı ve bu onun mucize bebeği olacaktı. Bundan önceki tüm bebeleri gibi bunu da burada, kendi evinde, kendi yatağında doğuracaktı; yalnız bu seferki oğlan olacaktı.

Bebek ters duruyordu; üstelik iriydi. Saatler geçti. Uğursuzluk getirir korkusuyla kimse saymadı. Hem vaktin tek sahibi Allah'tı. İlahi zamanın ismi *dehr* idi. Ölümlüler için dayanılmaz uzunlukta olan bir süre, O'nun için göz açıp kapayana kadar geçerdi. Bu yüzden doğum esnasında, her biri gaibe açılan kapı olan aynalarla beraber saatlerin de üzeri kadifeyle örtülmüştü.

"Takati kalmadı, daha fazla itemiyor" dedi kadınlardan biri. Naze o kadar çok kan kaybetmişti ki çehresi kış rengine bürünmüştü, ara ara kendinden geçiyordu.

"O halde biz çekelim" dedi alnı boncuk boncuk terlemiş ebe. Elini sokup, ıslak ve kaygan bebeğin kıpırtısını parmaklarının ucunda hissetti. Sönmek üzere olan bir mumun son çırpınışlarını andıran hafif bir kalp atışı vardı. Nazikçe ama kararlılıkla bebeği rahmin içinde döndürmeye çalıştı. Bir kez. İki kez. Üçüncüsünde daha hızlıydı. Bebek saat yönünde hareket etti ama yeterince değil. Başı göbek bağına bastırıyor, kordondan geçen oksijen miktarını tehlikeli raddede azaltıyordu.

Bir tercih yapılması gerekiyordu. Anne ile bebekten birini seçmek zorunda olduğunun farkındaydı ebe. İkisini de kurtarmasının imkânı yoktu. Vicdanı aysız bir gece gibi sessiz ve bir o kadar karanlıktı. Aniden kararını verdi. Kadını seçecekti.

Orada öylece, gözleri sımsıkı kapalı vaziyette, ölümle dans etmekte olan Naze işte tam o anda başını kaldırıp bağırdı:

"Sakın ha!"

Öyle kuvvetli bir çığlıktı ki adeta insandan çıkmamıştı. Yataktaki kadın bir yaban hayvanına dönüşmüştü; aç ve vahşi, yoluna çıkan herkese saldırmaya hazırdı. Güneşin yapraklar üzerinde altınımsı yansımalar bıraktığı yemyeşil bir ormanda koşmaktaydı; hiç olmadığı kadar özgürdü. Duyanlar Naze'nin delirdiğinden şüphelendiler. Yalnızca deliler böyle bağırabilirdi. "Kes beni kaltak! Çıkar bebemi" diye emretti Naze. "Oğlum geliyor! Seni hain kıskanç karı! Al makası eline! Hemen! Yar karnımı, çıkar oğlumu!" Ebenin eli titredi; istese de saklayamıyordu korkusunu. Sinekler vızıldayarak kümeler halinde dönüp duruyordu, ölüm kokusu alan akbabalar gibi. Çok fazla kan vardı etrafta. Çok fazla gazap ve hınç bulaşmıştı halılara, çarşaflara, duvarlara. Odanın içindeki hava ağırlaşmış, ölgünleşmişti.

Naze kurtarılamadı. Bebek –cinsiyeti hakkında ta başından beri yanıldığı bebek– ise fazla dayanamadı. Naze'nin dokuzuncu çocuğu, onu canından edip sonra da beşiğinde sessizce son nefesini veren bebek de kızdı.

İşte bu yüzden, 1963'ün o Kasım gününde, doğum servisindeki yatağında şafağa kadar gözünü kırpmadan yatan Pembe hem mutlu hem huzursuzdu. Daha on yedi yaşındaydı ve şimdiden memesinde bir oğul vardı. Annesinin göklerde bir yerlerden hasetle seyrettiğini düşünmeden edemedi. *Sekiz doğum, dört düşük, bir ölü bebek ve içlerinden biri bile oğlan değildi... Benim şu delifişek kızımaysa daha şimdiden sağlıklı bir oğul verdin. Neden Allahım?*

Naze'nin figanı Pembe'nin kulaklarında yankılandı, bir öfke topuna dönüşüp göğsüne yuvarlandı, midesine oturdu. Kaygılarını savuşturmaya çalıştıkça yenilerine yakalanıyordu Pembe. Evham topaç gibi dönerek kafasının içinde çemberler çiziyordu. Birden anladı ki rahmetli annesinin nazarından kaçabileceği yer yoktu. Bir kez zihnini takınca, artık o bakışı her yerde aramaya koyuldu. Süt yapsın diye havanda dövüp yediği cevizlerde, pencere camlarından süzülen yağmur damlalarında, her banyoda saçına sürdüğü bademyağında ve ocakta fokur fokur kaynayan yoğurt çorbasında Naze'yi görmeye başladı.

Ey Yüce Allahım, ne olur anam cennette kapatsın artık

gözlerini, oğlum sağ salim büyüsün, diye dua ederken sanki uyutulması gereken kişi bebek değil de kendisiymiş gibi sağa sola sallanıyordu Pembe.

☒☒☒

İskender'in doğduğu gece bir kâbus gördü Pembe – tıpkı hamileliği boyunca birçok kez olduğu gibi. Ama bu seferki o kadar gerçekti ki bir yanı bu kâbustan asla çıkamayacak, düşler dünyasına hapsolacaktı.

Kendini desenli bir halının üzerinde sırtüstü yatarken gördü, gözleri kocaman açık, karnı büyüktü. Yukarıda, gökyüzünde birkaç bulut geziniyordu. Sıcaktı, çok sıcak. Sonra halının –yoksa yatak mıydı– su üstüne serilmiş olduğunu, bedeninin altında azgın bir nehrin döne döne aktığını fark etti. Nasıl oluyor da batmıyorum acaba, diye sordu kendi kendine. Gökyüzü aralandı ve sorusuna yanıt geleceğine bir çift el uzandı aşağıya. Tanrı'nın elleri miydi bunlar? Yoksa ölmüş anasının mı? Bilemedi. Eller karnını yardı. Acı duymuyordu ama dehşet içindeydi olanlar karşısında. Sonra eller bebeği dışarı çıkardı. Gözleri koyu renkli çakılların renginde, tombul bir oğlancıktı. Pembe, kucaklamak şöyle dursun, daha elini bile süremeden, eller suya atıverdi bebeği. Musa Peygamber'in sepet içindeki serüveni gibi, akıntıya kapılmış bir tahtanın üzerinde sürüklendi bebek.

Pembe yalnızca bir kişiye anlattı kâbusunu. Sabırla dinleyen Cemile, ya buna gerçekten inandığı için ya da ikizini annelerinin hayaletinden kurtarmak istediği için bir fikir attı ortaya. "Seni cin çarpmış olmalı" dedi.

"Cin mi?" diye sordu Pembe.

"Tabii ya. Koltukta, kanepede kestirmeyi pek sever cin taifesi. Birini, üstüne oturup ezmiş olmalısın. O da seni çarpmış."

"Sahi mi?"

"Merak etme, bir yolunu buluruz" dedi Cemile, kendinden emin.

Böylece Pembe, ikizi ne dediyse yapmaya başladı: Bir sokak köpeği sürüsüne bayat ekmekler atıp arkasına bakmadan uzaklaştı; sol omzunun üstünden bir tutam tuz, sağ omzunun üstünden bir tutam şeker serpti; yeni sürülmüş tarlalarda yürüyüp örümcek ağlarının altından geçti; evdeki her çatlaktan içeri okunmuş gülsuyu döktü ve kırk gün boyunca boynunda muska taşıdı. Cemile tüm bunları yaptırarak Pembe'yi rahmetli analarının hayaletinden kurtaracağını sanmıştı. Halbuki onun yerine Pembe'ye batıl inançlar kapısını aralayıverdi.

Bu arada İskender büyüyordu. Teni derelerdeki çakıllar renginde, saçları koyu, dalgalı ve yıldız tozu serpilmiş gibi parlaktı. Burnundaki doğum lekesi çoktan geçmiş, muzip gözleriyle bolca gülümsüyor, herkesi cezbediyordu. Oğlu güzelleştikçe Pembe'nin de evhamları artıyordu – depremler, toprak kaymaları, seller, orman yangınları, bulaşıcı hastalıklar, Naze'nin hayaletinin gazabı ya da cinlerin intikamı. Dünya her zaman güvensiz bir yerdi ama şimdi Pembe her şeyden ve herkesten korkar olmuştu. O kadar huzursuzdu ki, oğluna isim vermeyi reddetmişti. Bu yolla onu Azrail'den koruyordu aklınca. Bebeğin bir adı olmazsa Azrail kime geleceğini bilemez ve tıpkı adressiz bir mektup gibi yolda kaybolurdu. Böylece çocuk dünyadaki ilk yılını isimsiz geçirdi. İkinci, üçüncü ve dördüncü yıllarını da. Ona seslenmeleri gerektiğinde "Evlat!", "Hey ufaklık!" ya da "Bidilik!" diyorlardı.

Âdem niye itiraz etmedi bu saçmalığa? Niye başka her erkeğin yapacağı gibi durumu kontrol altına alıp vârisine bir isim koymaya kalkmadı? Onu tutan bir şey vardı. Ancak yanlış kadınla evlenmiş olduğunu bilen bir erkeğin duyacağı türden bir pişmanlık, eziklik, edilgenlik.

Nihayet oğlan beş yaşına gelince Âdem duruma ses etti. Oğlu yakında okula başlayacaktı ve eğer o zamana kadar bir isim vermemiş olursa öbür çocuklar olabilecek en gülünç lakabı bulup takarlardı çocukcağıza. Pembe istemeye istemeye kabul etti ama bir şartla. Çocuğu köyüne götürüp ikiz kardeşinin ve ailesinin hayır dualarını alacaktı. Daha da önemlisi köyün artık Ağrı Dağı kadar yaşlı olan ama hâlâ bilgelik dağıtmaya devam eden üç yaşlısına danışacaktı.

⊠⊠⊠

"Bize gelmekle akıllılık etmişsin" dedi birinci ihtiyar. O kadar mecalsizdi ki yakında bir kapı çarpsa titreşimi adamcağızı sarsmaya yeterdi.

"Bugünlerde bazı anaların yaptığı gibi kendi başına ad koymaya kalkışmaman isabet olmuş" dedi, ağzında sadece bir diş kalmış ikinci ihtiyar.

O sırada üçüncü ihtiyar söze karıştıysa da sesi öyle kısıktı ki ne dediğini anlayan olmadı.

Köyün yaşlıları bir karara vardılar: Çocuğun ismini, ailenin geçmişi hakkında hiçbir şey bilmeyen, dolayısıyla Naze'nin hayaletinden haberi olmayan biri vermeliydi. Pembe bu teklife razı oldu. Mala Çar Bayan köyünün birkaç kilometre uzağında kışın cılız akan ama baharda kudurmuşçasına taşan bir dere vardı. Köylüler karşı kıyıya geçmek için iki yaka arasına gerilmiş bir elektrik teline bağladıkları derme çatma bir tekne kullanırlardı. Tehlikeli bir seyahatti ve her yıl birkaç kişi suya düşerdi. Çoğu kurtarılsa da kimisi de boğulurdu. İşte Pembe'nin oracıkta beklemesine ve karşıya geçen ilk kişiye bu meseleyi danışmasına karar verildi. Bu arada köyün yaşlıları çalıların arkasında saklanacak, gerekirse müdahale edeceklerdi.

Böylece Pembe ile oğlu beklemeye başladılar. Ayak bileklerini örten kırmızı bir elbiseye bürünmüştü Pembe. Çocuksa tek takım elbisesini giymiş, bu haliyle minyatür bir adama benzemişti. Zaman ilerledi. Pembe oğlunu oyalamak için öyküler anlattı. Bunlardan biri hayatı boyunca kalacaktı çocuğun hafızasında.

"Hoca Nasrettin ufakken anasının gözbebeğiymiş" dedi Pembe.

"Gözünde miymiş bebeği?"

"O bir deyimdir sultanım. Annesi onu çok severmiş demek. Şehrin az dışında güzel bir evde yaşarlarmış."

"Babası neredeymiş?"

"Savaşa gitmiş. Hadi dinle şimdi. *Bir gün annesinin pazara gitmesi gerekmiş. Oğluna demiş ki, 'Sen evde kalıp kapıyı kollamalısın. İçeri girmeye kalkışan birini görürsen avazın çıktığı kadar bağırmaya başla. Hırsız korkar, kaçar. Ben de öğleden önce dönerim.' Nasrettin söyleneni yapmış, gözünü bir an bile kapıdan ayırmamış.*"

"Çişi gelmemiş mi?"

"Lazımlığı varmış yanında."

"Acıkmamış mı?"

"Annesi yemek bırakmış gitmeden. Bir de irmik helvası" dedi Pembe, oğlunun damak zevkini iyi bildiğinden. "*Derken kapıda bir tıkırtı olmuş. Nasrettin'in amcasıymış gelen. Oğlana annesinin nerede olduğunu sormuş ve sonra da 'Hadi git anana söyle, eve gelsin, bize sofra hazırlasın. Ailecek yemeğe geleceğiz' demiş.*"

"Ama olmaz, kapıyı bekliyor!"

"*Nasrettin'in kafası karışmış. Annesi kapıyı kollamasını söylemiş ama şimdi de amcası git ananı çağır diyormuş. İkisine de itaatsizlik etmek istemeyen Nasrettin, kapıyı yerinden söküp sırtına bağlamış ve annesini bulmaya gitmiş.*"

Hikâye bittiğinde bir ses duydular. Birisi dereyi geçmiş, onlara doğru gelmekteydi. Pembe'nin –ve köyün yaşlılarının– beklentisinin aksine bilge bir erkek yerine bunamış bir kadındı gelen. Kemerli bir burnu, kırışık elmacık kemiklerinin altında çökmüş yanakları, yamuk yumuk dişleri ve rüzgârla gelip giden bir aklı vardı.

Pembe, oğlunun acilen bir isme ihtiyacı olduğunu anlattıktan sonra kadından yardım istedi. Beriki hiç şaşırmış görünmedi. Böyle bir taleple karşılaşmak dünyanın en sıradan işiymiş gibi sakince bastonuna yaslanıp düşünmeye koyuldu.

"Anne, kim bu kadın ya?"

"Sus, sultanım. Bu cici teyze sana isim verecek şimdi."

"Ama çok çirkin."

Duymazdan gelen kadın yaklaşıp çocuğu dikkatle inceledi. "Demek hâlâ adına kavuşamadın, ha?" Oğlan yüzünü ekşiterek yanıt vermeyi reddetti.

"Ben pek susadım" dedi ihtiyar kadın ve az ötede akarsuyun gölcük oluşturduğu yeri gösterdi. "Gidip bana bir bardak su getirir misin?"

"Bardağım yok ki."

"Avuçlarını kullan."

Suratı asılan oğlan önce göz ucuyla yaşlı kadına, sonra dönüp annesine ve tekrar yabancıya baktı. "Hayır" dedi sonunda, donuk bir sesle. "Niye kendin gidip almıyorsun suyunu? Ben senin hizmetçin değilim."

Çocuğun sözleri tokat gibi geldi kadına. Nice sonra hırıltılı bir sesle konuştu: "Hizmet etmeyi sevmiyor, değil mi? Yalnızca ona hizmet edilsin istiyor."

Bu noktada, yanlış kişiyi seçmiş olduklarından kuşkusu kalmamıştı Pembe'nin. "Siz merak etmeyin, ben su getiririm" dedi ortamı yumuşatmak için, en tatlı sesiyle.

Ama yaşlı kadın Pembe'nin avuçlarında getirdiği suyu içmedi. Onun yerine suyu *okudu*. Nihayet başını kaldırdığında yüzü bulutlanmıştı; gözlerinde delişmen parıltılar vardı. Sanki mühim bir sır vermek, açık etmemesi gereken bir şey söylemek üzereydi.

"Bak kızım, bu senin oğlun uzun müddet çocuk kalacak ve ancak hayatının ortalarına doğru büyüyecek. Geç olgunlaşacak."

Bu sözlerden ürken Pembe birden kulaklarını tıkamak istedi.

"Bazı çocuklar Fırat gibidir, hızlı, taşkın. Ana babaları baş edemez. Korkarım oğlun yüreğini dağlayacak."

Bu kehanet gaipten fırlatılmış bir taş gibi düştü aralarına. Pembe böyle bir ihtar beklemiyordu ama düş kırıklığını belli etmedi. "Ben senden fal istemedim ki. İsim istedim" dedi gergince. "İki tane isim var, bilesin. Biri Selim. Vaktiyle böyle bir sultan varmış; hem şairmiş hem bestekâr. Evladın yumuşak huylu, merhametli, vicdan sahibi olsun istersen ona bu ismi ver."

"Peki ya ötekisi?" Pembe soluğunu tutmuştu. Oğlan bile ilgilenmeye başlamıştı konuşmalarla.

"İkincisi, askerlerinin önünde yürüyen, aslanlar gibi savaşan, her muharebeyi kazanan, düşmanlarının yüreklerine korku salan, diyar üstüne diyar, taht üstüne taht fetheden, Doğu ile Batı'yı birleştiren, hep daha fazlasını isteyen anlı şanlı bir kumandan ve hükümdarın adı. Evladın da onun gibi bir ordu insana liderlik etsin dilersen ona bu ismi ver."

"Bu daha iyiymiş" dedi yüzü aydınlanan Pembe.

"Tamam, o halde benimle işin bitti. Hadi bana eyvallah!"

Bastonuna tutunarak beklenmedik bir çeviklikle yürümeye başladı. Pembe'nin kadının arkasından koşmayı akıl etmesi bir iki saniye aldı.

"Hey, bekle. Ama söylemedin!"

"Neyi söylemedim?" Yaşlı kadın dönüp Pembe'nin yüzüne boş boş baktı; adeta onun kim olduğunu unutmuştu.

"İsmi! Ne olduğunu demedin ki."

"Ha!" dedi kadın. "Askander."

"Askander... Askander..." diye tekrarladı Pembe neşeyle.

İstanbul'a dönünce çocuğu nüfusa kaydettirdiler. Beş sene gecikmiş olsalar da yalvar yakar ve biraz da rüşvet karşılığında tamamlandı kayıt. Okula başladığında yoklama kartına yazılan isim İskender Toprak'tı.

İşte böylece Pembe'nin ilk çocuğu, gözbebeği oğlu Kürtçede Askander, Türkçede İskender, Londra'ya göçtüklerinde ise okul arkadaşlarının dilinde Alex oldu – yıllar sonra hapishanede mahkûmlar ve gardiyanlar arasında gene bu isimle bilinecekti.

Yunus

Tobiko'nun doğum günüydü. Toprak ailesinin hayatının raydan çıkmasından aylar evvel, yedi yaşındaki Yunus işgalcilerin evinde aşk sancıları çekmekteydi. Tobiko yirmi yaşına basmıştı. "Tipik bir Oğlak'ım" dediğini duydu Yunus, ama bunun iyi mi yoksa kötü mü olduğu hakkında fikri yoktu. Kendisi Aslan'dı; gerçi bu da bir şey ifade etmiyordu. Önemli olan, sevdiği kızla aralarındaki yaş farkının artmış olmasıydı – ona yetişme olasılığı daha da zayıftı şimdi. O yüzden suratını asıp bir kenara oturmuş, plastik bir kâseden patlamış mısır yiyordu. Göz ucuyla işgalcilerin Tobiko'ya hediye verişlerini seyrediyordu: gümüş hızmalar, çengelli iğneler, örgü bilezikler, zımbalı bir kemer, yırtık file çoraplar, bir çift asker botu, renkli ve çelişkili mesajlar içeren rozetler: *Kelle Oldum / Oyum Aşka / Gerçek Olan Tek Şey Nefret / Barış / Otoriteyi Sorgula / İçimde Kaltak Var / Zenginler İçin Savaşanlardan Değil, Onlara Karşı Savaşanlardan Ol / Şiddete Dur De / Sistemi Yerle Bir Et / Masum Marihuana / Kapitalizm Artı Uyuşturucu = Beyin Yıkama.* Ayrıca, üzerinde "Uluslararası İşgalciler"in sembolü olan bir yorgan, Patti Smith'in çıplak ve mahzun göründüğü bir poster, kitaplar (Stephen King'in *Medyum*'u, Bukowski'nin *Sıradan Delilik Öyküleri*), bir polis kaskı (bir kafede kaskını bir anlığına masada bırakmak gafletine düşen bir polis memurundan araklanmış), *Tembellik Hakkı* yazan bir afiş ve üzerinde müzik grubu

The Damned'in fotoğrafı olan siyah bir tişört.

Bu arada Yunus tantanadan uzak durmuştu, çünkü Tobiko'ya armağan veren en son kişi olmak istiyordu. Bunun iki nedeni vardı. Birincisi, onunla birkaç dakikalığına da olsa yalnız kalabilmeyi umuyordu. İkincisi, Tobiko'nun, aldığı şeyi beğeneceğinden emin değildi – hele diğerlerinin neler verdiklerini gördükten sonra.

Az sonra Kaptan, üzerinde Yunus'un hayatta gördüğü en dar kot pantolon, en az iki beden küçükmüş gibi duran bir deri ceket ve ayağında motosiklet çizmeleriyle içeri girdi. Tobiko'ya hediye getirmemişti. Onun yerine kızı kendine çekti. "Benimki sonra, bebek!" dedi.

Yanakları pembeleşirken gözlerinde muzır bir ışıltıyla gülümsedi Tobiko. Yunus'un yüreği burkuldu. O da aynı şeyi yapmayı düşündü bir an. Üzerinde gri okul pantolonu ve annesinin ördüğü mavi süveteriyle yerinden kalkıp ağır ve kararlı bir tavırla Tobiko'ya yaklaşacak; derin ve gizemli bir ses tonuyla konuşacaktı: "Benimki sonra, bebek."

Ne yapardı acaba Tobiko? Kaptan'a gülümsediği gibi ona da gülümser miydi? Hiç sanmıyordu Yunus. Gergin, bezgin, gözlerini kapattı.

Pembe hep ikaz ederdi, "Aman oğlum, kızlara dikkat et. Onlar oğlanlar gibi basit değildir. Kukla gibi parmaklarında oynatırlar adamı alimallah" diye. Düşündükçe iyice çöktü Yunus.

"Hey ufaklık, bir nefes ister misin?"

Yunus gözlerini açınca upuzun rasta saçlı bir delikanlının gelip ayaklarının dibine yatmış olduğunu gördü. Bu saçları görse annesi ne kadar şaşırırdı. *Peki ama nasıl yıkıyorlar kafalarını?* diye sorardı muhakkak ve dehşet içinde eklerdi: *Banyo yapıyorlardır, değil mi?*

Delikanlı gözlerini tavanda görünmez bir noktaya dikmiş, elinde tuttuğu yeni yakılmış esrarlı sigarayı Yunus'a uzatıyordu. Kolunda bir dövme vardı: *Zenginler savaşınca olan fakirlere olur.*

"Bana mı dedin?" diye sordu Yunus kibarca.

Yanıt vermek yerine kendi kendine konuşur gibi mırıldandı beriki: "Sana şu şarkıyı öğrettiler mi okulda..." Söylemek istediğini unutmuş gibi cümleyi yarım bırakıp esnedi. Yunus dikkatini adamın elindeki sigaraya çevirdi. Daha önce birilerinin birasından birkaç fırt almışlığı ya da piposundan nefes çekmişliği vardı, ama uyuşturucudan hep uzak durmuştu. İşgalciler arasında tartışmalı bir konuydu bu. Kara Panter sempatizanları, radikal feministler, Marksistler ve Troçkistler uyuşturucuya şiddetle karşıydı; hippiler bazı uyuşturucuları –esrar– seviyor; Punklar, nihilistler ve sitüasyonistler ise ota burun kıvırıp hapları ve kimyasalları tercih ediyordu. Ancak Yunus'un o güne dek uyuşturucuya bulaşmamış olmasının sebebi hiç anlamadığı bu karmaşa değildi. Annesinin gazabından korkmasıydı.

Ama mademki *tek bir nefes* teklif ediyordu şimdi birileri, reddetmek için bir sebep görmedi. Sigarayı alıp şöyle derin bir nefes çekmesiyle birlikte gözleri yaşardı ve öyle bir öksürüğe tutuldu ki ciğerleri patlayacak gibi oldu. İkinci ve üçüncü nefesler daha kolaydı ama öksürük geçmedi.

"Daha dün annemizin kollarında yaşarken, çiçekli bahçemizin..." diye şarkıya başladı rastalı delikanlı, nihayet hatırlayarak.

Yunus kıkırdayıp bir nefes daha çekti.

"Şimdi hep kelle olduk, ciğerleri doldurduk."

Yunus içmeye devam edip kıkırdadı. İkisi o kadar gürültü yaptılar ki, sonunda Tobiko ve diğerlerinin dikkatini çektiler. Yüzünde ayıplar bir ifadeyle onlara doğru seğirtti Tobiko.

"Yapma" dedi Yunus'un elindeki sigarayı alıp kendi dudakları arasına sıkıştırırken. "Sana böyle şeyler yakışmıyor! Neden herkes gibi olmaya çalışıyorsun? Sen farklısın. Seni özel kılan da bu."

Tobiko'nun bakışlarındaki tatlılık ve sesindeki endişe karşısında boğazında bir şeyler düğümlendi Yunus'un. Çıkarıverdi baklayı ağzından: "Biliyor musun, ben sana bir hediye aldım."

"Öyle mi?" dedi Tobiko yalandan şaşkınlıkla. "Nedir peki?"

Yunus ayağa kalktı; emir bekleyen bir asker gibi çenesini kaldırıp göğsünü şişirerek Tobiko'ya bir paket uzattı: altın rengi kutu, altın rengi ambalaj kâğıdı ve altın rengi kurdele. Kutunun içinde bir kar küresi vardı. Heybetli bir şatonun önünde birbirlerine sarılmış iki figür duruyordu – prenses ile canavar. Kurulunca, tatlı bir melodi eşliğinde dans etmeye başlıyorlardı. Altında *Güzel ve Çirkin* yazıyordu. Aslında Yunus ilk başta, içinde öpüşen bir gelin ile damadın bulunduğu bir kar küresi almayı planlamıştı, ama bildiği kadarıyla Tobiko evliliğe karşıydı. Bu yüzden o da diğer küreyi tercih etmişti – hem de daha pahalı olduğu halde.

Satıcı kadın gülümsemişti. "Harika bir seçim. Annen için mi?"

"Hayır, kız arkadaşım için" demişti gururla.

Yunus'un bu kar küresini tercih etmesinin bir nedeni daha vardı. Tobiko bir prensesten farksızdı onun gözünde, kendisiniyse canavara benzetiyordu biraz. Masalın "eksik" kahramanı.

"İyi ki doğdun!" dedi Yunus.

Hediyenin naifliği Tobiko'yu hazırlıksız yakalamıştı. Kar küresini yavru bir kuş gibi avuçlarında tutarken memnuniyeti yüzünden okunuyordu. "Ah tatlım, şahane bir şey bu!"

Yunus'un gözleri parladı. Günün birinde kesin evlenecekti bu kızla.

Akşam, sevdikleri grupların müziklerini çalıp devasa bir muzlu-çikolatalı-haşhaşlı doğum günü pastası yediler. Pastanın üstünde üfleyecek mum olmasa da bir dükkândan yürüttükleri pirinç ve bakır fenerler kutlama havası veriyordu.

Bu arada Yunus birkaç yudum biradan fazlasını devirmiş, pastadan da epeyce yemişti. Midesi bulanıyor, başı dönüyordu. Arkasına yaslanmış, gözlerini duvarlarda gezdirerek, kusmamak için elinden geleni yapıyordu. Orada, titrek ışıkta daha önce görmediği bir resim ilişti gözüne. Geniş omuzlu, iri burunlu, kır sakallı ve saçları tarak görmemişe benzeyen yaşlı bir adamın resmiydi bu. O gün Tobiko'nun doğum günü olduğu için adamın da onunla bir ilgisi olduğunu varsaydı. "Bu senin deden mi?" diye sordu Tobiko'ya, fotoğrafı işaret ederek.

Rastalı delikanlı soruyu duydu ve diğerlerine dönüp gülerek seslendi. "Hey millet, çocuk Karl Marx'ı dedesi sandı."

Bunu bir kahkaha dalgası izledi.

"O herkesin dedesi" dedi birisi neşeyle.

"Hepimizin büyükbabası" diye lafa karıştı bir diğeri.

"Ve dedemiz dünyayı değiştirecek" dedi Kaptan.

Aptalca bir şey söylediğini fark eden Yunus kulaklarına kadar kızardı. Ama geri adım atmadı. Kaptan'a kafa tutmalıydı. Bu sebepten hemen soruyu yapıştırdı: "Bunun için biraz fazla yaşlı değil mi?"

"Yaşlı değil, bilge" oldu gelen yanıt.

"Ama şişman" diye ısrar etti Yunus.

Bu, yeni bir kıkırtıya yol açtıysa da Kaptan ciddileşmişti. "O adam var ya, senin tarafındaydı. Senin gibilerin hakları için savaştı."

"Türk müydü?" diye soruverdi Yunus elinde olmadan.

İşgalciler öyle çok güldüler ki içlerinden biri koltuktan düştü. Gözlerinden gelen yaşları silip fazlasını duymak hevesiyle kulak kesildiler.

"Senin gibiler derken mülksüzleri kastettim" diye açıkladı Kaptan.

"O ne demek?"

"Varsıllar hak ettiklerinden daha fazlasını elde edebilsinler diye varlık sahibi olma hakları gasp edilenlere mülksüz denir."

Yunus boş boş baktı.

"Doğada başka hiçbir tür, insan kadar kibirli, açgözlü ve bencil değildir" diye devam etti Kaptan, sesini yükselterek. "Başka hiçbir cins birbirinin emeğinden kâr edinmeye çalışmaz. Kapitalist sistem yoksulların varsıllarca sömürülmesi üzerine kurulmuştur. Siz, ben, küçük dostumuz ve ailesi, hepimiz halkız! Soylu ayaktakımıyız! Eli yüzü kirli emekçileriz!"

"Annem hep temizlik yapar" dedi Yunus.

Yine güldüler ama farklıydı bu kez. Kahkahalarında şefkatli bir yan vardı sanki, biraz da sıkıntılı. Tobiko başına ağrı girmek üzereymiş gibi şakaklarını ovmaya başladı.

Oysa kendini haklılığına kaptırmış olan Kaptan dinleyicilerinin ruh halindeki değişikliği fark etmemişti. "Aç gözlerini evlat! Birileri ceplerini doldurabilmek için senin baban gibileri sömürüyor durmadan."

Bu lafa içerleyen Yunus ayağa fırladı. "Babamı kimse sömürmüyor, hiçbirimizin eli yüzü kirli değil. Annem hasta olduğunda komşular bize çorba getirdi."

Böyle konuşmasına tek sebep gurur değildi. Söylediklerine yürekten inanıyordu. Ailesini hiç *fakir* olarak görmemişti. Doğru, annesi zaman zaman bütçeyi denkleştirememekten dert yanıyor ya da yeni bir şey satın alırken zorlanıyordu. Ama evde kimsenin kendilerini *muhtaç, yoksun* ya da *alt sınıf* diye nitelediğini duymamıştı.

Bu kez kimse gülmedi. Dışarıda gecenin karanlığı artmıştı. O sırada, pek de uzak olmayan bir yerde, kar küresi içindeki bir figür gibi yalnızlık ve sessizlik örtüsüne bürünmüş halde, mutfak penceresinden bakmakta, kaygıyla oğlunu beklemekteydi Pembe.

"Hoppala! Özür dilerim ufaklık, seni kızdırmak istemedim" dedi Kaptan. "Böyle şeyleri anlayamayacak kadar küçüksün daha."

İşte bu sözler Yunus'u derinden yaralayan her şeyin özetiydi – yaşının, Tobiko'nun ulaşılmazlığının, aşkın imkânsızlığının. Bir sandalyeye çöktü; morali bozulmuştu.

"Sen takma onu minnoşum" diye fısıldadı Tobiko kulağına.

Sonra ekledi: "Geç oluyor. Artık gitmelisin."

Zamanın ancak farkına varan Yunus paniğe kapıldı. "Eyvah, annem merak etmiştir, kızacak şimdi." Ancak ayağa kalkmasıyla midesinin bulanması bir oldu.

"İyi geceler, Jonah.*"

"Eyvallah, birader."

"Görüşürüz ufaklık. Özletme kendini!"

Yunus, babası ve amcasından öğrendiği gibi sağ elini yüreğinin üstüne koyarak değil, işgalcilerin yaptığı gibi işaretparmağı ve ortaparmağıyla V işareti yaparak selamladı onları. Attığı ilk adımla birlikte oda dönmedolap gibi dönmeye başladı. Birdenbire ve herkesin gözleri önünde kusuverdi çocuk; hem de ne yere ne kenara; doğruca sevdiği kızın üzerine.

"Yo, hayır" diye inledi gözlerini kapamazdan önce. Tobiko onu artık sevmeyecekti işte.

O gece işgalci çılgın gençler Yunus'u evine kadar sırtlarında taşıdılar. Lavanta Sokağı'na vardıklarında zili çalıp topukladılar. Pembe kapıyı açtığında en küçük çocuğunu, zilzurna sarhoş ve umutsuzca âşık vaziyette, eşikte horul horul uyurken buldu.

---

* *Jonah:* Yunus Peygamber'in adının İngilizce karşılığı.

Cemile

Gecenin sessizliğinde ateşin yanında uyukluyordu Cemile, boynu yana eğilmişti. Sol eli sandalyeden aşağı sarkmıştı; sağ elindeyse sımsıkı tuttuğu bir mektup vardı. Defalarca okuduktan sonra uyuyakalmıştı. Huzursuzdu uykusu, zebanilerle doluydu. Elmacık kemiklerinin üstünü al basmıştı, yüzünde incecik bir ter tabakası ışıldıyordu. Rüyasında hem tanıdık gelen hem de dünya üstünde hiçbir yere benzemeyen bir şehirdeydi. Az ötede toplanmış asık suratlı insanlar vardı, hararetle tartışmaktaydılar. Kulak kabartınca anladı ki onun hakkında konuşuyorlardı. Korkuyla geri çekildi. Ama biri –Âdem'e benzeyen bir adam– onu fark ederek diğerlerine ispiyonladı. Peşine düştüler. Var gücüyle koşarak yılankavi ara sokaklardan ve karanlık meydanlardan geçti Cemile, ama tez yoruldu, bir çift beton blok gibi ağırlaştı bacakları.

Uyanacaktı birazdan – takipçileri onu bir çıkmaz sokakta kıstırdıklarında gücünü toplayıp fırlatacaktı kendini rüyanın dışına, soluk soluğa. Fakat şu anda hâlâ oradaydı, kâbus şehirde. Bu arada kulübedeki hava ağır ve boğucuydu. Ocaktaki son odun çatırdayarak alev aldı; sihirli bir değnekten yayılan tozlara benzer altın kıvılcımlar saçtı etrafa. Dışarıda, vadide bir kuş öttü. Ayak sesleri duyuldu; uzak, belirsiz. Cemile farkına varmadı. Şimdilik. O hâlâ canını kurtarmak için kaçıyordu rüyasında. Otuz bir yaşındaki bir kadından daha yaşlı görünüyordu şu anda. Tahtaya kazınmış gizli bir alfabeyi andıran çizgiler, kırışıklar vardı boynunda. Zaten kendini genç hissetmeyeli yıllar olmuştu. Ani bir hareketle uyandı. Sandalyenin oymalarının izi çıkmıştı yanağına. Sol omzunda o kadar berbat bir ağrı vardı ki oynatmaya cesaret edemedi. Tutulmuş uzuvlarını bir eliyle ovarken diğer eliyle mektubu tutuyordu hâlâ. Bir an ne olduğunu unutmuş gibi boş gözlerle baktı kâğıda. Ama rüyanın aksine mektup gerçekti. Etrafını saran dağlar kadar somut, bir o kadar kaçınılmazdı. Bir kez daha okumaya başladı.

Bacım, canım, iki gözüm Cemile,
Bu ada memlekete ayak bastığımdan beri bir denize hasret kalmışım, bir de sana. Allah biliyor ya, kaç kez dua ettim kavuşalım diye. En çok da bugün istedim, şimdi. Burada olsaydın başımı dizlerine koyardım. Derdim ki, üşüyorum, düşüyorum. Sen de sarılırdın bana. Tutardın...
Âdem koca değil artık. Haftalar var ki eve gelmiyor. Başka bir kadın buldu. Çocukların haberi yok. Her şeyi içime atıyorum. Ha bire. Yüreğimde bir dolu birikmiş laf var.
Onu suçlamıyorum. Kabahat bende. Âdem'le senin yerine benim evlenmem büyük hataydı. Beni hiçbir zaman sevmedi, seni sevdiği gibi. Yazık ona da. Pek pişman, bir bilsen. Ama cesareti yok. Bazen acıyorum ona, bana, sana... hepimize. Keşke tekrar çocuk olabilseydik, senle ben. Dilek çeşmelerinden para çalardık. Şimdi bildiklerimizi bilseydik eskiden, başka türlü olurdu, değil mi?
Hep geçmişten bahsediyor Âdem. Biliyor musun bir gün bana ne dedi? "Keşke sihirli bir silgim olsa, silsem." Açıklamadı ama biliyorum, bizi kastetti. Hiç evlenmemeliydim onunla. Elimde değildi gerçi ama mâni olmaya da çalışmadım. Çalıştım desem yalan olur. Köyden çıkmayı öyle çok istiyordum ki, hemen kabul ettim. Başka diyarlara gidiş biletimdi. Bana

kırgın mısın bacım? İncittim seni.
Hediye'yi düşündüğün oluyor mu hiç? Geçen gün rahmetli-
nin ruhuna helva kavurdum. Burada komşulara dağıttım.
Bizim gelenekleri bilmezler ya, şaşırdılar. Ne için olduğunu
söylemedim. Bunu o zaman yapmadık, yazık. Hatırladıkça
içim yanıyor. Sana da öyle oluyor mu zaman zaman?

Seni daim seven kardeşin Pembe

Cemile avuçlarındaki nasırları ovalayarak ayağa kalktı.
Cama yaklaşıp kaşlarını çatarak geceye baktı. Bir ses duydu-
ğunu sanmıştı ama kulak verince yanıldığına kanaat getirdi.
İç geçirerek geri döndü, çaydanlığı ateşe koyup çay yapmaya
girişti.

⊠⊠⊠

"Gökte ne çok yıldız var bu gece" demişti Cemile. 1962 sene-
sinde, insanın iliklerini donduran bir geceydi.

Ona doğru eğilip gözleriyle yüzünü tarayarak, bazı aşkların
parlak yıldızlara benzediğini söylemişti Âdem. Bazı aşklarsa
Samanyolu'nu andırırdı, etraflarında solgun bir huzme bıra-
kırlardı.

"Peki, bizim aşkımız?" diye sormuştu Cemile. "O da yıldız mı?"

Bu söz karşısında irkilmişti Âdem. Kendisi Cemile'ye onu
sevdiğini nasıl itiraf edeceğini düşünedursun, o söyleyivermiş-
ti bile. Ondan daha ataktı, daha cesur. Her şey fazla hızlı
gelişiyordu Âdem için; onu şaşkına çeviriyordu. Ama durup
zamanın onlara yetişmesini beklemeye vakit yoktu. El ele
yürümeye, kaçamak öpücükler tatmaya, birbirlerini tanımaya
fırsat yoktu.

"Kocaman, çifte kuyruklu bir yıldız bizim aşkımız. Bildin
mi nedir?"

Cemile başını sallamıştı *bilmem* anlamında.

"Kuyrukluyıldız" demişti Âdem gülerek.

Duvardaki orağı kapıp saçlarından bir tutam kesivermişti Cemile.

"Bana mı?" diye sormuştu Âdem, şaşkın.

"Beni hatırlatır. Hiç yanından ayırma."

Yüzünde sonsuz bir sevgi ve sadakat, bir de Âdem'in daha önce kimsede görmediği bir şey vardı: hayranlık. "Taşımama gerek yok, çünkü sen hep benimle olacaksın" demişti Âdem. Yine de tutamı cebine koymuştu, söylediklerine kendi de inanmazmış gibi.

Yıllar sonra Cemile kuyrukluyıldızlar hakkında daha fazla şey öğrenecekti. Anlayacaktı ki, hakikaten bir kuyrukluyıldız gibi tutulmamış yeminler ve gerçekleşmemiş hayallerden oluşan bir enkazı peşlerinden sürükleyerek, çarpışma anına doğru inanılmaz bir süratle gidivermişlerdi.

❌ ❌ ❌

Cemile çaydanlığı ateşten aldı, bardağa çay koydu. İlk yudumu almadan önce ağzına bir şeker küpü atıp düşünceli düşünceli emmeye başladı. Sonra, yazı yazmaya alışık olmayanların yaptığı gibi gereğinden fazla bir kuvvetle sarıldı kaleme. Yarı Türkçe yarı Kürtçe yazan ikizinin aksine o yalnızca Kürtçe kullandı.

Sevgili Pembem,

Kanım, canım, öbür yarım, bitmeyen hasretim.

Sana asla kırgın değilim. Hayatlarımız yalnızca ve yalnızca Allah'ın elinde. Lakin bugünlerde içimde bir sıkıntıyla uyanıyorum. Bir şeyler oluyor ama ne? Artık yatağıma yatamaz oldum. Sandalye tepelerinde uyukluyorum. İşe yaramıyor. Kâbuslar görüyorum. Geçecek elbet. Endişeye mahal yok.

Cemile kalemi bıraktı; eli kasılmış, alnı kırışmıştı. Birilerinin yaklaştığını işitti – üç ya da dört ziyaretçi diye tahmin etti. Ağır botları altında kırılan dalların çıtırtısını ve vadiden aşağı yuvarlanan çakıl taşlarının seslerini duyabiliyordu. Asker olabilirlerdi. Haydut olabilirlerdi. Her şey olabilirlerdi. Cemile kapıya baktı. Sürgülüydü; pencerelerdeki kurt yeniği tahta kepenkler kapalıydı. Başörtüsünü örtüp tüfeğini duvardan aldı. Yapabileceği başka bir şey yoktu. Mektubu bitirmek istiyordu. İçindeki kötü hissi Pembe'ye anlatmalı ve onu evliliği konusunda dikkatsiz davranıp bir hata yapmaması konusunda uyarmalıydı. Gerçi Pembe'nin hayatında hiç temkinli davrandığı olmuş muydu ki? İkizi, hep imkânsız sorular soran, ağaç köklerinin neden yağmur suyu içebilecek şekilde havada değil de toprakta olduğunu bile sorgulayan o sıska kız, büyümüş ama değişmemişti. Kardeşinin yüzünün açık bir kitap gibi oluşu endişelendiriyordu Cemile'yi. En küçük sevinçten en belirsiz evhama kadar, hissettiği her şey Pembe'nin yüzüne yansırdı. En basit duyguları bile gizlemekten âcizken, evliliğiyle ilgili sorunlarını nasıl saklayacaktı herkesten?

Dışarıda giderek yaklaştı ayak sesleri. Hafifçe vuruldu kapı, mahcup ama ısrarlı. Cemile derin bir nefes aldı, çabucak bir dua okudu ve kapıyı açtı.

Üç adam vardı eşikte. Kaçakçı oldukları her hallerinden belliydi. Buz parçacıkları yapışmıştı bıyıklarına, saçaklardan aşağı uzanan sarkıtlar gibi. Biri öne çıktı. Geniş omuzlu, iri yapılı bir adamdı, çukura kaçmış gözleri ve altın kaplama bir dişi vardı. Cemile daha önce görmüştü onu; liderleriydi.

"Karım" dedi adam kısaca. "Bizimle gelesin."

"Ne zaman başladı sancılar?"

"İki saat, belki fazla."

Cemile başını sallayarak mantosuyla tüfeğini aldı ve peşlerine düştü.

Gecenin ilerleyen saatlerinde, kapısında kurşun delikleri, damında tenekeler olan bir evdeydi Cemile. Yüzü kan ve

123

terle kaplıydı; ellerinde o güne dek gördüğü en tuhaf bebeği tutmaktaydı – ya da bir buçuk bebeği. Kız bebeğin göğsüne ve karnına yapışık bir erkek bebek vardı. Anne rahmindeki yolculuklarına ikiz olarak başlamışlardı ama, içlerinden biri büyümeye devam ederken diğeri yarı yolda durmuş, adeta dünyadan korkup fikir değiştirmişti. Gelişmesini tamamlayamayan bebek, kardeşine yapışıp kalmıştı.

"Şehre gitmelisiniz" dedi Cemile. "Ameliyat etmeleri lazım."

Kaçakçı gözlerini kaçırdı. Nice sonra sordu: "Alamet midir ki bu?"

"Böyle doğumlar nadirdir ama olur. Bazı ikizler birbirinden ayrılamaz."

"Beş bacaklı bir keçi vardı, uğursuzluk getirdi. Aynen onun gibi, öyle mi?" dedi adam Cemile'nin söylediklerini duymamışçasına.

"O senin evladın. Uğursuz ne kelime? Seveceksin ki büyüyecek" dedi Cemile, bu sert iklimlerin adamını teskin etmekte zorlanarak.

Sabaha karşı yorgun argın kulübesine döndüğünde nihayet yazdığı mektubu bitirdi.

Zor bir doğumdan geldim. İkizler. Biri ölü, biri diri. Burada olsan sorardın: "Allah niye müsaade ediyor bunun olmasına? Haksızlık." Ama ben öyle bakmıyorum. Tamamen ve koşulsuz itikat ediyorum. İnsanlara yardım etmek istiyorum, gerisi benim elimde değil.

Canım bacım, geçmişi silemeyiz. Ne sana ne de Âdem'e kızgınım, hiçbir zaman olmadım. Rüzgârın esmesine mâni olabilir misin? Kar, beyaz yağmasın diyebilir misin? Tabiat karşısında zerre kuvvetimiz olmadığını idrak ediyoruz ama kaderi değiştiremeyeceğimizi kabullenmiyoruz nedense. Aynı şey halbuki. Rab bizi farklı yollara gönderdiyse mutlaka bir sebebi vardır. Senin yaşamın orada, benimki burada. Kabul-

lendim. Ama doğrusu evliliğin kaygılandırıyor beni. Yürütmek
için çaba göstersen? Çocuklarının, yuvanın selameti için. Bir
de Hediye'den bahsetmişsin. Ne tuhaf, ben de son zamanlarda
onu düşünür oldum.

Seni hep seven kardeşin Cemile

Berbat bir gün geçirdi zavallı Uçuk. Bu damda bir berbat günler vardır, bir de o-kadar-berbat-olmayan günler. Sonra bir de üstünden-tren-geçmiş günler. Adına rağmen bu sonuncular en kötüsü değildir. Üstünden-tren-geçmiş günler, aşırı yorgunluktan uyuyamadığın gecelere benzer. Öyle zamanlarda bitkisel hayata girer, hiçbir şey yapamaz, hissedemez, düşünemezsin. Odun gibi cansız. Moralin bozuk olsa da fark etmeyecek kadar donmuşsundur. Birileri elinden tutar ya da kimse tutmaz. Her iki durumda da umursamazsın. O-kadar-berbat-olmayan günlerse idare eder sayılır. En beteri berbat günlerdir – insanın canını acıtan, ruhunu yaralayan.

Takvim yetersiz bir icat. Dedikleri gibi zaman uçup gidiyorsa eğer, uçuş hızı hep aynı değil ki. Keşke haftanın her gününü ayrı değerlendirmenin bir yolu olsaydı. Mesela o-kadar-berbat-olmayan bir günü beyaza boyar, bir puan verirdik. Üstünden-tren-geçmiş günler kırmızı ve iki puan olurdu. Berbat bir gün de siyah ve üç puan.

Bu hesaba göre peş peşe otuz berbat gün geçiren bir adam, o-kadar-berbat-olmayan günlerle dolu bir ay geçiren birine nazaran üç kat ağır yaşar. Böyleleri bir senede üç sene yaşlanır. Bana gelince, buraya geldiğimden beri o kadar çok berbat günüm oldu ki takvim yapraklarım siyaha boyanmış halde. Annemin gözlerine çektiği sürmeler gibi kapkara.

Uçuk'un karısı boşanmak istiyor. Bunun er ya da geç olacağını Uçuk da, ben de, bu çöplükteki herkes de biliyordu ama yine de hayret ettik. Bizim buralarda vaka-i adiyeden sayılır bunlar. Hapse düşmüş adamı karısı boşar, sevgilisi bırakır. Ama Uçuk'un gururu incinmesin diye hepimiz şaşırmış gibi yaptık. Arkadaşının, karısı tarafından terk edildiğini duyduğun zaman tutup "Eh, biliyordum zaten bunun eninde sonunda böyle olacağını" demezsin. Bu onun kendini enayi gibi hissetmesine neden olur. Oysa "Hadi ya, inanmıyorum, ne zaman oldu?" gibi şeyler söylersen ahbabının acısını paylaşmış olursun. Onu ezmeden.

Kızıl saçlı, kireç gibi beyaz tenli, kolları çillerle kaplı, incecik bir kadındı; yüzünde sonsuz bir sabır ifadesi vardı. Yalan tabii. Hiç kimsenin sabrı sonsuz olamaz. Hep meyveli kek getirirdi Uçuk'a ama gardiyanlar nadiren izin verirdi içeri sokmasına. Olsun, o pişirmeye devam ederdi.

Bugün gelip kendisi söyledi Uçuk'a. Hakkını vermek lazım. Basit bir not gönderebilirdi, bazı eşler o kadarını bile yapmıyor. Ama o kalkıp geldi ve sigaradan boğuklaşmış sesi ve kül tadında laflarla anlattı durumu. Biriyle tanıştığını itiraf etti. Çocukların, bilhassa beş yaşındaki oğullarının bir baba figürüne ihtiyacı olduğundan dem vurdu. "Ama evlatların her zaman seni ziyaret ederler, onların babası sensin. Bunu hiçbir şey değiştiremez." Sonra Uçuk'u son bir kez öpüp son bir meyveli kek bırakarak çıkıp gitti. Güm!

İnsanın bir karısı olması nasıl bir şey acaba diye düşünürüm sık sık. Zaaflarını, zavallılıklarını senden iyi bilen ama yine de seni olduğun gibi seven bir kadın. Bunun nasıl bir şey olduğunu bilmemek kahreder beni. Kimseye belli etmem.

Oğlumun ismi Tom. Beni hiç görmedi, ben de onu. Bugün bir başka adama "baba" diyor oluşuna üzülmüyorum. Benden feci bir baba olurdu zaten. Feci baba insanın boğazına takılı kılçık gibidir. Ne tükürüp atabilirsin, ne yutup sindirebilirsin. Bir şekilde kurtulsan bile geride bir iz kalır mutlaka, dışarıdan bakanların göremediği ama senin hep hissettiğin bir çentik etinde. Feci baban olacağına hiç olmasın daha iyi.

Bir keresinde anneme babamla neden evlendiğini sordum. Birbirlerini sevip sevmediklerini anlamak için.

"Ben varmadım ona" dedi.

"Eh, o zaman o sana vardı" diye ısrar ettim.

Dönüp yüzüme baktı. Pencereden gelen ışık yeşil gözlerindeki harelere vuruyordu. Kehribar ve altın rengiydi hareler. Ne kadar güzel olduğunu düşündüm. Ve genç. İnsan annesinin güzelliğini pek fark etmez. Ama ben o gün bunu açık ve net gördüm. Huzursuz oldum.

"O zamanlar dünya farklıydı" dedi. "Senin şimdiki hayatınla alakası yoktu. Siz gençler öyle şanslısınız ki. Kıymetini bilmiyorsunuz."

Duymak istediğim cevap bu değildi. İnsan istiyor ki anası ile babası birbirini çok sevmiş olsun. Hiç olmazsa ilk başta. Oysa bizimkilerde yoktu böyle şeyler. Ne adlarının baş harfleri işlenmiş ipek mendiller. Ne kalp çarpıntıları. Ne kaçamak fısıldanan yeminler. Ana babamın geçmişinde aşkın kırıntısı dahi yoktu. Esma biliyordu bunu. Hiçbirimizin aşk çocuğu olmadığının farkındaydı. Bizim varoluşumuzun yalnızca görev, teslimiyet ve kayıtsızlık sonucu olduğunu söylerdi. Benim itaatsiz, onun isyankâr, Yunus'unsa duygusal oluşunun nedeni buydu.

Esma'yla konuşur, dertleşirdik hep.

"Şu çeneniz hiç durmuyor" derdi annem. "Dışarıda yağmur dinmek bilmiyor, içeride sizin gevezelikleriniz!"

Esma'ya anlattığım bazı şeyler var ki hiç kimseyle paylaşmadım şu hayatta – ne bizim çocuklarla ne Kate ile. Sade ben değil, ailede herkes ona açılırdı galiba. Sözlerimizi ciddiye alacağına inanır, içimizi dökerdik..

Kız kardeşime anlatırdım, çünkü beni anlardı. Sözcüklerle arası iyiydi. Hem her şeyi kavrayacak kadar bizden, hem her şeyin dışında kalabilecek kadar yabancı tek o vardı. Ailenin kara koyunuydu. Hoşuma giderdi bu – 1978 sonbaharına kadar. Sonra birden bir şeyler koptu ve bir daha Esma ile konuşmaz oldum.

⊠ ⊠ ⊠

Öğleden sonrayı ölüm sessizliği içinde geçiriyor Uçuk. Yüzünün rengi üç günlük lapaya benziyor. Ziyaretçi salonunda metanet gösterisi yaptı. Karısına onu gayet iyi anladığını söyledi, hayatta her şeyin gönlünce olmasını diledi. Nema problema! Bunca yıl bu kadar müşfik ve cömert davrandığı için teşekkür etti. Sonra gardiyana görüşmenin bittiğini işaret edip kapıya kadar geçirdi karısını. Ayrılırken meyveli keklerini özleyeceğine dair şaka bile yaptı.

Şimdi sırtını duvara vermiş oturuyor; çenesi kenetlenmiş, gözleri sabit. Hakikat nihayet dank etti kafasına; karısının kendisini arkadan bıçaklayan taş kalpli bir kaltak olduğunu düşünüyor. İnsan doğası böyle işte, en çok nefret ettiklerimiz en fazla sevdiklerimiz oluyor hep.

"Allah belasını versin" diyor Uçuk.

"Aldırma, bu da geçer."

"Bok geçer."

Başka taktik deniyorum. "Sen hep demez misin dışarıda bir sürü perişan insan dolaşıyor diye? Herkesin derdi var."

Uçuk'un umurunda değilim. "Eminim o herifle yatıyordur" diyor, "ister misin o geri zekâlıdan çocuk yapsın?"

"Ner'den çıkarıyorsun?"

"Biliyorum işte" diye bağırıyor.

Sinirle ayağa fırlayıp volta atmaya başlıyor. Gözü Houdini posterine takılıyor. Bir an posteri indirip paramparça edecek sanıyorum. Ama yapmıyor. Onun yerine mahzun bir ifade iniyor yüzüne. Derken aniden öne atılıyor ve yumruğunu bütün gücüyle geçiriyor duvara.

Çıkan ses yüksek, tok ve mide bulandırıcı. Birden aklıma geçmişte yaşanmış bir an geliyor. Babamla ben. Sokaktaydık, bir kulübün önünde kavga ediyorduk. Burun delikleri açılıp kapanıyor, gözleri öfkeyle parlıyordu – yoksa ben miydim patlayan? Tepem atmıştı; kafadan girdim duvara. Tekrar tekrar vurdum. Koşarak geldi insanlar; kulübün fedaisini hiç unutmuyorum.

Bir sonraki gümlemeyle kendime geliyorum. Müdahale etmeye çalışıyorum ama Uçuk öyle sert itiyor ki sırtüstü düşüyorum. Ben kollarını tutup sakinleştirene kadar defalarca vuruyor duvara.

"Yeter, bütün gardiyanları toplayacaksın başımıza. Duyuyor musun?"

Yumrukları kan içinde, soluk soluğa. Kafasını dirseklerimin arasında tutarak yatışmasını bekliyorum.

"Boş ver ya" diyorum.

"Sen ne anlarsın?"

"Anlarım."

"Acımı bir şeyden çıkarmak zorundayım" diyor.

"Sana bir kum torbası bulalım o zaman."

Uçuk ses etmiyor. Aklından geçenleri biliyorum. Torba işe yaramaz. Cansız, donuk, dilsiz. Yumruğun altındaki eti hissetmek istiyor o, kemiklerin çatırtısını duymak. Hapiste olmasaydı bu gece bir bara gider, sünger gibi içer ve şöyle okkalı bir kavgaya girerdi. Sıska herifin teki olduğu için de muhtemelen eşek sudan gelinceye dek marizlenirdi. Ama olsun, bu ona ertesi gün dalga geçecek malzeme sağlardı. Dayanacak bir şey olurdu.

Kafasını geriye itip gözlerine bakıyorum. "Bana vur."

"Ne?" diye soruyor sesi çatlayarak.

"Şşş, bağırma..." diyorum. "Ben boksörüm. Unuttun mu?"

Yüzündeki hayret ifadesinin akıp gitmesini seyrediyorum. "Kafayı yemişsin" diyor ve gülüyor ama ikimiz de bunun evet demek olduğunu biliyoruz.

Bir delilik geliyor üstüme. Tişörtümü çıkarıp atıyorum. Derin bir nefes alıp bırakıyorum. Nefes al, nefes ver, nefes al, nefes ver...

Omuzlar aşağıda, karın içeride, ellerim yumruk, kaslarımı sıkıyorum. Bir mesafe olmalı. Düşmanınla senin aranda, yediğin darbeyle iç organlar arasında, bireyle toplum arasında, geçmişle bugün arasında, anılarla vicdan arasında... Bu hayatta yaptığın ya da hissettiğin her şeyde bir mesafe olmalı. Mesafe seni korur. Sıkı bir yumruk yemenin püf noktası, mesafeyi nasıl yaratacağını bilmektir.

Bu arada Uçuk, anlamadığı bir şeyle karşılaştığında hep yaptığı gibi tek kaşını kaldırmış beni seyrediyor.

"Eee? Ne bekliyorsun tırsak herif?" diyerek kışkırtıyorum onu.

İlk yumruk biraz dengesiz geliyor, çaprazlama. Benden çok onun canı yanmış olmalı. Uzun ve pes bir ıslık çalıyorum.

"Ne?" diye soruyor Uçuk, gayet gergin.

"Hiç" diyorum, pis pis sırıtarak.

İnsanların ona sırıtmasından nefret eder Uçuk. Elinde değil. Kanı tepesine sıçrar. Aslına bakarsanız bu delikte kimsenin sırıtışlardan hazzettiği söylenemez. Karın kaslarım sıkıdır. Ama bir sonraki darbe beklediğimden sert. Göğüs kafesimin altına saplanıp çıktığını hissediyorum. Kuvvetine kendi de şaşıran Uçuk durup bana bakıyor.

Başka bir hatıra düşüyor aklıma. Annemin beni İstanbul'da hamama götürüşünü hatırlıyorum. Altı yaşında olmalıydım. Buhar, sıcak, her yanda çıplak kadın bedenleri, sarkık memeleriyle bir nine. Dehşete kapılıp dışarı kaçmıştım. Annem yakalayıp sertçe silkelemişti beni.

"Nereye?"

"Sevmedim burayı. Eve gidelim."

"Ulan ödlek herif, ben sana boşuna mı sultan diyorum?" demişti. "İstersen çıtkırıldım diyeyim onun yerine."

Mesafe. Anamın hatırasıyla arama mesafe koymalıyım. Yoksa delireceğim.

Sırıtıyorum yine. "Hadisene çıtkırıldım herif!"

Uçuk'un sonraki yumrukları daha kuvvetli ve kararlı. Yapılı bir adam sayılmaz ama hanım evladı değil. Bir av köpeğini çağrıştırıyor – zayıf, incecik, vücudunda bir dirhem yağ yok, ama inatçı ve amansız.

Bu şekilde epeyce devam ediyoruz. Bir noktada kendini kaptırıp çeneme bir tane patlatsa da, genelde aynı noktaya çalışıyor Uçuk. O kaşın altında bir yerde kıvrılmış uyuyan apandisim var – gereksiz bir organ. Hiçbir işe yaramaz, ama

Houdini'yi öldürmeye yetti.

Üst üste vuruyor Uçuk. Birkaç dakika sonra koridor sonundaki demir kapılar açılıyor, ışıklar yanıyor. Belli ki çıkan kargaşadan hoşnut, kıs kıs gülüyor birileri yakında bir hücrede. Gardiyanlar geliyor koşarak. Kavga ettiğimizi sanıp dalıyorlar içeri. Vaziyetin öyle olmadığını ispatlamak için kolunu boynuma doluyor Uçuk. Biz arkadaşız, diyor. Gururla sırıtıyor. Hata halbuki. Sırıtış yani. Dedim ya, buralarda kimse sevmez diye.

Biz daha ne olduğunu anlayamadan bağırtılar, küfürler, tehditler alıp yürüyor. Gardiyanlar itip kakıyor bizi. Bir otorite tiyatrosu oynanıyor. Uçuk ve ben gece mutfakta yakalanan hamamböcekleri gibi siniyoruz.

"Yahu, yanlış anladınız. Kavga etmiyorduk ki" diye bağırıyor Uçuk avazı çıktığınca.

"N'apıyordunuz o zaman?" diye soruyorlar. "Dans mı ediyordunuz? Yumruk yumruğa!"

Bir an kafası karışan Uçuk soran gözlerle bana bakıyor. "Sahi n'apıyorduk be?"

Ertesi sabah Memur Andrew uğruyor, köpek yavrusu gibi yanından ayrılmayan kibriyle. İşe alıştı ama bana alışamadı. Dün geceyle ilgili raporları okumuş ve öyle durup dururken kavgaya girişilmeyeceğine göre mutlaka uyuşturucu almış olduğumuza karar vermiş. Zula aramak bahanesiyle adamlarına hücrenin altını üstüne getirmelerini emrediyor – kitaplar, battaniyeler, Uçuk'un çocuklarının fotoğrafları, benim defterim, hatta döşeklerimizin içi bile aranıyor.

Uçuk gülmemek için yanaklarının içini ısırıyor. İkimiz de aynı şeyi düşünüyoruz. Mucizevi bir şekilde temiz hücre. Birkaç gün önce yapmış olsalardı bu aramayı, üç beş mal bulurlardı. Ama bugüne bir şey kalmadı. Endişeye mahal yok.

Tam gitmek üzereyken Memur Andrew duruyor. Elinde bir şey var. "Bu ne?"

Bir kartpostal. Lunaparkta bir atlıkarınca. Fotoğrafta hiç kimse yok, yalnızca tahta atlar, arkada ışıklar ve rüzgârla savrulan kırmızı bir balon.

"Sizi duyamıyorum!" diyor Andrew.

Ne Uçuk yanıt veriyor ne ben. O zaman Memur Andrew kartı çeviriyor, sesini inceltip kadın sesine benzeterek okumaya başlıyor.

Sevgili Ağabey,

Yoksa sana artık böyle hitap etmesem mi? Ya ne diyeceğim? Askander? İskender? Alex? Sultan? Katil? Fark eder mi? Londra'ya ilk geldiğimizde annemin bizi götürdüğü atlıkarıncayı hatırlıyor musun? Müthiş bir şeydi değil mi? Yunus daha doğmamıştı, babam kim bilir nerelerdeydi. Yalnızca üçümüzdük – sen, ben ve annem.

Seni asla affetmeyeceğim. İster hapislerde çürü, ister cehennemde yan, ne kraliçenin ne Tanrı'nın verdiği ceza yeter gözümde aklanmana.

Bil ki mahkemede sana destek vermeyeceğim. Tarık Amcam ne derse desin senin aleyhinde tanıklık yapacağım. Bugün itibarıyle iki ölünün yasını tutuyorum: bir annemin, bir de abimin...

Esma

"Vay, sert hatunmuş ha kız kardeşin" diyor Memur Andrew canı yanmış gibi elini kalbinin üstüne koyarak. "Sülalenizde bir kişinin doğruyu yanlıştan ayırabildiğini görmek güzel."

Hiç kimseye bakmıyor bunu derken ama sözlerini bitirir bitirmez gözlerini benimkilere kilitliyor. Kartpostalı almak için uzandığımda birden havaya kaldırıyor; oyun oynuyor benimle.

"Hop dedik, dur bakalım." Dudaklarını büzüyor. "Önce yanıt ver: Ne demeye Uçuk'a yumruklattırıyordun kendini?"

Sessizliğim karşısında omuzlarını silkip tırnaklarını incelemeye başlıyor.

"Pekâlâ. Şimdilik gidiyorum" diyor sonunda. "Bu kıymetli kartı da yanımda götürüyorum. Doğruyu anlatmaya karar verdiğin zaman gelip beni görürsün

Alex, emanetini de geri alırsın."

O kartta ne yazdığını görmek için elimde tutmama gerek yok ki. Üzerindeki her kelimeyi ezbere biliyorum, her heceyi. Her "asla"yı, her virgülü, her "annem"i. Memur Andrew gider gitmez çöküyorum yere. Boğazım düğümleniyor, gözlerim sulanıyor. Ne kadar sakin durmaya, aklıma mukayyet olmaya uğraşsam da beceremiyorum. Sıyırıyorum işte yine. Kendimi tokatlıyorum. İşe yaramıyor. Tekrar tokatlıyorum. Bugün berbat bir gün olacak. Belli, besbelli.

İskender Toprak
Shrewsbury Hapishanesi, 1991

Esma

Kuzey Londra'da, Lavanta Sokağı'ndaydı evleri. Sokağın adına rağmen etrafta tek bir lavanta bitkisinin olmayışı Pembe için sonsuz bir hayal kırıklığı kaynağıydı. Bir gün bir yerde eflatun bir deniz gibi bir lavanta bahçesine rastlayacağını umut etmekten hiç vazgeçmedi. O yılların bütün sıkıntılarına rağmen severdi Esma mahallelerini. Afro kuaför salonları, Jamaika lokantası, Yahudi fırıncılar, meyve tezgâhının arkasında durup adını tuhaf bir şekilde telaffuz eden ve ona her seferinde elma ikram eden Cezayirli satıcı, az ilerde oturan ve her gün prova yaparken pencereleri açık bırakan parasız müzisyenler, pazar yerinde beş papele portreler çizen ve bir keresinde bedavaya resmini yapan ressam. Her demden, her telden insan. Hackney, Esma'nın cennetiydi. Elinde kitaplar, kafasında öyküler, meşhur bir yazar olduğunu hayal ederek sokaklarında dolaşmak muazzam bir mutluluk verirdi ona. Annesi hiçbir zaman anlayamadı buraya karşı hissettiği muhabbeti.

Bu evden önce İstanbul'da bir apartman dairesinde oturularlardı – İskender'le Esma'nın çocukluklarının ilk yıllarını geçirdikleri ama şimdi başka bir zamana, başka bir diyara ait olan ev. Mayıs 1970'te, Yunus doğmadan kısa süre önce İngiltere'ye taşınana kadar burada yaşamışlardı.

Yeni bir ülkeye göç edenlerin çoğu gibi Pembe de seçici bir hafızaya sahipti. Ardında bıraktığı geçmişten hep güzel şeyler hatırlardı. Vatan hep kusursuz kaldı dimağında, gerçek hayatta değilse bile en azından hayallerde dönülecek bir sığınak, bir Şangri-La.

Oysa Esma'nın İstanbul'a dair anıları karışıktı. İyisi de vardı, kötüsü de. Belki de ebeveynler ile çocukların aynı dönemlere dair hafızaları birbirinden farklı olmaya mahkûmdu. Arada Esma'nın aklı bodrum katındaki o eski eve giderdi: gök mavisi koltuklar; sehpalarda dantel örtüler; banyo duvarları ve tavanında küf kümeleri; tavana yakın daracık pencereler... Hafızasına kazınan daire, cızırtılı bir radyonun sürekli çaldığı ve havada her zaman hafif bir çürük kokusu olan loş bir yerdi. Sabah ya da öğleden sonra olması bir şey değiştirmezdi, hep alacakaranlıktı.

Bu bodrum katındayken Esma bebekti, sonra iki, dört, beş yaşında oldu... ve derken artık ev yoktu. Oturma odasındaki halının üstünde bağdaş kurup oturur, tavana yakın küçük pencerelere bakardı ağzı açık. Dışarıda sağa sola akıp duran çılgın bir bacak trafiği olurdu. İşe giden, alışverişten dönen ya da yürüyüş yapan yayalar. Gördüğü ayakkabıların çoğu siyah, kahverengi ya da griydi. Arada çocuk botları, parlak çizmeler ya da deri sandaletler de olurdu.

Gelip geçenlerin ayaklarına bakıp onların hayatlarını tahmin etmeye çalışmak en sevdikleri oyunlardandı – üç kişiyle oynanan bir oyun: Esma, İskender ve Pembe. Mesela topuklarını tıkırdatarak, çevik ve acele adımlarla yürüyen, bilekten düzgünce bağlanmış parlak bir çift stiletto gördüler diyelim. "Galiba nişanlısıyla buluşmaya gidiyor" derdi Pembe, bir hikâye uyduruverirdi. İskender de iyiydi bu oyunda. Yıpranmış, kirli bir çift mokasen görür, başlardı ayakkabıların sahibinin nasıl aylardır işsiz olduğunu, şimdi de köşedeki bankayı soymaya gittiğini anlatmaya. Esma ise bir türlü uyum sağlayamazdı. Gördüğü ayaklara bağlı bedenler olduğunu tahayyül etmek zor gelirdi.

Bodrum katına pek gün ışığı girmiyordu ama bol bol yağmur sızıyordu. Ne zaman sağanak olsa evin içindeki giderler ve tuvaletler taşar, arka odayı pis ve bulanık bir göl kaplardı. Her eşyanın yüzemediğini orada keşfetti Esma. Tahta küllükler, spatulalar, fotoğraf çerçeveleri ve hasır sepetler fena yüzücü sayılmazdı. Fırın tepsileri, kesme tahtaları, havan ve çaydanlığın hali ise umutsuzdu. Masanın üstündeki cam vazo hızla batarken içindeki plastik çiçekler yüzerdi. Bir de sırt kaşıyıcısı vardı tabii... Onun da batmasını isterdi ama olmazdı.

İstanbul... Koynunda saklıyordu Esma şehrin anısını. Zihninin derinlerinde ince bir sızı. Adını dilinin üstüne yerleştirir, şekerleme gibi ağır ağır emerdi bazen. Londra bir tatlı olsa karamelli bonbon olurdu – ağır kıvamlı, yoğun ve geleneksel. Oysa İstanbul vişneli, meyanköklü, dişe yapışan türden bir şeker olurdu – zıt tatların uyumundan oluşmuş, ekşinin tatlıya, tatlının ekşiye dönüşebildiği bir ala karışım.

Pembe'nin çalışmaya başlayışı Âdem'in iki aylık maaşıyla kumar oynayıp kaybetmesinden hemen sonra oldu. Aniden parasız kalmışlardı. İskender'in sokakta oynadığı saatlerde Pembe zenginlerin evlerine gitmeye koyuldu; onların çocuklarına bakmak, yemeklerini yapmak, odalarını temizlemek, tuvaletlerini fırçalamak, giysilerini ütülemek ve bazen de dertlerine sırdaş olmak için. Esma'yı kâh yanına alır, kâh komşuya bırakırdı.

Akşamları Pembe gittiği villalardan bahsederdi masal anlatırcasına. Her çocuğun kendine ait bir odası var derdi, modern kocalar karılarını birlikte içki içmeye davet ederdi. Bir keresinde evli bir çiftin makineye oynak müzik koyup dans ettiğine tanık olmuştu – yadırgamıştı; dansı değil de, güzelim halıya ayakkabılarıyla basmalarını. Zenginlerin tuhaf olduğuna dair inancını doğrulamışlardı. Yoksa insan içkisine niye yeşil zeytin atar, sarı peynirleri küp küp kesip kürdan batırarak yemeye kalkar ya da halılara ayakkabıyla basardı ki? Derken tam zamanlı bir iş buldu Pembe. İşverenleri tanınmış insanlardı. Kadın, sevilen bir film yıldızıydı ve kısa süre önce bir kız bebek dünyaya getirmişti. Kocası meslek icabı sık sık seyahat ediyordu. Pembe'nin vazifesi eve, bebeğe ve bir de hayatındaki değişikliklerin üstesinden gelemeyen film yıldızına bakmaktı. Gaz sancıları çeken bebek huysuzdu, durmadan ağlıyordu. Ama film yıldızı bazen bebekten daha çok ağlıyordu. Pembe onun yatağının etrafına üzerlik otu tohumları serpiştirirdi cinlerden korumak için. Sonra, tam gökyüzü kararırken evden çıkar, bir otobüse ve sonra minibüse binerek bodrum katına dönerdi.

Birkaç kere tam çıkmaya hazırlanırlarken film yıldızının kocası zili çalmıştı. Esma adamın annesine bakışını beğenmemişti. Keza sokaktaki kimi erkeklerin annesine aynı şekilde baktığını fark etmişti: inşaat işçileri, kahvelerde pinekleyenler, hep bacaklarını, kalçalarını seyrediyorlardı. Kışın, en kalın giysilere sarınıp sarmalandığı zamanlarda bile sanki kat kat giysilerinin içini görebilecek gibi gözlerini dikiyorlardı.

Bir ay geldi geçti. Maaşını bugün yarın ödemeleri gerekiyordu ama sözü hiç edilmiyordu. Film yıldızı tam o sıralarda uyku hapları almaya başlamıştı; ya uykulu ya uykuda oluyordu. Pembe konuyu açacak cesareti bir türlü toplayamıyordu, nihayet topladığındaysa kadın yeniden uykuya dalmış oluyordu.

Bir gün Esma halının üstünde oturmuş kendi kendine oynarken ev sahibesinin etrafta dolaştığını fark etti. Hayranları onu böyle görseler düş kırıklığına uğrarlardı belki ama çocuk bu dağınık ve mahzun kadından hoşlandı. Gene de kadın onunla konuşmak istediğinde yüz vermedi.

"Merhaba küçük kız. Ne oynuyorsun?"

"Kurabiye yapıyorum" dedi Esma önündeki plastik kapları göstererek.

"Mmmm, nefis gözüküyor. Bir tane alabilir miyim lütfen?"

138

"Sana vermem."

"A-ah? Neden?"

"Çünkü sen parasını vermezsin. Annemin de parasını vermedin."

Kadının gülümsemesi evvela dondu, sonra yok oldu. "Ama kocamın bunu hallettiğini sanıyordum..." derken sesi giderek azaldı. "Hay Allah, çok üzgünüm tatlım. Hemen ilgilenirim, söz." Ancak ertesi gün bu konuşmayı unutmuş görünüyordu. Felaket bir gece geçirmişti, ağlayıp duruyordu. Pembe kadına karşı merhamet, kendine karşıysa öfke duydu. Bunu tahmin etmiş olsaydı maaşının yarısını ay başında isterdi hiç değilse. Ama somurtacak zaman yoktu. Bebek viyaklamaya başladı. Pembe onu besledi, altını değiştirdi ve uyuttu.

Ondan sonra olanları sanki bir rüyadaymış gibi hatırlıyordu Pembe. Mutfakta çalışırken ensesinde bir nefes, bir karıncalanma hissetti. Sonra bir çift el kalçalarından kavradı. Panikle bir çığlık attı; dönüp karşısında kadının kocasını görünce şaşırdı. Ekşi bir koku yayılıyordu adamdan; tıraş losyonu ve viski. Gözleri kan çanağıydı.

"Şşş" dedi adam parmağını dudaklarına götürerek. "Hepsi uyuyor."

Hepsi uyuyor. Bizi görmezler. Hepsi uyuyor. Biz de yatabiliriz. Para veririm, güzel şeyler alırım sana. Ayakkabılar, çantalar, elbiseler, bir çift altın küpe... İyi bir kadınsın sen. Azize ya da ermiş. Acı bana. Karımın ruhu duymaz. Kocanın da. Kötü bir adam değilim. Her erkek gibi benim de ihtiyaçlarım var. Karım kadın değil artık. Bebek olduğundan beri çok değişti, sürekli mızıldanıyor. Tahammül edemiyorum. Bütün şehir uyuyor. Bizi görmezler.

Pembe duvara doğru itti onu; adam öyle sarhoştu ki mukavemet gösteremedi. Elleri iki yanında sallandı, içi boşmuş gibi gevşeyiverdi bedeni, sanki etten kemikten insan değil, bezden bir oyuncaktı. Pembe bir koşu oturma odasına geldiğinde Esma'yı masanın altına sinmiş halde buldu. Bir eliyle onu çekiştirerek, diğeriyle de çantasını kaparak koridordan yürümeye başlamıştı ki eve gidecek parası olmadığını hatırladı. Hafifçe sallanarak kapının orada dikiliyordu adam. Gözlerini Pembe'ye dikmişti.

"Beyefendi..." dedi Pembe. "Paramı ödemediniz."

"Para mı istiyorsun?" diye sordu adam, şaşırmış görünüyordu.

"Aylığımı..."

Adam sözünü kesti. "Hem bana bok gibi davranıyorsun hem bir de para mı istiyorsun? Ne kaltakmışsın be!"

Evden koşarcasına çıktı ana kız. Otobüse binip her zamanki durakta indiler; yolun gerisini yürümeye karar verdiler. Ama Pembe o kadar üzgündü ki nereye gittiğine dikkat etmiyordu. Yavaş yavaş ana caddelerden uzaklaşarak yılankavi sokaklara saptılar; her adımda biraz daha köreliyordu yön duyguları. Hava kararıyordu. Daha önce hiç ayak basmadıkları bir bölgede, deniz kenarında buldular kendilerini. Kıyı boyunca, dalgaların dövüp durduğu kocaman kayalar vardı. Orada oturup soluklandılar, şehrin ihtişamını seyrettiler.

Yerde bir deniz kabuğu fark etti Esma, az ilerde bir tane daha. Hevesle kalkıp toplamaya başladı. İki adamın annesine doğru yaklaştığını gördüğünde hâlâ sahilde oyalanıyordu. Adamlar ayçekirdeği yiyip kabuklarını yerlere tükürüyor, Hansel ve Gretel masalındaki gibi izler bırakıyorlardı arkalarında.

"Bacı, hayırdır, pek kederlisin" dedi biri. "Senin gibi tatlı bir kadının ne işi var burda bu saatte?"

"Yardıma ihtiyacı var herhal" dedi diğeri.

Pembe yanıt vermedi, burnunu çekerek çantasında mendil aradı. Birkaç toka, ev anahtarları, ödenecek faturalar, çocuklarının fotoğrafı ve bir ayna vardı ama mendil yoktu.

"Kalacak yerin yoksa biz sana bakarız, meraklanma."

"Evet, biz icabına bakarız" dedi diğeri arsızca.

"Sizden yardım isteyen mi var" diye onları payladı Pembe; rahatsız olduğu sesinden belliydi. Sonra kumsala dönüp seslendi: "Esma, çabuk gel buraya!" Adamlar çocuğu görünce şaşırdı ama çekilmeye niyetleri yoktu. Onun yerine, anne kızı takip etmeye başladılar. "Ulan hayâsızlar, defolun! Evli barklı kadınım, görmüyor musunuz?" Biri tereddüt etti ama diğeri "Ne olmuş yani?" der gibi gözlerini devirdi.

Hava sisliydi; etrafta giderek daha az insan seçiliyordu. Acele ediyor, karanlık köşelerden uzak durmaya çalışıyorlardı. Kocalarının ya da erkek kardeşlerinin yanında yürüyen bir iki kadın gördüler; korunaklı, sahipli olmanın rahatlığıyla soğuk soğuk baktılar Pembe'ye.

On dakika geçmişti ki, yaşlı bir adamla bir oğlan karşılarına çıktı. Ana kızın halleri dikkatlerini çekmiş olmalı ki onlara doğru seğirttiler.

"Selamünaleyküm kızım. İyi misiniz?"

Pembe'nin yanıt vermesini beklemeden atıldı Esma: "Kaybolduk amca. Eve gidemiyoruz."

Adam gülümsedi. "Eviniz nerede peki?"

Pembe semtlerinin adını fısıldadı ama kendileri için kaygılanmaya gerek olmadığını da ekledi nezaketen.

"Eh, şansınız varmış. Torunumla ben de o yöne gidiyorduk."

"Hayır, gitmiyorduk" dedi oğlan.

Yaşlı adam torununun omzunu sıktı hafifçe. "Bazen en kestirme yol bir dosta eşlik etmektir." Sonra arkadaki iki adama dönerek öyle bir çattı ki kaşlarını, berikiler utanarak gözlerini kaçırdılar.

Böylece başladılar eve doğru yürümeye – Pembe, Esma, yaşlı adam ve çocuk. Deniz kabuklarını annesinin çantasına koydu Esma. Yol arkadaşlarına minnet duyarak içine çekti rüzgârın denizden getirdiği tuzlu kokuyu. Sokağa vardıklarında Pembe adamcağıza teşekkür etti ve torununun adını sordu. "Yunus" dedi adam gururla. "Gelecek ay sünnet olacak inşallah."

O zaman Pembe dedi ki: "Allah bana bir oğul daha verirse, ant olsun sizi hatırlar, ona Yunus adını veririm ki o da sizler gibi merhametli olsun."

⌧⌧⌧

Bodrum katındaki dairede, barut grisi bir boşlukla kaplanmış pencerelerin altında oturmuş, sigara üstüne sigara içiyordu Âdem. Anahtarın kilide girdiğini duyar duymaz ayağa fırladı. "Yahu, nerede kaldınız?"

"Yürüdük onca yolu" dedi Pembe. "Esma, paltonu çıkar ve doğru odana git."

"Ama anne... deniz kabuklarım..."

"Derhal dedim!"

Kızını koridora doğru itekleyip kapıyı öyle hızlı kapattı ki kapı çarpıp geri sekti ve hafifçe aralık kaldı. "Minibüse verecek param yoktu" dedi sonra.

"Ne demek param yoktu? Ne kadar verdiler ki sana?"

"Hiç. Artık çalışmayacağım orada."

"Ne diyorsun sen be?" diye sordu Âdem. "Ne yaptın maaşını? Borçlarım var benim, bilmiyor musun?"

"Senin borcun bitmiyor ki" dedi Pembe. "Bizden al, kumara ver."

"Bana bak! Deli etme adamı. Nerede paralar?"

"Vermediler..."

Neredeyse tam bir dakika boyunca çıt çıkmadı. Sonra karanlık bir rüyadan uyanırcasına derin bir nefes aldı Âdem. "Ulan, hem bu saatte geliyorsun hem yalanlarına inanmamı mı bekliyorsun? Para nerede sürtük?"

Sehpanın üstünde bir sırt kaşıyıcısı vardı. Koç boynuzundan yapılmış, hardal sarısı, soğuk bir alet. Kaşla göz arasında onu kaptığı gibi fırlattı Âdem. Duyduğu sözlerden afallayan Pembe zamanında kaçamadı. Kaşıyıcı gelip küt diye yüzünün kenarına çarptı. Portmantonun arkasından seyretti Esma olanları. Ana babasının arasındaki sevgisizliğe tanıklık eden ne ilk çocuktu ne de son. Aynı akşam içinde annesine sürtük, kaltak, bacı ve azize dendiğine tanık olmuştu. O an, içinde bir şeyler koptu sanki – bedenini terk etmek istedi, keşke, ah keşke kız doğmamış olsaydı!

Hayır, Âdem Toprak karısını ya da çocuklarını dövmezdi. Ama o gece ve onu izleyen yıllarda hep kolayca sinirlenip ana avrat küfredecek, kin ve irin dolu sözler sarf edecek, eşyaları duvarlara fırlatacak ve bütün bunları yaparken onu bu şekilde köşeye sıkıştırdığı için tüm dünyadan nefret edecekti. O köşede çocukluğunda ona kötü muamele eden babasının gölgesini bulmaktan ve er ya da geç ona benzemekten korkuyordu.

Kate

Kate, İskender'in sınıf arkadaşıydı ve zamanla kız arkadaşı oldu. 1978 sonbaharında ailecek yaşadıkları felakete o da dahil olacaktı ister istemez. Çıkmaya başlamaları beklenmedik bir hadiseyle oldu. O gün yemekhanede her zamanki gibi kızlarla oturup dedikodu yapmaktaydı Kate. Bir yandan da gözleriyle diğer masalardaki oğlanları tarıyordu. Tesadüfen tam karşısında oturuyordu İskender, bir kez olsun ona bakmadan. *Alex. Alexander. İskender. Her neyse. Tam bir hıyar. Kendini beğenmişin teki. Sürekli avanesiyle birlikte, gören de çete reisi sanır,* diye geçirdi içinden Kate. Gene de merak ediyordu. Boks yaptığını duymuştu; mizacına en uygun spordu muhtemelen. *Ama hoş çocuktu doğrusu, hakkını vermek gerekiyordu.* Bazı kızların niye ona deli olduğunu anlayabiliyordu Kate. Düzgün vücut, koyu renk saçlar, buğday ten ve o yakıcı mühür gözler.

Tam o esnada bir yaygara koptu. Şamatanın nedeni yemekhanenin orta yerinde, her iki omzunda birer temiz hijyenik ped ile dikilen Jason adında bir çocuktu. Belli ki bir kızın çantasını aşırmış, utanmadan açmıştı. Kalçalarını kıvırarak bağırdı: "Hey millet. Bakın ne buldum."

Devam etti Jason: "Bugün pek asabiyim. Galiba regl oluyorum."

Oğlanlar kıs kıs güldüler. Kızlar utanç ve dehşet içinde bakıyor ama ses çıkarmıyorlardı. Kate ise acı acı gülümsedi. *O*

144

çantanın sahibi hangi kızsa rezil oldu, diye düşündü. Artık her türlü terbiyesiz lafa ve şakaya malzeme olacaktı zavallı. Buluğ çağındaki oğlanlar neden böyleydi? Bu kadar kaba, centilmenlikten uzak. Hep kızları utandırmaya çalışıyorlardı.

"Ay, çok regl oldum, bir ped yetişmiyor valla" dedi Jason ve yanındaki sırt çantasını havaya savurdu. Oğlanlar kahkahayı bastılar.

Birden Kate'in yüzü kül gibi oldu. Telaşla sandalyesinin altına baktı. Sırt çantasını her zamanki gibi oraya koyduğuna emindi ama yoktu işte. Kahrolası şey Jason'ın eline nasıl düşmüş olabilirdi? Eli ayağı boşaldı.

"Çantanın kime ait olduğunu bilmek isteyen var mı?" diye sordu Jason. Zalimlikten çok muzırlık hâkimdi sesine.

Oğlanların bir kısmı tezahürata başladı: "Söyle, söyle!"

Jason çantayı kurcalamaya başlayınca Kate'in yüreği ağzına geldi. Adının yazılı olduğu fen projesinin orada olduğunu hatırlamıştı. Şimdi herkese rezil rüsva olacaktı. Bir panik ifadesi gezindi yüzünde. Ağlamamak için başını çevirdi. İşte o anda İskender'le göz göze geldiler. Bütün herkes Jason'ın soytarılıklarını seyrederken, İskender olan bitenle ilgilenmiyordu. Kate'in korkusunu nasıl olduysa fark etmiş, dikkatle ona bakıyordu.

Tam Jason çantanın sahibini ilan etmek üzereydi ki tuhaf bir şey oldu. Sandalyesini gürültüyle geriye iterek ayağa kalktı İskender, gözleri ışıl ışıl.

"Hey palyaço, kes artık şu saçmalığı!" diye bağırdı.

Bu çıkışı beklemeyen Jason şöyle bir afalladı ama bozuntuya vermedi. "Hayrola Alex? Sen niye üstüne alındın ki? Yoksa senin mi pedler?"

Bir kahkaha daha koptu. İskender oralı olmadı. "Aslına bakarsan kız kardeşimin."

Sessizlik. Bunu kimse beklemiyordu.

"Okuldan sonra buluşacağız, çantasını bana verdi. Tamam mı?"

"Öyleyse kız kardeşine söyle, iğrenç pedlerini ortada bırakmasın" diye dayılandı Jason.

"Yok, böyle söylemeyeceğim" dedi İskender alaycı bir ifadeyle. "Onun yerine diycem ki bizim okulda salak mı salak, soytarı kılıklı bir oğlan var. Bu geri zekâlı sana terbiyesizlik etti. Kendine gelmezse, ağzını burnunu kıracağım dangalağın."

Sözler kaya gibi düştü yemekhaneye.

"Tamam abi ya, amma büyüttün" diye mırıldandı Jason, tedirgin. "Şaka yapıyorduk."

"Eşek şakası yani" dedi İskender. "Bir daha böyle şeyler yaparsan beni bulursun karşında, haberin olsun."

Jason, süngüsü düşmüş vaziyette omuzlarındaki pedleri çıkardı ve çantayı İskender'e uzattı. Oğlanın, yaptığından pişman olduğu ve bu şoku pek kolay atlatamayacağı aşikârdı. Günün geri kalanında ağzını bıçak açmadı.

O gün okul çıkışı Kate her zamanki gibi kız arkadaşlarıyla yürümek yerine İskender'i bekledi. Bir süre sonra İskender sırtında kocaman çanta, yanında her zamanki ahbaplarıyla –bir grup Faslı, Cezayirli, İranlı oğlan– belirdi.

"Alex, bir dakika seninle konuşabilir miyim?"

"Siz gidin" dedi İskender yanındakilere. "Ben size yetişirim."

Oğlanlar manalı manalı bakıştılar, sırıtarak uzaklaştılar.

"Şey... Ben... Bugün için teşekkür etmek istedim" dedi Kate.

"Boş ver. Lafını bile etmeye değmez."

"Ama sen olmasan okula madara olacaktım."

"Takma kafana. Ne zaman derdin olursa gel bana söyle" dedi İskender.

Başka zaman olsa Kate bu ukalalığa gülerdi. Ama bugün değil. Bugün İskender onun kahramanıydı. "Boksa mı gidiyordun?" diye sordu çantayı işaret ederek.

"Hımm, haftada dört gün gidiyorum. Sol yumruğumu çalıştırıyorum."

İskender çantasını açınca spor eşyaları, mavi havlusu ve

bir deodorant çarptı Kate'in gözüne. Kendi sırt çantası da oradaydı işte. Sıcacık, güven içinde saklamıştı demek. Kalbi duracak gibi oldu. Sırt çantanı bir oğlanın çantasının içinde gördün diye bu kadar sevinmek salakçaydı. Ama işte öyle hissediyordu, ne yapsın?

"Ben de seninle gelebilir miyim?" deyiverdi.

"Boks mu yapmak istiyorsun?"

"Öğretirsen neden olmasın? Yumruklamak istediğim birkaç kişi var."

O gün beraber yürüdüler. İskender, kızı evine kadar geçirdi. Kapıya yaklaştıklarında kısa bir tereddüt yaşadı Kate. Camdan bakıp da onları beraber görse annesinin yüreğine ineceğini biliyordu. İskender göçmen bir ailenin oğluydu. Müslüman'dı üstelik. Annesi böyle tiplerle takılmasını hayatta istemezdi. Ama Kate'in umrunda değildi. O, İskender Toprak ile baş başa vakit geçirmekten memnundu.

Pembe

Bir oğlu olsun diye yanıp tutuşan Naze'nin yedinci kızı olarak doğan Pembe, bu dünyayı adaletsizliklerin cirit attığı bir yer olarak kabullenmişti. Haksızlığa uğradığı olmuştu daha önce ama hayatında hiç açıkça düşmanlığa maruz kalmamıştı. Ta ki o güne dek.

Öğlen kuaförde işler kesattı, yalnız bir müşteri vardı. Pembe biraz izin istedi patronundan. Alışveriş yapacaktı. Yunus'un canı ne zamandır sakızlı sütlaç çekiyordu. Bu akşam ona sürpriz yapmak niyetindeydi.

"Rita, ben bir saat çıksam, olur?" diye sordu hafif bozuk İngilizcesiyle.

Rita yalnızca patron değil, aynı zamanda iyi bir arkadaştı. Koca göğüslü, aralık dişli, kabarık saçlı bu uzun boylu siyah kadını dinlemeye bayılırdı Pembe. Memleketi Jamaika'nın nerede olduğunu bile bilmezdi ama onu kendine yakın hissederdi.

"Git tabii canım" dedi Rita. "Başka müşteri gelirse ben hallederim."

Pembe salondan çıkarken kendini hem hafiflemiş hem bitkin hissediyordu. Hafiflemişti, çünkü kendine ayıracak bir saati vardı. Bitkindi, çünkü son zamanlarda hayat pek iyi gitmiyordu. İskender her akşam eve geç gelmeye başlamıştı; onun yanlış tiplerle arkadaşlık etmesinden korkuyordu. Kocasına gelince, eve uğradığı bile yoktu. Bu aralar tek tesellisi minik Yunus'tu ve akşam sütlaçların en güzelini yapacaktı ona.

Sabahki aldatıcı güneşin aksine hava soğumuş, rüzgâr çıkmıştı. Pembe onu olduğundan yaşlı gösteren külrengi mantosuna sarındı; avucundaki bozuk paraları saydı. Tesco'ya uğrayıp ihtiyacı olan malzemeleri satın aldı. Tam köşedeki pastanenin önünden geçiyordu ki vitrindeki profiterole takıldı gözü. İri, kalın ve yapay kremayla doldurulmuş değil, tam onun sevdiği gibi küçük ve tazeydi bunlar.

Boğazına düşkün biri değildi ama bu seferlik bir istisna yaptı. Pastaneye yöneldi. Kapıda asılı çıngırak neşeyle çınladı o içeri girerken. Pastacı –bacakları morumsu varislerle kaplı bir şişman kadın– bir tanıdığıyla hararetli bir muhabbete dalmıştı. Müşterilerle çırak ilgileniyordu. En fazla yirmi yaşında, kafası kazınmış, mavi, çipil gözlü ve cildi aşırı hassas bir adamdı bu. Alnı sivilcelerle kaplıydı; aralarında bir gamalı haçın da yer aldığı sayısız dövmesi vardı.

Önünde başka bir müşteri –şık giyimli, yaşlıca bir kadın– olduğu için beklemeye başladı Pembe. İngilizler kuyrukta beklemeyi iyi biliyorlardı; asabiyet gösterileri yapmıyor, başkalarının sırasını almaya kalkışmıyorlardı. Pembe saygı duyuyordu bu yanlarına. O da sabırla sırasını bekledi. Bir dakika sonra çıngırak tekrar çınladı ve içeri orta yaşlı bir adam girdi ama Pembe dönüp ona bakmadı.

Yaşlı müşteri oldukça talepkârdı ve her iki saniyede bir fikrini değiştiriyordu. Evvela üzümlü çöreklerden istedi, sonra vazgeçip kruvasan talep etti; derken çilekli turtada karar kıldı. Bu kez de nasıl bir paket yapılacağı konusunda mütereddit idi – kesekâğıdı hem hafif hem pratikti ama yolda yırtılma olasılığı vardı; belki de en iyisi kutuya koymaktı, böylesi daha güvenli olurdu ama taşıması daha zordu.

Bekle, bekle, bir türlü sıra gelmedi. Pembe'nin arkasındaki erkek sıkıntıyla öksürdü. Ancak o zaman çırak beklemekte olan müşterilere şöyle bir baktı. Bilhassa Pembe'ye odaklandı. Pembe ise çırağın bakışındaki hoşnutsuzluğu, soğukluğu fark etmedi.

Nihayet az sonra yaşlı bayan, kapıdaki çıngırağı bile çınlatamayacak bir yavaşlıkla dükkândan çıktı. Sıra kendisine gelen Pembe çırağa başıyla işaret ettiyse de o görmezden geldi. Sırf oyalanmak için metal tepsileri düzenlemeye, kutuları çıkarıp tekrar yerlerine geri koymaya girişti. "Affedersiniz" dedi Pembe profiterolü göstererek. "Şunu alabilir miyim... iki lütfen?"

"Sıranı bekle" diye homurdandı çırak bir yandan maşayı silerken.

Çırağın söylediğinden ziyade üslubu karşısında hayrete düşen Pembe sustu. Ancak durumdan rahatsız olmuş gibi görünen diğer müşteri müdahale etti: "Sıra onda zaten."

İşe yaradı. Maşayı bırakıp gözlerini Pembe'ye dikerek onlara doğru yaklaştı çırak. "Ee, ne istiyorsun?"

Pembe hayatında hiç ırkçı birine rastlamamıştı ve insanın bir başkasından sırf derisinin rengi, dini ya da sınıfı nedeniyle nefret edebileceği fikrine tamamen yabancıydı. Tanımadığı kişilerin kabalıklarına maruz kalmamış değildi ancak bunların hepsi anlık öfkeler yüzünden yaşanmıştı, sabit önyargılar yüzünden değil. Toprak ailesinin İngiliz komşularından farklı olduğunu biliyordu ama ona bakarsan, Türkler ve Kürtler de birbirlerinden farklıydı, keza bazı Kürtler de diğer Kürtlere benzemiyordu. Köyde bile her ailenin bir başka hikâyesi vardı ve her ailede hiçbir çocuk bir diğerinin aynı değildi. Eğer Allah bütün insanları aynı yaratmak isteseydi öyle yapardı mutlaka. Pembe, O'nun takdirine güveniyordu. İnsanları oldukları gibi kabul etmek O'nun kutsal düzenine saygı göstermek demekti.

Doğrusu, doğuştan gelen farklılıklara karşı gayet hoşgörülüydü. Uyum sağlamakta zorlandığı, sonradan ortaya çıkanlardı. Saçlarını kısmen kazıtıp kısmen kirpi gibi kaldırtan bir Punk, dudağına küpe takan bir yeniyetme, her yeri dövmelerle kaplı biri, yüzünü gerdirmiş bir kadın... bunlar hazmedilmesi güç şeylerdi. Keza eşcinsel birine rastladığında hemen merak ediyordu: Acaba bu şekilde mi doğmuştu, yoksa zaman içinde mi böyle olmuştu? Eğer bu Tanrı'nın işiyse kabul ediyor; yok eğer insanın tercihiyse uygun bulmuyordu. Ama sonuçta her şey yalnızca ve yalnızca Tanrı'nın takdiri olduğuna göre kimse hakkında kem fikirler besleyemiyordu.

İşte bu yüzden çırak ona ters davrandığında neye uğradığını şaşırdı Pembe. Gene de sakin yanıt verdi: "Şunu istiyorum, lütfen."

Çırak sanki Pembe'yi görmüyormuş gibi uzaklara bakıyordu, onu hiçe sayarak. "İsimleri yok mu?" diye sordu. "Dil bilmiyor musun?"

Adamın kendisini anlamadığını sanan Pembe yaklaşıp göstermeye kalktı, ama mantosunun kolunun yiyeceklere değdiğini fark etmedi.

"Dokunmasana onlara!" diye bağırdı çırak. Rulolardan birini eline alıp inceledi. "Yok, satılmaz bunlar artık."

"Ne?"

"Şu tüyü görüyor musun? Senin paltondan geldi. Bütün tepsiyi almak zorundasın artık."

"Tüy mü?" Bu yabancı kelime ağzında kekremsi bir tat bırakmış gibi dudaklarını büktü Pembe. "Hayır, hayır. Tepsi istemem." Ellerini telaşla havaya kaldırınca kurabiyelerle dolu bir sepete çarptı; hepsi yere döküldü.

"O-ha, ayaklı felaket gibisin be kadın!" diye bağırdı çırak.

Şamata dükkân sahibinin dikkatini çekmiş olacak ki ne olup bittiğini anlamak için hızla seğirtti. Çırak hemen dert yanmaya başladı.

"Bu kadın ruloları berbat etti, kurabiyeleri yere döktü. Hepsini satın alması gerektiğini söyledim ama bir türlü anlamıyor."

Utançtan yanakları kızardı Pembe'nin.

"İngilizce konuştuğunu sanmam" diye ekledi çırak.

"Ama konuşuyorum" dedi Pembe.

"O halde size söyleneni anlamış olmalısınız" dedi pastacı

kadın gereğinden fazla yavaş ve yüksek sesle konuşarak.
"Ama tepsi alamam. Çok para" diye itiraz etti Pembe.
Kollarını göğsünde kavuşturdu çırak. "O halde polis çağıralım."

"Polis mi, neden?" Paniğe kapılmaya başlamıştı Pembe.
Tam o esnada arkadaki müşteri araya girdi. "Pardon... Deminden beri sizi izliyorum da" dedi, "bir iki laf söylemeden edemeyeceğim. Eğer polis karışacaksa bu işe, olayın tek tanığı oluyorum ne de olsa."

"Ee?" dedi çırak.

"Ee'si, ben polise hikâyenin diğer tarafını anlatacağım."

"Hangi diğer tarafını?"

"Müşterinize kötü davrandığınızı ve düzgün hizmet vermediğinizi. Kabalığınızı, yardımcı olmak şöyle dursun düpedüz saldırgan olduğunuzu. Ben de bunları anlatacağım."

"Beyler... beyler" diye araya girdi pastacı kadın yapay bir gülümsemeyle. Durumun kontrolden çıktığını sezmişti. "Pireyi deve yapmayalım. Polise gitmeye ne gerek var?"

"Bence de" dedi arkadaki adam.

Badireyi atlattığını anlayan Pembe usulca beriki müşteriye döndü ve ilk kez dikkatle baktı ona. Adamın üzerinde kahverengi bir kadife ceket, içinde bej dik yakalı kazak vardı. Biçimli bir yüzü, uzunca bir burnu ve yanlardan hafifçe seyrelmeye başlamış açık kumral saçları vardı. Gözleri biraz yorgunca ama merhametliydi; fırtınalı sema gibi griydi renkleri.

Çırak da adamı incelemekteydi, somurtarak. Yılan gibi tıslayarak sordu: "Tamam, ne istiyorsunuz?"

"Önce hanımefendi" dedi beriki. "Ona yardımcı olmadınız henüz."

⊠ ⊠ ⊠

Az sonra pastaneden birlikte çıktılar – rastlantının bir araya getirdiği iki yabancıydılar. Birkaç dakika birlikte yürüyerek hadiseyi gözden geçirdiler. Adam Pembe'nin elindeki torbaları taşımayı teklif etti. Bunda bir beis görmediyse de kabul etmedi Pembe. Yakınlardaki çocuk parkına kadar yürüdüler. Rüzgârlı hava yüzünden olacak, boştu park. Dökülen yapraklar girdaba yakalanmışçasına döne döne uçuyorlardı havada. Buna rağmen, İngiltere'ye geldiğinden beri ilk kez havayı sevdi Pembe – bütün bu rüzgârın, yağmurun, sisin ötesinde farkına bile varmadan alıştığı bir dinginlik vardı adeta. Düşüncelere daldı.

Adam onu yan gözle inceliyordu. Yüzünün nasıl makyajsız olduğunu, parlak kestane saçlarının belli belirsiz kızıl harelerle dalgalandığını gördü. Dolgun dudaklarını ve tek gamzesini çekici buldu. Tabiat Ana'nın piyangosu ne tuhaftı. Şu kadın biraz farklı giyinse ve kendini azıcık farklı taşısa sokakta nasıl baktırırdı kim bilir arkasından. Ama belki de güzelliğinin gizlenmiş olması daha iyiydi. Kimsenin bilmediği, keşfedilmeyi bekleyen doğal güzellikleri hatırlatıyordu ona.

"Oğlan deliydi" dedi, hâlâ pastanede olanları düşünmekte olan Pembe.

"Deli değildi. Irkçıydı."

Durakladı Pembe, afallamıştı. *Irkçılar, zencileri sevmeyen tiplerdi – hani şu Rita'ya karşı olanlar.*

"Ben zenci değilim ki" dedi.

Adam güldü. "Bir ırkçının sana takması için siyah olman gerekmiyor. Bin çeşit ırkçılık var, gerçi bana sorsan hiçbirinin diğerinden farkı yok."

Aksanı değişikti adamın. Dikkatle dinledi Pembe.

"Siyahlardan nefret eden beyazlar var, malum. Sonra Asyalılardan nefret eden beyazlar var. Bunlar yetmezmiş gibi bazı siyahlar Asyalılardan, bazı Asyalılar siyahlardan hazzetmiyor. Tabii kendi kendinden nefret eden siyah, Asyalı ve beyazlarla, temel olarak herkesten nefret edenleri de unutmamak lazım. Sonra bir de din etkeni var elbette. Bazı Müslümanlar bütün

Yahudilerden, bazı Yahudiler bütün Müslümanlardan rahatsız. Ha bir de onların hepsinden nefret eden birtakım Hıristiyanlar var tabii."

"Halbuki insan niye nefret eder ki?" diye sordu Pembe.

Sorunun kendisinden ziyade soruluş tarzındaki çocuksuluğa varan saflık ve masumiyet oldu adamı etkileyen. Artan işsizlik, yoksulluk, yabancı düşmanlığı, köktencilik, ideolojik ayrılıklar, petrol krizi... Bunların hiçbiri böylesi yalın ve som bir soruya kâfi yanıt olamazdı o noktada. Ezelden beri karamsar biri olan, insanlığın geleceğine dair zerre kadar umut beslemeyen adam elinde olmadan tekrarladı: "Hmmm, doğru valla. İnsan niye nefret eder ki?"

Çocuk parkında oturdular. Pembe, kırık dökük İngilizcesiyle, bir kuaför salonunda çalıştığını ve sütlaç için malzeme almak üzere işinden izin aldığını anlattı. İstanbul'daki gibi fındık bulamadığını, bademle idare etmek durumunda olduğunu bile dile getirdi. Adamın onu merakla dinleyişine hayret ediyordu. Bir erkeğin yemek pişirmekle bu kadar ilgileneceği kırk yıl düşünse gelmezdi aklına.

"Demek sen Türk'sün?" diye sordu adam.

Kürt'üm demeyi akıl edemedi Pembe. Kürtlüğünü açığa vurması hep zaman alıyordu. Başını salladı o yüzden.

"*Lokumcu geldi hanım, leblebilerim var*" dedi adam Türkçe.

Şaşkınlıktan fal taşı gibi açılmış gözlerle baktı Pembe. Adam onun hayretine gülerek, "Korkarım hepsi bu. Yalnızca birkaç sözcük biliyorum" dedi.

"Ama nasıl?"

"Anneannem Rum'du" dedi. "İstanbulluydu. Nasıl severdi o şehri."

Anneannesinin Osmanlı İmparatorluğu zamanında bir Levanten tüccarla evlenerek İstanbul'dan ayrıldığını ve öldüğü güne dek Boğaz'daki evinin ve komşularının hasretini çektiğini anlatmadı. Onun yerine Türkçeyle Rumcada ortak kelimeler hatırlamaya çalıştı: *cacık-caciki, avanak-avanakis, ıspanak-spanaki, çiftetelli-tsiftetelli...* O konuştukça güldü Pembe. Sokakta gülmeye alışkın olmayan tüm kadınlar gibi ağzını kapatarak. Birden durdu adam. "Daha adını bile bilmiyorum." Pembe alnına düşen saçları kenara çekti ve insanlara her iki ismini nadiren söylediği halde şöyle dedi: "Pembe Kader." Beklediğinin aksine ne hayret etti ne güldü adam. Onun yerine, duyduğu şey dünyanın en hüzünlü sırrıymış gibi baktı. "Adın şiir gibi." Gülümsedi Pembe. Uzun zamandır ilk kez gülümsedi. Az sonra profiterolleri çıkardı; biraz ona ikram edip biraz kendi aldı. O da üzümlü ekmeğini paylaştı Pembe'yle. Önce sessizce yediler, sonra "eğer", "belki", "emin değilim ama..." gibi mütereddit sözcükler kullanarak, ırkçılık ve sütlaçla başlayan sohbetlerini devam ettirdiler.

İsmi Elias idi. Pembe gibi o da Londra'ya geleli neredeyse sekiz yıl olmuştu. Şehri seviyordu ve kendini yabancı gibi hissetmekten gocunmuyordu, çünkü yüreğinin derinliklerinde hep öyleydi zaten: her yerde yabancı. Onu dinlerken pek çok kez "Keşke İngilizcem daha iyi olsaydı" diye düşündü Pembe. Ama konuşabilmek için illa o dilde akıcı olmak gerekmiyordu. Kocası ile aynı dili konuşuyorlardı güya ama nadiren bir çift laf ettikleri oluyordu.

"Demek sen Yunanlısın?" diye sordu Pembe. Kayınbiraderi Tarık'ın Yunanlılar hakkındaki fikirlerini söylemedi tabii.

"Yok, tam sayılmaz. Çeyrek Yunanlı, çeyrek Lübnanlı, çeyrek İranlı ve çeyrek Kanadalıyım."

Pembe şaşkın baktı. "Ama nasıl?"

"Anneannem bir Lübnanlıyla evlenmiş, annem doğmuş. Sonra annem babamla tanışmış. Babamın anne babası Tahran'dan gelmiş Kanada vatandaşları. Ben Beyrut'ta doğup Montreal'de büyüdüm. Ve şimdi Londralıyım. Nereli oluyorum bu durumda?"

Ne çok seyahat, ne çok kopuş ve yabancı diyarlarda yeniden başlayış. Çevresinde bunca belirsizlik taşımaktan hiç korkmamış mıydı ki? Pembe bir zamanlar denizci olmayı ve uzak limanlara seyahat etmeyi düşlediğini hatırladı buruk bir tebessümle. "Kimi insan böyle" dedi Elias. "Bazıları yeryüzü vatandaşı." Bunu söylerken Pembe'nin elindeki alyansı fark etti. Oysa Pembe onun parmağında eski bir alyans izi olduğunu görmedi, ayrı bir eşin gölgesi.

"Ne iş yapıyorsun?" diye sordu Pembe.

"Aşçıyım."

Yüzü aydınlandı Pembe'nin. "Sahi mi?"

"Evet. Bahse girerim senden güzel sütlaç yaparım." Pembe, soğan doğrarken ya da tavanın başında durmuş kabak kızartırken tahayyül etti Elias'ı. Elinde olmadan kıkırdadı. Onun tanıdığı erkekler kendilerine bir bardak su almak için olsun girmezdi mutfağa. Biliyordu ki kendisi de oğullarını, özellikle İskender'i aynı şekilde yetiştiriyordu.

"Karın şanslı" dedi.

"Karımla ayrıldık" dedi Elias, eliyle bir ekmeği ikiye bölüyormuş gibi bir hareket yaparak.

Pembe bu hassas konuyu kapattı. "Baban aşçı olmana ne dedi?"

Tuhaf bir soruydu ama aynı zamanda doğru bir soruydu. Babası yıllarca konuşmamıştı Elias'la. Küçümsemişti bu mesleği. Yakıştıramamıştı oğluna. Pembe başını önüne eğdi. Yunus aşçı olmak istese Âdem kabul eder miydi acaba? Bu arada Elias, yemek pişirme merakının küçükken kız kardeşini iyileştirecek uğraşlar ararken ortaya çıktığını anlatmaktaydı.

"Kız kardeşin hastaydı?" diye sordu Pembe.

"Hayır, hasta değil, özeldi."

Ne yazık ki mahalledeki çocuklar başka bir sözcük kullanırdı onun gibiler için: "geri zekâlı." Ağır bir Down sendromuyla doğmuş olan kız kardeşi hem fiziksel hem zihinsel engelliydi. Elias kaliteli bir okula giderken, Kleo kendi gibi çocukların bulunduğu bir merkeze gitmişti. Çoğunlukla aksi ve gergin olur, oyuncaklarını fırlatıp saçlarını yolar; toprak, cam, kâğıt yerdi. Genç Elias onu sakinleştiren tek şeyin güzel bir yiyecek olduğunu keşfetmiş. Böylece ufaktan ufaktan ona lezzetli yemekler hazırlamaya başlamış. Bütün o testler, özel öğretmenler, alternatif metotlar işe yaramazken fırından yeni çıkmış bir elmalı turta Kleo'nun yüzünü güldürürmüş. Zamanla Elias anlamış ki sadece kardeşi için yapmıyor bunu; yemek pişirmeyi tutkuyla seviyor.

Hamur yoğurduğunda toprak damarlarına sızar. Et pişirdiğinde hayvanın ruhu seninle konuşur; ona saygı duymayı öğrenmen gerekir. Balık temizlerken bir zamanlar içinde yüzdüğü denizin sesini duyarsın; nazikçe marine edersin suyun hatırasını yüzgeçlerinden silmek için. Pembe büyülenmiş gibi dinledi, birçok sözcüğü kaçırıyor ama özünü anlıyordu.

"Aman Tanrım... gitmem gerek" dedi Pembe ayağa fırlayarak. Ne kadar zaman geçtiğini anca fark etmişti.

"Torbaları taşımana yardım edeyim mi?"

"Hayır, hayır..." dedi Pembe kesin bir sesle.

Yoldan geçen birinin onları görüp dedikodu yapabileceği fikriyle ürperdi. Oradan ailesinin kulağına ulaşırdı mutlaka. Bu adamı tekrar görmesinin mümkün olmadığını fark etti yüreği burkularak. O esnada Elias, Pembe'nin aklından geçenlerden bihaber, cebinden bir kart çıkardı.

ELIAS STEPHANOS ROBERT GROGARY
Şef

Pembe sözcüklere bakakaldı. Bunca ismi olmasına şaşmıştı. Kartın arkasında restoranın adı ve adresi yazıyordu.

"Akşamları gelirsen mutfaktan ayrılamam. Öğlen de aynı. Ama saat dört gibi uğrarsan etrafı göstermek ve senin için yemek yapmak isterim."

Karşılığında hiçbir şey vermedi Pembe. Ne bir kâğıt. Ne bir adres. Ne bir söz. Tokalaştılar. Garip bir huzursuzluk kapladı içlerini. İstemeye istemeye ayrıldılar. Hızlı adımlarla kendi yollarına gittiler.

BİR ERKEK, BİR KADIN

Kate

İlk kez çıkıyorlardı, buna "çıkma" denebilirse. Hafta sonu buluşma fikri Kate'ten gelmiş, İskender de kısacık bir "Olur, tamam" ile karşılık vermişti. Cumartesi sabahı evde annesine yardım edeceğini söylemişti, saat on birle iki arasında boks antrenmanı vardı. Ondan sonra serbestti ve *eğer Kate çok istiyorsa* buluşabilirlerdi.

"Gelip seni boks yaparken seyredebilir miyim?" diye sordu Kate.

"Valla orası pek..."

Kate bir an için "sana göre değil" diyeceğini sandı. Ama onun yerine "... kızlara göre değil" diye tamamladı sözünü İskender.

"Boksa başlasam herkes ne der?" diye düşündü Kate. Kafasında kask, ellerinde kırmızı eldivenler, ağzında dişlik, rakibinin pestilini çıkarırken hayal etti kendini. Şaşkınlıktan küçükdilini yutardı herhalde İskender. Ama en büyük şoku annesi geçirirdi şüphesiz.

"En iyisi bir kafede buluşmak" dedi İskender. "Bizim çocuklar bizi beraber görsün istemiyorum, bin türlü şey gelir akıllarına."

"Peki" dedi Kate gönülsüzce.

Halbuki Kate, İskender ile birlikte görülmeye can atıyordu. Bomba gibi düşerdi bu haber okula. Herkes onları konuşurdu. Annesine yakalanmadıkça bu ilişkinin bilinmesinde hiçbir mahzur yoktu ona göre.

162

"Var mı şöyle sevdiğin bir yer?" diye sordu İskender.

"Yok, sen seç. Bana not yolla, yeter" dedi Kate sınıfa girmeden önce. Notlarla haberleşmeyi severdi.

☒☒☒

Cumartesi sabahı kahvaltıda gergindi Kate. Annesinin anlattığı, birbiriyle alakasız konuları dinler gibi yapsa da aklı başka yerdeydi. Her zaman düzgün giyinen, oturma odasında otururken ya da bahçede çalışırken bile saçları mükemmel taranmış, hep ölçülü davranan bir kadındı annesi. Leylak rengi çiçeklerle süslü çay takımı peçetelere, peçeteler masa örtüsüne, masa örtüsü perdelere ve hepsi birden kadının kendisine uyuyordu.

Annesinin günü birlikte geçirme teklifini alaycı bir tebessümle karşıladı Kate. "Ne yaparak? Bahçede dolanarak mı?"

Kibarca dudaklarına dokundurduğu peçetede ruj lekesi bıraktı kadın. "Aslında çok hoş bir bahçe fuarı var. Oraya gidebiliriz diye düşünmüştüm."

"Of, arkadaşlarla buluşup ödev yapacağız. Bir yere gelemem..."

"Peki tatlım. Başka zaman gideriz" dedi kadın ve gene öyle kibarca tabağındaki sosisi kesmeye devam etti.

Annesi böyleydi işte. Hayata dair beklentileri hep düşük olduğundan kolay kolay alınmazdı. Duvardaki fotoğraf çerçevelerine kaydı Kate'in bakışları. Çocukluğundan kalma karelere baktı – kumdan kalelerin yanında, tıpkı onlar gibi kolayca un ufak olan hatıralar. Deniz kenarında hafta sonu gezileri, soğuk sandviçler, kremalı bisküviler, çikolatalı kekler ve limonata – Enid Blyton'ın *Afacan Beşler* kitabından çıkma sahneler gibiydi, tek farkı hayatlarında hiç macera olmamasıydı. Babasının fotoğrafları neden hâlâ duvarda asılıydı ki? Hangi kadın saklardı onu seneler evvel terk etmiş bir adamın resimlerini? Bazen Kate'in içinden annesini omuzlarından tutup sarsmak geçiyordu.

"Ben doydum. Odama gidebilir miyim?"

"Tabii canım. Ama öğleyin mutlaka düzgün bir şeyler ye, olur mu?"

Odasına yollanırken annesine karşı neden bu kadar sinirli olduğunu anlamaya çalışıyordu Kate. Annesi değişmemişti, kendisiydi değişen. Bir zamanlar ne kadar yakındılar halbuki. Eskiden ona hayrandı ama sonra yüreğindeki mum sönmüş, onu karanlıkta bırakmıştı. İp atlama yaşındayken annenin mükemmel biri olduğuna inanmak kolaydı. Ama büyüyüp dünyanın bilincine varınca gerçek dank etmeye başlıyordu. Bir bir fark ediyordun annenin hatalarını, zaaflarını, eski kafalılığını. Onun asla değişmeyeceğini anladığındaysa öfke duymaya başlıyordun.

Ama tartışmanın, somurtmanın sırası değildi. Zaman azdı. Randevu vakti yaklaşıyordu ve daha ne giyeceğine karar vermemişti. Sonraki iki saati odasında, aynanın önünde birbiri ardınca giysiler deneyerek geçirdi Kate. Annesiyle beraber aldıkları pastel tonlarda –fuşya, yavruağzı, turuncu, su yeşili– moher kazaklar gülünç derecede zevksiz geldi. Belden kabarık etekleri, evaze elbiseleri ve tokalı ayakkabıları da. Gardırobuna İskender'in gözünden bakınca her şeyin ne kadar cicili bicili, şeker kız tarzı olduğunu görüp dehşete düştü.

İskender, boks yapan, asi tabiatlı, lider ruhlu, hiçbir lafın altında kalmayan ve kimseye boyun eğmeyen bir tipti. Hiç şüphesiz kız arkadaşının kendisiyle uyum içinde olmasını beklerdi. Oysa Kate'in bir tane bile *havalı* giysisi yoktu! İyi ki spor salonunda buluşmamışlardı. Boks antrenmanına süslü püslü pembe kazakla gidilmezdi. Kate, odasındaki desenli duvar kâğıtlarına, saten minderlere umutsuzca baktı. Birden İskender'e ayak uyduramamaktan endişe etti.

Sonunda kendini toparlayıp rahat bir şeylerde karar kıldı. Kot pantolon, lastik ayakkabılar, lacivert eşofman üstü. Saçlarını atkuyruğu toplayıp, belli belirsiz makyaj yaptı. Bu yalın tarzının İskender'in hoşuna gideceğini umuyordu.

Yolda her vitrine baka baka kafeye vardı. Kırk dakika sonra İskender hâlâ ortada yoktu. Kendini aşağılanmış hissetse de ne yapacağını bilemeden beklemeye devam etti. Kimse ona böyle davranmamıştı daha önce. Şimdi kalkıp kapıdan çıkmalı ve bundan sonra İskender'e yüz vermemeliydi.

"Başka bir arzunuz var mıydı, hanımefendi?"

Garsondu soran, yüzünde manidar bir tebessümle. Kate'in sıkıntısını izlemek hoşuna gidiyordu sanki. Muhtemelen defalarca tanık olmuştu benzer olaylara. Randevuya gelip de ekilen çok kişi olmalıydı. Kapıdan en şık giysileri içinde ağızları kulaklarında giren, zinde ve neşeli görünen insanların, bir masaya oturup kahve/çay/kola/su/şaraplarını ısmarlamalarına, içeceklerini yavaş yavaş yudumlamalarına, gözlerinin sürekli duvar saatinde olmasına, derken suratlarının asılıp omuzlarının çökmesine ve en sonunda da boyunları bükük bir halde çıkıp gitmelerine alışkındı.

Yenilgiyi hemen kabullenmeyecek kadar gururlu olan Kate gülümsedi. "Bir kola daha alabilir miyim lütfen?"

Halbuki kola sevmezdi. Muzlu-çilekli süt ısmarlamayı düşünmüştü önce. Ama bunun kız içeceği olduğuna karar verip fikrini değiştirmişti.

Kate hem ikinci kolasını hem de kalan sabrını tüketmek üzereyken kapı açıldı ve İskender içeri girdi; ağzında sakızı, omzunda spor çantasıyla. Saçları ıslaktı. Kate onun hiçbir şeyi aceleye getirmediğini, duş alıp saçını özenle taradığını, randevuya vaktinde gelmek gibi bir derdi olmadığını görebiliyordu.

"N'aber güzellik?" dedi İskender.

İşte o sözcük, o basit, aptalca sözcük, *güzellik*, bütün öfkesini eritti; minik bir topa çevirip camdan dışarı fırlattı. Yanaklarının kızarmasına engel olamadı Kate.

"İyilik."

"Çok bekledin mi?"

165

"Yo, sayılmaz" dedi Kate.

İskender'in koyu, zeki gözleri kızın üzerinde gezindi; saçlarına, dudaklarına, göğüslerinin şeklini gizleyen eşofman üstüne baktı. "Acaba niye bu kadar özensiz giyinmiş?" diye merak etti içinden. *İnsan azıcık süslenir.*

"Boks nasıl gitti?"

"Gayet iyi" dedi İskender. "Antrenörüm müthiş biri. Vietnam'da savaşmış, biliyor musun? Sonra Amerika'ya dönmüş ama ısınamamış oralara. Protestolar filan ağırına gitmiş. O da buraya gelmiş. Feci şeyler yaşamış."

"Hiç silah kullanmış mı?"

İskender güldü bu soruya. "Ne diyorsun? En az on Vietkonglu öldürmüş. Sonra tutsak düşmüş. Serçeparmağını baltayla kesmişler ama o yine de konuşmamış. Böcek, akrep yemiş. Canlı canlı! Boks yapmayı hayatın içinde öğrenmiş, süt çocuklarının gittiği salonlarda değil."

Kate'in benzi soldu. Barbi kazaklarından birini giymediğine memnundu. İskender'in dünyasında bunlara yer olmadığı belliydi.

"Ee, ne içiyorsun?" diye sordu İskender ortadaki boş bardağı işaret ederek.

"İki kola içtim. Sen de ister misin?"

"Yok, nefret ederim koladan" dedi İskender. "Karnımı şişiriyor. O köpüren gizli formülde bir numara var bence. Meyveli sütü tercih ederim."

İskender'in garsonu çağırışını ve iki içecek —ona bir kola, kendisine de muzlu-çilekli süt— ısmarlayışını izlerken bozuntuya vermedi Kate. Okuldan, gıcık oldukları öğrencilerden, sevmedikleri hocalardan konuştular. Kate İskender'e tek çocuk olmaktan ne kadar nefret ettiğini anlattı.

"En azından kimse eşyalarını araklamıyor" diye teselli etti İskender.

"Doğru. Ama yine de çekilmez. Öyle yalnız hissediyorum ki

kendimi. Hep annemle baş başayız, o ve ben."

"Annenin bundan şikâyetçi olduğunu sanmam. Seninle vakit geçirmek kıyak iş."

Keyiften kıkırdadı Kate. Ne var ki tam eğlenmeye başlamışken İskender'in yüzü aniden ciddileşti. "Kate, sana bir şey sormam lazım. Benimle ne işin var?" Gözlerini kırpıştırdı kız. Bir önceki geceyi yatağında kasetçalarına sarılmış vaziyette Bee Gees'in *How Deep Is Your Love*'ını* tekrar tekrar dinleyerek ve onu düşünerek geçirdiğini itiraf edebilir miydi?

"Bilmem... muhabbet ediyoruz işte..."

"Yanlış anlama, güzel kızsın, harbiden, ama birbirimize uymuyoruz, seninle ben. Bunu ikimiz de biliyoruz herhalde. Yani... ben senin için doğru herif değilim. Benim hayatım seninkinden farklı" dedi İskender. "Eğer o gün olanlar yüzünden bana borçlu hissediyorsan unut gitsin. Ben unuttum bile. Borcun morcun yok."

"Yok, öyle değil..." diye atıldı Kate.

Kıymetli bir şey elinden alınıyormuşçasına ağlamanın eşiğine gelmişti. Kendine olan güveni hiç bu kadar dibe vurmamıştı. İskender onu açıkça reddettiği için, uyumsuz olduklarını iddia ettiği için, bu kadar ulaşılmaz olduğu için onun kalbini kazanmak hayatının en önemli gayesi haline geliverdi o anda.

"O kadar da farklı olduğumuzu sanmıyorum" dedi Kate usulca.

"Yapma ya. İki insan birbirinden ancak bizim kadar farklı olabilir."

"Öyle bile olsa neden hep kendime benzeyenlerle takılmak isteyeyim? Galiba tek amacımın zengin biriyle evlenmek olduğunu sanıyorsun; iki çocuk, bir araba. Öyleyse halt etmişsin. Beni hiç tanımıyorsun."

"Haydaaa! Affedersin, seni kızdırmak değildi niyetim" dedi

* *Aşkın Ne Kadar Derin?*

İskender ama pişman görünmüyordu. *Kendini beğenmiş Kate Evans'*ı böyle güvensiz ve kırılgan ve ona abayı yakmış görmek hoş bir sürpriz olmuştu.

"Ama kızdırdın. Çünkü bana bir şans bile vermiyorsun. Daha beni tanımadan uyumsuz olduğumuzu nasıl söyleyebilirsin?"

İskender derin bir nefes aldı. "Bak, ne diyeceğim. Biraz tatsız bir başlangıç yaptık. En iyisi tekrar deneyelim." Uzanıp Kate'in elini tuttu. "Merhaba. Benim adım İskender. Alex de diyebilirsin istersen."

Kate nihayet gülümseyebildi. "Ben de Kate. Memnun oldum."

"Mükemmel!" İskender'in yüzü ışıdı.

Kafeden kalkmadan önce İskender tuvalete gitti. Merdivenlerden inerken dazlak kafalı, boncuk gibi gözleri olan ve alnı sivilcelerle kaplı, sıska bir adamla burun buruna geldi. Yakınlardaki bir pastanede çırak olarak çalışan genç, İskender'e hınçla baktı ve geçip gitti.

Tuvalete girdiğinde keyifle ıslık çalarak boş kabine yöneldi İskender. Ne var ki kapıyı kapatır kapatmaz gördüğü manzara karşısında donakaldı. Kapının arkasında, elli-altmış santim büyüklüğünde bir gamalı haç resmi vardı ve yanına bir sürü ırkçı slogan ve küfür karalanmıştı. Altında *Beyazların İktidarı* yazıyordu. *Göçmenler Defolun!* Sözcüklerin bir kısmı metal bir aletle kazınmış, bir kısmı da sprey boya kullanarak eklenmişti. Boyanın yaş olduğuna bakılırsa, bunu yapan kişi ayrılalı fazla olmamıştı.

Kabinden ok gibi fırladı. Merdivenleri ikişer ikişer tırmanırken keşke tuvalete bir dakika önce gitseydim de faili yakalayıp pataklasaydım diye hayıflandı. Okkalı bir kavga fırsatını kaçırmıştı. Ama muhakkak yakalayacaktı o ırkçı herifi. Er ya da geç.

⊠⊠⊠

Yürüyüş yapmak, art arda üç kola içmiş olan Kate'e iyi geldi. Batan güneşin altında amaçsızca dolaşarak marketlerin, eczanelerin ve bahis dükkânlarının önünden geçtiler. Hava kapalı olduğu halde sokakta bir sürü insan vardı sağa sola koşup işini gücünü yapan. Abney Parkı'nda göl kenarında güvercinleri seyrettiler. Ayaklarının altındaki yemyeşil çimler hoş bir his veriyordu, taze ve umut dolu. İskender kolunu Kate'in beline doladı, onu kendisine çekip öptü. Kate onun kokusunu, dudaklarının tadını sevdi; başka oğlanların yaptığı gibi hemen daha ileri gitmeye kalkışmamasını beğendi. Sesindeki tutkuyu, gözlerindeki meydan okumayı, ruhundaki isyanı hissetti.

El ele tutuşup bir banka oturarak etrafı seyrettiler. Önlerinden geçen herkesle ilgili yorumlar yapmaya koyuldular. *Bu tuhaf. Çatlak. Moruk. Soyguncu kılıklı.* Âşık bir genç çift görmekten mutlu olanlar gülümseyerek baktı onlara.

"Şu herife bak" dedi Kate aniden. "Bela kokmuyor mu?"

Onlara doğru gelmekte olan koyu saçlı, zayıfça, hafif kambur bir adam vardı. İskender onu görür görmez ciddileşti, sırtı dikleşti, Kate'i saran kolları gevşedi.

"Ne oldu? Tanıyor musun herifi?"

İskender hiçbir şey demeden sırtını yola döndü ve yüzünü saklamak istercesine yakasını kaldırdı.

"Ne oluyor? Görmek istemediğin biri mi yoksa?" diye sordu Kate.

"Bir şey yok. Bir tanıdık. Bizi birlikte görmesini istemedim."

Gelen, herkesin Hatip dediği bir adamdı. Bir iki saniye sonra yanlarından geçti. Banktaki çifte bakmaksızın önlerinden yürüdü gitti. O gözden kaybolunca İskender eski haline döndü.

"Neydi şimdi bu?" diye kendi kendine söylendi Kate.

İskender'in, ailesi ya da çocukluğu hakkında veya duygusal mevzularda konuşmak istemediğini, demir tuzak gibi kapandığını fark etmişti. Ama bu ona olan merakını daha da artırmıştı. Ne kadar karmaşık bir kişiliği vardı. "Hoş çocuk" diye düşündü; tek mesele, aniden öfkelenebiliyordu. Böyle anlarda Kate ne yapacağını bilemiyordu. Bir sonraki buluşmalarında —bir daha buluşacaklarından emindi zira— onu daha iyi çözecekti. Bundan kuşkusu yoktu. Tıpkı er ya da geç kendini İskender'e sevdireceğinden şüphesi olmadığı gibi.

Elias

Aşçılar ve yamaklarla dolu iyi aydınlatılmış geniş mutfakta *Eflatun Lokantası*'nın sahibi ve şefi Elias, üzerinde çeşitli tavaların cızırdadığı ocağın başındaydı. Kremalı mantar sosunu yavaşça karıştırdı. Neredeyse hazırdı. Ateşten almadan önce mutlaka bir tutam muskat ekleyecekti. Bu onun küçük sırrıydı. Ve bugün her şeyin mükemmel olması gerekiyordu, çünkü Noel'di.

Ortodoks Hıristiyan bir ailede dünyaya gelmiş, zamanla dinden uzaklaşmıştı. Gene de Noel ruhunu severdi: şarkıları, insanların bir araya gelmesini, paylaşmayı, hediye vermeyi ve özellikle mucizelere duyulan inancı. Çocukken en sevdiği aziz Giritli Aziz Andreas'tı – diğer azizlerden daha dini bütün ya da erdemli olduğu için değil, kendisi ayaklı bir mucize olduğu için. Doğuştan dilsizdi Aziz Andreas. Ama yedi yaşında aniden konuşmaya, üstelik yaşının ötesinde gerçeklerden bahsetmeye başlamıştı. Elias çocukluğundan beri severdi bu hikâyeyi dinlemeyi. Eğer dilsiz bir oğlan tarihe bir kelimeşinas olarak geçmeyi başarabilmişse hayat göründüğü kadar kasvetli olmasa gerekti.

Muskat ilave ettikten sonra sosu bir daha karıştırdı, ocağı kapattı. Yardımcı şef anında yanında belirdi ve elli beş porsiyon bonfilenin üzerine dökmeden evvel soğuması için porselen bir kaba aktardı dikkatlice.

Elias kolundaki saate şöyle bir göz attıktan sonra bir sonraki yemeğe başladı: akçaağaç şurubu ve ceviz soslu, armutlu pasta. Tariflerini hazırlarken katiyen metal alet kullanmazdı. Bu da onun sırlarından biriydi. Yalnızca tahta bulundururdu – kesme tahtaları, kaşıklar, çırpıcılar, kepçeler, spatulalar, sarmısak eziciler, hepsi tahta olmalıydı. Metal soğuktu, parlak ve fazla mükemmel. Bağ kurmaz, yalnızca yönetirdi. Tahta ise sakar bir dâhiye benzerdi, biraz beceriksiz ve kabaydı ama içtendi.

Noel yemeğini teslim etmeye yalnızca yedi saat vardı. 1978 yalnızca birkaç gün ötedeydi. Elias'ın yeni yıla dair büyük beklentileri yoktu. Yalnızca bir tane: Bitmekte olan sene kadar feci olmayacağını umuyordu.

1977, neredeyse elli yıla yaklaşan ömrünün en zor on iki ayı olmuştu. Elias seneye yükselen bir kariyer, çekici bir eş, geniş bir evle başlamıştı. Her şey hızla altüst olmuştu. Yedi ay sonra bekârdı, hemen hiç mobilyası olmayan ufak bir dairede yaşıyordu ve birkaç arkadaşından başka kimseyle görüşmüyordu – hazırlıksız yakalandığı boşanma sürecinden mecalsiz çıkmıştı. Tam tepeye tırmanırken pili biten bir oyuncak trene benzetiyordu halini. Evliliğinin son safhasında, artık sahip olmadığı bir enerjiyle çabalamaya, zorlamaya ve bocalamaya devam etmiş, sonunda raydan çıkıp durmuştu. Boşanma çirkin olmuş, ikisi de kendilerine yakışmayan şekilde davranmışlardı. Elias duygusal sorunlardan ziyade para tartıştıklarını fark etmiş, her şeyin peşini bırakmaya karar vermişti – karısının, nafakanın ve ortak anıların.

Derken yaz sonuna doğru babası kalp krizi geçirip vefat etmişti. Kleo'ya tek başına bakamayan annesi onu bir bakımevine yerleştirdiğinde Elias buna itiraz edememişti. 1977 senesinden zarar görmeden çıkan yegâne şey kariyeri olmuştu. Diğer tüm yenilgilerinin acısını çıkarırcasına harika gidiyordu işleri; yakında bir restoran daha açmayı planlıyordu.

Karısını sevmişti ve bir anlamda hâlâ da seviyordu. İnce

yapısı, dar omuzları, solgun teni, bariz İngiliz aksanı ve zeki fikirleriyle Annabel, Elias'ın bu ülkeye taşınmasının esas sebebiydi. Kraliçeden bile daha İngiliz dediği Annabel, ailesine göbekten bağlı olduğundan ve Elias'ın işi onunkinden –bir avukatlık bürosunun kurucusuydu Annabel– daha esnek olduğundan, Ibiza'daki kısa balayının ardından Londra'ya yerleşmek en uygun seçenek gibi gelmişti.

Elias her ne kadar bu plana itiraz etmediyse de yeni bir memlekete taşınmakta zorlanmıştı. Yetmişlerin başında Londra mutfak kültürü açısından cennet sayılmazdı. Yalnızca bir avuç birinci sınıf lokanta vardı. İngilizler deneysel lezzetlere açık olmak şöyle dursun, başka mutfaklara, gizlemeye gerek duymadıkları bir şüpheyle bakıyordu. Hint mutfağı nispeten kabul görmüştü ama Elias'ın sunmak istediği tatlar farklıydı. İngiliz mutfağını ağır ve yalıtılmış, müşterileri yeni lezzetlere karşı önyargılı bulmuştu – ve tüm bu engelleri aşmaya azmetmişti.

Çalışkandı. Her zaman işine dört elle sarılırdı zaten ama bu kez alışkın olmadığı bir iyimserlik edinmişti. Bir yanı Kanada'ya dünyaca tanınmış bir şef olarak dönmek istiyordu. Başkalarının beğenisini kazanmaya duyduğu ihtiyacın altında babasıyla sorunlarının yattığını biliyordu. Eğer biri çıkıp da o günden bugüne Elias'ın yaşamının akışını çizecek olsa iki zıt grafik yapması gerekirdi – biri iş hayatı, diğeri evliliği için. Kariyeri yükseldikçe evliliği tepetaklak aşağı gitmişti.

Annabel akıllı, azimli kadındı ama keskin yargılara sahipti ve bağışlayıcı sayılmazdı. Hayat felsefesi çalışma masası gibiydi – düzenli, tertipli ve köşeli. Sürekli "takdir ettiği şeyler" ve "hor gördüğü şeyler" olmak üzere hayatı ikiye ayırır, araya katı çizgiler çizerdi. Hoşlandığı insanları bir kaidenin üstüne diker, sevmediklerini küçümserdi. Onun satranç tahtası gibi siyah-beyaz dünyası, Elias gibi yaşamı sonsuz grilerden müteşekkil gören birine güç gelmişti. Öte yandan cinsel hayatları şaşılacak derecede iyiydi. Başka her konuda birbirini anlamaktan âciz iki insanın yatak odasında bu kadar uyumlu olmalarına şaşırıyordu her seferinde. Başlarda çocuk istememişlerdi. Kendileri için oluşturdukları kozada bebeğe yer yoktu. Daha sonra onlar hazır olduğundaysa tabiat hazır değildi. Böylece evliliklerinin ilk yarısını olası bir gebeliği önleme çabalarıyla, ikinci yarısını ise tam aksini hedefleyerek geçirdiler; her ikisinde de başarısız olarak. Başlarda Annabel bir kez hamile kalmıştı ama onlar –Elias'tan ziyade Annabel– gebeliği sonlandırmayı tercih etmişti.

Daha sonra, doğurganlık grafikleri, hormon testleri, gebelik testleri arasında kaybolup, uğraşmaktan yorgun düştüklerinde her ikisi de o kürtajı pişmanlıkla hatırlayacaktı. Neden bir bebek daha yapamadıklarını bir türlü anlayamıyordu Elias. Doktor, birçok şeyin kısırlığa yol açabileceğini anlatmıştı: vücutta yeterince yağ bulunmaması, sigara, stres. Her ikisine de bir dizi test yapmayı önermişti ama Annabel şiddetle karşı çıkmıştı.

1977 bahar sonlarında, tatil iyi gelir umuduyla bir haftalığına Santorini'ye gitmişlerdi. Beyaz badanalı kutu kutu evler, daracık sokaklar, leziz yemekler ve durmaksızın esen ve sıcağa karşın içlerini titreten bir rüzgâr. Bir akşam yemekte Annabel her zamankinden fazla içmişti. Elias'a anlatması gereken önemli bir şey olduğunu, uzun zamandır içinde sakladığını söylemişti. Başını uykuya dalacakmış gibi eğerek, *Bu zehirden kurtulmak istiyorum*, demişti.

Aldırdıkları bebeği sık sık düşündüğünü dile getirmişti Annabel, ama doğurması imkânsızdı, çünkü bebek *onların* değildi. Aptalca bir hataydı, DEVASA bir hata. O zamanlar Elias sürekli çalışıyordu ve Annabel kendini ihmal edilmiş hissetmişti; önemli bir şey değildi; pek de iyi tanımadığı ve kesinlikle âşık olmadığı bir iş arkadaşıydı; başlamasıyla bitmesi bir olmuştu zaten; hem üzerinden çok zaman geçmişti. Ve işte şimdi sonuçsuzca çırpınıyor, bedenlerini yoruyor, sinirlerini geriyorlardı bir bebekleri olsun diye. Annabel'in test yaptırmak istemeyişi bu yüzdendi; gayet iyi biliyordu ki kısır olan kendisi değil, Elias idi. Adamın adını sordu Elias. Ne fark eder, dedi Annabel. Elias gene sordu. Annabel bunun kafasına takması gereken en son şey olduğunu söyledi. "Esas problem..." diye devam etti. Ama Elias dinlemedi bile. El ele tutuşmadan, gözlerini birbirlerinden kaçırarak sokaklarda dolaştılar. Kesif bir sessizlik girmişti aralarına. Ada aniden küçülmüş, dar gelmeye başlamıştı. Başka bir çift belki atlatabilirdi bu badireyi ama onlar atlatamadılar. Evlilikleri başladığı gibi bitti: bir telaşla, yangından mal kaçırırcasına. Boşanma kâğıtları imzalandığında yedi buçuk yıllık birliktelikten Elias'a kalanlar Manolya adlı yaşlı ve tembel bir İran kedisi, artık bakmak istemediği fotoğraflarla dolu albümler ve kırık bir kalpti. Boşandıktan kısa bir süre sonra Annabel'in yeniden evlendiğini duydu, eski bir iş arkadaşıyla. Aynı adam mıydı acaba? Hiçbir zaman öğrenemeyecekti.

Eksiklik duygusuyla yaşamaya alışmıştı Elias. Önce midesinde bir kasılma olarak başlayan hüzün, göğüs kafesine doğru çıkmış ve oraya yerleşerek gülmesini, hatta bazen soluk almasını zorlaştırır olmuştu. Doktora gitmemişti, tıpkı psikolojik yardım almayı düşünmediği gibi. Arkadaşları durmadan arayıp *meşhur şefler*'in pek revaçta olduğu bekârlar dünyasına geri dönmesi konusunda baskı yapıyorlardı. Kimisi kendine tapan, kimisi kendinden nefret eden birtakım kadınlarla buluşmalar ayarlamaya çalışıyorlardı. İşin aslı Elias sık sık yalnız kalmak için mazeretler ararken yakalıyordu kendini. Yalnızlık, onu hayatı boyunca ürküten his, gözeneklerini işgal ediyor, kuru bir süngere nüfuz eden su gibi, bedenindeki her damara, her dokuya doluyordu. Tuhaf bir şekilde fena gelmiyordu bu Elias'a. Yalnızlığından memnundu.

1977 yaz ortasında Montreal'e tek yön bir uçak bileti satın aldı. Ondan sonra her yere yürüyerek ya da bisikletle gitti ki sevdiği sokak ve meydanlara veda edebilsin. Ona şefkatli ve cömert davranmış olan bu şehirden ayrılıyordu. Ama uçuştan bir gün önce annesinden gelen telefonla babasının kalp krizini haber aldı. "Her gün senden bahsediyordu" dedi annesi. "Baban sana saygı duyuyordu. Ama bunu yüzüne söyleyemeyecek kadar gururluydu." Hatlar o kadar kötüydü ki Elias doğru duyduğundan emin olamadı. "Eve geliyorum."

"Hayır, gelme" dedi annesi. "Şimdi olmaz. Hem sen kendini topla hem de Kleo ve ben toparlanalım, ondan sonra gelirsin. Şu anda birbirimize yardım edecek halde değiliz. Olduğun yerde kal ve ne yapman gerekiyorsa onu yap. Eminim baban da böyle olmasını tercih ederdi."

O günden sonra durmaksızın çalışacak ve bir tırtılın, gördüğü her yaprağı kemirişine benzer bir doymazlıkla geçmişini yiyip bitirecek, kozasına kapanarak gün gelip birilerinin onu bu halden çıkarmasını bekleyecekti Elias.

Pastanedeki kadını düşünmeden edemiyordu. Pembe Kader – ne ilginç bir ismi vardı, aynı zamanda hüzünlü. Annabel'den ne kadar farklı olduğu gözünden kaçmamıştı; neredeyse birbirine zıt iki kadın. Eğer eski karısı Pembe ile tanışacak olsa onu basit ve düz bulur, bilmiş bilmiş gülümserdi. Bütün erkeklerin arzuladığı tam da bu değil midir, derdi. *Karmaşık olmayan* bir kadın – onları sorgulamayacak, dırdır etmeyecek, zıtlaşmayacak, eleştirmeyecek biri. Yine de, diye eklerdi Annabel, boş bir fantezi bu, çünkü aslında karmaşık olmayan kadın yoktur. Kadınlar ikiye ayrılır, derdi. Bariz biçimde karmaşık olanlar ile karmaşık olduğu ilk bakışta anlaşılmayanlar.

Çalışmak yatıştırıyordu Elias'ı, her zaman olduğu gibi. Bu akşamki yoğunluğa ek olarak iki ziyafet yetiştirmekle görevliydiler. Tüm ekip tam gaz çalışıyordu. Bu arada kimse mönüye neden son anda yeni bir şey eklediğini sormamıştı: portakallı sakızlı sütlaç.

Yarım saat sonra, asistanlardan biri Elias'ın yanına yaklaştı. "Şef, bir ziyaretçin var." Daldığı düşüncelerden sıyrılan Elias kaşını kaldırdı. "Hmm?" "Birisi seni soruyor." "Şimdi olmaz. Görmüyor musun, tuvalete gitmeye bile zaman yok."

Asistanı tam kös kös geri dönmek üzereydi ki Elias'ın birden içine bir kurt düştü. "Dur bir dakika. Yoksa bir kadın mı soran? Saçları kestane rengi?"

"Kestane rengi tam olarak nasıl bir şey, şef? Şey gibi mi..?" "Boş ver, tamam. Ben bakarım" dedi Elias.

Seneler sonra bile o anı hatırlayacaktı – ellerini bir havluya silerek mutfaktan çıkışını, koridoru geçer geçmez onu orada, yüzünde suçluluk ve huzursuzluk dolu bir ifade, kolunun altında bordo çantası, beklerken buluşunu unutmayacaktı. Eteğini çekiştirip duruyordu Pembe, kendini korumasız hissetmiş gibi.

Bir masaya oturdular. Henüz açılmamış restoranda, boş masalar arasında bulunmak tuhaftı, onlar otururken ekibin koşturmaya devam etmesi daha da tuhaftı. İki dakikada bir yardımcılardan biri gelip bir şey soruyor, Elias da her seferinde yarı bezgin yarı sakin yanıtlıyordu.

"Artık mutfağa dönsen iyi olacak" dedi Pembe bir süre sonra.

"Hayır, merak etme. Bol bol zamanım var" diye yalan söyledi Elias.

İnatla başını salladı Pembe. "İstersen ben de gelebilirim." "Emin misin?" diye sordu Elias. "İçerisi tam bir tımarhane. Akşam yemeğine iki saat kaldığı için hepsi deliler gibi koşturuyor ortalıkta."

Kararlılıkla gülümsedi Pembe. O gün kuaför salonu kapalıydı, zamanı vardı. Yardım edebilirdi.

Pembe'yi mutfağa yönlendirirken hâlâ müteredditti Elias. Ona bir önlük verdi, sonra da önüne doğranacak biberler, kıyılacak maydanozlar, soyulacak zencefiller koydu. Hiç konuşmadan ve hiç durmadan çalıştı Pembe. Mutluydu. Sevdiği işi yapıyordu. Kimse ona ilişmedi. Mutfakta kimsenin dönüp yeni gelene bakacak hali yoktu.

Daha sonra, gitme vakti geldiğinde Elias, Pembe ile birlikte mutfaktan çıktı. İçeriden gelen hummalı patırtıyı dinlediler bir an. Kireç gibi beyaz tenli, çıplak bir kadın tablosunun –Ingres'nin *Büyük Odalık*'ının röprodüksiyonu– altında durdular. Gözlerini hem tablodan hem birbirlerinden kaçırdılar.

"Bu iyiliğini unutmayacağım" dedi Elias. "Teşekkür ederim."

"Ben teşekkür borçluyum" dedi Pembe. "Sen bana yardım etmiştin."

O an onu öpmek istedi Elias. Ve bu arzu korkuttu onu. Yanlış bir şey yapmaktan, kalbini kırmaktan, farkında olmadan çizgiyi aşmaktan, kültürel kalıpları çiğnemekten, işaretleri yanlış okumaktan öyle endişeleniyordu ki kaskatı kesilip, olabildiğince uzak durdu Pembe'den. Sadece parmak uçlarıyla tokalaşmak için elini uzattı. Ama Pembe usulca yaklaştı ve onu yanağından öptü kısacık, sıcacık.

Öğleden sonra, kız kardeşimin kartını geri almak üzere Memur Andrew'u görmeye gittim. Yarım saat bekletti beni. Yapacak başka işi olduğundan değil, sırf burnumu sürtmek, kimin patron olduğunu hatırlatmak için. Baktım, onu bekleyen bir mahkûm daha var odada. Çaylağın teki, yeni düşmüş buralara. Bacağını sinirli sinirli sallayarak, elindeki kâğıtları sıkı sıkı tutarak bekliyor, belli ki şikâyete gelmiş. Daha dünkü çocuk olduğu hemen anlaşılıyor – sınanmamış, denenmemiş, yaralanmamış.

"Salaklık etme" demek istiyorum. "Nefesini boşa harcama."

Hapishanede mızmızlık iyi karşılanmaz. Ne kadar haklı olursan ol, ispiyonculuk parlak bir fikir değildir, hele de herkesin alıcı kuş gibi seni izlediği ve daha kimin kim olduğunu bilmediğin ilk haftalarda. Basmaman gereken ayaklar vardır. Basarsan sonuçlarına katlanırsın.

Karşı duvardaki mesaj panosuna baktım: Organ bağışı, uyuşturucu tedavisi, öfke kontrol terapisi, hepatit B ve hepatit C tedavisi, Hayırsever Vatandaşlardan Hükümlülere Destek Programı ile ilgili ilanlar vardı. Dışarıdaki birine bunları göstersen muhtemelen acıklı, hatta ürkütücü bulur. Bana öyle gelmiyor. Burada on üç yılı devirdikten sonra beni esas dış dünya dehşete düşürüyor.

İngiltere'ye gelip kırmızı bir otobüsün tepesinden Kraliçenin Saat Kulesi'ni (Big Ben'e böyle derdik) ilk gördüğümüzde Esma da, ben de çocuktuk daha. Büyüklerin, özellikle de annemin aksine çabucak öğrendik dili. Gramer filan değildi annemin zorlandığı. İngilizceye güvenmiyordu. Türkçede daha rahat olduğunu sanmam ya. Hatta anadili Kürtçede bile. Sözcüklerin başa bela olduğuna inanırdı. Onlar yüzünden insanlar ha bire birbirlerini yanlış anlıyordu. Dile bağımlı olanlara, mesela gazetecilere, avukatlara, yazarlara güvenmezdi. Kelimelerin önemsiz yahut ikincil olduğu şeyleri severdi – resimler, el işleri, ninniler, yemek tarifleri gibi.

Evdeyken bizimle, araya Kürtçe kelimeler serpiştirilmiş bir Türkçe konuşurdu. Bizse ona İngilizce yanıt verir, aramızda İngilizce kullanırdık. Annemin bize belli ettiğinden fazlasını anladığından şüphelenirdim hep.

Belki de göçmen olmak böyle bir şey. Her yabancı çekinir yeni bir dil öğrenmekten. Hele deyimler; onlar en kötüsü. "Tahtalıköy"ün anlamını çıkarmaya çalıştığınızı tahayyül edin. "Tahta"nın ne olduğunu öğrendiniz diyelim, "köy"ün ne olduğunu biliyorsunuz, ama ne kadar uğraşırsanız uğraşın deyim bir anlam taşımayacaktır eğer dile yabancıysanız.

Kız kardeşim hariç. Esma bayılırdı dille uğraşmaya. Biri kalkıp da aşina olmadığı bir ifade kullanacak olsa, nadir para bulmuş koleksiyoncu gibi onu edinmek için her şeyi yapardı. Kelimelere tutkundu. Okumaktan gözlerini bozacak ve koca bulma şansı azalacak diye endişelenirdi annem. Benimse kitaplara ayıracak zamanım yoktu. Hapse düşene kadar.

Burası beni değiştirdi. Birdenbire değil, azar azar. Tam "güvenilir hükümlü" olduğum söylenemez ama yine de istediğim an kütüphaneyi kullanmama izin verdi Martin. Orada okudum, araştırdım, düşündüm. Herkesin benim gibi bir adamdan nefret ettiğini sanabilirsiniz ama hakikat bu değil. Haritada ismini bilmediğim yerlerden mektuplar, kartpostallar, armağanlar gelir bana. Kahraman olduğumu düşünen gençler var dışarıda. Hakkımda zerre kadar fikirleri olmasa da. Benimle evlenmek isteyen kadınlar bile oldu. Böyle bir kadın türü var herhalde, suçlularla evlenip onları sevgileriyle tedavi etmek isteyen.

Bir de beni kendilerine "vazife" edinen İlahi Manga var. Her dinden, her mezhepten. Arada New Age zırvalarına maruz kaldığım da oluyor. Bana broşürler, kitaplar, kasetler yolluyorlar. "Karanlığına ışık tutarak yaralı ruhunu iyileştirmemize izin ver." Ne tumturaklı laflar! Aşırı dindarları anlamıyorum. Sorsan, fikirlerinin bütün insanlık için olduğunu söylerler ama onlara azıcık ters düşmeyegör, anında seni dışlamaya hazırlar. Yine de benim gibilere nazik davranırlar. Günahkârız çünkü; bizi doğru yola getirip bu sayede Tanrı'nın gözüne girmek isterler. Hakikaten iyilik etmek değil çoğunun derdi, sadece cennete giriş için puan toplamak. Bizi bu yüzden severler; biz, yani dünyanın pislikleri – katiller, hırsızlar, orospular, ahlaksızlar. Simsiyah bir kumaşız ya; yanımızda cevher gibi parlayacaklar sanki.

Bir ara bir gazeteci kadın vardı; çırpı gibiydi ama afili giyinirdi: kısa etekler, uzun seksi bacaklar. Birkaç kez ziyaretime geldi. "Lütfen için rahat olsun Alex. Ben yalnızca ailenizin hikâyesini anlamak ve bu konuda yazarak toplumsal duyarlılığı artırmak istiyorum."

Ne kadar asil! Sonra da gidip yazılabilecek en iğrenç makaleyi kaleme aldı. Olanların annemin suçu olduğunu, erkek evlat olduğum için beni şımarttığını yazdı. Dedi ki çocukken psikolojim bozulmuş. "Ortadoğu'ya özgü ataerkil geleneğin tipik örneği!" Tepeden bakarak. Artık gazetecilerle konuşmuyorum. İnsanı yalnızca sayılardan ibaret görüyorlar. Ya da harflerden. "İ. T. dün P. T.'yi bıçakladı." Gerçekten bizimle ilgilendikleri yok. Tek istedikleri onların kafasındaki şablonlara uymamız.

Hakkımda yapılan çalışmalar da var, üniversitede birileri tez bile yazdı. Bir de beni kullanarak bütün Müslümanları karalamak isteyen bir politikacı vardı bir ara. "Bu adam, göçmenlerin Avrupa uygarlığının temel ilkeleriyle uyum sağlayamadığının canlı ispatıdır" demişti. Bay Ukala! Annem haklıydı sözcükler hakkında, insanları yakınlaştırmaktan ziyade uzaklaştırmaya yarıyorlar galiba. Bütün bu tipler için görünmezim ben. Annem de. Biz yalnızca onların kendi amaçları için kullandıkları bir vakadan ibaretiz.

Nihayet ofisin kapısı açılıyor ve Memur Andrew başını uzatıyor.

"Vay, kim varmış burada?"

Kenara çekilerek beni içeri alıyor. Ofis amma değişmiş. Martin'in zamanında farklıydı ama Martin farklıydı. Hepimiz saygı duyardık ona.

Andrew masasına oturup bir dosya açıyor. Benim dosyam belli ki. "Demek 1963 doğumlusun" diyor. "Seninle aynı yaştayız, hatta aynı ay doğmuşuz. İşe bak."

Yunus Aslan, Esma Yengeç. Ben ise Akrep'im. Memur Andrew da öyle.

"İki tür Akrep olduğunu söylerler, bilir misin?" diye devam ediyor. "Başkalarını sokanlar, bir de kendilerini sokanlar."

Gözlerini dikip bana bakıyor; vereceğim tepkiyi tartar gibi.

"Burada defalarca tek kişilik hücreye konduğun yazıyor. Amma çok kavgaya karışmışsın be. İşin gücün milleti kışkırtmak! Bakayım, bir hükümlünün burnunu dağıtmışsın, bir şartlı tahliye memuruna saldırmışsın. Bir başka hükümlünün de parmaklarını kırmışsın, ha? Hem de dördünü birden." Durup şöyle bir süzüyor beni. "Uff, herifin canı yanmış olmalı."

Midem kasılıyor.

"Nasıl becerdin Alex? Adamın parmaklarını sert bir yüzeye koyup hepsini birden mi kırdın, yoksa tek tek bükerek mi?"

Ne yaptığının farkındayım. Bana eskiden kim olduğumu hatırlatıyor. Ve gene öyle olabileceğimi. Buradaki hayatım iki döneme ayrılır. Başlarda herkesin başına belaydım. Öfke ve hınç doluydum, tamamen kaybolmuştum. Sonraki dönem ise üç aşağı beş yukarı şu anki halime tekabül eder. Hâlâ kızgın ve deliyim ama çevremdekilerden ziyade kendime yönelik artık öfkem.

"Beton blokla ezdim elini" diyorum.

"Hımm" diyor başını sallayarak, takdir edercesine. "Peki, memurla derdin neydi? Ona ne oldu?"

"Ufak bir sorun vardı aramızda."

Kaşınmıştı. Ne kadar dayanacağımı görmek için sıkıştırıp durmuştu beni. Çıplak aramalar sırasında öne eğilmeye zorlamış, oramı buramı yoklamaya kalkmıştı; çirkin isimler kullanmış, kışkırtmıştı. Diş fırçamın içine sakladığım tıraş bıçağıyla yüzünün yarısını doğramıştım ben de. Sonra başka hapishaneye göndermişlerdi herifi. Duyduğuma göre yara izi duruyormuş hâlâ.

"Burada geçirdiğin nöbetlerden bahsediyor: epilepsi, migren, panik atak, psikoz ve intihar teşebbüsü... hmmm..." Duruyor, ilgisini çeken bir şey buldu. "Konuşma bozukluğu! Bu ne demek oluyor?"

"Kekeliyordum" diyorum. "Sonra geçti."

Okumaya devam ediyor Andrew. "Çok da ilaç almışsın. Trazodon, Zimelidin, Lithium, Paxil, Zoloft, Diazem, Xanax..."

Bazıları hiç işe yaramadı, bazıları bir müddet fayda eder gibi oldu, bir kısmı da o kadar çok yan etki bıraktı ki daha beter oldum. Lithium şişmanlattı, Trazodon ise üç gün geçmeyen ıstıraplı bir ereksiyona neden oldu. Acaba bütün bunlar dosyamda yazıyor mu diye merak ediyorum.

Omuzlarını oynatarak kış kış gülüyor. "Ah, demek et yemiyorsun!"

Başımı sallıyorum. Bir kahkaha atıyor Memur Andrew. "Pardon, elimde değil. Senin gibi koca bir zorbanın, yani annesini öldürmüş, hayatı şiddet dolu birinin vejetaryen olması tuhaf geldi de!"

Benden bir yanıt gelmeyince bir sessizlik çöküyor üzerimize.

"Kartımı alabilir miyim artık?"

"Elbette" diyor birden ciddileşerek. "Kendini Uçuk'a niye dövdürdüğünü söyler söylemez alabilirsin boktan kartını."

"Kafayı yemek üzereydi" diyorum. "Karısı boşanma davası açmıştı. Birilerine vurması lazımdı."

"Ve sen de, merhamet sahibi biri olarak açıverdin sineni, öyle mi?"

Derken çekmeceden Esma'nın kartpostalını çıkarıyor. Hayret, oynamadan veriyor. "Bana bak, Houdini'nin karın bölgesine aldığı darbeler yüzünden öldügünü düşünen kaçıklar var. Yumrukların apandisini patlattığını iddia ediyorlar."

Bir şey demiyorum. Benim de o kaçıklardan biri olduğumu söylemeye gerek yok. Apandise tekrar tekrar ve belli bir şiddetle vurursan bir sonuç elde edebilirsin. Doğru açıyı bulup şanslı anı yakalamak gerek. En azından denemeye değer. Kaybedecek neyim var ki?

"Yeniden intiharı denemiyorsun değil mi? Şüpheleniyorum" diyor aniden. "Tabü eğer kendini sokmaya eğilimli bir Akrep isen."

Düşündüğümden kurnaz çıktı Memur Andrew. Yine de inkâr ediyorum. "Neden isteyeyim ki? Bir buçuk sene sonra özgür bir adam olacağım."

Tam bu noktada Memur Andrew masasının üstünden bana doğru uzanıp gözlerini gözlerime dikiyor. İlk kez ağzından doğru bir laf çıkıyor: "Alex, sen de ben de biliyoruz ki sen asla özgür bir adam olmayacaksın. Serbest kalsan, dışarıda, sokakta olsan da işlediğin suçun içinde hapissin her zaman."

Sonra arkasına yaslanıyor. "Aklında olsun, Houdini'nin ölümünün yediği yumruklarla alakası yok. Apandisi zaten foslamıştı."

"Bunları niye anlatıyorsun bana?"

"Zeki kaptan fırtınayı önceden hissedip limana yanaşır da ondan."

"Peki ya fırtına filan yoksa?" diyorum ayağa kalkarken. "Boşu boşuna kıyıya yanaşıyorsan?"

Hata, biliyorum. Bu şekilde konuşmamalıyım ama dayanamıyorum.

"Otur yerine" diyor Andrew.

Oturuyorum. Sessizce bekleşiyoruz. Yarım dakika geçiyor.

"Şimdi gidebilirsin. Gözüm üzerinde, haberin olsun."

Kapıya giderken arkamdan homurdandığını duyuyorum: "Ne diye Avrupa'ya gelip dertlerinizi de getirirsiniz ki?"

İngiltere'deki yabancı düşmanlığı her seferinde hazırlıksız yakalar beni. İnsanın yüzüne Pis Latino ya da Yağlı Arap filan demezler kolay kolay. Irkçılık burada başka ülkelerde olduğunu duyduğum gibi günlük hayatın bir parçası değil. İnceden inceye yapılır; her zaman kibarca. Mesele birinin derisinin rengi ya da dini değil. Mesele ne kadar medeni olduğun.

Yolda birkaç mahkûmla selamlaşarak hücreme doğru yürüyorum. Bu çatının altındakilerin çoğu civardaki İngilizler ama Latin Amerikalılar, Ruslar, Bulgarlar, Araplar, Afrikalılar da var. Her milletin içinden has adam da çıkıyor, ciğeri beş para etmeyen de. Bazıları uyuşturucuyla kafayı bulandırmışlar. Benimki de kavgadan yumuşamış olabilir tabii. Bazı tiplerin tek derdi birbirlerini yatağa atmak. İbneler... Onların işi zor. Buraya ilk geldiğimde çetelerin hiçbirini gözüm tutmadı, ben de kendi çetemi kurmaya giriştim. Kolay olmadı ama başardım. Yazılı olmayan ama herkesin uyduğu sıkı kurallarımız vardı. Pedofillere ve tecavüzcülere hoşgörümüz yoktu. Oğlancıları, sübyancıları, kulamparaları, sapıkları aramıza almazdık. Hap yoktu, esrar yoktu.

Ama birden liderlik edemez oldum. Kendi kurduğum çeteyi terk ettim, çünkü kafamın içinde halletmem gereken meseleler vardı. İçimde bir şey infilak etti. Kendime zarar vermeyeyim diye ilaca boğdular. İntihara karşı yedi gün yirmi dört saat gözetim altında tutuldum. Batmaya devam ettim – ta en dibe.

Sonra bir gece annem geldi. Hayaleti yani. Saçının kokusunu duydum. O kadar gerçekti. Bütün gece benimle kaldı. Yüzü. Gözleri. Hayatta ağlamadığım kadar ağladım. Ondan sonra usul usul değişmeye başladım, farklı bir adam oldum. Daha iyi biri değil belki ama eskisinden farklı. Memur Andrew dosyalarıma ne kadar bakarsa baksın bu bilgileri nah bulur orada!

Hücreye girdiğimde Uçuk battaniyeye sarınmış oturuyor ranzada, benzi kül gibi, gözleri çukurlarına kaçmış. İyice kaymış görünüyor.

"Nasıl gitti?" diye soruyor.

"Şahane! Birbirimizi boğmamayı başardık."

"Tebrikler" diyor dili dolanarak.

Yaklaşan boşanma haberini aldığından beri her gün daha fazla hap alıyor. Kafasına bu kadar takmamasını söylemek istiyorum. Ama biliyorum ki kendi haline bırakmak daha iyi. Gidip yatağıma uzanıyor, düşüncelere dalıyorum.

Öbür dünyada kıldan ince, kılıçtan keskince bir köprü var. Mahşer günü herkes yalnız başına geçecek o köprüden. Derileri kavrulup kemikleri kaynamakta olan günahkârların çığlıklarını duyacak. Günahkârsan, sen de düşeceksin aşağıdaki alevlerin içine. Yok eğer yeterince iyilik yaptıysan Kurban Bayramı'nda kestiğin hayvanlar dirilip seni sağ salim karşıya geçirecekler sırtlarında. Bunları kim öğretti bana? Tarık Amcam olmalı.

Et yemeyi bıraktığımda neredeyse yedi yaşındaydım. Her bayram kurban kesemediğimiz için Allah'tan af dilerdik. Komşular bize et getirirdi. Ama İstanbul'daki son senemizde annem babamı bir adak alması için zorladı, hem de herhangi bir koç değil, kocaman bir tane. Ne de olsa İngiltere'ye gidiyorduk. Babam orada bir fabrikada iş bulmuştu. Allah bize yeni bir kapı açmıştı ve O'na şükranlarımızı sunmamız gerekiyordu usulünce.

Babam ne kadar pahalı ve gereksiz olduğundan yakınıp durdu. Yine de bir sabah bahçeden gelen melemelerle uyandım; dışarıda çimenlikte otlayan bir koç vardı. Boynuzlarına bağlı kurdelelerle heybetli bir hayvandı. Yem vermeme müsaade ettiler. Annem kına sürdü postuna. Sonraki iki günü onun yanında geçirdim. Sahip olduğum ilk ve son hayvandı.

"Fazla alışma o koça" dedi Tarık Amcam.

"Neden?" diye sordum.

Yüzü asıldı. "Söylemediler mi sana salak? Yakında kesilecek."

Ağlayarak babama koştum. Keyfi yerinde görünüyordu. Derdimi dinledi; hayvana dokunmayacağına söz verdi.

"Canın sağ olsun" dedi. "Bir tanecik oğlumsun. Senden mi esirgeyeceğim bir koçu?"

Allahım, nasıl sevinmiştim. Oğlan olduğum için, Esma gibi çiroz bir kız olmadığım için gurur duymuştum kendimle. Ertesi gün beni çarşıya gönderdiler. Geri geldiğimde hayvanın şişmiş bedeni ağaca asılmıştı bile. Hangisinin canımı daha çok yaktığını bilmiyorum. Koçun ölümü mü, babamın yalan söylemesi mi? Annemin suç ortağı olduğunu öğrenmek mi? Yoksa sandığım gibi ayrıcalıklı olmadığımı anlamak mı? Annem kurbanın kanından alnıma sürdü, sultana benzediğimi söyledi. Ağır ve yapışkan bir et kokusu kapladı evi. Yemeği önüme koyduklarında yemeyi reddettim.

"O adağın bana kaça mal olduğunu biliyor musun?" diye sordu babam. "En ufak fikrin var mı kadir bilmez serseri?"

O an bana ne oldu bilmiyorum diyeceğim ama aslında biliyorum. Öfke. Adrenalin. Aynı anda hem düşüş hem yükseliş hissi. Dalga gibi geldi üstüme. Bir anda kendini bir tepenin üstünde bulursun; oradan herkese kafa tutabilirsin, babana bile. Tabağı kenara ittim; niyet ettiğimden daha sert bir hareket oldu. Yemek masaya döküldü. Gördüklerine inanamayan babam gözlerini kırpıştırdı. Annemin ve kız kardeşimin önünde otoritesine kafa mı tutuyordum? Delirdi. Onu hiç o kadar sinirli görmemiştim.

"Zıkkım ye!" dedi. "Ben evlatlarıma el kaldırmam, sabrımı zorlama!"

Omuzlarımı silktim. Bardağı taşıran son damla oldu. Babam yerinden kalktı, kafamı tuttuğu gibi yemeğe doğru itti. O kadar beklenmedik bir şeydi ki çenem tabağın dibine çarptı, lastik top gibi sekti. Ama burnum hâlâ yağlı et suyunun içindeydi; gözyaşlarım ve sümüğümle karışmıştı. Bir şapırtı duydum. Benden geliyordu. Bir yanım itaat etmişti hemen. İşte o tadı asla unutmadım. Ezikliğimin tadı. Babam ensemi sıkıca kavrayan parmaklarıyla itmeye devam etti. Başımı yalnızca lokmalar arasında hava almak için kaldırarak çiğnedim de çiğnedim.

Arkadan annemin sesi geliyordu, "Yeter artık Âdem. Bırak oğlanı."

Sonunda bıraktı babam. Kafamı kaldırdığımda göstermiş olduğu tepkiden utandığını gördüm. Haşin muamele, en azından böylesi, tarzı değildi. O gün babama ne hal olduğunu bilmiyorum. Onun da bildiğini sanmam.

Annem koşup yüzümü sildi. "Aslanım, sultanım, iyi misin?"

Ona aldırış etmeden dik dik baktım babama. Üzgün görünüyordu. Ne yapıyorduk? Niye her şeyin acısını birbirimizden çıkarıyorduk? Oracıkta ve o an anladım pısırıklığın faydası olmadığını. Ezik davranırsam herkes ezerdi beni. O günden sonra kendimi hiç ezdirmedim. Ve bir daha hiç et yemedim.

İskender Toprak
Shrewsbury Hapishanesi, 1991

Âdem

8 Mart 1962
Fırat Nehri yakınlarında bir köy

İstanbul'da doğup büyüyen Âdem ilk defa şehirden ayrıldığında on sekiz yaşındaymış. İçinde temiz iç çamaşır, limon kolonyası ve bir kutu baklava olan bavulunu alıp otobüse binmiş. Yirmi saat sürmesi gerekirken art arda arızalar yüzünden bir tam günü aşan yolculuk sonunda bitkin bir halde hakkında bir şey bilmediği o güneydoğu şehrine varmış. Oradan, sınıra yakın köye kadar bir kamyon arkasında seyahat etmiş. Ağabeyi Halil'in beş aydır askerlik yaptığı yermiş burası. Âdem zayıflamış bulmuş Halil'i; yüzü kış güneşinden bronzlaşmış ama esas fark hal ve tavırlarındaymış. Sanki üniforma giyince karakteri değişmiş gibi gözlerine düşünceli bir bakış yerleşmiş, ketumlaşmış. Çamaşırları ve kolonyayı memnuniyetle kabul ederken bile durgun bir hali varmış. Âdem onu merakla inceliyormuş, çünkü o da aşağı yukarı bir yıl içinde askere gidecekmiş. Zaten üniversitede okuyacak parası da yokmuş. Askerden dönünce bir iş bulup evlenecek ve altı çocuk yapacakmış – üç kız, üç de oğlan. Buymuş kendisi için öngördüğü gelecek.

Ziyaret saati bitince Âdem ağabeyini garnizonda bırakıp eşek sırtında yakınlardaki köye dönmüş. Lapa rengi donmuş bir toprak göz alabildiğine uzanmaktaymış. Buraların doğası sert, dirençliymiş. Manzaraya bakarken birden baklava kutusunu Halil'e vermeyi unuttuğunu fark etmiş.

"Kim bilir" diye düşünmüş, "belki de başkasının kısmetidir."

Köye varınca muhtarın evini bulmuş. Babasının bir zamanlar bu adamla iş yapmış olması hoş bir tesadüfmüş. Her ne kadar birbirlerini senelerdir görmeseler de ortak dostlar aracılığıyla haberleşmeyi sürdürmüş ikisi. O nedenle Âdem yola çıkmadan önce babasının eski tanışına bir mektup yazıp geleceğini haber vermiş. Ama yazık ki bir yanıt alamamış.

"Mektup mu? Ne mektubu?" diye bağırmış muhtar, Âdem kapısını çaldığında. "Bana haber filan gelmedi."

Esmer bir adam olan muhtar öyle uzun boyluymuş ki kapılardan eğilmeden geçemiyormuş. Dudaklarını kaplayan kalın bıyığının uçları yukarı doğru kıvrılmış, favorilerini yağa benzer parlak bir maddeyle düzleştirmiş.

"Affedersiniz... Ben gideyim o halde" demiş Âdem.

"Dur, nereye gittiğini sanıyorsun sen?"

"Ben mi... Şey, ben..."

"Bugüne değin hiçbir misafir bu kapıdan dönmemiş, bilesin."

Kürt muhtarın ona kızgın olmadığını nihayet idrak etmiş Âdem. Adamın sesi doğal olarak yüksek ve boğukmuş, bir de Türkçede deneyimsizliği yüzünden kızgın olmadığı halde öyleymiş gibi geliyormuş insana konuşması.

"Teşekkür ederim. Zaten sadece bir gece kalacağım ben de."

"Bir gece mi? Öyle hemen gidemezsin! İki gün sonra düğünümüz var. Ona kalmalısın. Yoksa damadın ailesi alınır."

Onu hiç tanımayan insanlar nasıl yokluğuna alınabilir ki diye sormak istemiş Âdem. Ama razı olmuş. Zaten alelacele İstanbul'a dönmesini gerektiren bir neden yokmuş. Kimse yana yakıla yolunu gözlemiyormuş. Gerçi hüzün verirmiş düğünler Âdem'e, çünkü annesini hatırlatırlarmış hep ona. Ayşe'nin ismi anılmıyormuş artık evlerinde; fotoğrafları yok edilmiş, hiç yaşamamışçasına. Yaptığı danteller, işlediği mendiller, boynunu süslemiş kolyeler, bluzlarından saç tokalarına kadar ona ait olan her şey Baba'nın (Sarhoş Olan) yaktığı ateşe atılmış.

Böylece Âdem muhtarın teklifini kabul edip köyde kalmış;

midesini taze tereyağı, kaymak ve balla doldurmuş. Köylülerle tanıştığında iki şeye hayret etmiş: onların ne kadar az konuştuğuna, bir; çaylarını ne kadar çabuk içtiklerine, iki. Âdem daha üçüncü yudumunu alamadan onlar bardaklarındaki kaynar çayı bitirip yenisini almış oluyormuş. Âdem'e üstünkörü birkaç soru sorup onun da kendileri gibi suskun biri olduğunu anlamış ve kabullenmişler, tıpkı bu toprağın yol yordamını kabullendikleri gibi.

Ertesi gün öğleden sonra, muhtar yemek sonrası rehavetiyle uzanmış kestirirken, kızları ve karısı evdeki bakırları kalaylamaya, oğulları da bir tavla turnuvasına dalmışlar. Âdem o sabah ağabeyini görmeye gitmiş yine. İkinci ziyaret ilkinden daha kısa sürse de daha az duygusal olmamış. Baklava yine unutulmuş. Şimdi, tavlaya ilgisi olmayan Âdem yapacak başka şey bulamayınca çıkıp yürümeye karar vermiş.

Mala Çar Bayan köyünde dolaşıp tarihi harabelere, çatlak duvarlara, oyuncaksız büyüyen çocuklara baktıkça burada zamanın hiç ilerlemediği hissine kapılmış. Manzara çorak, kasvetli ama tuhaf şekilde büyüleyiciymiş. Girdiği bir aralıkta bir köpek sürüsüyle karşılaşmış. İçlerinden biri, gözleri kan çanağı gibi, irice bir köpek, hemen dişlerini göstermiş. Diğerleri de ona uyup hırlamaya başlamışlar. Âdem çocukluktan kalma korkularının ortaya çıktığını hissetmiş. Tüylerini ürperten bazı sesler varmış hayatta; sanki yine annesiyle o barajın kıyısındaymış, düşmek üzere.

Köpekleri peşine düşüreceğini bile bile geri dönüp kaçmaya başlamış. Herhangi bir yön duygusu olmaksızın nefes nefese koşmuş tozlu yollardan. Sonunda avlusunda tavuklar dolaşan kerpiç bir eve gelmiş. Bahçe duvarında birinin oturduğunu görmüş; biraz daha dikkatle bakınca bir genç kızın, haline kıs kıs gülmekte olduğunu fark etmiş. Doğruca ona doğru koşmuş ve izinsiz destursuz bahçeye dalıp kıza ve onun özgüvenine sığınmış.

Köpekler birkaç saniyede oraya ulaşıp her yanı sarmış. İçlerinden biri tam Âdem'i paçasından yakalayacakken, genç kız ellerini çırpıp bağırmış. Hayvanlar büyülenmiş gibi kuyruklarını bacaklarının arasına kıstırıp birer birer oturmuşlar. Bir kız tarafından kurtarılmış olmaktan utansa da rahat bir nefes alan Âdem dönüp kurtarıcısına bakmış. Sol yanağında bir gamzesi varmış kızın; ışıltılı, iri gözleri dipsiz göllerin rengindeymiş. Elindeki böreğe oburca yumulmuş. Hiç böyle iştahlı bir kız görmedim diye düşünmüş Âdem.

"Köpeklerden korkarsın?" diye sormuş kız.

Âdem yanıt vermemiş.

"Anlarlarsa korkunu daha beter kovalarlar. Akıllıdır köpekler! Kız kardeşim pek sever." Bir sır verir gibi öne eğilmiş sonra. "Ben sevmem."

Türkçeyi ağır bir aksanla konuşuyormuş. *Cahil bir Kürt kızı işte*, diye düşünmüş Âdem. *Allah bilir kafası bit kaynıyordur.* Düzgünce örülmüş kestane saçlarına, perçemlerindeki kehribar ışıltılara bakmış. Örgülere dokunmak için öyle bir arzu duymuş ki ellerini zor zapt etmiş.

"Köydeki çoğu insan bilmezken sen nasıl Türkçe biliyorsun?"

"Okula gittim. Kız kardeşlerim de. Babam gönderdi hepimizi."

Âdem gözlerini evin üzerinde dolaştırmış; ipe serilmiş kuruyan etekleri, elbiseleri, çorapları incelemiş. "Kaç kız kardeşin var?"

"Ben sekizinci kızım."

"Vay, çokmuş. Hiç oğlan yok mu peki?"

Kız kafasını sallayıp konuyu değiştirmiş. "Yersin? Ben yaptım."

Âdem uzatılan böreği alıp, yoğun ve yumuşak hamuru ısırmış. Umduğundan lezzetli çıkmış börek. Köpekler yalanmışlar, kuyruklarını sallayarak. Onların sitemkâr bakışları altında Âdem ile kız sessizce yemeye koyulmuşlar böreklerini, sohbeti nasıl sürdüreceklerini bilemeden.

"İstanbul'dan geldim" demiş Âdem tekrar konuşabildiğinde.

"Sahi mi? Pek güzelmiş diyorlar, öyle mi?"

"Doğru" demiş Âdem gururla. Kızdan hoşlanmaya başladığına karar vermiş. Tavırlarındaki samimiyeti, içtenliği beğenmiş; konuşmasındaki rahatlık huzur veriyormuş insana.

"Sana bir şey sorayım mı?" demiş kız aniden.

"Elbette."

"İstanbul'un kaldırım taşları altın mı hakikaten?"

Bu ne acayip bir kız, diye düşünmüş Âdem, *hem gözü dönmüş bir it sürüsünün karşısına çıkacak ve benim korkaklığımla dalga geçecek kadar cesur, hem de böyle saçmalıklara inanacak kadar naif?* Ama vurulmuş bir kere kızın cazibesine. Ve şöyle cevaplamış: "Evet öyle. Eğer benim gibi biriyle evlenirsen gelip kendi gözlerinle görebilirsin."

Yanakları kızarıvermiş kızın. "Niye varayım ki sana?"

"İstanbul'a götürürüm seni."

"Ne işim var orda? Burası yeter de artar."

Âdem daha ne yanıt vereceğine karar veremeden, içeriden bir kadın sesi kızı çağırmış. Duvardan atlayıp Âdem'in karşısına dikilmiş kız. Sonra da köpeklere dönüp parmağını sallayarak bağırmış:

"Rahat bırakın onu! Sizden korkmuyor!"

Kız gözden kaybolur kaybolmaz Âdem adım adım avludan çıkmaya başlamış. Sürünün lideri dikkatle izliyormuş hareketlerini. Tam yanından geçerken öyle bir hırlamış ki boş bulunup sıçrayan Âdem böreğinin kalan parçasını elinden düşürüvermiş. Üzüntüyle bakmış yerdeki hamur öbeğine.

Yok, altın değilmiş İstanbul'un taşı toprağı. Hiçbir yerin değilmiş ya. Peşinden gidilecek rüyalar yokmuş hayatta. Öyle şeyler yalnızca peri masallarında olurmuş. Gerçek dünya, içindeki gerçek insanlarla, toprağa bulanmış şekere benzermiş. Tadı güzel de olsa, yenmeyecek türden.

※※※

Ertesi gün, daha önce hiç görmediği türden bir düğüne katılmış Âdem. Bir sürü erkek bir avluda yarım daire şeklinde oturmuşlar. Bir adam davul çalarken bir diğeri de zurna üflüyor, çocuklar etrafta koştururken, kadınlar yarı kapalı yüzleri ve kınalı elleriyle damlardan seyrediyorlarmış. Bekâr adamların yukarıya doğru bakmamaya dikkat ettiklerini sezen Âdem, gözlerini avlu seviyesinde tutmaya özen gösteriyormuş. Girişin karşısında gelinle damadın babaları konuşmadan oturuyormuş yan yana. Akrabalar, saygınlık düzeyleri ya da yakınlık derecelerine göre iki yana sıralanmış. Gelinle damat tam ortada, herkesin doya doya inceleyebileceği bir noktada oturuyorlarmış. Yeni tıraş olmuş damat gülümsüyormuş etrafa. Gelinin, yüzünü örten o pırıltılı kırmızı duvağın altında neler hissettiğini bilmek imkânsızmış. Ara sıra bir kadın usulcacık yanına yanaşıp içecek bir şeyler getiriyormuş. İkisi birlikte duvağı azıcık kaldırıyormuş ki gelin hem üstüne dökmeden içebilsin, hem de kimselere yüzünü göstermesin.

Âdem'in niyeti sessiz bir köşede oturmakmış ama muhtar onu görür görmez haykırmış: "Şehir çocuğu, gel hele yanıma." Söyleneni yapmış Âdem. Keyifle, merakla oturmuş, ta ki yanındaki adam silahını çekip havaya ateş etmeye başlayana kadar. Onu diğerleri izlemiş. Kurşunlardan biri yakında bir evin damına saplanıp bir delik açmış; çatırdayan tahtalardan yağmur gibi toz yağmış. Her an vurulabilirim korkusuyla panik içinde etrafına bakınmış Âdem. Birden düz damda duran genç kızı görmüş; soluğu kesilmiş. Kontrolden çıkmış bir dünyada tek dingin varlığın kendisi olduğunun farkındaymış gibi sakin ve emin, ona bakmaktaymış dün tanıştığı kız.

Silahlar susar susmaz Âdem tuvalete gitmek için kalkmış ama esas derdi kızla konuşmanın yolunu bulmakmış. Daha avlunun kapısından çıkar çıkmaz karşısında bulmuş onu; kuyunun yanında oturmuş, koca bir testi ayran yapmaktaymış. "Damdan ne ara indi acaba?" diye merak etmiş.

"Seni tekrar gördüğüme sevindim" demiş.

Ama o yüzüne soğuk soğuk bakmış. "Sen de kimsin ya?" Âdem bir an afalladıysa da kızın, terbiye ve namus kuralları gereği onu daha evvel görmemiş gibi yaptığına kanaat getirmiş. Oyuna katılmaya karar vermiş. "Affedersin, paldır küldür lafa girdim. Beni tanımıyorsun tabii. Adım Âdem. Senin ismin ne?"

"Ne diye söyleyecekmişim sana?" diye çıkışmış kız, dudaklarında somurtkan bir kıvrım, sağ yanağında gamzesiyle. Gözleri farklıymış bugün; bakışları hem aynıymış hem değişik. Bakmış küçümsercesine. Tekrar konuştuğunda üstdudağı belli belirsiz gerilmiş, bir önceki günkü o içten halinin aksine. İçi sıkılarak kızın kendisiyle dalga geçtiğine hüküm vermiş Âdem. İzin isteyip apar topar uzaklaşmış oradan.

Bir çalının arkasına işeyip bir nebze sakinleştikten sonra geri dönmüş. Kuyunun başında görmemiş kızı. O esnada gelin kır bir at sırtında yeni evine doğru yola çıkmaktaymış. Hayvanın yelesi kırmızı kurdeleler ve nazar boncuklarıyla süslü, kuyruğu örülüymüş. Yularını bir oğlan çocuğuna vermişler, gelin de oğlanlar doğursun diye. Bir grup çocuk ve kadın zılgıtlar çekip alkış tutarak atın peşinden giderken erkek misafirler düğün şöleni için yerlerini almaktalarmış. Devasa bakır tepsiler içeri taşınıyormuş gençler tarafından. Geri dönerken yufka ekmeğinin ve etin kokusunu almış Âdem.

Avluya girer girmez kızı bir kez daha görmüş. Kucağında ağlayan bir çocukla bir yerlere koşturuyormuş.

"Niye kızdın demin bana?" diye sormuş yolunu keserek.

"Ne? Ne diye kızacakmışım ki sana?" demiş kız kahkahayla. Kucağındaki çocuk bile aniden susuvermiş.

"Neden söylemedin o zaman adını?"

"Sormadın ki" diyerek gülümsemiş. "Ama madem şimdi sordun, söyleyeyim. Cemile."

Müteşekkir bir tavırla başını sallamış Âdem.

"Peki, senin adın?" diye sormuş kız.

"Daha demin söyledim ya" demiş Âdem fısıltıyla.

Kızın yüzüne muzip bir ifade yayılmış. "Belki ikizimle konuştun. Ne zaman gördün onu?"

"İkizin mi var? Niye söylemedin daha evvel?"

Bu soruyu bekliyormuş gibi silah sesleri tekrar başlamış. Çocuk yaygarayı koparınca Cemile onu avludan çıkarmak zorunda kalmış. Âdem ise orada öylece kalakalmış; hem sersemlemiş hem rahatlamış olarak. Demek ikiziymiş! Tabii ya, bu her şeyi açıklıyormuş. Sert muameleyi, soğuk bakışları. Cemile değilmiş ki o kız. *Onun Cemilesi* değilmiş.

Akşam pencerenin önünde durup, dolunayı seyretmiş Âdem. Evlerin ışıkları uzaktan cıgara ateşlerini andırıyormuş. İstanbul'u özlemiş; yakında geri dönecek oluşuna sevinmiş. Peki, ama Cemile'siz ne yapacakmış?

Muhtarı görmeye gitmiş. Onu geceliğiyle, nargilesini tüttürürken bulmuş. Keyif ehli, kalender meşrep adammış ne de olsa. Kenarda duran gaz lâmbası duvarlara gölgeler düşürüyor, gözlerinin altında karanlık çukurlar bırakıyormuş.

"Bu baklavayı size verip konukseverliğiniz için teşekkür etmek vc..."

"Ah gözüm, yiyemem. Keşke yiyebilsem" demiş muhtar. "Şekerim var benim."

Âdem elindeki kutuya bakakalmış. Belki de kimseye kısmet değilmiş.

"Teşekküre gerek yok" demiş muhtar. "Gene gel ziyaretimize."

Âdem boğazını temizlemiş. "Bugün düğünde, bir kız gördüm."

"Kız mı?"

"Evet, güzelce bir kız."

"E ne olmuş?"

"Aklımdan çıkmıyor."

Muhtar lafın gerisindeki niyeti sezerek kaşlarını kaldırmış.

Hey Allahım! Deli çocuk âşık olduğunu sanıyor. "Anlat bakalım" demiş. "Neymiş bu kızın adı?"

"Cemile" demiş Âdem yanaklarının yanmaya başladığını hissederek.

"Cemile, Cemile... Yok, bilmiyorum."

"Uzun kahverengi saçlı. Kocaman yeşil gözlü."

Nargileden bir nefes çekerek başını sallamış muhtar. "Öyle biri yok."

"Türkçe biliyor."

"Ha... Anladım kimden bahsettiğini. Sekiz kardeş onlar. Hepsi okula gitti. Yeter'den bahsediyorsun."

"Yeter mi?"

"Onun ve ikizinin ikişer adları var" demiş muhtar. "Pembe Kader ve Cemile Yeter. İyi kızlar."

Âdem'in sesini toparlayıp bir şey demesine kalmadan eklemiş muhtar: "Sen daha bunları bilemeyecek kadar toysun ama bir adamın aşkı mizacının devamıdır, evlat. Yani erkek kavgacı ise sevdası da kavgalarla dolu olur. Kendine hep düşmanlar bulur. Sakin ve nazik ise sevdası merhem gibi, bal gibidir. Eğer kendisine acırsa ve zayıfsa, aşkı da un ufak olup dağılır. Yok, eğer neşeli bir herifse sevdası da şenlikli olur."

Âdem bütün bunların ne anlama geldiğini kestiremeden dinlemiş.

"Sevdalanmazdan önce kendine bir kere sormalısın. Benden nasıl bir âşık olur acep diye. Söyle bakalım, nasıl birisin sen?"

"İyi biriyim" demiş Âdem.

"Benim bildiğim bir iyi insan vardır, o da peygamber efendimizdir."

"Şey, tabii öyle de..."

Muhtar kesmiş sözünü. "O ailede çok kız var. Âdetlere göre önce en büyüğün evlenmesi lazım gelir. Sırayla. Cemile en genci, bekleyecek."

İç çekmiş Âdem. Sigara tüttüresi gelmiş efkârdan.

"Lakin bu kızın ailesi çok badireler atlattı. Anaları Naze doğumda öldü. Zavallı kadın çok istemişti bir oğlu olsun. Ama işte, vermeyince mabut, neylesin Sultan Mahmut?"

"Cemile öksüz mü yani?"

"He ya. Naze'den sonra Berzo gene evlendi. Ama yeni karısı çocuk vermedi. Adamın kısmeti kapalı zahir. Esasında ilk karısı hayattayken kuma alması lazım gelirdi. Doğrusu oydu. Şimdi her şey altüst oldu, doyuracak bir dolu boğaz var. O sebepten kızları çabucak evlendirmek istiyor olabilir. Belki de Cemile'nin beklemesi gerekmez, kim bilir."

Âdem'in yüzü aydınlanmış. Az da olsa ümit varmış.

"Fukara olduklarını unutma" diye fısıldamış muhtar. "Baban ve ağabeylerin köyden gelmiş Kürt gelin istemez belki. İyice düşünmen lazım. Lakin... Senin ailenin de namı pek temiz sayılmaz. Anan başka bir adamla kaçtığından beri. Belki de senin için en iyisi buralardan birini bulmaktır, ne kadar uzak olursa o kadar âlâ."

Âdem midesinde bir yumru hissetmiş, boğazında düğüm. Muhtarın isterse alçak sesle konuşabildiğini bilmiyormuş. Tıpkı ailesinin utancından haberdar olduğunu bilmediği gibi. Kelimeler de insanlar gibi gezermiş meğer. Uzaklara, hem de çok uzaklara ulaşırlarmış.

Elias

O çarşamba bir ev partisine davetliydi Elias. Zevkle dekore edilmiş odalar dar olduğundan konuklar birinci kata yayılmış, bir kısmı da arka bahçeye sigara içmeye çıkmıştı. Şık kıyafetler, kaliteli şaraplar, lezzetli kanepeler, renkli konfeti gibi ortalığa yağan konuşmalar, gülüşmeler. Elias öteden beri severdi böyle akşamları. Elinde olmadan kapılıverirdi o uçarılığa. Elinde bir şarap kadehiyle gezinmeyi ve tanımadığı insanlarla rastgele çene çalmayı severdi. Parti ortamlarında muhabbet her yöne akabilirdi. Bir bakarsın gayet basit konulardan konuşuyorsun, bir bakarsın en derin felsefi meselelerden. Birilerinin kıyafetini çekiştirirken ardından nükleer silahsızlanma gibi derin mevzulara geçmişsin. Elias her zaman partilerin adamı olagelmişti. Yıllar boyunca bu tür mekânlarda sorumluluklarından sıyrılıp gevşeme fırsatı bulmuştu. Oysa bugün, tuhaftır, bir türlü keyif alamıyordu. Bir melankoli kıymığı saplanıvermişti zihnine. Beyni, dırdır eden fikirlerin penahıydı.

Bir noktada, ev sahibesi —kibar ve zarif bir kadın— onu dirseğinden yakaladı ve muhabbetle sordu. "Keyfin yerinde mi Eliasçığım?"

"Hem de nasıl" derken yüzüne kocaman bir gülümseme yerleştirdi Elias ama yalan söylemek yalnızca can sıkıntısını artırmaya yaradı. *Belki de yaşlanıyorumdur*, diye düşündü kendi kendine.

Somurtmayı ve elindeki içkide zehir varmış gibi davranmayı bırakması gerektiğini biliyordu ama ne etraftaki kutlama havasına ayak uydurabiliyor ne de rol yapabiliyordu. Bir ara tuvalete gitmek için üst kata gitti. Tuvaletten çıktığında partiye geri dönmek istemediğini fark etti. En azından hemen değil. Yapacak başka şey olmadığı için ikinci katta amaçsızca dolaşmaya başladı. Karşısına bir televizyon çıktı, oturup açtı. Daha önce birkaç kez seyretmiş olduğu bir program vardı: *İşte Hayatınız*.

Her bölümde programın efsanevi sunucusu, stüdyoya sudan bir bahaneyle getirilmiş ve dolayısıyla kendisini bekleyenlerden bihaber bir ünlüyü ağırlardı. Sunucu büyük kırmızı defterini açıp konuğunun hayatıyla ilgili ilginç ayrıntılar okurken, o da koltukta yarı keyifli, yarı kaygılı oturup eski tanıdıklarının, önünde resmi geçit yapışlarını izlerdi.

Bugünkü konuğunun İngiliz futbol tarihinin en önemli şahsiyetlerinden biri olduğunu söyledi sunucu, ağzı kulaklarında. Gerçek bir futbol efsanesiydi gelen. Stüdyodaki izleyiciler bu şerefe nail olmanın coşkusuyla çılgınca alkışlamaya başladı. Müzik dalgalar halinde yükseldi, kamera stüdyonun girişine odaklanırken heyecan doruğa tırmandı. Ansızın perdeler aralandı, şaşkın ve dağınık bir Bob Paisley* beliriverdi.

"Merhaba, sayın menajer" diye şakıdı sunucu.

"Merhaba, sayın menajer" diye tekrarladı Elias oturduğu yerden.

Tuzağa düştüğünü anlayan meşhur spor adamı geri dönüp çıkmak için beceriksizce bir hamle yaptıysa da sunucu onu kolundan yakaladı ve korkacak bir şey olmadığı konusunda güvenceler vererek sahneye doğru çekti.

Gözlerini kapatıp arkasına yaslandı Elias; hayal kurmaya başladı. Stüdyodaki misafirin kendisi olduğunu düşündü bir an.

---

* 1919-1996 yılları arasında yaşamış İngiliz futbol adamı. Neredeyse yarım yüzyılı bulan Liverpool kariyeri boyunca futbolcu, fizyoterapist, teknik direktör ve nihayet menajer olarak sayısız şampiyonluğa imza atmıştır.

"Ve bugün programımıza İngiltere'nin en ünlü şefi konuk oluyor" diye bağırıyor sunucu, havaya kaldırdığı çenesi ve ışıldayan gözleriyle. Gök gürültüsü gibi bir alkış kopuyor. Yüzünde mahcup bir ifadeyle Elias beliriyor.

"Bu akşam burada olacağınızdan haberiniz yoktu tabii. Peki, kapının arkasında kimin olduğunu tahmin edebilir misiniz?" diye soruyor sunucu.

"Hiçbir fikrim yok."

"Bir ipucu verelim o halde: Sizin için özel biri."

Elias başını sallıyor. Kız kardeşi olabilir mi? Ya da annesi?

"Peki, işte bir ipucu daha: Hayatınızdaki esrarengiz kadın!"

Seyircilerin şaşkın nidaları arasında Pembe giriyor içeri. Üzerinde uzun, lacivert bir elbise var; saçları omuzlarına dökülmüş, yanakları heyecandan kızarmış. Elias soluğunu tutuyor. İçinde çocuksu bir sevinç.

"Vay, vay, vay" diyor sunucu. "Eminim izleyicilerimiz ikinizin nasıl tanıştığını merak ediyorlardır."

"Sütlaç yapacaktım" diyor Pembe. "Pastaneye uğradım ama çırak tuhaf davrandı."

"Tuhaf değil, düpedüz ırkçıydı" diye açıklıyor Elias.

Bunun üzerine sunucu meşhur kırmızı defterini sallıyor havada. "Madem öyle, gelin kendisine soralım."

Kapı açılıyor ve pastacı çırağı giriyor stüdyoya. Yüzü sivilcelerle kaplı, cildi kıpkırmızı. "Bu hesabı kapatmak istiyorum artık" diyor. "Beni yanlış anladılar!"

"Nasıl yani?"

"Ben ırkçı değilim beyefendi" diyor çırak. "Yalnızca ülkem için en iyi olanı istiyorum. Suç mu? Bu cahil göçmenler buraya geliyorlar ama ne yolumuzu biliyorlar ne yordamımızı. Dilimizi bile konuşmaktan âcizler..."

O sırada bir başka konuğun içeri girmesiyle sözleri kesiliyor. Gelen, Annabel'den başkası değil. Gayet şık bir takım var üzerinde; saçlarını dağınık bir topuzla toplayarak, görünüşüne önem vermediği izlenimi yaratabilmek için epeyce uğraşmış. "Bakın anlatayım, Elias aşktan korkar" diyor. "Mesele budur. Çocukluğuyla ilgili bir sorun olmalı. Ciddi terapiye ihtiyacı var kanımca." Sonra Pembe'nin çocukları, kocası, komşuları ve akrabaları geliyor, sahneyi dolduruyorlar. Tam bir kargaşa. Etrafta paldır küldür dolanıyorlar ama seyircileri ve kameraları görür görmez susuveriyorlar. Ardından Elias'ın akraba ve arkadaşları beliriyor. Annesi ve kız kardeşi de oradalar. Mezardan kalkıp gelmiş babası ortaya çıkıyor, tıp eğitimini seçmediği için Elias'a duyduğu kızgınlık hâlâ geçmemiş. Yüreğinin olduğu yerde bir delik var. *Bak işte, aşçı olacağına doktor olsaydın ameliyatı yapar kurtarırdın beni,* diyor. Ama hiç kimseyi duymuyor Elias. Bir tek Pembe'ye, bir tek ona bakıyor.

⊠⊠⊠

Hayallerinden sıyrılarak gözlerini açtı Elias. Televizyonu kapatıp aşağıya inerken içine yepyeni bir huzurun dolduğunu hissetti. Pembe'nin gözlerindeki sevgi dolu bakışları anımsamak ruhuna iyi gelmişti. Birden hayat o kadar da tatsız görünmedi. 1978'i hevesle bekliyordu. Hevesle ve umutla.

Güzel bir sene olacaktı bu gelen. İnanıyordu.

Âdem

Saat sabahın beş kırkıydı ama Âdem Toprak çoktan uyanmıştı. Son günlerde alarmı olmadık zamanlara kurmaya başlamıştı. Sırf Roksana uyanmadan evvel kendine ayıracak biraz vakit olsun diye. Bir de uyurken Roksana'yı seyretmeyi seviyordu. Yüzü farklı görünüyordu o zamanlar; daha az gergin oluyor, hiddet taşımıyordu. Kiraz rengi parlak ruju olmayınca ağzı daha minik duruyor, soğukluğundan eser kalmıyordu; eğrilmiş yün gibi her yöne dağılmış saçları yastığa yayılıyor, Âdem'in yüreğine sımsıkı dolanıyordu.

Roksana'ya âşık olmak, uzaklardan geçen bir gemiyi seyretmeye benziyordu. Âdem elini gözüne siper etmiş, bir kaya gibi kıpırtısız oturuyordu kıyıda. Gemiyse gözünün önünde durmaksızın ilerlemekteydi. Fazla hızlı değil, hiç acele etmeden, neredeyse fark edilmeyecek yavaşlıkta veda ediyordu, anbean, günbegün. Roksana'nın onu terk etmekte olduğunu biliyordu Âdem. Beraberliklerinin günleri sayılıydı. Ondan milim milim uzaklaşıyordu kadın. Âdem'in tek yapabildiği öylece durup onun ufukta minicik bir nokta haline gelişini seyretmekti. Parası kalmadığını anladığı an onunla işi biterdi. Gayet iyi biliyordu, çünkü Roksana bunu daha en başında açık açık söylemişti. Sık sık belirttiği gibi, *bir kadının ihtiyaçları vardı*. Roksana her zaman şaşırtıcı, hatta can acıtıcı raddede açık sözlüydü.

Onun rulette kaybettiğini görmüştü ama yine de kıyıda köşede parası pulu olduğuna inanıyordu: bankada bir hesap, bozulacak bir çek ya da bir gayrimenkul. *Mutlaka bir şeyleri olmalıydı.* *Uzun zamandır bu ülkedeydi.* Âdem'in, gizli hazinesini bugün yarın ortaya çıkarmasını bekliyordu. Nedensiz değildi böyle hissetmesi. Bu izlenimi vermek için elinden geleni yapmıştı Âdem. Oysa işin aslı şuydu ki fabrikadaki işini iki hafta evvel kaybetmişti. Sarsaklığı yüzünden olan olmuştu sonunda. Şu anda tek gelir kaynağı arkadaşlarından aldığı borç para, tek varlığı ise ailesinin yaşadığı evdi. O ev için altı yıl önce bankadan aldığı kredinin de ancak dörtte birini ödeyebilmişti daha.

Roksana iç geçirerek döndü uykusunda. Yüzü buruştu, burun delikleri açıldı. "Hayır" dedi, anlaşılmaz bir şeyler mırıldandı. Ardından tekrarladı: "Hayır, hayır."

Sessizce bekledi Âdem. Onun rüyasında ne gördüğünü merak ediyordu. Bedeni burada, yanı başında yatmaktaydı ama ruhu çok uzaklarda başka biriyle birlikteydi belki. Öyleyse şayet, sevdiği adam mıydı acaba? Hiç sevmiş miydi ki? Hangisi daha beterdi: Roksana'nın hiç sevmemiş ve yüreğini bir erkeğe açmaktan âciz olması mı, yoksa hayatta sadece bir kez sevmiş ve kendini bir daha kimseye aynı şekilde adamayacak olması mı? Bilemedi Âdem.

Sessizce kalktı yataktan. Battaniye yana kayınca Roksana'nın çıplak baldırları ortaya çıktı. Yaz kış demeden çıplak uyur, böyle rahat ederdi. Âdem'in yapacağı iş değildi. O her sevişmeden önce pijamalarını çıkarır ve sonrasında derhal yeniden giyinirdi.

"Çoraplarını çıkar yatakta. Yaşlı dede gibisin!" diye şikâyet ederdi Roksana.

Boyun eğmişti bu arzuya ama memnun değildi Âdem, çünkü hep üşüyordu. Ev pek ısınmıyordu. Borular tamir istiyor, yer yer sızdırıyordu. Gene de şikâyet etmeyi gözü yemiyordu.

Roksana'nın sevmediği bir diğer şey de Âdem'in bıyığıydı. "İngiliz erkekleri bıyık bırakmıyor. Ne zaman keseceksin? Stalin'e benziyorsun."

Karanlıkta ayaklarını sürüyerek mutfağa gitti Âdem, ışığı açtı. Artık bu duruma alışmış olduğunu sansa da mutfağın karışıklığı gene hayrete düşürdü onu. Roksana ev işlerinden nefret ediyor, Âdem'i kendisine yardım etmediği için sık sık kınıyordu. *Sana hizmet etmemi bekleyemezsin. Karın değilim.* Böyle konuşmayı seviyordu – kırık cam parçaları gibi keskin laflar sokuşturarak. Kindar, sitemkâr ses tonuyla sivri dilliliği ayrılmaz bir parçasıydı. Sözlerinin acımasızlığından çok, yaptığı genellemelerdi Âdem'in esas asabını bozan. Ona çektiği her söylevde Roksana'nın, tanıdığı tüm erkeklere hitap ettiğini hissederdi. İşte buna canı sıkılırdı. Bir koleksiyonun parçası olduğunu, Roksana'nın gözünde özel bir yere sahip olmadığını fark etmek sıradan bir sevgili gibi hissettiriyordu Âdem'e kendini. Oysa o özel olmak istiyordu, biricik olmak. Ondan önce başkalarının olması önemli değildi. Aslında önemliydi de, en azından kendi yerinin ayrı olduğuna inanabilse huzursuzluğu bir nebze olsun azalırdı. Roksana duysa gülerdi. *Sana âşık olduğumu hiç söylemedim ki. Dünya yalan dolu tatlım. Daha fazla palavraya kimsenin ihtiyacı yok.* Âdem ne zaman hislerinden bahsedecek olsa –ki bu ne karısına ne de çocuklarına yaptığı bir şeydi– Roksana'nın bir kulağından girer bir kulağından çıkardı.

Âdem, küfle kaplanmış kirli tabak ve fincan yığınıyla dolu eviyeye bakmamaya çalışarak dolabı açtı. Kahve ve cezve buldu; Türk kahvesi yapmaya başladı.

Arka ocakta, kısık ateşe oturttuğu kahvenin tıkırdayıp yavaşçacık kabarışını sakinleştirici bulurdu. Mutfak keskin bir kokuyla kaplandı. Az sonra, elinde bir fincanla masaya oturdu ve birkaç yudumda bitirdi kahveyi. Yine de uyanmış hissetmiyordu kendini. Yine de atamamıştı geceyi içinden. Birkaç gün evvel küçük oğlunun okuluna gitmiş, gölgeler arasına gizlenip beklemişti. *Bir suçlu gibi,* diye düşünmüştü kendi kendine. Yunus arkadaşlarıyla birlikte okuldan çıkınca Âdem'in yüreği hasretle dolmuştu ama seslenmemişti oğluna. Benzer şekilde, birkaç kez İskender'i görürüm umuduyla *Alâeddin'in Mağara-sı'nın* yakınında dolaşmıştı. Bir keresinde sokakta ince, sarışın bir kızla el ele görmüştü onu. Eve uğramadığı zaman zarfında ne kadar da büyümüştü oğlu! Genç bir adam olmuştu, gayet yakışıklıydı. Çok istediği halde yanına gidip konuşamamıştı. İnsanlar bakıyordu. İşin en zor yanı buydu. Ahbap ve komşuların gözlerine bakabilmek, akıllarından neler geçirdiklerini bilmezden gelerek havadan sudan konuşabilmek. *Bir striptizci uğruna ailesini terk eden adamın utancı.* Koridoru usul adımlarla kat edip banyoya girdi, ışığı yakıp aynada kendisini inceledi. Çukura kaçmış gözlerine, yanaklarındaki eski sivilce izlerine, saçlarındaki aklara baktı – nasıl oluyordu da bıyıkları hâlâ simsiyah olduğu halde saçları kırlaşabiliyordu? On beş küsur yıldır her sabah yaptığı gibi sakalını tıraş etmekti niyeti. Oysa sağ elinin başka planları vardı. Ani bir dürtüyle tıraş bıçağını kaptı.

☒ ☒ ☒

Mart 1962. İkindi ezanını okuyan müezzinin sesi Kürt köyünü kaplıyordu. Âdem, gözleri kapalı, soluğunu tutmuş bekliyordu. Zaman hem ıstırap verecek kadar yavaş hem de çok hızlı akmaktaydı. İstanbul'a gidişini birkaç gün ertelemişti ama daha fazla geciktiremezdi. Muhtarla birlikte camiye gitti. "Yüce Allahım, kâfi derecede dua etmediğimin farkındayım" diye fısıldadı seccadede otururken. "Son Ramazan'da oruç tutmadım. Ama ne olur yardım et. Et ki Cemile'nin gözleri benden başkasını görmesin."

"İyi misin evlat?" diye sordu muhtar dışarı çıktıklarında. Güneşe karşın serinceydi hava.

"Onunla evlenmem lazım."

"Daha gençsin, acelen ne?"

"Evlenecek yaştayım."

"Evet ama daha bir mesleğin bile yok. Askerlik de yapmadın."

Önceki gün Halil'i ziyarete kışlaya gittiğinde, onun yardımıyla İstanbul'a, Tarık'a bir telgraf yollamıştı Âdem.

Abi bir kızla tanıştım. Stop. Tam aradığım gibi. Stop. Genç olduğumu biliyorum. Stop. Ama kısmet. Stop. O benim kaderim. Evleneceğim. Hayır duanı istiyorum. Stop. Biraz da para. Stop.

Âdem muhtara bundan söz etmedi. Onun yerine, "Ben istediğim kızı buldum. Benim olmazsa ölürüm" dedi.

"Babasıyla konuşman lazım o zaman."

"Nasıl olacak? Ya görmek istemezse beni?"

"Sen merak etme, ben Berzo'yla konuşurum. Yemez seni, korkma."

"Çok desteğin dokundu bana" dedi Âdem kısa bir sessizliğin ardından. "Niye yardım ediyorsun?"

Muhtar sessizce güldü bu soruya. "Çünkü birilerinin etmesi gerekiyor. Kendi başına pek bir şey becerebilecek gibi görünmüyorsun."

Cemile'nin babasıyla görüşmek Âdem'in düşündüğünden kolay oldu ama lafı istenen yere getirmek imkânsız gibiydi. Zaten pek konuşkan olmayan Berzo, karısının ölümünden sonra iyice ketumlaşmıştı. Yarı yaşında bir kadınla yaptığı ikinci evliliğinden değil oğul, tek bir çocuk bile alamamış olması omuzlarını çökertmişti. Bu yüzden Âdem yanında muhtar ve kolunun altında baklava kutusuyla Cemile'nin evine gittiğinde çatık kaşlı, donuk bakışlı, somurtkan bir adam buldu karşısında.

"Efendim, sebebi ziyaretim kızınız hakkında konuşmak" diye söze girdi Âdem çay ve kuru incir servisinin ardından. Adamda bir sürü olduğunu hatırlayarak hemen ekledi: "Kızınız Cemile, yani. Cemile Yeter."

"O ismi kullanma!" dedi adam kırık dökük bir Türkçeyle.

"Affe...dersiniz..." Âdem kekeledi.

Cemile'nin babasının birbiri ardına sıraladığı Kürtçe sözcükleri muhtar kısaca çeviriverdi: "Diyor ki sadece kızın rahmetli anası ona Yeter dermiş."

Âdem bocaladı, terledi, umutsuzluğun eşiğine geldi. Allahtan muhtar araya girdi. "Bu genç adam köyümüze yabancıdır. Lakin dürüst biridir, iyi bir aileden gelir. Babasını tanırım. Niyeti ciddi. Kızınla evlenmek ister."

Berzo gene başladı Kürtçe konuşmaya; gene yarım yamalak tercüme edildi lafları: "Böyle kız mı istenirmiş? Anan baban nerede senin?"

"Annem öldü" dedi Âdem yalandan. "Babam da hasta." En azından bu kısmı doğruydu söylediklerinin. "İki ağabeyim var. Büyük olan baba gibidir. Ona telgraf çektim."

Bir süre yoğun bir sessizliğe bürünerek çaylarını içip incirlerini yediler. Sonunda konuştu Berzo: "Cemile ile evlenemezsin. O sözlü zaten."

"Ne?" deyiverdi Âdem birden. Niye söylememişti bunu ona Cemile? Dönüp muhtara baktı ama gözlerini kaçırdı adam.

Kırık dökük Türkçesine geri dönerek ekledi Berzo: "Akrabayla nişanlıdır. Seneye evlenecekler."

"Ama..."

"Kızlarımdan biriyle evlenmek istersin madem, Pembe'yi al. İkisi aynıdır. Birini beğendiysen öbürünü beğendin sayılır."

Teklifi kabullenmeye niyetli olmadığı gözlerinden okunan Âdem, başını salladı. "Hayır, ben Cemile'yi istiyorum. Pembe'yi akrabaya verin."

Haddini aşıyordu ama elinde değildi.

Berzo çayının kalanını bir fırtta bitirdi. "Olmaz. Mevzu kapandı."

İkisi birlikte dışarıya, bahçeye çıktıklarında Âdem ellerini havaya kaldırıp muhtara bağırdı: "Neler oluyor? Benden ne saklıyorsun?"

Muhtar kesesini çıkarıp sigara sarmaya başladı. "Bir yıl önce, Cemile'nin ablası Kâmile evlenecekti. Tam düğünden önce iki aile arasında kavga çıktı. Sebebini hatırlamıyorum ama mesele çirkinleşti. Cemile'nin babası düğünden vazgeçti. Damadın ailesi buna o kadar bozuldu ki intikam almak için Cemile'yi kaçırdılar."

"Ne?" diye inledi Âdem.

"Birkaç gün bir yerlerde tuttular kızı. Sonra Berzo haber yollayıp Kâmile'nin evliliğine razı olduğunu bildirdi. Onlar da karşılığında Cemile'yi geri getirdiler."

"Peki... El sürmüşler mi kıza..?"

"Hmm, kimse tam bilemiyor. Dokunmadık diyorlar ama pek güven olmaz, kız da bir şey demiyor. Babası kaç kere dövdüyse de tek kelime alamadı ağzından. Ebeye muayene ettirdiler. Cemile'nin kızlık zarı yokmuş dediğine göre ama bazı kızlar doğuştan öyle olurmuş."

Âdem tir tir titriyordu.

"Neyse ki Kâmile'nin kocasının ailesi kızı yaşlı bir akrabalarına almayı kabul etti. Herif dulmuş. Kızın namusu kurtuldu."

Gözlerini öfke bürüdü Âdem'in. "Bunları başından beri biliyordun."

"Muhtar dediğin köyünde olan biten her şeyi bilir."

"Neden söylemedin bana?"

"Belki şansın yaver gider, verirler kızı dedim. Vermezlerse de öğrenecektin nasılsa."

Âdem hiddetten kıpkırmızı olmuştu, dinlemiyordu. "Dostum olduğunu sandım. Âlim olduğunu sandım!"

"Kimse âlim değildir" dedi muhtar. "Hepimiz yarı safız, yarı akıllı. Aptallık olmadan akıl olmaz."

Ama Âdem çoktan fırlamış, kovalayan varmış gibi hızla uzaklaşmaya başlamıştı bile. Oysa köpekler yoktu bu kez peşinde. Bir komşunun evinde, her yaştan kadınla halı dokurken buldu Cemile'yi. Âdem'in pencereden baktığını görünce kıkırdayıp yüzlerini örttü kadınlar. Cemile derhal ayağa fırlayıp dışarı koştu.

"Ne yapıyorsun burada? Rezil ettin beni."

"Rezil ya" diye mırıldandı Âdem. "Tam aradığım kelime."

"Ne diyorsun sen?"

"Sen söyle. Açıklaman gereken konular var belli ki."

Cemile'nin bakışları sertleşiverdi birden. "Peki o zaman, konuşalım."

Arka bahçeye doğru yürüdüler. Birileri kısa zaman önce tandırda yufka pişirmiş olmalıydı, ateş sönmüştü ama küllerin arasında kalan birkaç köz hâlâ için için yanmaktaydı. Etraftaki çimen öbekleri, yeşil renkleriyle alttan alta baharı haber verir gibiydi.

"Baban bakire olmadığını söyledi" dedi Âdem. Aslında böyle dosdoğru sormak değildi niyeti ama ağzından çıkmış bulundu.

"Öyle mi dedi sana?" dedi Cemile gözlerini kaçırarak.

Âdem onun sert bir tepki vereceğini, bu ne cüret diyerek isyan edeceğini, hüngür hüngür ağlayacağını sanmıştı. Oysa şimdi başını kaldırıp gözlerine bakan Cemile tuhaf bir sükûnet içindeydi.

"Peki ya sen?" diye sordu Cemile.

"Ben, ne?"

"*Sen* ne dedin?"

Böyle bir soru beklemiyordu Âdem. "Ben hakikati bilmek istiyorum!"

"Sen nasıl görürsen odur hakikat."

Ağzında safra tadıyla diklendi Âdem. "Kes şunu. Yeter, oyun oynama benimle."

"Oynamıyorum ki" dedi Cemile güzel hatlarına yorgun bir ifade çökerken. "Beni sevdiğini söylüyorsun. O zaman de bana, olduğum gibi kabullenir misin beni?"

Hiçbir şey demedi Âdem. İçinden "Evet" demek geçse de dudaklarına ulaşamadı kelime. Dağlara baktı. Uzaklara. Cemile bekledi, bekledi. Sonunda usulca mırıldandı: "İstanbul'un taşını görmek kısmet değilmiş demek."

✕✕✕

Banyodan çıktığında Roksana'yı yatakta oturmuş dergileri karıştırırken buldu Âdem. Uykusunu alamadığını, keyfinin yerinde olmadığını bir bakışta anladı. "Bana da kahve var mı?" diye sordu başını kaldırmadan. "Elbette." Âdem'in sesi farklı çıkıyordu kadınla konuşurken, sanki kendi sesi değil de, onun yankısıydı. "Boynum tutulmuş yine." "Masaj yapayım." Omuzlarının üstünde ve ense kökünde daireler çizerek sevgilisinin boynunu ovmaya başladı Âdem. Bedeni köpük banyosundaymış gibi gevşerken hafifçe inledi Roksana. Gitgide daha çok bastırarak ovmaya devam etti Âdem. Kadının boynunu saran parmakları birbirine dokundu. Bir gün onu öldürebileceğini düşündü. Korktu, geri çekildi. "Gidip kahveni yapayım." "Dur bir dakika." Yüzüne dikkatle baktı. "Ne yapmışsın yüzüne?" "Ha, bıyığım" dedi Âdem. "Beğendin mi?" Başını salladı Roksana. Ama içinden bir garip hüzün geçti. Keşke beni bu kadar çok sevmeseydi, diye düşündü. Yüzünün köşesine buruk bir gülümseme yerleşirken içindeki nemrutluk akıp gitti.

⊠⊠⊠

O gün Mala Çar Bayan köyünde, günün geri kalanını etrafta dolanarak ve kendi kendisiyle didişerek geçirdi Âdem. Cemile'nin evinin etrafında dönüp durdu. Ona ilk rastladığı bahçeyi görebiliyordu buradan. Allah'ın unuttuğu bu ücra köye geleli tam beş gün olmuştu. Beş günde öyle değişmişti ki bir daha eski haline dönemeyecekti.

Bir yanı Berzo'ya gidip hiç umurunda olmadığını söylemek istiyor, hatta bunu yapmak için yanıp tutuşuyordu. Cemile'ye körkütük âşıktı ve görebildiği kadarıyla o da kendisini seviyordu. Önemli olan buydu. Gerisi teferruattı. Hem kendi bakir değildi ki Cemile'ye hesap sorsun. Onunla evlenecek ve söz verdiği gibi alıp götürecekti buralardan. Ama diğer yanı kuşku içinde ve huzursuzdu. Cemile ne kendini savunmuş ne de namusuna dair yeminler etmişti. Ya gerçekten bakire değilse? Böyle bir kuşkuyla nasıl yaşardı hayatının geri kalanını? Kendine lekeli bir eş –tıpkı anneleri gibi– bulduğunu öğrenince ne derdi sonra ağabeyi Tarık? Tarık! Ne söyleyecekti ona? Yolladığı telgraf eline geçmiş olmalıydı çoktan. Ağabeyi ile yüzleşme fikri bile Âdem'in midesinin düğüm düğüm olmasına yetiyordu. İstanbul'a gidip her şeyin bir yanlış anlamadan ibaret olduğunu söylemesine imkân yoktu. Doluya koysa almıyor, boşa koysa dolmuyordu. Saatler sonra muhtarın evine girdiğinde onu nargilesini tüttürerek kendisini beklerken buldu.

"Buyur şehirli delikanlı! Gönlüne göre bir köylü kızı bulamadın, ha?'"

"Fikrimi değiştirmedim" dedi Âdem kararlılıkla. "Evlenmek istiyorum hâlâ."

"Sahi mi?" Muhtarın gözleri takdirle ışıldadı. "Şaşırttın beni evlat, Cemile'yi istemeyeceğini sanmıştım."

"İstemiyorum zaten" dedi Âdem kısa bir duraklamadan sonra. "Ötekini alacağım."

"Ne?"

"Öbür ikizi. Onu alacağım" dedi. Yüreğinin derinlerinde kendini berbat hissetmesi gerektiğinin farkındaydı. Ama öyle değildi. Aslına bakılırsa hiçbir şey hissetmiyordu. Taşkın nehirde sürüklenen bir tahta parçası acı duyar mıydı? Ya da rüzgârın uçurup götürdüğü bir tüy endişe eder miydi? Âdem de öyleydi o gün. Ve ondan sonraki günler, seneler, ömürler boyunca.

Elias

Öğleden sonra erken saatlerde *Kristal Makas*'ın yeni yıl süsleriyle donatılmış camına altın sarısı bir ışık vuruyor, içeriyi aydınlığa boğuyordu. Evvelki gecenin kutlamasından hâlâ çıkamamış olan Rita kahvesini içmekteydi ki kapı açıldı. İçeriye bir adam girdi. Yüzü canlı, ışıltılıydı; sıcak bir gülümsemesi, sessiz bir özgüven havası vardı. Rita tek kaşını kaldırıp tepeden tırnağa süzdü yabancıyı. İyi giyimli ve düzgün birine benziyordu – yine de belli olmazdı bugünlerde.

"Buyrun, bir şey mi istemiştiniz?" dedi Rita.

"Evet. Saçımı kestirmek istiyordum mümkünse."

"Korkarım henüz açık değiliz. Bir on dakika daha var. Ayrıca..."

"Dışarıda beklerim. Hiç sorun değil."

"Ayrıca burası sadece kadınlara hizmet veriyor diyecektim. Köşede bir berber var isterseniz."

"Ah, oraya gittim bir kez" dedi Elias. "O adam kendisine berber değil barbar dese daha doğru olur."

Rita hafifçe güldü. "Hay Allah. Eminim civarda size göre bir yer bulabilirsiniz."

"Son zamanlarda" dedi Elias sesini alçaltarak, "birçok kuaför salonu erkeklere de hizmet vermeye başladı, bilmem siz ne düşünüyorsunuz?"

"E, olabilir" dedi Rita kayıtsızca.

"Kuaförlük mesleğinin geleceği bu yönde gidiyor sanki."

Arka odada tarakları temizlemekte olan Pembe kulak kesildi. Rita'nın kiminle konuştuğunu anlamaya çalıştı. Ses tanıdık gelmişti. Yüreği ağzında, parmak uçlarına basa basa yaklaştı. Elias'ı patronuyla muhabbet ederken görünce ne yapacağını bilemedi; duvara yaslanıp kalakaldı.

Bu arada Elias, Pembe'yi görmemiş, sohbete devam ediyordu. "Senelerdir saçım uzun. Artık değişiklik yapma zamanı geldi diyorum."

"Valla, iyi edersiniz. Müşterilerime hep söylerim, uzun saç kadınlar içindir. Atkuyruklu oğlan görünce kız mı erkek mi anlamıyoruz" dedi Rita. Sonra dayanamayıp sordu: "Çok mu acelesi var saçınızın?"

"Hem de nasıl. Ben bir lokantada şefim. Her gün çorbasından saç çıktı diye yakınan biri oluyor illaki."

Rita güldü. "Yardım etmek isterdim ama birazdan müşteri gelecek."

İşte o zaman, kenardan onları dinleyen Pembe lafa girdi: "Şey... isterseniz ben yapayım." Rita ile Elias aynı anda dönüp baktılar. O ise olabildiğince sakin davranmaya çalışarak ekledi: "Ben kesebilirim."

Kuaförlük eğitimi almamıştı ama mesleğin temellerini kapacak kadar uzun zamandır Rita'nın yanındaydı. Yıllardır çocuklarının, bilhassa oğullarının saçlarını kese kese epeyce ustalaşmıştı.

"İyi o zaman, mesele halloldu" dedi Rita. Tam bir şey daha söyleyecekti ki kapı ardına dek açıldı ve beklediği müşteri içeri daldı.

"Ah, hoş geldiniz, sefalar getirdiniz" dedi Rita, kadına doğru yürürken.

Bu arada Pembe, Elias'ı salonun en ucundaki koltuğa yönlendirdi. Oraya vardıklarında gergince sordu: "Ne işin var burada?"

"Affedersin, seni merak ettim."

"Ama olmaz ki!" dedi Pembe fısıltıyla. "Ya biri görse?" Pembe'nin ellerinin titrediğini fark edince buraya gelmesinden ne kadar rahatsız olduğunu anladı Elias. Sarılıp özür dilemek geçti içinden. Yaptığına pişman olmuştu. Gene de ona yakın olmaktan duyduğu sevinç, suçluluğuna ağır basıyordu. Bu arada Pembe müşterisinin boynuna önlük bağlayıp, makasları, tarakları sehpanın üzerine dizdi. Sonra sprey yardımıyla saçlarını ıslatmaya başladı. Duvardaki oval aynadan kadının her hareketini izliyordu Elias. Pembe'nin eli boynuna değince gayriihtiyari gözlerini kapattı; tekrar açtığında Pembe'nin de aynadan onu incelemekte olduğunu gördü. Bakışları yumuşacıktı ama sözleri sert çıktı.

"Saçını keserim ama bir daha gelme buraya."

"Tamam, merak etme. Bir daha gelmem."

Rahatlayan Pembe ilk kez gülümsedi. "Peki, nasıl keseyim?"

"Bak onu bilmiyorum işte." Seneler var ki saçı hep aynı olagelmişti ve şimdi fark ediyordu ki tarzını değiştirmeye hazır sayılmazdı. Yine de yarı şaka yarı ciddi yanıtladı: "Yakışıklı bir şey olsun."

Pembe'nin gözlerinden belli belirsiz bir kıvılcım geçti. Zaten yakışıklıydı Elias, bilmiyor muydu? Aynı anda salonun öbür yanında bir kahkaha koptu. Rita ile müşterisi kendi dünyalarına dalmış, keyifle dedikodu yapıyorlardı.

"Amacım seni huzursuz etmek, üzmek değil" dedi Elias. "Ama sana bir şey sormam lazım. Yanıtın evet ise sonsuza dek uzak dururum, söz. Yok eğer cevap hayır ise bunu da bilmek isterim."

Kaygıyla bekledi Pembe. "Nedir soru?"

"Kocandan hiç bahsetmedin. Hayatındaki pek çok şeyden söz ettin ama onu anmadın bile. Merak ediyorum, seviyor musun?"

Pembe'nin rengi soldu, yüreği ağır geldi kafesine. Hiç bitmeyecekmiş gibi gelen bir bekleyişin ardından mırıldandı: "Hayır. Sevgi hiç olmadı."

O zaman Elias sağ elini –kimsenin göremeyeceği, duvar tarafındaki elini– kaldırıp Pembe'nin bileğini tuttu. Mesafeli ya da kazara temaslar dışında birbirlerine ilk dokunuşlarıydı bu. Fırtınalı bir denizde bulduğuna tutunan bir kazazede gibi kavradı Elias bileğini. Pembe'nin yüreği ağzına geldi. O da hissediyordu aynı şeyleri; bir de geç kalmışlığı, imkânsızlığı. Pembe elini çekene dek öylece durdular. "Nasıl keseyim?" "Onunki gibi" dedi Elias. Yakındaki sehpanın üzerinde duran dergiyi işaret etti. Açık sayfada porselen dişli atletik bir Hollywood yıldızı vardı.

"Onun gibi mi?" Gayriihtiyari gülüverdi Pembe.

"Kesinlikle. Hep aktör olmak istemişimdir."

Pembe, Elias'ın saç kesimiyle zerre kadar ilgilenmediğini, yalnızca ona yakın olabilmek için zaman kazanmaya çalıştığını bildiği halde dergiyi alıp fotoğrafı inceledi. Sonraki yarım saat sessizce çalıştı; kaşlarını çatmış, dikkat kesilmiş halde. Daha fazla konuşmadılar. Rita işlerin nasıl gittiğine bakmak için ne zaman o yöne dönse Pembe'yi saç keserken, tuhaf müşteriyi de dergilere bakarken buldu.

Kesim bitince Elias'ın boynuna bağladığı önlüğü aldı ve ensesine bir ayna tuttu Pembe. Kısa saçı yadırgayan Elias moralini bozmamaya çalışarak gülümsedi. Tam sandalyeden kalkmak üzereydi ki birden soruverdi: "Sinemaya gitmeyi sever misin?"

Bir zamanlar babasıyla gittikleri film geldi Pembe'nin hatırına. Gözleri doldu. Kaç kez çocuklarından onu sinemaya götürmelerini istemiş, kaç kez geçiştirilmişti. Biliyordu ki İngiltere'de dil engeldi onun için. Perdedeki diyalogları takip etmekte zorlanacaktı.

"Severim. Neden sordun?"

"Spreyin altına bir şey bıraktım. Bir bak, olur mu?" Sonra

sesini yükselterek Rita'nın duyabileceği şekilde ekledi: "Kesim için teşekkür ederim. Ellerinize sağlık." Salonun öbür yanından gülümsedi Rita, bir müşteriyi daha memnun edebilmekten hoşnut. Elias, Rita'ya ücreti öderken Pembe tedirgince yaklaştı spreye. Orada bir bilet ve bir kısa not buldu – bu cuma saat ikide Güney Yakası'nda bir sinemaya. Eski bir filmdi oynayan. Siyah-beyaz ve sessiz, kelimesiz.

Tarık

Tarık Toprak bir bakkal dükkânı işletirdi. Haftada altı gün, günde on iki saat şekerleme, abur cubur, kişisel bakım malzemeleri, gazlı içecekler, dondurulmuş gıdalar, sigara ve öteberi satardı. Binbir çeşit gazete ve dergi dolu bir tezgâhı vardı. Ama bunlardan bazılarına ne zaman gözü kayacak olsa çiçekbozuğu yüzü asılıverirdi. Muzır dergiler satmaktan hoşlanmazdı. Bu ülkede fazla teşhir vardı, fazla çıplaklık. Bazı erkeklerin bu yayınları okumaktan ne zevk aldığını bir türlü anlayamadığı gibi bazı kadınların hangi akla hizmet buralara poz verdiklerini de kavrayamazdı. Yok muydu bunların aileleri – babaları, kocaları ya da ağabeyleri filan?

"Yetimhanede büyümüş olmalı bu kızlar" demişti, kahve içmek için uğrayıp, o tür dergilerden birini karıştırmaya başlayan bir komşusuna.

Kahkahayı basmıştı adam. "O da nereden çıktı?"

"Eh, aileleri olsa bu rezalete izin vermezdi herhalde" demişti Tarık.

"Kim bilir, çeşit çeşit aile var. Bazı kocalar kendileri yolluyormuş eşlerinin resimlerini, iyi mi?"

Komşusu gider gitmez müstehcen malzemeyi kaldırıp en ücra köşeye koymuştu Tarık, konservelerle süttozlarının altındaki rafa. Meraklıları istiyorlarsa orada bulabilirlerdi; hiç değilse masum müşterilerin gözü önünde durmayacaklardı böylece. O günden sonra bir daha dergileri yerinden oynatmamıştı.

Aslına bakılırsa dükkânda hiçbir şey değişmemişti yıllar içinde. Bir düzine yeni ürün, birkaç yeni raf eklenmişti, o kadar. Acıktığını hisseden Tarık duvardaki saate göz attı. On biri çeyrek geçiyordu. Karısı Meral her gün saat yarımda sefertasıyla yemek getirirdi – köfte, yoğurt, patlıcan salatası, nohutlu pilav... Arkada çaydanlık servise hazır, tıkırdar dururdu. Sabahtan akşamın geç saatlerine dek günde yaklaşık otuz bardak demli çay içerdi Tarık; çayına şeker koymaz, kıtlama niyetine ağzına attığı bir kesme şekeri emip dururdu. Mönü ne olursa olsun öğleden sonra saat üçte atıştırmayı severdi – patates cipsi, tarçınlı kraker, artık o gün canı ne çektiyse.

O yemeğini yerken karısı yerleri paspaslar, rafların tozunu alır ya da camdaki *Kervan Mini Mar.et* yazısının neon harflerini parlatırdı. Seneler var ki o "k"yi tamir etmeyi ya unutuyor ya savsaklıyordu Tarık. Yemek bitince Meral kirli sefertasını alır, eve dönerdi. Dükkânda kocasına yardım edebilirdi ama Tarık gerek görmüyordu. Şayet maddi bir sıkıntı yoksa bir kadının dışarıda iş bulması münasip değildi. Belki günün birinde yardım isteyebilirdi Meral'den ama öyle Âdem'in yaptığı gibi karısının başkalarının yanında çalışmasına asla izin vermezdi.

Çevredeki kimi dükkân sahiplerinin aksine, öğlenleri camiye gitmezdi Tarık. Uzun sakalını ve elindeki tespihi görenler öyle olduğunu sansalar da dindar bir adam değildi. Hem yüzüne yakıştırdığı hem de çiçekbozuğu cildini sakladığı için sakal bırakıyordu. Tespih ise dindarlıktan ziyade alışkanlıktan elindeydi. Evde geniş bir koleksiyonu vardı – kehribar, turkuvaz, mercan, yeşim.

Tarık üç kardeşin büyüğüydü. Yurtdışında çalışmak için İstanbul'dan ilk ayrılan o olmuştu. Almanya'da bir kasabada makine parçaları üreten bir fabrikada işçi olmuştu ilk başta. Ama işini zahmetli, Almanları ulaşılmaz, dillerini imkânsız bulmuştu. Almanlar senden hoşlanmazlarsa bunu gizlemek için herhangi bir çaba göstermezdi. Seni ülkelerine çalışasın diye davet etmişlerdi, tanışıp kaynaşmak için değil. Keza sana ihtiyaçları kalmadığında çekip gitmeni bekliyorlardı. Yol yordamlarına alışmak bir kirpiyi kucaklamaya çalışmaktan farksızdı. İçlerinde bir yerlerde bir sevecenlik, yumuşak bir nüve olabilirdi ama sivri iğneleri aşıp oraya ulaşmak mümkün değildi. Diğer göçmenler, ayakları üzerinde durmasına yardım edebilir, kendini daha az savunmasız hissetmesini sağlayabilirdi ama Tarık ahbaplık kurmakta hiçbir zaman becerikli olmamıştı.

Bir keresinde aynı fabrikada çalışan bir Tunusluyla arkadaş olmuştu. Adam onu Hamburg'un genelev mahallesinde Große Freiheit Sokağı'na götürmüştü. Neon tabelalar, müzik çalınan kulüpler, her dilden kahkahalar. Vitrin mankenleri gibi bedenlerini sergileyen kadınları görünce şaşırıp kalmıştı Tarık. Fahişelerin yüzlerindeki mağrur ifadeyi, bakışlarındaki özgüveni rahatsız edici bulmuştu. Eski Türk filmlerindeki kaderin sillesini yemiş, saçları tarumar hayat kadınlarına benzemiyordu *Alaman orospular*.

Yanıp sönen kırmızı ampullerle bezenmiş girişi göstererek, "Hadi içeri" demişti Tunuslu, ortak dilleri olan sınırlı Almancayla.

"Ne var içeride?"

Alaycı sırıtmıştı adam. "Karılar var oğlum. Sarışın karılar."

Tarık kaşlarını çatarak botlarındaki lekelere dikmişti gözlerini. Ağzında bir yanıt gevelemişse de sesi öyle alçaktı ki duyulmamıştı bile.

"Yahu porno filmlerde karılar niye hep Almanca konuşur sanıyorsun? Onların üstüne yoktur, ha. Bak, sonra teşekkür edeceksin bana."

"İstemem."

Arkadaşı tannaz bir bakış atmıştı. "Sen bilirsin. Yapamazsan yapamazsın tabii."

Şuna bir tane çaksam, diye içinden geçirmişti Tarık, *çamur-*

lu botlarımla bir tekme atsam, ama geldiği gibi hızla yok olmuştu bu istek. Adamın kapıdan içeri girişini seyretmişti. Loş sokağın ortasında bir başına kalmıştı, bir kadının kapalı bir pencere ardında şarkı söylediğini duymuştu. Ya duyduğu en hüzünlü şarkıydı ya da o an ona öyle gelmişti.

Aynı hafta içinde Tunuslu herkese Tarık'ın genelev önünde nasıl tırstığını anlatıp durmuştu. Fabrikadaki diğer işçiler arkasından gülüyor, konuşuyorlardı. *O biçim* olabileceğini ortaya atanlar bile çıkmıştı.

Tarık zaten o sene evlenmeyi düşünüyordu ama bu hadise planlarını hızlandırmasına yol açmıştı. Yanında Anadolu'dan aldığı gelinle –baba tarafından kuziniydi– Almanya'ya geri döndüğünde, ilk ay her gün gelip onu fabrikada ziyaret etmesini istemişti Meral'den. Böylece herkes bir karısı olduğunu görür de çenesini kapatırdı.

Yine de bunca yıl sonra bile hâlâ, "O gün Tunusluyla beraber geneleve girseydim ne olurdu acaba?" diye düşündüğü olurdu.

⊠⊠⊠

Saat on ikiyi yirmi beş geçe kapı açıldı ve rüzgârdan kızarmış yanaklarıyla Meral içeri daldı. Bugünkü mönü mercimek çorbası, biber dolması ve lokma tatlısıydı. Bir süre kocasının yemek yiyişini seyretti Meral, iştahından kendine pay çıkararak. Sonra usulca seslendi: "Pembe uğradı bu sabah."

"Ne istiyormuş?"

"Âdem hâlâ eve dönmemiş. Açıkça istemedi ama galiba paraya ihtiyaçları var."

"Para, para, para..." diye homurdandı Tarık.

Almanya'da geçirdiği seneler çetindi ama dişinden tırnağından artırmayı başarmış, her ay kardeşlerine tıkır tıkır nakit yollamıştı. Geceleri ranzasında uzanıp kardeşlerinin *onun* parasıyla neler yaptıklarını –futbol maçlarına gitmek, kızlarla gezmek, giysi ve ders kitabı almak– hayal etmekten haz duyardı.

Bir seferinde, kardeşini yoksulluktan kurtarabilmek için gangster olan bir adamla ilgili bir film seyretmişti. Filmin sonunda, polis müfettişi olan küçük kardeş, ona karşı beslediği saygı, sevgi ve hayranlığa ve hayattaki her şeyini ona borçlu olmasına rağmen kahramanı tutukluyordu. *Sen kardeşini okutmak için hayatını karart, o da gelsin seni hapse atsın.* Ama Toprakların aile hikâyesinde ne böyle suçlular vardı ne kahramanlar. Bir miktar yardımla kardeşlerinin yazgılarını değiştirebileceğine inanmak istediyse de sınırlı bir adam olduğunun farkındaydı Tarık. Zamanla Âdem ile Halil de onun yolundan gitmiş, göçmen işçi olmuşlardı – biri Avustralya'ya, öbürü İngiltere'ye. Birkaç sene sonra Tarık Almanya'daki işini bırakıp havasının berbat ama insanlarının nazik olduğunu duyduğu İngiltere'ye gelmişti.

Bir yandan çorbasına ekmek banarken sordu: "Âdem'in nerede olduğunu biliyor mu Pembe?"

"Hiçbir fikri yok. Ama..." Durakladı Meral.

"Ama ne?"

"Başka kadınla yaşadığından haberi var."

"Ee, ne olacaktı, bir kocayı evde tutmayı başaramazsa..." dedi Tarık cümlesinin sonunu getirmeden.

"Onun kabahati değil" diye itiraz etti Meral bir yandan porselen demliğe kaynar su koyarken.

"Kadın kadınlığını bilmezse erkek başka yerlere bakar."

Tarık'a kalsa, Âdem hiç evlenmemeliydi Pembe'yle. Daha uygun kızlar varken gidip anlaşılmaz bir şekilde *o* kadına tutulmuştu. Neden o ve neden bu kadar ani, anlamamıştı Tarık. Pembe'nin güzelliğini görmüyor değildi. Ama bu onun gözünde daha da güvenilmez kılıyordu Pembe'yi. Alımlı eş istemekle hata ediyordu erkekler. Çekici kadın tekinsiz kadın demekti. Bekârken böyleleriyle gönül eğlendirmenin zararı yoktu ama bir eşte fiziksel görünüşten başka özellikler olmalıydı. Bu evliliğe en başından beri karşı çıkmıştı Tarık. Fakat Âdem o Kürt köyünde yalnızdı Pembe'yi babasından istediğinde. Yalnız ve toy. Anneleri başka bir adama kaçtığında Tarık on altı, Halil on üç, Âdem on bir yaşındaydı. İstanbul'daki milyonlarca hanede analar ailelerini bir arada tutmak ve evlatlarını mesut etmek için çırpınırken, onlarınki, yalnızca onlarınki kalkıp gitmişti. O günden sonra tüm aile adını anmamaya özen göstermişti – Âdem hariç. Hep hassas ruhlu olmuştu o, hep bir duygu bulutunun içinde yaşayagelmişti. Herkes en küçük çocuğun olanlardan en çok etkilendiğini varsayıyordu, oysa en büyük çocuk olarak en fazla bedeli kendisinin ödediğine inanıyordu Tarık. Herkes bunu anlayamazdı ama bazı erkeklerin bu dünyada sahip oldukları yegâne servet, şerefleriydi. Zenginler itibarlarını yitirip yeniden kazanabilirdi, çünkü onlar için nüfuzu parayla satın almak, yeni bir araba ısmarlamak ya da malikânelerine tadilat yaptırmak kadar sıradan bir hadiseydi. Oysa diğerleri için durum farklıydı. İnsanın imkânları ne kadar kısıtlıysa, şerefinin bedeli o kadar yüksekti.

Namus konusunda bahtsızlığa uğrayan adam ölü bir adam demekti. Ölüden beter. Gayrı sokakta yürüyemez olurdun, gözlerin kaldırım taşlarında. Kahveye gidip bir el tavla oynayamaz, birahanede maç seyredemezdin. Dedikodular karşısında omuzların düşer, avurtların çöker, gözlerin çukurlarına kaçar, günbegün küçülürdün. Konuştuğunda kimse kulak asmazdı sözlerine – itibarı kalmazdı lafının. İkram ettiğin sigaraya kimse el sürmez, içtiğin kahve boğazından geçmezdi. Uğursuzluğunu yanında getirirsin korkusuyla ne düğünlere çağrılırdın, ne sünnetlere, ne nişanlara. Kendi köşende, utancınla çepeçevre tüketirdin ömrünün kalanını; susuz kalmış bir meyve gibi buruşarak, kuruyarak. Tarık bunu ilk elden biliyordu, çünkü bizzat babasının başına gelmişti. Sirozdan ölmemişti Baba. Alkol sonunu hızlandırmış olabilirdi ama esas sebep değildi. Haysiyetine sürülen lekeydi onu öldüren. İngilizler anlayamıyordu bu kadim kuralları. Karıları başka bir adamı öpse, yabancılarla dans etse, onlar gülümseyerek seyrederdi, alkış tutardı. Belki de alkolün etkisinden, diyordu Tarık. Sınırları bulanıklaştırıyordu içki, kuralları muğlaklaştırıyordu. Tarık ağzına damlasını sürmezdi. Âdem de. İnsanlar onların dindar oldukları için içkiden uzak durduklarını sanırdı, oysa esas sebep babalarının oğulları olmalarıydı. Meral gidince Tarık bir an durup düşünmeye fırsat buldu. Âdem'in halini ahlaki bir zaaftan ziyade başına gelmiş bir musibet gibi görmüştü bunca zaman. Kumar hastalıktı, hem de en kötüsünden. Ama bütün parayı tutup da şu dergilere poz veren kadınlardan farkı olmayan bir dansöze yedirmek daha fenaydı. Âdem'le oturup ciddi ciddi iki kelime konuşması lazımdı, tabii eğer onu bulabilirse.

Bir adam evini bu kadar ihmal ettiğinde ailenin geri kalanı kolayca raydan çıkabilirdi. Böyle bir şey olmaması için gözünü Pembe ile çocukların üstlerinden bir an bile ayırmamaya karar verdi Tarık. Buna mecburdu. Ne de olsa onunla aynı soyadını paylaşıyorlardı. Şayet onlardan biri herhangi bir rezalete karışacak olsa Toprak ailesinin en büyüğü olarak utançlarına ortak olmak durumunda kalırdı. Onların haysiyeti Tarık'ın haysiyeti demekti. Bundan sonra gözünü dört açacaktı.

Elias

Eskiydi Anka Sineması, 1901'de açılmıştı. Altın varaklı sütunlar, fuayeye açılan mermer basamaklar, devasa avizeler. İkinci Dünya Savaşı sırasında Almanlarca bombalanıp kaderine terk edilmezden evvel güzel günler görmüştü. Yakın zamanda bir işadamının yaptığı yüklüce bağış sayesinde yenilenmiş, tekrar açılmıştı. Ama merkezden uzakta olduğu ve modası geçmiş filmler gösterdiği için salon neredeyse daima boştu.

Bugünse yalnızca dört seyirci vardı – filmden ziyade öpüşmekle ilgilenen genç bir çift ve sinemanın kendisinden yaşlı bir adamcağız. Dördüncü kişi Elias'tı, ortalarda bir yerlerde gergin ve kaygılı, oturuyordu bir başına. Film başlayalı birkaç dakika olmuştu ama o hâlâ dönüp dönüp girişe bakıyordu. Pembe gelmemişti. Elias açılış sahnesini içi sıkılarak seyretti. *Gülümseten ve birazcık da ağlatan bir film* yazıyordu perdede. Charlie Chaplin'i görünce elinde olmadan yüzü gevşedi. Oldum olası severdi Chaplin'i – onun kederli mizahını, içten insancıllığını, o hüzünlü kömür gözlerini. Gerginliği akıp gitti, kendini *Yumurcak*'ın hikâyesine verdi.

Bir süre sonra sıra başında hafif bir hareket hissettiyse de dönüp kim olduğuna bakmaya yüreği el vermedi. Karanlıkta birisi gölge gibi sessizce yaklaşıp yanına oturdu. Yüreği göğüs kafesinin içinde küt küt çarpan Elias bir sevinç çığlığı atmamak için kendini zor tuttu. Pembe'ydi gelen. Tek kelime konuşmadan, fısıldamaya cesaret edemeden, filme odaklandılar. Kocaman açılmış gözlerle ve her sahnede biraz daha derinleşen bir hayret ifadesiyle *Yumurcak*'ı seyretti Pembe. Chaplin çöpte bulduğu bebeği korumasına alıp kendi oğluymuş gibi severek büyüttüğünde takdirle gülümsedi. Çocuk, camcı kılığına giren Chaplin iki kuruş fazla para kazansın diye taş atıp pencereleri kırdığında kıkırdadı. Sosyal hizmetler Chaplin ile oğlanı ayırdığında gözleri doldu. Nihayet ikili yeniden kavuştuklarında yüzü sevinçle aydınlandı. Pembe'nin kendini filme böylesine kaptırmasını yarı hayranlık yarı gıptayla izledi Elias. Kırk yıl düşünse Charlie Chaplin'i kıskanacağı aklına gelmezdi.

Elias bir ara onun dalgın dalgın bir tutam saçla oynamasını izledi. Saçlarının kokusunu duydu – yasemin ve katmerli gül karışımı. Uzanıp elini tutmak geçse de içinden, yapmadı. İlk buluşmada kalbi duracak gibi olan bir yeniyetmeden farksızdı. Birbirlerine dokunmadan, tek kelime konuşmadan, karanlıktan oyulmuş iki heykel gibi kıpırdamadan öylece oturdular; ta ki film bitene kadar.

Işıklar yandığında gerçek hayata uyum sağlamaları birkaç dakikalarını aldı. Elias cebinden bir not defteri çıkardı ve şehrin bir başka tarafındaki bir başka sinemanın adını yazdı çabucak.

"Gelecek hafta, aynı gün, aynı saatte, gelir misin?"

"Bilmem" dedi Pembe sesi titreyerek.

Elias'ın başka bir şey demesine fırsat kalmadan Pembe ayağa fırladı, kapıya doğru ilerlemeye başladı. Aralarında geçen ve geçmeyen her şeyden kaçıyordu. Bir sonraki kez buluşacakları yerin adı avucunun içinde duruyordu; kâğıdı, büyülü bir âlemin anahtarıymış gibi sımsıkı tutuyordu.

İşte böyle başladı her şey Pembe ile Elias arasında. Genellikle cumaları aynı saatte, ara sıra başka günlerde buluşuyorlardı. En çok Anka Sineması'na gitmekle beraber, hepsi de ücra ve tenha farklı sinemalara gittikleri de oldu. Filmler yeterince hızlı değişmediğinden *Yumurcak*'ı tam altı kez seyrettiler. Keza, *Yedi Kardeşe Yedi Gelin*, *Kral ve Ben*, *Bağdat Hırsızı*, *King Kong* ve *Hoşçakal Roma*'ya gittiler. *Ben Hur*'u gördüler ama Pembe'den çok Elias'ın hoşuna gitti bu film. Ayrıca *Jeanne D'Ark'ın Çilesi*, *Batı Yakası'nın Hikâyesi*, *Notre Dame'ın Kamburu* (Pembe'nin en sevdiği) ve *Muhteşem Gatsby*'yi (Elias'ın en sevdiği) seyrettiler.

Pembe, Greta Garbo'nun canlandırdığı Mata Hari'ye şaştı kaldı. Çevresindeki bütün erkeklerin kalbini ve kadınların nefretini kazanan, hem hassas hem metin; hem duygusuz hem ateşin bu ahu parçası karşısında büyülenmişti. Ne kadar farklıydı Mata Hari, bildiği tüm kadınlardan – ve kendisinden.

Bütün bu filmleri, fi tarihinden kalma hikâyeler olarak değil, bugün hâlâ bir yerlerde yaşanmakta olan alın yazıları gibi izliyorlardı. Hangi filmi görürlerse görsünler her seferinde aynı şey oluyordu. Pembe gözlerini perdeden ayırmıyordu, Elias da Pembe'den. Senaryodaki her şaşırtmacayla Pembe'nin yüzünün şekilden şekile girişini seyretmeye bayılıyordu. Onun içinde bir yerlerde, herkesten, hatta belki kendinden bile gizlenmiş, farklı karakterler vardı. Arada sırada Pembe'nin de ona aynı şekilde baktığı, adeta ruhunun derinliklerini keşfetmeye çalıştığı oluyordu. Pembe'nin onda neler gördüğünü ve onu sevmeye layık bulup bulmadığını merak ediyor, katiyen bir şey sormuyordu.

Zamanla sevdiği kadın hakkında başka şeyler keşfedecekti. Pembe öldükten çok sonra tamamlayacağı bir yapbozun parçalarıydı bunlar. Adına rağmen aslında en sevdiği rengin turkuvaz olduğunu öğrendi mesela. Kürtçe aşk türküleri söylemeye bayıldığını ve sesinin hayli güzel olduğunu. Dini gerekçelerle yemediği domuz etine ek olarak, karides, salyangoz, kalamar, yabanmersini gibi bilumum besini de huylandığı için ağzına süremediğini ama gün boyu limon dilimleri kemirse bıkmayacağını. Bir de ne kadar genç olduğunu keşfetti. Giyim tarzı ve tavırları yüzünden olduğundan yaşlı görünse de aslında Elias'tan tam on altı yaş gençti Pembe. Yavaş yavaş durumu kavramaya başlıyordu Elias. O güne dek sürmüş olduğu hayat tarzına tamamen yabancı olan bu kadına karşı hissettiği akıl sır ermez, neredeyse esrarengiz denebilecek çekim, hatırlamaya başladığı bir çocukluk hatırası gibiydi. Mantığının almadığı ama yüreğinin kavradığı bir nedenle onu sevmek, korumak ve bütün dünyadan saklayıp sakınmak ihtiyacı hissediyordu. Buna benzer hisleri daha önce üç kadına karşı hissetmişti: kız kardeşi, annesi ve eski karısı. Ama Pembe'ye duyduğu şefkat öncekilerden çok daha farklıydı. Ebruli ve fevri, ama bir o kadar da sahici bir dünyanın kapısıydı Pembe. Bunun bir yasak aşk olarak algılanmasından rahatsız olmakla birlikte, onu her an kaybetme tehlikesi aralarındaki sevgiye daha da tutkuyla bağlanmasına sebep oluyordu. Hayatındaki tekmil kopuk parçaları ve kayıp zamanları telafi eden bir sevdaydı bu. Elias'ın yaşamındaki eksik halkaydı Pembe; onu geçmişine, atalarına ve Doğulu yanına bağlayan halka.

Her seferinde sinemanın ışıkları yanmazdan önce birbirlerinden uzaklaşıp, kendi yollarına gidiyorlardı. Böylece kimse onları birlikte göremeyecekti – ya da onlar öyle sanıyordu.

Pembe hep önden çıkardı. Elias ise arkada kalıp sinemada biraz oyalanır, bir yandan filmi ve Pembe'nin gözlerindeki ışığı düşünürken bir yandan da duvarlardaki afişleri, yerlerdeki çöpleri, büfedeki şekerlemeleri inceler, Pembe'nin ardında bıraktığı boşluğa alışmaya çalışırdı.

Gecenin bir yarısı sıçrayarak uyandım. Koridordan sızan hastalıklı sarı ışık dışında tamamen karanlıktı hücre. Bu ampullerin sakinleştirici bir etkisi olacakmış güya üzerimizde. Cin fikirli bir terapistin buluşu olmalı. Oysa bende sadece kusma isteği uyandırıyor bu renk.

Yatak sert, beton üstünde uyumaktan farkı yok. Ama bu saatte uyanmamın sebebi bu değil. Yolunda gitmeyen bir şeyler var, hissediyorum. Soluğumu tutup dinliyorum. Yakınlardaki hücrelerden gelen horlamaları, osurmaları, iniltileri, sağa sola dönmeleri, diş gıcırdatmaları. Bu gece her zamanki seslere rağmen tuhaf bir şekilde boş geliyor burası. Bir eksiklik var sanki. Ya da ben keçileri kaçırıyorum.

Annem, hayatta her zaman nişaneler olduğunu söylerdi. Tanrı'nın karanlık bir ormanda fısıldadığı ikazlar. Biz kulak asmasak da, O bize dikkatli olmamızı, falancayla ahbap olmamamızı, kimi kapıları açmamamızı, bazı yollara sapmamamızı öğütlerdi. Ama şu anda hissettiğim şey tam olarak bu değil. Geleceğe dair bir önsezi değil içimdeki. Olmuş bitmiş bir şeyin farkına varmaktayım sanki.

Dirseklerimin üzerinde doğrulup kulak kesiliyorum. Annemin hayaleti ziyaretime gelmiş olabilir mi diye bakınıyorum. Fakat bu gece buralarda değil. Olsa, kalbim küt küt atardı şimdi, elim ayağıma dolanırdı. Yeni yağmış kar gibi beyaz bir ışıltı olurdu köşede. Ama yok. Ne de ipek perdelerin çıkardığına benzer hafif bir hışırtı var. Ne de yasemin ve gül kokusu. Ne de irmik helvası kokusu. Hayaletin ilk göründüğü anı hiç unutmayacağım. Aklım çıkmıştı korkudan, kederden.

Eskiden daha sık gelirdi. Giderek seyrekleşti. Son zamanlarda hiç görünmüyor artık. Belki bir daha hiç gelmeyecek. Aptalca bir fikir ama sanki ziyaret ettiği sürece beni affedebilirmiş gibi geliyor. Bir umut işte.

İlk başlarda delirecek gibi oluyordum. Gecenin bir yarısı gelip beni boğacak diye uyuyamıyordum. Hayaletlerin öyle şeyler yapmadıklarını anlamam biraz zaman aldı. Biz onların intikam peşinde koştuklarını sanıyoruz. Oysa onların bütün istediği anlamak. Bu nedenle yabancı gözlerini üzerimize dikip bir açıklama beklerler. Yüreğimize bakarlar. Yargılamazlar. Soru sormazlar. En azından annem sormaz. Sessiz bir film gibidir, ama renkli.

Fakat bu gece annem uğramadı. Huzursuzluğumun onunla ilgisi yok. Peki ne o zaman? Soluğumu tutuyorum. Dinliyorum, bu kez daha dikkatle. Birden kafama dank ediyor. Uçuk'ta bir gariplik var! Horlamıyor. Ne iç geçiriyor ne yatakta dönüyor ne uykusunda diş gıcırdatıyor. Kalkıp yanına gidiyorum. Sırtı bana dönük.

"Uçuk, oğlum."

Yanıt yok. Kımıldamıyor.

"Patrick, iyi misin?"

Nedense ona gerçek adıyla sesleniyorum, halbuki yıllar var bu ismi kullanmayalı. Çıkıveriyor işte ağzımdan. Battaniyeyi alıyorum üstünden. Berbat bir koku yükseliyor. Tuhaf bir şekilde ufak görünüyor gözüme Uçuk, gece uyurken çekmiş gibi. Omuzlarından tutup sarsıyorum. Umurunda değil. Daha sert sarsıyorum. Ayakları kırık bir kukla gibi sarsakça sallanıyor. Kolları ağır geliyor, oysa tanıdığım en sıska adam o.

"Bana bak Uçuk, benimle kafa bulmayı bırak! Kes artık be."

Nabzına bakmak için bileğine uzanıyorum. Atmıyor. Boynu katı ve soğuk. Kafasını kolumla destekleyip ağzına nefes veriyorum. Karısını ve birkaç kadını daha öpmüş olan ağzı. Durmaksızın küfreden ama bazen dua da eden ağzı. Mahvına sebep olan ama aynı zamanda şiir de okuyabilen ağzı. Hiç tepki yok.

Gülmeye başlıyorum. Gülünç çünkü. Azrail ya kör olmuş ya bunamış. Meslekten men edilmeli derhal. Tanrı görmüyor mu yardımcısının vazifesini doğru düzgün yapmadığını? Neden hep yanlış insanlar ölüyor? Uçuk'a yumruklarını kullanmayı öğretiyordum. Yeteneksiz bir öğrenciydi, kafası basmıyordu. Ama yol alıyorduk. Hep aynı yere vurduruyordum: karnıma. İnsan vücudunda daha öldürücü noktalar vardır. Kafa, boyun, âdemelması, hatta burun kemeri. Ama oralara vursa sonra başı ciddi belaya girerdi. Oysa karnıma yumruk atması daha az şüphe uyandırırdı. Benim keyif için boks yaptığımı bilmeyen yok ne de olsa.

Doğru açı ve doğru kuvvetle vurulduğunda, karın öldürücü bir hedeftir. Anında iç kanama başlar. Müdahale edilmezse birkaç saat içinde nalları dikersin. Bana zaten herhangi bir müdahale yapılmayacağından adım gibi emindim. Uçuk'un bunlardan haberi yoktu elbette. Her şey bir kaza olacaktı. Nobran bir müfettiş gelip not defterine bir şeyler karalayacaktı. Sekreteri raporu temize çekip belki basına sızdıracaktı. Bulvar gazetelerinden biri ilgilenecekti: "Töre cinayeti mahkûmu hapiste öldü." Memur Andrew yazıyı kesip dosyasına koyacaktı. Benden bahsedilecekti bir iki gün. Kimse üzülmeyecek, yas tutmayacaktı ardımdan. Sonra mesele kapanacaktı. Aç bir adamın silip süpürdüğü tabak gibi tertemiz. Uçuk paçayı kurtaracak, ölümümden mesul tutulmayacaktı. Ben de gitmiş olacaktım. Sonunda özgür!

Houdini yalnızca hatırlatma içindi. Memur Andrew öyle bir şey yok diyor, milletin uydurmasıymış, benim gibi martavalcıların iddia ettiği üzere darbelerden ölmemiş meşhur sihirbaz. Ama umurumda değil neden öldüğü. Ben o posteri her gördüğümde yumruklanarak ölmenin mümkün olduğunu hatırlıyorum. Tabii başka şeyler de hatırlatıyor Houdini. Üzücü şeyler. Harry Houdini yüzünden keşfetmişti Tarık Amca annem ile âşığını.

Uçuk'u kenara itip yanına oturuyorum. Altımda bir şey çıtırdıyor. Ne olduğunu anlamak için bakıyorum. Nutkum tutuluyor. "Aşkolsun sana, aşkolsun be oğlum."

Bir şırınga. Ne zaman yaptı bunu? Aşırı doz muydu? Altın vuruş mu? Nasıl hiçbir şey fark etmedim? Ben uyuyana dek beklemiş miydi? Kütük gibi uyurum hep. Kışın inine çekilmiş şişko bir ayı gibi derin uyurum. Kendimden iğreniyorum. Yatağı kontrol ediyorum. Çarşaf sidik, tükürük ve kusmukla ıslanmış. Vücudu eroini dışarı atmaya çalışmış, belli. Uçuk'un sol yumruğunu fark ediyorum, o kadar sıkı kapatmış ki elini, eklemler sipsivri, bembeyaz olmuş. Zorla açıyorum parmakları. Bir kâğıt parçası var. Koridordan gelen ışıkta okumak için demirlere yaklaşıyorum.

Kardeşim İskender,
Eğer bu notu okuyorsan tamamdır, başardım demektir. Aklınca benden evvel gidecektin öbür âleme, di mi? Anlamadığımı mı sanıyorsun? Anladım tabii, gene de yardım edecektim sana. Vallahi edecektim. Ama daha fazla dayanamadım. Kızma be. Beklerim seni. Artık yukarıda her ne varsa, cennet mi cehennem mi, orada beklerim. Gidip bir bakayım önden. Numara yok artık. Houdini filan yok.
İyi bir dosttun sen abi, her zaman harbi. Yukarıda anneni görünce ona da söyleyeceğim. Hem belki affetmiştir seni, etmiştir be usta.

Kardeşin Uçuk

Yaşlar yuvarlanıyor yanaklarımdan aşağı. Yüzümü tokatlıyorum. İşe yaramıyor. Saçımı çekiyorum. Önce tek elimle, sonra her ikisiyle. Daha hızlı. Daha sert. Derim dayanamıyor, tutam tutam saç kopup geliyor. İnliyorum. Ayağa kalkıyorum. Başım dönüyor. Bir zamanlar gayet iyi bildiğim adrenalin hissi her yanı kaplıyor: öfke. Halbuki bir yol kenarına bıraktığımı sanıyordum. İki yıl önce bir çuvala koymuş, ağzını sıkıca bağlamış ve istenmeyen bir köpek gibi terk etmiştim öfkemi. Yaşamımın geri kalanını daha pak bir adam olmaya çalışarak, olamasam bile hiç değilse bunu amaçlayarak geçireceğime dair söz vermiştim kendi kendime. Ama buraya kadarmış. Buldu beni yine. Peşime düşüp koklaya koklaya çıkardı izimi. İşte karşımda, eski dostum, Bay Öfke. Her zamanki gibi sadık.

Houdini posterini aşağı çekip paramparça ediyorum. Çarşafımı, battaniyemi ve yastığımı fırlatıyorum. Duvarları tekmeliyor, duvarları yumrukluyor, duvarlara geçiriyor, duvarlara kafa atıyorum. Işıklar. Ayak sesleri. Patırtılar. Birisi hücreye giriyor.

"N' oluyor lan?"

Başkaları doluşuyor içeri. Yere yatırıyor, üstüme yığılyorlar; kafamı bastırıyorlar. Işıklar yanmış. Çok fazla ampul var. Gözlerim acıyor. Tepemde dikilen Memur Andrew olmalı. Ne işi var burada? Gece vardiyası mı? Herifçioğlu işini amma seviyor.

Sağı solu kurcalıyor, Uçuk'un nabzına bakıyorlar. Şırıngayı buldular. Notu gördüler. Birisi yüksek sesle okumaya başlıyor. Kahretsin! Aniden ellerinden kurtuluyorum. Bunu beklemiyorlardı. Ayağa fırlıyorum. Onlar daha ne olduğunu anlayamadan notu kapıyorum.

"Hayda!.." diye bağırıyor genç bir gardiyan sanki oyunda hile yapmışım, o da içerlemiş gibi.

Memur Andrew bir adım öne geliyor. "Ver onu bana."

"Benim bu. Bana yazıldı."

"Hiçbir şey sana ait değil, geri zekâlı. Ver şimdi şunu bana."

Bakışıyoruz. Sonunda geldi işte o an. Benden ne kadar nefret ettiğini gösterebilecek. Ben de hislerinin karşılıksız olmadığını. Artık rol yapmaya gerek yok. Olduğumuzdan daha iyiymişiz gibi yapmayacağız artık. Neysek oyuz. Notu ağzıma atıyorum.

"Sakın yapma" diyor Memur Andrew. "Bana bak pislik herif, fazla film seyrettin sen galiba."

Çiğnemeye başlıyorum. Yavaş yavaş. Aceleye gerek yok. Hepsi bana bakıyor.

"Alex, öyle pişman olacaksın ki. Sana kıçını kurtarman için son bir şans veriyorum. Kes şunu."

Çiğne, çiğne, çiğne. Kâğıdın kireç gibi bir tadı olduğunu bilmezdim. Uçuk beni görebiliyor mu acaba diye merak ediyorum. Öldüğümüzde ruhumuz bedenimizi terk edip bir uçan balon gibi derhal gökyüzüne mi yükselir acaba? Yoksa biraz oyalanır mı etrafta? Annemin ruhu oralarda mıydı ben sokak ortasında dehşet içinde dikilirken? Ona sapladığım bıçağı geri çekişimi seyretti mi?

Notu yutuyorum.

İlk yumruk çeneme iniyor. Tamamen hazırlıksızım. Dişlerim beter çarpıyor birbirine. Memur Andrew nereye vuracağını biliyor. Zavallı Uçuk gibi değil. Diğer gardiyanlar başka tarafa çeviriyorlar bakışlarını. Olan biteni onaylamadıkları besbelli. Karıları, çocukları var. Halim selim vatandaşlar. Gece yastığa başlarını koyduklarında huzurla uyumak derdindeler. Kimse eline kan bulaşsın istemiyor. Ama onu durdurmaya da kalkışmıyorlar. Böyledir işte. Kimse mayası bozukları, zorbaları sevmez. Ama kimse onlara "Yeter!" demez. Bu yüzden zorbadır ya onlar. Bunu da en iyi ben bilirim, çünkü ben de onlardan biriydim ve hâlâ da öyleyim.

❌❌❌

Annem batıl inançları olan bir kadındı. Evimizin her yerinde nazar boncukları asılıydı. Ceplerime, sırt çantama boncuk koyardı. Bir keresinde deri ceketime dikilmiş bir tane bulmuştum. Gece ıslık çalmaz, ev içinde şemsiye açmaz ve güneş battıktan sonra tırnaklarımızı kesmezdik. Uğursuzluktan korunmak için iç çamaşırımızı ters giyerdik bazen. Yemek masasında elden ele bıçak vermezdik. Annem beni başkalarından sakınmak için elinden gelen her şeyi yaptı. Ama içimde toplanan cerahati unuttu. İnsanı kendi ruhundaki habislikten koruyamaz hiçbir şey.

İstanbul'da, sünnetimden haftalar sonraydı. Yaram çoktan iyileşmiş, tekrar sokakta oynamaya başlamıştım. Ağaçların tomurcuklandığını, yolların çamurlu olduğunu hatırlıyorum. Evimizin yakınlarında bir kanal vardı. Orada yüzmezdik. Su pisti, kötü kokardı. Herkes eline geçeni atardı. Konserve kutuları, şişeler, kutular, plastik eşyalar, komünist broşürler. Bir keresinde bir tabanca bulunmuştu.

Bodrum kattaki evimize polis gelmişti. Oralarda oynarken görüldüm diye bana sorular sorduklarında kulaklarıma kadar kızardığımı hatırlıyorum. Benimle ilgisi yoktu ama kendimi nasıl da suçlu hissetmiştim.

O gün aklım silahta, dolanıyordum kanal kıyısında. Kimindi acaba? Bir banka soyguncusunun mu? Yoksa teröristin mi? Polis bulmuş muydu zanlıyı? Düşüncelere dalıp gitmiş olmalıyım. Yoksa onları fark eder, yolumu değiştirirdim muhakkak. Ya da son anda bir çalı arkasına saklanırdım. Ama onun yerine dos-doğru karşılarına çıktım. Üç oğlandılar. Benden birkaç yaş büyük.

"Bakın kim varmış burada? Kırmızı Şapkalı Kız yürüyüşe çıkmış."

"İskender, annen nerede? Yanında değil mi?"

"Sana niye hep sultanım diyor lan?" dedi bir diğeri. "Bir de abuk sabuk Kürtçe şeyler söylüyor."

"Kenar mahalle sultanı olsa olsa!"

Ortalarında dikilen ve besbelli elebaşları olan oğlan katılmıyordu alaylara. Beni inceliyordu. Benim için endişelenmiş, hatta arkadaşlarının davranışları karşısında mahcup olmuş gibi bir hali vardı. Yanılıp buna güvendim; ona doğru bir adım attım. Koruyucum sandım.

"Sünnetten kaçtığın doğru mu?" diye sordu elebaşı birden. "Ağaca tırmanmışsın."

Şaşırdım. Nereden biliyorlardı? Kim söylemişti?

"Milletin ağzı torba değil" dedi aklımdan geçenleri okumuş gibi.

"Peki, ne oldu sonunda? Sünnet oldun mu, olmadın mı?"

"Oldum" dedim utana sıkıla.

"Olmuşmuş" dedi elebaşı. "İnansak mı acaba?"

Yere yatırdılar. Pantolonumu indirdiler. Avazım çıktığı kadar bağırıyordum.

"Bu ne be? Amma küçükmüş! Bamya kadar."

"Sünnetten niye kaçtığı anlaşıldı, hah! Kesilse geriye bir şey kalmaz."

"Doğru düzgün sünnet olmamış zaten" dedi elebaşı pis bir ifadeyle. "Biz bitirelim bari."

Elinde çakı mı vardı? Yoksa hayal gücüm bana numara mı yaptı? Bugün bile emin değilim. Tek hatırladığım korkudan altıma yaptığım.

"Hay Allah. Sultanın bir banyoya ihtiyacı var" dedi elebaşı.

Önce pantolonumu çıkardılar, sonra iç çamaşırımı, ayakkabılarımı, çoraplarımı. Hepsini kanala attılar.

"Hadi git al eşyalarını, yerse. Ya da eve böyle git de herkes bamyanı görsün."

Gittiler. Ama ben gerçekten uzaklaştıklarına inanamadım. Dizlerimi göğsüme çekip öne arkaya sallanarak oturdum; her an çalıların arkasından çıkıp saldırmalarını bekliyordum. Kaç saat geçti bilmiyorum. Hava karardı. Yağmur çiselemeye başladı. Umurumda değildi. Derken annem, yanında iki komşuyla belirdi karanlığın içinden. Beni her yerde aramış olmalıydı. Nasıl bilmişti burada olduğumu? Tek başıma gelmemi yasakladığı tek yerdi kanal. Hiçbir şey sormadı. Şalını vücuduma dolayıp eve götürdü beni; yıkadı, saçlarımı taradı, pak pijamalar giydirdi.

"İşte." dedi. "Sultana benzedin yine."

Bir iki hafta içinde kendi çetemi kurmuştum. Matah bir şey sayılmazdı. Hepi topu beş kişiydik. Ama bana sadakatleri sonsuzdu. Kimsenin muhatap almadığı Çingene çocuklarıydı. Sert tiplerdi. Sigara içiyorlardı. Her şeyi toplarlardı: şişe kapakları, karton kutular, boş spreyler. Hiçbir şey umurlarında değildi.

Öbür iki oğlanı beter dövdük ama elebaşına dokunmadık. Gerilsin istiyordum. Saldırıp saldırmayacağımı merak etsin biraz. Babamla ilk ciddi kavgamı yaşamıştım bu arada. Koç vakası. Bir daha asla zayıf davranmayacağıma dair söz vermiştim kendime, sözümü tutuyordum.

Bir pazar sabahı zil çalındı. Annem açtı. Kapıda bir kadın vardı. Elebaşının annesi. Ağlıyordu. Önceki gün maskeli çocuklardan oluşan bir çetenin sokak ortasında oğluna pusu kurduğunu söyledi. Yakalayıp o pis kanala atmışlar. Tutunacak bir kalas bulmasa boğulacakmış az daha. Yüzme bilmiyormuş zira. Annemin bu konuda bir şey duyup duymadığını sordu. Oğlu kimsenin adını vermemiş gerçi. Hastanedeymiş şimdi. Zatürree olmuş.

Annem ne kadar üzüldüğünü söyleyerek kadını mutfağa davet etti. Çay, kurabiye ikram etti. Ama kadın hiçbir şeye elini sürmedi.

"Dün çamaşır günümdü" dedi annem. "İskender perdeleri indirmeme yardım etti. Yıkayıp ütüledim. Hepsini yerine o taktı. Bütün gün benimle beraberdi. Oğlumun bu meseleyle ilgisi yok."

"Emin misin kardeş?"

"Kesinlikle."

"Yemin eder misin?"

"Ederim, tabii."

Kadın gittikten sonra annem oturma odasına geldi. Camın altında oturmuş, gelip geçen ayakkabıları seyrediyordum. Papara yiyeceğimi sandım. Fırça çekmesini bekledim. En azından kulağımı bükmesini. Benim yaptığımı biliyordu, eminim. Oysa o yalnızca durup baktı bana. Gözlerinde bir gurur ışıltısı gördüm ya da bana öyle geldi.

"Akşam yemeğinde ne istersin sultanım? Mercimek çorbası yapayım sana?" Tartakladığım oğlandan hiç bahsetmedik. Ne o zaman ne daha sonra.

İskender Toprak
Shrewsbury Hapishanesi, 1991

Yunus

Daha işgalcilerin evine varmadan bir şeylerin ters gittiğini hissetmişti Yunus. Yaklaşınca, eski binanın her üç katındaki bütün pencerelerin anarşist sembollerle bezenmiş kartonlar, tahtalar ve mukavva kutularla kapatılmış olduğunu fark etti. Bir gün önce sıcaklık sıfırın altına düşmüştü ve oluklardan buzlar sarkıyordu. Havaya ağır bir sessizlik, tekinsiz bir durgunluk hâkimdi.

Tobiko'nun doğum gününün olduğu, yani Punklar tarafından taşındığı gece, Yunus o kadar geç ve öyle bir vaziyette eve varmıştı ki, o saate kadar meraktan çıldırmış ve hastaneleri aramanın eşiğine gelmiş olan Pembe ona haftalarca dışarı çıkmama cezası vermişti. O günden sonra Yunus'u her sabah okula kendisi bırakmış, öğleden sonra da gelip almıştı. Ama nihayet bugün annesi yeniden *Kristal Makas*'taki normal mesai saatlerine geri dönmüştü de Yunus da özgürlüğüne kavuşmuştu. Okuldan çıkar çıkmaz doğruca eve gideceğine dair annesine söz verdiği ve asla yalan söylemediği halde, o çok iyi bildiği adrese doğru yola koyulmuştu.

Bisikletini park ettikten sonra eve giden dar yolda kaymamaya dikkat ederek yürüdü. Kapıyı kilitli bulunca şaşırdı. Bunca sefer bu kapıyı değil sürgülü, kapalı bile gördüğü olmamıştı. İşgalciler sadece burjuvaların kilide ihtiyaç duyduklarını söylerdi. Özel mülk diye bir mefhum yoksa kapıları sürgülemeye de gerek yoktu.

Zil olmadığı için Yunus kapıyı önce kibarca tıklattı. Ama baktı ki açılmıyor, yumruklamaya başladı. "Bizi rahat bırakın!" diye bağırdı birisi içeriden. Afallayan Yunus yumruklamayı kesti. İşgalciler artık onu görmek istemiyor olabilir miydi? Bu yüzden mi içeri kapatmışlardı kendilerini? Çekine çekine vurmaya başladı yeniden. "Defol git, pis şoven!" diye kükredi bir başkası. Bir kadın sesi karıştı: "Dövüşmeye hazırız!" Dehşet içindeydi Yunus. Tobiko'yu ne kadar sevse de bir ev dolusu ağzı bozuk işgalciye karşı durmaya hazır değildi. Sesi çatladı: "Ama ben... benim, Yunus! Gelebilir miyim lütfen?" Anlık bir sessizliğin ardından bir kahkaha dalgası yükseldi. Birkaç saniye sonra kapı aralandı. Eşikte şarkıcı Iggy Pop'a benzeyen bir adam duruyordu, üstüne gömlek giymemiş, tüysüz göğsünü açmıştı. Yunus'u görünce sırıttı. Omzunun üstünden seslendi: "Yanlış alarm, millet! Telaşa gerek yok! Bizim tıfılmış gelen!"

Sonra çocuğa döndü. "N'aber Yunus yahu?"

"Selam" dedi Yunus. "Geçiyordum da bir uğrayıp ne yapıyorsunuz diye bakayım dedim."

"Bomba gibiyiz valla! Birilerine gününü göstermeye hazırlanıyoruz" dedi beriki heyecanla.

"Kime?" diye sordu Yunus alçacık bir sesle.

"Otoritelere tabii ki, kime olacak?"

Otorite – Yunus'un hep duyduğu ama bir türlü anlayamadığı kallavi sözcüklerden biriydi. Bir keresinde ne demek olduğunu Tobiko'ya sormuştu, o da aklınca şaka olsun diye, "Türk babalarında bolca vardır, annelerinde asla olmaz, senin gibi gençlerde ise henüz bulunmaz" demişti.

Yunus da gözlerini koskocaman açarak, "Bıyık mı yani?" diye sormuştu.

Bu yüzden şimdi aynı sözcüğü duyunca Yunus işgalcilerin bıyıklı adamlara saldırmaya hazırlandığı fikrine kapıldı. Şaşkınlıktan öylece kalakaldı. Bu arada çocuğun kaygılarından habersiz olan Iggy Pop, sokakta şüpheli şahıslar bulunmadığından emin olmak için başını uzatıp sağa sola bakındı. Sonra Yunus'u tutup içeri çekti, kapıyı kapattı; çiviler ve tellerle tutturulmuş uyduruk bir tahtayı kapının arkasına boylu boyunca geçirerek sürgüledi. "Neler oluyor?" diye sordu Yunus. Ama adam çoktan merdivenleri tırmanmaya başlamıştı bile. Kafası karışan oğlan da onun peşine düştü. Üçüncü kata ulaştığında gözlerine inanamadı Yunus. Bütün işgalciler orada toplanmıştı. Kimisi kalın lastiklerden mancınıklar yapıyor, kimisi sopa, ok istifliyor, kimisi de cephane hazırlıyordu. Herkes galeyana gelmiş, ortak bir amaç uğruna azimle çalışıyordu. Hava, sigara dumanı, tütsü ve ot kokularıyla ağırlaşmıştı. Kırık bir çaydanlık ocağın üstünde buhar salmaktaydı, bezgin bir ıslıkla.

Kaptan bütün bu koşuşturmanın orta yerinde durmuş, izci başı gibi sağa sola emirler yağdırıyordu. Suratındaki ciddiyet bu kaosun içinde bir düzen, çılgınlığın ardında bir mantık olabileceğine dair tek ipucuydu. O anda Yunus'un aklından geçiveren sayısız düşünceden biri derhal çıkıp gitmek oldu. Ama Tobiko'yu görme ihtiyacı ve arzusu ağır bastı. Neredeydi o? Etrafa dikkatle bakınsa da bir türlü görememişti.

Punklardan birine –saçları dik dik, vücudu kadit, kavanoz dipli gözlüğünün ardında gözbebekleri kocaman bir çaylağa– yanaştı; cigaralıklarını başkalarıyla paylaşmaktan nefret eden ve sürekli dudaklarının arasında tutan bu tipe Bogart diyordu herkes bu yüzden. "Selam, n'aber?" "Selam bızdık! Bana yardıma mı geldin?" Yunus omuzlarını silkti. "Olur. Ne yapacağım?" "Bak şimdi, bu sıvıyı şişelere boşaltacaksın, tamam mı?" Böylece plastik huniyi alıp şarap şişelerine terebentin doldurmaya başladı Yunus. Bilmiyordu ki şu anda molotofkokteyli yapmaktaydı.

"Pofff, berbat kokuyor" dedi Yunus bir süre sonra. "Ne yapacaksınız bunlarla?"

"Otoritelere atacağız" dedi Bogart sakin sakin.

Yunus gerildi birden, çenesi seğirdi. "Sahi mi?"

"Evet" dedi Bogart. Sağ elini roket gibi kaldırıp havada bir eğri çizerek kanepeye doğru indirirken "Vuuuu", "Vaaaa" ve sonra da "Booom!" diye sesler çıkardı.

Yunus başka tarafa bakmaya zorladı kendini. Bu pis kokulu şişeleri ne demeye bıyıklı erkeklere fırlatacaktı ki işgalciler? Babasını kurtarmak için ne yapabilirdi?

"Bütün otoritelere mi saldıracaksınız?" diye sordu Yunus.

"Yok yahu. O kadarını yapamayız. Öyle çoklar ki namussuzlar. Tavşan gibi ürüyorlar" dedi Bogart.

"Şey... Ben şimdi geliyorum" dedi Yunus ayağa kalkarken.

"Tamamdır" dedi Bogart. "Görüşürüz ufaklık!"

Girdiği her odada benzer bir telaşla karşılaştı Yunus. Şaka değildi. İşgalciler savaşa hazırlanıyordu. Sonunda gördü Tobiko'yu. Bir kilimin üstünde tek başına oturmuş, kafası öne eğik, gözleri kapalı, derin meditasyona dalıp gitmişti. Yunus da yanına çöktü ve fırsattan istifade onun o benzersiz profilini seyre daldı. Kuzguni saçlarını, ebruli dövmelerini. Bu genç ve çulsuz haliyle, Tobiko'yu başlaması an meselesi olan savaştan nasıl kurtarabileceğini düşünmeye çalıştı.

"Sen mi geldin fıstık?" diye sordu Tobiko alçak sesle.

Kızardığını hissetti Yunus. "Nereden bildin?"

"Gözlerim aralıktı, şapşal." Ona doğru dönüp, yanağına bir öpücük kondurdu Tobiko. "Vay, ne kadar ciddi duruyorsun. Söyle, neyin var?"

"Neler olup bittiğini anlayamadım."

"Her zamanki terane, tabii ki" dedi Tobiko. "Belediye meclisi bizi kapı dışarı etmek istiyor. Bir ihbarname gönderip burayı boşaltmamız için bir hafta süre verdiler. Dokuz gün geçti üstünden. Yani her an gelebilirler!"

"Sizi niye çıkartmak istiyorlar ki?"

"Binayı kendileri gibi kalantorlara haraç mezat satabilsinler diye."

Konunun bıyıklı erkeklerle ilgisi olmadığını anlayan Yunus'un içi rahatladıysa da uzun sürmedi bu his. Evi saran buldozerlerin, polis arabalarının, ambulansların sesini duymaktan korkarak kulak kesildi bir an. Ama dışarıdaki tek şey rüzgârdı – sert, soğuk bir yel. Yavaşça soluk alarak sordu: "Nereye gideceksiniz peki?"

"Kimsenin bir yere gittiği yok" dedi Tobiko.

"Ama ev onların malı değil mi?"

"Hayır, değil minnoşum. Bazı evler herkesin malıdır. Bana sorarsan hepsinin öyle olması gerekir ya. Kapitalistler buna izin vermezler tabii. Bizim de birkaç kurtarılmış bölgemiz olabilir yani. Çok şey mi istiyoruz?"

"Bilmem" dedi Yunus.

Tobiko sırtını dikleştirerek bakışları kadar kararlı bir sesle sürdürdü sözünü: "Onların planı bizi sokağa atmak. Bizim planımız da direnmek. Unutma, sisteme karşı koymayan sistemin parçası olur."

"Belki fikir değiştirirler" dedi Yunus usulca. "Annem hep, Allah büyüktür, der."

Güldü Tobiko. "Bence Tanrı bizi unuttu. Tıpkı bizimkine benzeyen bir gezegeni daha var. Oralarda benden bir tane var, senden de. Bize benziyorlar ama biz değiller."

Dikkatle dinliyordu Yunus; sözcükler parmaklarının arasından dökülen kum taneleri gibi kaçsa da. Daha önce kimsenin Tanrı'dan şüphe ettiğini duymamıştı; hüzün çöktü içine.

"Annem O'nun bizi çok sevdiğini söyler."

"Sevgi mi?" derken öksürdü Tobiko, sözcük boğazına kaçmış da kurtulmaya çalışıyormuş gibi. "Sevgi kaypak şey. Ta-

242

mam, belki geçmişte bizi sevmiş olabilir ama artık sevmediğine eminim. Onun bütün derdi diğer gezegen, anlıyor musun? Tanrı bizi çoktan unuttu. Kendi başımızın çaresine bakacağız, hepimiz." Çocuğun gözleri büyüdü. Ellerine baktı bir an. Sonra mırıldandı: "İnsan sevdiğini unutmaz ki. Ben mesela seni asla unutmam."

Sonraki saat boyunca Kaptan yakınlardaki bir okuldan çalınmış bir karatahtaya savaş planlarını çizdi. Polis binayı basınca, bir tabura yetecek kadar cephane stokladıkları tavan arasına kaçacaklardı. İkinci kattaki yataklar ve üçüncü kattaki masalar barikat olarak kullanılmak üzere yan yatırılacaktı. Mevzilerin gerisinden öyle bir direneceklerdi ki, gazeteciler gelip takip edecekti onları. Sonra uluslararası basında yer bulacaktı bu hikâye. Ajanslar direniş fotoğraflarını yolladıkça, dünyanın dört bir yanındaki gençler onlara destek verecekti. Sonunda belediye meclisi zevahiri kurtarmak için geri çekilmek durumunda kalacak, işgalciler kapitalistlere galip gelecekti.

"Müthiş bir şey! Bu bizim 'Paris Komünü'müz olacak" dedi Bogart, ağzında yanan bir cigaralıkla molotofkokteyllerinin dibinde durarak.

"Yalnız Komün'ün sonu kanlı olmuştu" diye uyardı Iggy Pop.

Yunus kafasına pek takmamaya çalışsa da biliyordu ki eğer polis şu anda binayı basar ve onu işgalcilerle birlikte gözaltına alırsa, zavallı annesinin yüreğine inerdi. Buradan çıkmalıydı, hem de bir an evvel. Bu bir savaşsa şayet, onun meselesi değildi. Otorite denen kişiler kim olursa olsun onlara ne taş ne de şişe atmaya niyeti vardı. Ama işte bütün kafa karışıklığına rağmen bir yere gitmedi. Sıcak bir kucak arayan kedi yavrusu gibi sevdiği kadının yanında kaldı; yeni cephanelerin hazırlanmasına yardım etti, devrimci şarkılar dinledi, haşhaşlı patlamış mısır yedi.

Korktuğu çarpışma o gün yaşanmadı neyse ki. Birkaç gün sonra Yunus okuldayken, işgalciler ise beklemekten bitap düşmüşken oldu. Yaptıkları bütün provalara rağmen hazırlıksız yakalandılar; mücadele ettilerse de birkaç saat içinde hepsi tutuklandı.

İşgalcilerin çoğu kapsamlı bir emniyet taramasından ve epey azar işittikten sonra bir iki gün içinde salıverildiler. Bu arada belediye meclisi alelacele işçileri getirip evin etrafına tahta perdeler koydurdu. Duvarları, kapıları ve anıları yıkmaya başlamak için emir beklemeye başladılar. İşgalciler artık evsizdi.

Cemile

Cemile yakut kırmızısı safranı havanda dövüyordu. Elinde kalan son safran telleriydi bunlar. Başka malzemeler de azalmaktaydı. Mercanköşk, tarhun, beşparmak otu, biberiye... Dağlarda dolaşması, belki kaçakçılara uğraması gerekecekti. Fakat acil bir durum ya da bir doğum olmadıkça evden çıkmak gelmiyordu içinden.

Sabahı mahzende çalışarak, düşünerek geçirmişti. Bu dört metreye beş metrelik, karanlık, rutubetli, penceresiz yeraltı odası onun sığınağı, mabediydi. Bütün oda yerden tavana kadar tahta raflarla kaplıydı. Her rafta değişik boylarda kavanoz ve şişeler vardı. Yabani otlar, ağaç kabukları, kokulu yağlar, tohumlar, baharatlar, mineraller, yılan derileri, hayvan boynuzları, kurutulmuş böcekler... İksir ve merhemlerini yaparken kullandığı envai çeşit madde. Köstebek tünellerini andıran dört delik sayesinde havalanıyordu mekân. Yine de belirgin, kekremsi bir koku asılmış kalmıştı havada. Cemile almıyordu artık kokuyu. Oysa bir başkası girecek olsa sersemleyip fenalaşabilirdi. Ama buraya ondan başka kimse girmemişti şimdiye dek. Bundan sonra da girmeyecekti.

Son on beş yıldır her gün en az yarı zamanını bu basık odada, birilerinin her an kapısını çalıp talep edebileceği karışımları hazırlayarak geçirmişti. Şifacıydı. Aktardı. Kuşların, sürüngenlerin, böceklerin dilinden anlayan Kız Ebe'ydi. Hazreti Süleyman'ın berdevam torunlarındandı. Köylüler öyle diyordu onun için. Bu yaban yerde bir başına hayatta kalabilmesinin bir nedeni de buydu. İnsanlar ona karşı saygı, korku ve küçümseme besliyordu. Bu nedenle ilişmiyorlardı. Kadın olmayan bir kadındı o, iki âlem arasında gerili ipte dolaşan biri; yarı cadı, yarı peri. Mahzende olduğunda zaman dururdu Cemile için. Gece mi, gündüz mü bilemezdi. Önemi de yoktu zaten. Saatin dışında, kendi döngüsüne göre yaşardı. Bazen gündoğumundan günbatımına kadar kadim reçeteler hazırladığı, yenileri için deneyler yaptığı olurdu. Hiç sıkılmazdı. Yorucuydu evet, ama asla sıkıcı değildi. Her bir çiçek ya da mineralde Hakk'ın bahşettiği gizli kudretler vardı. İnsanlar emareleri gözden kaçırıyordu. Ökseotuna baktıklarında tek gördükleri ağaç gövdelerinde büyüyen parazit bir bitkiydi; ondan kan dolaşımına iyi gelen merhem elde edileceğini anlayamıyorlardı. İtimat. Cemile'nin başarması gereken buydu. Varlıklar bir kez sana itimat ettiler mi sırlarını açarlardı. Birden değil, peyderpey. O zaman bilirdin hangi bitki hangi derde devadır. Evrendeki her cisim, ne kadar albenisiz ya da ehemmiyetsiz görünürse görünsün, bir başka şeye yanıt olsun diye yaratılmıştı. Derdin olduğu yerde deva da vardı, üstelik şaşırtıcı yakınlıkta. Mesele görebilmekti. Cemile görebilenlerdendi.

Bilmediği yerlere seyahat etmek, yabancılarla tanışmak, ufkun ötesindeki kıtaları keşfetmek ilgisini çekmiyordu. Dünya binbir çeşidiyle dolu olsa da, insan dediğin her yerde aynıydı. Geceleyin aşağıdaki yamaçlarda kırpışan gaz lâmbalarını seyretmek yeter de artardı. Hak onu tabiatın sırlarını çözerek insanlığa hizmet etmekle görevlendirmişti. Ayrım yapmadan. Birçok hastalığı iyileştirmeyi bilse de, çözemediği daha nice muamma vardı. Uzun kollu rengârenk elbiselerin ve işli yeleklerin altına mutlaka bir şalvar giyerdi, gerektiğinde rahatça ata binebilsin diye. Gece ya da gündüz, her an her şeye hazır olmalıydı.

Yöre halkı onun hakkında bir sürü efsane uydurmuştu. Yaptığı ilaçların reçetelerini cinlerden aldığını söyleyenler vardı. Bazıları onun gizlice Kafdağı'na gittiğine inanırdı. Cemile bu saçmalıkları duyunca hayretle başını sallardı. Kahramanlara, destanlara ve mucizelere aç bir diyarda ondan üçünü birden bekliyorlardı. Oysa Cemile biliyordu ki kısmetinde olandan fazlası elinden gelmezdi. Kişinin maddi durumuna göre merhemleri için pazarlık ettiği olsa da ekseriya bedavaya hizmet verirdi. Kazandığı azıcık parayı yeni hammaddelere harcardı. Zehir de yapardı Cemile ama bunu daha az sayıda insanla paylaşırdı. Hayattaki her madde gibi zehri de tek taraflı görmemek gerekirdi. Bela olarak bakmak da mümkündü, şifa olarak da. İyinin ve kötünün ötesindeydi doğa. Derman veren, hasta edebilirdi insanı. Hasta eden, deva da olabilirdi. Cemile zehir yapmanın herhangi bir zanaattan farkı olmadığına inanırdı. Her zanaatkâr gibi o da ürününün kalitesinden sorumluydu, insanların onu nasıl kullandığından değil. Zehirleri tarla fareleri, sıçanlar, hamamböcekleri ve yılanlar içindi.

Alnı gaz lâmbasının ışığında parıldarken, bir kutu çıkardı. Ufak, beyzi, sedef bir kutu. İçinde bir taş vardı. Paha biçilmez bir taş. Fındıktan irice bir elmastı bu, kehribar renkli. Parmaklarının arasında tutup inceledi. Bu kadar özel bir taşa el koymak için birbirini boğazlayacak insanlar vardı. Aptallar! Kimse bir elmasın sahibi olamazdı ki; insan onun koruyucusu olurdu ancak. Her yeni "efendi", elmasın seyahatindeki bir moladan başka bir şey değildi. Cemile bunu anlamış ve kabullenmişti. Elmas bugün ondaydı ama yarın bir başka yerde olabilirdi pekâlâ. Hazır şimdi elindeyken, karışımlarını mükemmelleştirmek için kullanıyordu onu. Kimi taşlar bir sıcaklık yayardı; bir merhemin içinde durduklarında ona ruhlarını verir, malzemelerin harmanlanmasına yardım ederlerdi. Bu amaçla bulundurduğu mücevherler vardı ama elmas en iyisiydi.

Ta Nuh Nebi'den beri Mezopotamya yerlileri *Tanrıların Gözyaşları* derdi elmaslara. Onların gökteki yıldızlardan dökülen tozlardan veya fırtınalı gecelerde yıldırımlardan kopan kıymıklardan yapıldığına inanırlardı. Ne hayal gücü! İnsanlar anlayamadıkları bir cisimle karşılaştıklarında başlıyorlardı uydurmaya. Elmasla kıyaslandığında, yaz yağmurundan bile kısaydı insan ömrü. Seksen yaşında bir insan dirençsiz ve ihtiyarken, seksen yaşında bir elmas henüz bebek sayılırdı. Cemile kendi elmasının yaşını üç yüz ila dört yüz arasında tahmin ediyordu. Gençti daha. Bundan sonra binlerce yıl yaşayabilirdi, muhtemelen daha fazla.

Elmas hırsı söz konusu oldu mu ne fakir ile zengin arasında bir fark kalıyor, ne tamahkârlığın sonu geliyordu. Hiç elması olmayan biri muhakkak bir tane edinmek, elması olansa daha fazlasına erişmek istiyordu. Namussuzluk, açgözlülük ve zalimlik, genç yaşında bunların hepsini görmüştü bu elmas. Tüccarlar, gezginler, denizciler, askerler ve casuslar onu elde edebilmek uğruna ne ihanetler etmişlerdi birbirlerine. Onun girdiği hanelerde hizmetçiler hanımlarına hürmetle hizmet etmiş, hanımlar kocalarını çıkarcılıkla sevmiş ve kocalar kendilerini daha bir muktedir hissetmişlerdi. Muğlaklıklar netleşmiş, kur yapmalar evlilikle son bulmuş, dostlar düşmanlara, düşmanlar yandaşlara dönüşmüştü. Saf kardan yansıyan güneş ışığı gibi, kehribar elmas da çevresindeki her şeyi daha parlak ve net kılmış ama kendi karanlığını da beraberinde getirmişti.

Bir Bey'in armağanıydı. Önünde her türden insanın el pençe divan durmasına alışmış bir adamdı, saygı kadar korku uyandırırdı. Derken tek oğlu amansız bir hastalığa yakalanmıştı, hekimlerin pes ettiği yerde Cemile girmişti devreye. Sessiz sedasız, durmaksızın çalışmış, bir kızağı kırık buzun içinden çıkarır gibi, milim milim çekip almıştı çocuğu Azrail'in elinden.

Oğlan ilk kez gözünü açıp konuştuğunda ağlamıştı Bey. Gözyaşına alışık olmayan erkeklerin yaptığı gibi, katıla katıla. Bey ona para teklif etmişti. Cemile kabul etmemişti. Altın. Arsa. Çiftlik evi, arı kovanları, ipekhane... Her seferinde başını sallamıştı. Tam kalkmış gidiyordu ki, Bey elması çıkarmıştı ortaya. Kehribar Cariye diyordu ona. Taşın cazibesine kapılmıştı Cemile. Pahası değil, gizlediği bilmecelerdi onu çeken. Sırlarla dolu bir taştı bu.

"Lanetli diyorlar" dedi Bey. "Ne parayla alınır, ne zorla. Yalnızca safi muhabbetle birinden birine verilebilir, hediye olarak. Bana da öyle gelmişti. Ben de sana öyle veriyorum şimdi."

Bir an, elmas ile aralarında derin ve gizemli bir bağ oluştuğunu hissetti Cemile. Yine de reddetti. Ne var ki Bey kaçın kurasıydı. Cemile'nin taşın efsununa kapıldığını ama onu alırsa güvende olmayacağını hissettiği için çekindiğini anlamıştı. Israr etmedi. Aynı gece elması güvenilir bir ulakla gönderdi. O günden beri Kehribar Cariye'ye ev sahipliği yapıyordu Cemile.

İnsan ömrü kısaydı, bir kurtçuğunkinden farksız. Ya da ipekböceğininkinden. Âdemoğulları, Havvakızları tuhaf mahluklardı. Kurtçuğa benzetsen alınır, ipekböceğine benzetilmekten keyif duyarlardı. Böceklerden iğrenir ama parmaklarına uğurböceği konsa hayra alamet sayarlardı. Sıçanlardan tiksinir, sincaplara bayılırlardı. Akbabaları itici, kartalları heybetli bulurlardı. Sinekleri hor görür, ateşböceklerine bayılırlardı. Bakır ve demire ehemmiyet vermez, altına taparlardı. Ayaklarının altındaki taşlara dönüp bakmazken mücevherler için delirirlerdi.

Cemile'ye öyle geliyordu ki insanlar her hususta birkaç gözde seçiyor, geri kalanların kıymetini bilmiyorlardı. Halbuki hayat bir devridaim idi. O beğenmedikleri nesneler de en az beğendikleri kadar elzemdi. Bu âlemdeki her parça, bir başkasını geliştirmek, iyileştirmek, değiştirmek için yaratılmıştı. Ne sivrisinek ateşböceğinden önemsizdi, ne de pirinç altından.

Yüce Sarraf, böyle tasarlamıştı kâinatı.

Yukarıdan gelen seslerle daldığı düşüncelerden sıyrıldı. Birisi kapıyı yumrukluyordu. Ayağa fırladı, telaşla elması kutusuna koydu. Mahzende çalışmanın tek sakıncası buydu. Vadiden gelen sesleri duyamadığı için hazırlıklı olamıyordu. Soluk soluğa tırmandı merdivenleri.

"Aç kapıyı! Kız Ebe, neredesin?" Oturma odasına açılan kapağı kaldırdı, ellerini iki yana dayayıp bedenini üst kata çekti. Kapağın üstünü kilimle kapatarak mahzenin girişini sakladı. Tüfeğini kaptı. Nihayet kapıyı açtığında, birkaç ay önce karısının doğumuna yardım ettiği kaçakçıyı –bir buçuk bebeğin babasını– karşısında buldu. Tam bebeğin nasıl olduğunu soracaktı ki arkada duran adamı fark etti. Sırtında birini taşıyordu. Kan izleri. Yoğun, koyu.

"Cemile Bacı" dedi kaçakçıların reisi. "Bize yardım etmelisin." Anlamıştı Cemile. Suriye sınırını geçmiş olmalıydılar, mal taşıyarak. Çay, tütün, ipek, belki uyuşturucu. İşleri rast gitmemiş, pusuya düşmüşlerdi. İçlerinden biri vurulmuştu. Sırtlayıp buraya kadar taşımışlardı. Çok kan kaybetmişti adam, ruhu akıp gitmeye başlamıştı bile.

"Elimden bir şey gelmez" dedi Cemile. "Hastaneye gitmeniz lazım."

Bıyıklarının uçlarını kemirdi kaçakçı reisi. Ne meyus ne kızgın, sabırsız görünüyordu yalnızca. "Götüremeyiz, sen de bilirsin bizim kadar."

Sonra, sanki aralarında bir anlaşmaya varmışlar gibi yaralı adamı içerideki sedire yatırıp çıktılar. "Şayet ölürse arka bahçende ateş yakıver. Biz geliriz gömmeye" dediler gitmeden önce.

Yaralı adam köşeli yüzlü, gaga burunluydu. Düşük omuzlu, sıska, uzun boyluydu. Yaşını kestirmeye çalıştı Cemile. Yirmilerinin sonlarında olabileceği gibi kırkını aşmış da olabilirdi. Öylesine solgundu ki çehresi, tahmin yürütmek imkânsızdı.

Adamın başını olabildiğince dikkatlice kaldırdı, altına bir yastık koydu. Boğuk ve kısık, hayvansı bir ses çıkardı beriki, bir kurşun da boğazına takılmış gibi. Kan geldi burnundan. Nice zorluklar görmüştü Cemile o güne dek, birçoğunu da çözmüştü üstelik ama yaşadığı hiçbir şey şu anda hissettiği yılgınlığa hazırlamamıştı onu. Belki de onu zehirlemek daha iyi olurdu. Bacağı kırık bir at gibi acı çekmeden ölebilmeliydi. Bir ölçü baldıran yeter de artardı. Gizemli baldıran. Gerekli miktarı yutturabilse, eflatun bir uykuya yatırabilirdi adamı, dipsiz ve sabahsız bir rüyaya. Omuzlarını dikleştirdi Cemile, arpacı kumrusu misali düşünecek zaman değildi. Kurtarmak için her şeyi yapmalıydı. Yaralara odaklandı. Giysilerini keserek tamamen soydu adamı. Bedeninin zayıflığı, pisliği, bir bir sayılan kemikleri karşısında ağlayacaktı neredeyse. Üç büyük yarası vardı: biri bacağında, biri omzunda. Kritik olan üçüncüydü. Omurgaya yakındı. Her kim vurduysa arkasından ateş etmişti.

Cemile kurşunları çıkarmaya çalışırken yaralı defalarca acıdan bayıldı. Sonunda Cemile iki tam bir yarım kurşunu adamın etinden söküp almayı başardı. Sonuncu kurşun, sağ dizinin hemen altındaki, parçalanmıştı. Derine girmeye gerek görmedi. Olur da adam bu cehennemden kurtulursa böyle idare edebilirdi. Onun bir daha eskisi gibi olamayacağını biliyordu. Elmaslar gibi kurşunlar da birlikte yaşadıkları bedenlere ruhlarını verirdi.

Günbatımının son huzmeleri gökten çekildikten sonra bir sandalyenin üzerinde uyukluyordu Cemile, boynu tutuk. Bir önceki gece gibi bu gece de kötü bir his vardı içinde, soluğu kesiliyordu. Yaralı adamın iniltileriyle uyandı; sudan çıkmış bir balık gibi açılıp kapanıyordu ağzı. Bir mendili ıslatıp kurumuş dudaklarına dokundurdu.

"Azıcık daha, kurban olayım!"

"Kusura bakma" dedi Cemile şefkatle. "Ancak bu kadar

içebilirsin. Sonra gene veririm, söz."

Küfretti adam dili dolaşarak. Ateşi yüksekti. Bilinci gidip geliyordu. Doğru dürüst bir insan evladı mı acaba diye merak etti Cemile. Fark eder miydi? Öyle değilse uğraşmayacak mıydı sanki? Bir karısı ve çocukları vardı mutlaka. Şimdi ölecek olsa onu özlerler miydi? Tüm gece adamın başında nöbet tuttu. Sabaha karşı dayanamadı, kilimi kenara çekti, yerdeki kapağı açtı. Mahzende yapması gereken işler vardı, bir ilaç hazırlayacaktı – bu kez kendisi için: şu huzursuzluğunu bir nebze azaltacak bir iksir. Yataktaki hastaya şöyle bir göz attı. Saatlerce kesintisiz uyurdu herhalde. Deliğe doğru bıraktı bedenini ve basamakların üzerinde dengesini bulunca kapağı üstüne çekti. Kilimi yerine koyması mümkün değildi ama en azından kapak kapalı olacaktı. Olur da adam uyanırsa onun dışarı odun kırmaya filan çıktığını sanırdı. Ellerini çekti. Tok bir sesle kapandı kapak.

Ne var ki aynı anda yataktaki adam gözlerini açtı; etrafı dolaştı bulanık bakışları. Yığılmış odunlardan duvardaki tüfeğe kaydı gözleri, sonra yerdeki kapağa takıldı. Istırap dolu uykusuna dönmeden önce anlaşılmaz bir ifade geldi oturdu yüzüne. Mahzeni fark etmişti.

Esma

Kapıyı kapatıp derin bir soluk aldı. Son zamanlarda alışkanlık haline getirmişti gece yarısı kaçamaklarını. Herkes uyuduktan sonra banyoya kilitliyordu kendini. Mumu yakıyor, alevin her oynayışıyla yüzünün şekil değiştirmesini seyrediyordu. Aynada gördüğü buluğ çağındaki balık etinde kız değildi merak ettiği. Bu görüntünün altında ne olduğunu öğrenmek, henüz keşfetmediği diğer benliğiyle temasa geçmek istiyordu. Tanıdığı İngiliz kızların kendi odaları vardı, kapılarını diledikleri gibi kapatabiliyorlardı. O hariç. Eğer tutup Yunus'la paylaştığı odanın kapısını kilitleyecek olsa annesi başına korkunç bir şey geldiğini düşünüp dehşete kapılırdı. Bu yüzden seviyordu banyoyu – kendiyle baş başa kalabildiği tek yer burasıydı.

Kazağını, fanilasını ve nefret ettiği ten rengi sutyenini çıkardı. Memeleri sivriydi; mavi, tirşe damarları belirgindi. Taşıması gereken iki angarya olarak görüyordu onları, yeterince yükü yokmuş gibi. Daha bu sabah sınıftaki oğlanlardan biri arkasındaki raftan kitap alıyormuş numarasıyla göğüslerine dokunmaya çalışmıştı. Niyetini fark edip son anda kaçabilmişti. Bir grup oğlanın kıs kıs güldüğünü duymuştu. Birlikte planlamışlardı demek. Konuşmuşlardı bu konuda. Utançtan kıpkırmızı kesilmişti. Nefret ediyordu kız doğmuş olmaktan. Ne olurdu Esma değil de İskender olarak gelseydi şu dünyaya.

Gene aklına düştü, "Acaba erkek olsaydım neye benzerdim?" sorusu. Kahverengi göz kalemiyle kaşlarını kalınlaştırıp, ortada birleştirdi. Sonra dudaklarının üstüne bir bıyık çizdi. Ağabeyi onu görecek olsa kafasını sallar, "Çatlaksın sen, kızım!" derdi.

İskender hep Esma'nın bir tuhaf olduğunu söylerdi şaka yollu. Doğrusu Esma da kendini ayrıksı hissederdi; bir yerlerde bir karışıklık olmuş da bu aileye düşüvermişti sanki. O burada Toprak ailesinin bir ferdi olmaya çalışırken esas yazgısı bambaşka bir yerde bekliyordu belki de. "Bu benim kız kardeşim. Yalnızca kaybedenlerden hoşlanır" derdi İskender ne zaman onu birisiyle, özellikle bir oğlanla tanıştıracak olsa.

Bunu duyduktan sonra katiyen yanına yaklaşmazdı oğlanlar. Gerçi umurunda değildi Esma'nın. Kulağa tuhaf gelse de doğruluk payı vardı bu saptamada. Mağdurları, mazlumları severdi. Futbol seyrederken bile hep yenilen takımı tutardı.

"Sen hep salyangozlardan yana oluyorsun. Ah deli kız" derdi annesi.

Pembe vaktiyle bir hadiseye tanık olmuştu. Bir grup çocuk irice bir kurbağa bulup, hayvanı ters dönmüş büyükçe bir kâsenin içine hapsetmişlerdi. Derken oğlanlardan biri cebinden bir salyangoz çıkarıp oraya yerleştirmişti. Kurbağa derhal korkusunu unutup avına odaklanmıştı. Bu arada salyangoz tehlikeden habersiz, milim milim ilerleyerek çıkmanın yolunu arıyordu. Avazları çıktığı kadar bağrışan bir düzine çocuğun gözleri önünde kurbağa, salyangozu yemişti; avının yapışkan, tutkalımsı sümüğünü ağzından akıta akıta.

"Bütün çocuklar kurbağayı tuttular o gün. Ama sen olsaydın salyangozdan yana olurdun. Bazen senin için endişeleniyorum" derdi Pembe.

Okul bir âlemdi. Bir yanda Esma gibi, tipleri çirkin ile vasat arasında değişen, bitirme sınavlarına hazırlanan ve hocalardan başka kimsenin ilgisini çekmeyen *inekler*. Öbür yanda *kelebek-*

ler. Dersler umurlarında değildi bunların, hayata atılmak için öyle sabırsızlardı ki öğrenime bir dakika daha ayıracak halleri yoktu. En güzellerine *Barbiler* ismini takmıştı Esma. Barbiler yalnızca oğlanlardan konuşurlardı. Hangi oğlanın hangi kızdan hoşlandığı konusunda ayrıntılı bilgiler paylaşırlardı. Kimin kimle çıktığına dair kayıt tutar, *o işi yapıp yapmadıklarını* merak eder, bilmem kimin karnındaki şişliğin hamilelik olup olmadığı üzerine fikir yürütürlerdi. Sürekli birilerine sırılsıklam âşık olur, binbir dram yaşarlardı. En sevdikleri şey alışverişe çıkmaktı. Bir şey iyiyse "Süper ya!" derler, aksi takdirde "Ay ne iğrenç!"i kullanırlardı. Bu ölçütler yemekler, giysiler, hocalar, ebeveynler, hatta ülkeler ve dünya olayları için de hep aynıydı.

Barbiler anneleriyle âdet dönemlerini, hatta cinselliği konuşabilirlerdi. Esma ile Pembe arasında ise camdan duvarlar vardı. Ana kız bedenle ilgili tek bir kelime paylaşmaz, böyle bir konu yokmuş gibi davranırlardı.

Esma kendi mahallesindeki okula gitseydi durum farklı olur muydu acaba? Sınıf arkadaşlarının adları Tracey, Debbie ya da Claire değil de Ayşe, Ferah ya da Zeynep olsaydı daha mı kolay uyum sağlardı? Sanmıyordu. Kitap okumayı akranlarıyla takılmaya yeğlerdi. Oğlanları sıkıcı buluyordu, kızları da boş.

Seneler evvel Esma'nın ilkokul öğretmeni evlerine gelmişti. *"Bunca yıllık deneyimimle bir çocuğun parlak olduğunu görür görmez anlarım. Benim profesyonel görüşüme göre, Bay ve Bayan Toprak, kızınız son derece akıllı. Bu yeteneği harcamak yazık olur. Daha iyi bir okula gitmesi gerek."* Bayan Powell aileyi ikna ettikten sonra yeni okulun yöneticileriyle de konuşmuştu; her ne dediyse işe yaramıştı. Gönlü salyangozlardan yana olsa da Esma Toprak bir kurbağa sıçrayışı yapmıştı.

Yazar olmak istiyordu Esma ama kadın yazar değil. Kitaplarında kullanacağı takma adı bile belirlemişti: John Blake Ono — en çok beğendiği üç kişinin isimlerinden yarattığı bir

karışımdı bu: John Keats, William Blake ve Yoko Ono.
Kadın isimleri neden erkek isimlerinden bu kadar farklıydı ki? Kadınlara neden sanki hayal ürünüymüşler gibi masalsı ve rüyamsı isimlerin verildiğini merak ederdi. Erkek isimleri hep cesaret, iktidar ve yetki ihtiva ediyordu; mesela *Muzaffer*, *Faruk* ya da *Hüsamettin*. Oysa kadın isimlerinden yansıyan, kırılgan bir zarafetten ibaretti – porselen bir vazo gibi. *Nilüfer*, *Gülseren* ya da *Binnaz* gibi isimlerle, kadınlar bu dünyanın süsleriydi adeta; alaca bulaca kenar oyaları. Oysa o John B. Ono olmak istiyordu. Mert, metin ve erkeksi. Sutyene ihtiyacı olmayan bir isim.

Bıyıktan sonra bir de top sakal yapıp yüzünü inceledi. Faydası yoktu. Erkek kılığına girse de çekici olamıyordu. Keşke babasının ince hatlarını almış olsaydı, bir de annesinin gözlerini – yeşil, iri ve hafifçe çekik. Ama onun yerine tutup, anne babasının en iğreti özelliklerini almıştı. Burnu patatese benziyordu, saçıysa öyle kıvırcıktı ki taramak mümkün değildi, alnı fazla genişti. Çenesinde bir et beni vardı, nahoş, barut rengi bir çıkıntı. Annesine defalarca yalvarmıştı onu bir doktora götürüp beni aldırmaları için ama o hiç ilgilenmemişti. Güzel kadındı Pembe, herkes öyle söylerdi. Erkek kardeşleri de yakışıklıydı. Güzellik geni iki oğul arasında tatile çıkıp Esma'yı atlamıştı.

Melek gibi bir yüzü vardı Yunus'un. İskender de hoştu ama farklı şekilde. Yakıcı, kibirli bir çekicilikti onunkisi – *pis yakışıklı*'ydı, Barbilerin tabiriyle. Esma sınıf arkadaşlarından bazılarının ağabeyine abayı yaktığının ve sırf bu yüzden onunla arkadaş olduklarının farkındaydı. İskender bazen onu okuldan almaya gelir, ne hikmetse hep işe yarayan o sert ve soğuk bakışlarıyla etrafı keserdi.

"Böyle tipe hayır denmez!" diye fısıldaşırdı kızlar aralarında.

"Aynı *Baba* filmindeki Michael Corleone. Bir tek tabancası eksik!"

"Hadi ya, ağabeyimden mi bahsediyorsunuz?" diye homurdanırdı Esma, İskender'le Al Pacino arasında herhangi bir benzerlik göremediğinden.

Sesindeki iğnelemeyi duysalar bile dikkate aldıkları yoktu. İskender'i *dayanılmaz derecede erkeksi, seksi* buluyorlardı. Ama onun umurunda değildi. Kızlarla zerre kadar ilgilenmiyordu. O ilgilenmedikçe onlar da iyiden iyiye üstüne düşüyorlardı. Babaları evden taşındığından beri çok değişmişti İskender – nobran, aksi, kavgacı olmuştu. Sürekli arkadaşlarıyla takılıyordu, bir de sevgilisi olacak o kızla. Dünya görünmez düşmanlarla doluymuşçasına kum torbasını yumrukluyordu sabah akşam. Şayet ergen sıkıntısı dedikleri şey buysa, büyümek istediğini sanmıyordu Esma.

Yakın zamana kadar annesiyle arasından su sızmazdı. Memeleri büyümeye başlayınca her şey değişmişti. *Bekâret meselesi* Pembe'nin ilgilendiği tek konu haline gelivermişti. Esma'ya sürekli asla yapmaması gerekenler hakkında nutuk atıyordu. Bütün iletişim gücünü kurallar ve yasaklara vakfettiği için sohbet edemez olmuşlardı. Oğlanların yalnızca tek bir emel peşinde olduğunu söylüyor, sürekli tembih üstüne tembih yağdırıyordu. Oysa Pembe oğullarını aynı kısıtlamalarla yetiştirmiyordu. Hadi Yunus daha küçüktü diyelim, ama İskender'e karşı tutumu tamamen farklıydı. İskender'in her hareketini kollaması gerekmiyordu. İçinden geldiği gibi davranabilirdi. Alabildiğine serbestti.

Halbuki Pembe boşuna kaygılanıyordu. Esma karşı cinsle zerre kadar ilgilenmiyordu. Sıkıcı ve sığ buluyordu onları. Salyangozlar hem dişi hem erkekti. İnsanlar niye öyle olamıyordu ki? Esma'ya göre eğer Tanrı hepimizi salyangozlar gibi yaratmış olsaydı çok daha az gönül yarası ve ıstırap olurdu şu dünyada.

Cemile

Yataktaki hasta ateşler içindeydi. Cemile bebeklere yaptığı gibi dudaklarını alnına dokundurdu. Bileğini tuttu. Nabzı hem zayıf hem hızlıydı. Uzaklarda bir yerlerde çalınan davullar gibi geliyordu kalp atışları. Savaş sesleri gibi. Bir muammaydı insan bedeni. Mücadeleciydi. İnsanlar bunun pek farkında olmasa da gerçek bir savaşçıydı beden, ruhtan çok daha dayanıklıydı. Ama tüm cesur savaşçılar gibi onun da zaafları vardı. Bilinmeyenden korkardı. Direnmek, saldırmak, yıldırmak ve un ufak etmek için önce tanıması gerekiyordu düşmanını. Neye karşı savaştığını bilmezse galip gelemezdi. İşte Cemile'nin rolü bu noktada başlıyordu. Ezelden beridir onun gibi şifacıların esas yaptığı, hastaların güç toplamasına yardım etmekti. Cemile onları iyileştirmiyor, sadece bedenlerine destek veriyordu ki hastalığı atlatabilsinler.

Sirkeyle ıslattığı havluyu kaçakçının alnına koyarken nasıl bir adama yardım ettiği sorusu zihnini kurcaladı. Herkesin yaşamaya hakkı olduğuna dair en ufak şüphesi yoktu ama herkes ölümden döndürülmeyi hak ediyor muydu acaba? Ara sıra aklına düşen, bir türlü kesin bir çözüm geliştiremediği bir ikilemdi: İnsanlar kalbiselim doğup sonradan mı bozuluyorlardı? Yoksa daha ana rahmine düştükleri anda kötülük tohumlarıyla donanmış mı oluyorlardı? Kuran-ı Kerim hepimizin birer kan pıhtısından yaratılmış olduğumuzu söylüyordu. Şu anki hallerimizin ne kadarı o damlacıkta mevcuttu acaba, Cemile bunu bilmek istiyordu. Ne kadar saf ve kusursuz da olsa inci, istiridye kabuğunun içine giren bir toz zerreciğinden oluşuyordu. Demek ki çirkin bir cisim bile şahane bir varlığa dönüşebiliyordu.

Kucağına aldığı her yeni doğmuş bebeğin minik ayak parmaklarına, gül dudaklarına, mantı burnuna bakıp bu mükemmel yaratığın iyilikten başka bir şey barındıramayacağını düşünürdü. Öte yandan, dünyaya gelmesine yardım ettiği bebeklerin bir kısmı büyüyünce dolandırıcı, yalancı, haydut, tecavüzcü, hatta katil olacaktı. Eğer her bir çocuğun neye dönüşeceğini bilse aralarından bazılarını doğurtmamayı tercih eder miydi? İnanması zordu ama dünyaya getirttikleri bebekleri öldüren ebeler olmuştu. Hazreti İbrahim'in hikâyesinde olduğu gibi.

Berzo bir gün sekiz kızını alıp Urfa'daki Balıklı Göl'e götürmüştü. Naze ilerlemiş yaşına karşın bir kez daha doğum yapmak üzereydi, onlar da bari bu kez oğlan olsun diye dua etmeye gelmişlerdi ailecek. Etraf çok kalabalıktı, dua edenler, ağlayanlar. Gördükleri karşısında şaşkına dönen kızlar birbirlerine yanaşmışlardı, ürkek ve heyecanlı. Balıklara yem atmışlardı. Karşılarındaki duvarda çerçeveli bir Kâbe fotoğrafı asılıydı. Gece olunca havuzdaki balıkların Kâbe'ye yüzdükleri izlenimine kapılmıştı Cemile. Dönüş yolunda, babaları bu kutsal gölle ilgili efsaneyi anlatmıştı.

Kral Nemrut'un hırsının sonu yokmuş. Günlerden bir gün başmüneccimi, İbrahim adlı bir çocuğun doğumuyla saltanatının sonunun geleceğini söylemiş. Tahtından feragat etmeye niyeti olmayan Nemrut, imparatorluğunda doğan her oğlanın öldürülmesini emretmiş. Zengin fakir gözetmeden, hepsini. Böylece işe koyulmuş ebeler. Önce bebeklerin doğumuna yardım ediyor, sonra da erkek olanları boğuyorlarmış. Ama İbrahim'in annesi bu vahşetten kaçmayı başarmış. Bir mağarada kendi başına doğum yapmış.

İbrahim büyüyünce ceberrut Nemrut'a başkaldırmış. Öfkeden delirmiş kral. Genç yaşlı herkese, günler boyu yanacak devasa bir ateş için odun toplamaları emrini vermiş. Ardından İbrahim'i ateşe attırmış. Alevler peygamberin her yanını sararken, müminleri kendilerini yere atıyor, ağlaşıp bağrışıyorlarmış. Ama İbrahim, beyazlayan bir tutam saç dışında hiçbir yerine zarar gelmeden, yürüyerek çıkmış alevlerin içinden. Rab ateşi suya, yanan korları solungaçlara dönüştürmüş. İşte Urfa'daki kutsal göl ve içindeki kutsal balıklar böyle oluşmuş.

Berzo farklı bir adamdı bunları anlattığı gün, bakışları sertleşmemişti daha, gülümsemesi hâlâ içtendi. Her şey mahvolmadan önceydi bu. Her şey, birer birer.

Gene de yaşamından bir şikâyeti yoktu Cemile'nin. Kardeşleri gibi evlenip çoluk çocuğa karışmanın ona göre olmadığını baştan beri biliyordu. Pembe ile Âdem gittikten sonra babasını onu evlendirmemeye, bölgedeki ebelerin yanına yardımcı vermeye ikna etmişti. Bunun geçici bir istek olduğunu sanarak razı olmuştu Berzo. Ama Cemile sebat etmişti. Bugün tek üzüntüsü doktor olamamasıydı. Bir hastanede çalışmak, göğsünde Doktor Cemile Yeter yazan karbeyaz bir önlük giymek isterdi.

İki soğanı halka halka kesti; hastanın ayak tabanlarına keten bezlerle sardı. Adamın alnına koyduğu ıslak havluları gece boyu sık sık değiştirmeye devam etti.

Sabah kalbi çarparak uyandı. Kaçakçının ateşine baktı. Neredeyse normale dönmüştü. Yırtmıştı kefeni. Dışarıda şafak sökmüş, sakin bir sabah başlamıştı. Ağrıyan yerlerini ovalayarak kalkıp bir bardak soğuk su içti Cemile. Sessizce sobayı yaktı, kahvaltıyı hazırlamaya girişti. Bir parça tereyağını ısıtıp içine üç yumurta kırdı, üstüne de bir çimdik tuz ve biberiye serpti. Yemek pişirmekte maharetli değildi. Çoğunlukla basit yemekler yetiyordu ona, bakacak kimsesi olmayınca kendini geliştirmeye gerek duymamıştı.

"Kokuya bak. Ne yapıyorsun?"

Cemile sıçrayarak döndü. Kaçakçı yatakta oturuyordu; saçları karışmış, sarımsı kumral sakalı uzamıştı.

"Bir şey değil, yumurta."

Beğendiği anlamına gelebilecek bir ses çıkardı adam. "Sen kimsin?"

"Cemile. Ebe kadın."

"Doğum mu yapacağım yoksa?" dedi adam gülerek. Hemen ardından yüz ifadesi değişti. "Ne arıyorum burada?" diye sordu suçlayan bir tavırla.

"Vuruldun. Hayatta kalman mucize. Bir haftadır buradasın. Al, çay iç biraz."

Bir yudum almasıyla yere tükürmesi bir oldu adamın. "Bu ne be? At sidiği gibi!"

"Şifalıdır" dedi Cemile alınmamaya çalışarak. "İçsen iyi olur. Bir daha evime tükürmeye kalkma."

"Affedersin" dedi adam hırıltıyla. "Hayatımı kurtardın demek? Sana teşekkür borcum var desene."

"Allah'a teşekkür et sen. Kurtarırsa O kurtarır hayatları."

Bu fikir karşısında yüzünü buruşturdu adam; bir süre sessiz kaldı. "Baksana ebe kadın, sigaran var mı?"

"Sigara mı?" dedi Cemile. "Sigara içecek durumda değilsin."

"Hadi ama. Bir nefesçik."

Farklı duygular arasında bocalayan Cemile tütün kesesi ve sigara kâğıdı çıkardı. O sigarayı sararken adam da kadının ellerini seyrediyordu; sert, kuru ve kırmızıydılar, üstleri soyulmuş, avuç içleri odun kırmaktan nasır tutmuştu.

"Tuhaf kadınsın" dedi.

"Öyle diyorlar."

"Nasıl yaşarsın bir başına? Seni koruyacak bir erkek lazım."

"Karının yanında onu koruyacak bir erkek var mı şimdi? Eminim o da benim kadar yalnız. Kimi kadınlar evli de yalnız. Kimisi de benim gibi bekâr da yalnız."

Gözlerinde yarı şakacı bir pırıltıyla sırıttı kaçakçı. "Ben evlenirim seninle. Karım ses etmez. Arkadaş olursunuz birbirinize." Cemile sigarayı yakıp bir nefes çekti, dumanı üfledi. İsteksizce uzattı, adamın elinin parmak uçlarına dokunuşunu fark etmezden gelerek. "Sağ ol, pek lütufkârsın ama halimden gayet memnunum."

Şöyle bir süzdü adam, bir şey demedi. Sonra, burnundan sigara dumanları süzülürken yeniden konuştu: "Sınırı geçerken dört kişiydik. Öbür herife ne olduğunu söylediler mi sana?" Kafasını iki yana salladı Cemile, duymak istediğinden emin değildi.

"Mayına bastı. En fena şeydir, ha. Ne vurulmaktan ne hapse gitmekten korkarım mayından korktuğum kadar. Bana olmayacak ama. Tek parça gireceğim mezara. Tüm organlarım tamam olacak. Noksansız."

Ne diyeceğini bilemediğinden konuyu değiştirdi Cemile. "Çocukların var mı?"

"Üç oğlan. Bir tane de yolda. O da oğlan olacak inşallah."

"Kız yok mu hiç?"

"Var. Dört tane." Öksürdü, yüzü acıyla buruştu. "Gitmem lazım. Meraklanmışlardır."

"Güçlü ve sağlıklı haline ihtiyaçları var, yaralı haline değil. Biraz dinlen, gidersin."

"Hatırladım" dedi adam. "Senin hakkında konuştuklarını duymuştum."

Dolaptan yuvarlak bir bakır tepsi çıkardı Cemile. Bazlama, çay ve cızırdayan yumurta tavasını koydu. Dikkatle adama götürdü.

"Cin taifesinden kocan varmış, aysız gecelerde ziyaretine gelirmiş. Bu gizli reçeteleri sana veren oymuş."

"Cin taifesinden koca mı?" Cemile güldü elinde olmadan.

"Korkarım herkes gibi insanım ben de. Hayatım sandığından sıkıcı."

Bu sözler ağzından çıkar çıkmaz pişman oldu. Adamın onu sıra dışı bir yaratık sanması daha hayırlıydı aslında. İnsanlığını, faniliğini, kırılganlığını göstermemeliydi. Ne ona ne bir başkasına. Kalbinin sırçadan olduğunu bilseler muhakkak kırarlardı.

Yunus

5 Mayıs 1978

Londra

İşgalcilerin tutuklandığı gün polis Tobiko'yu yaka paça götürmüştü. Salıverildikten kısa süre sonra ise ortadan kayboldu. Kimse nereye gittiğini bilmiyordu. Endişelenen Yunus, işgalcilere komşu evin kapısını çaldı. Yaşlıca bir adam kapıyı aralayıp zincirin arkasından baktı. "Affedersiniz, efendim. Bir arkadaşımı arıyorum da. Siyah saçlı, dövmeli bir kız. Şuradaki evde yaşardı."

"Tımarhanede mi yani?"

"Eee... Şeyyy..." Ne diyeceğini bilemedi Yunus.

"Siyah saçlı, dövmeli kız görmedim. Görmek de istemem. Umarım hiçbiri gelmez bir daha" dedi adam. "Defolup gittiler de kurtulduk." Sertçe kapandı kapı.

Kimsenin ona yardım edemeyeceğini anlayan Yunus, Tobiko'yu kendi başına aramaya karar verdi. Bisikletiyle sokak sokak dolaşıp Tobiko'yu andıran her kadının arkasından giderek pazaryerlerine, süpermarketlere, çamaşırhanelere baktı.

Yani o gün, kafası darmadağınık bir halde, Rio Sineması'nın köşesini döndüğünde bulmayı umduğu kişi Tobiko'ydu. Oysa uykulu gözleri, bir çiçekçinin önünde, sırtları ona dönük halde durmuş bir çifte takıldı. Onu çeken şeyin ne olduğunu bilmiyor, ama gözlerini onlardan ayıramıyordu. Adam uzanıp kadının bileğine dokundu, sevgiyle, hafifçe. Kadının ince bedeni sanki her an başını onun omzuna yaslayabilirmiş gibi eğilmişti adama doğru. Birden midesinde bir rahatsızlık hissetti Yunus, kulakları uğulduyordu. Kadının kestane rengi saçları, kısa kollu, sarı düğmeli, yeşil elbisesi, belinin biçimi, kolunun o hoş ve zarif hareketi... Hepsi ne kadar tanıdıktı. Yüreği hızlandı. Benzi atmış, dudakları gerilmişti. Kadının kulağına bir şey fısıldadı adam. Kaza eseri, istemeden, insanı mahcup eden türden bir temas olabilecek bu kısacık, hızlı dokunuşa hafifçe yan dönüp gülümseyerek karşılık verdi kadın. Sağ yanağındaki gamzesi göründü. Annesiydi! Yunus bisikletini ters yöne çevirip hızla pedallara bastı. Üzerine yığılıveren şok ve panik katmanının altında, beyninin bir bölümünü meşgul eden bir merak vardı: Annesini daha önce hiç böyle görmemişti, bu kadar şen, bu kadar genç. Hem annesiydi az önce gördüğü kadın, hem de ondan farklıydı. Bir mutluluk halesi altında, satın aldığı o papatyalar gibi ışıldıyordu.

O akşam eve geldiğinde balmumundan bir bebeği andırıyordu Yunus; solgun ve çökkündü. İskender'le Esma onu Madame Tussauds'daki heykellere benzeterek alay ettiler. Pembe, midesini bozmuş olabileceğinden endişelenip nane-limon içirmeye çalıştı. Ama Yunus onların tüm girişimlerini reddedip erkenden yattı.

Ertesi sabah uyandığında yine altına yapmıştı.

O SENİN KARDEŞİN

Esma

12 Mayıs 1978
Londra

Akşam Tarık Amca ve Meral Yenge çocuklarıyla misafirliğe geldiler. Yemekten sonra birlikte dizi seyredip, meyve yediler. Meral Yenge'nin ekrandaki karakterler hakkında uluorta yorumları sayılmazsa kimse pek konuşmadı. Babalarının yokluğu böyle zamanlarda çöküyordu üstlerine. Ondan bahsetmek de tuhaf geliyordu, bahsetmemek de.

Geç vakit, misafirler gittikten, evdekiler yattıktan sonra yine banyoda aldı Esma soluğu. Tam aynanın önünde durmuş, kendini incelerken kapı çalındı.

"Dolu!" diye seslendi.

Çekingen ama ısrarlı bir tıklama daha geldi. Açtı, baktı, Yunus duruyordu karşısında, çizgili pijamasıyla.

"N'apıyosun bu saatte ayakta?"

"Çişim geldi."

Kolunun altındaki çarşafı fark etti Esma. "Yoksa gene altına mı yaptın?"

Gözlerini kaçırdı çocuk. Kısa bir sessizlik oldu.

"Peki. En iyisi sen o çarşafı bırak. Ben bakarım çaresine."

Anlık bir tereddütten sonra mahcup, müteşekkir uzattı Yunus suçunu. Esma onun odasına döneceğini sandı, oysa o yarı açık kapıdan bakarak beklemeyi tercih etti.

"Ne diye yatağına işeyip duruyorsun ki?" dedi Esma bezgince. O kocaman, masum gözlerine, kepçe kulaklarına bakıp gülümsedi hemen ardından. "Kızmadın di mi ufaklık? Kalbini kırmak istemedim."

"Iıh, kızmadım. Canım sıkkın biraz."

"Hadi ya, neden?"

"Söyleyemem" dedi Yunus tedirgince. "Sır."

"Bana bak, sır tutmak zor iştir ha! Kral Midas'ı biliyorsun."

"Yok, kim o?"

Devasa kulaklarını gizlemek için sürekli şapka takan kralın hikâyesini anlattı Esma. Durumu bilen tek kişi berberiymiş, kimseye söylemeyeceğine söz vermiş. Ama gidip su kenarındaki kamışlara anlatmış. Derken biri gelip kamışlardan kaval yapmış. Aynı kavalla konser verilince, kralın kulaklarının eşek kulakları olduğunu duymayan kalmamış.

"Yani sırrı kimseye anlatmayayım, öyle mi?" dedi Yunus hikâye bitince.

"Eğer önemli bir meseleyse, en iyisi kendine sakla. Kimseye güvenme."

Hüzünle baktı çocuk ablasına. Dönüp koridorda gözden kayboldu. Ardından bakarken içine bir kurt düşüverdi Esma'nın. O, ayna önlerinde kendi kendisiyle uğraşırken burnunun dibinde bir şeyler olmaktaydı galiba, haberi bile yoktu.

Seneler sonra tekrar tekrar düşünecekti o anı. Keşke zamanı geri almanın bir yolu olsaydı. Hiç olmazsa dönüm noktalarını. Şayet o gece başka türlü davranmış olsaydı, Yunus'u susturmak yerine dikkatle dinleseydi, belki uyanır, her şey hızla felakete sürüklenmeden evvel annesini ikaz edebilir, aileyi koruyabilirdi. O zaman ne kimse ölür, ne İskender hapse düşerdi.

Cemile

22 Mayıs 1978
Fırat Nehri yakınlarında bir köy

Akşamüzeri odun toplamak için evden ayrıldı Cemile. Dönüşte bir kayanın üstüne oturup kuşağına sakladığı mektubu çıkardı. Başladı yeniden okumaya.

Cemilem, Sevgili Bacım,

Seneler var ki sana mektuplar yazarım. İyi kötü her şeyimi paylaşırım. Ama bu sefer başka. Bunu yazmak var ya, en zoru. Lakin sana hep doğruyu söyledim. Şimdi de öyle olmalı. Biriyle tanıştım. Ne olur hemen çatma kaşlarını. Lütfen kızma, ayıplama. Ben zaten her gün, her dakika didikliyorum kendimi, inan. Lime lime yüreğim. Senden başka kimseye tek kelime etmedim, edemem. Bizimkiler bilmiyor. Korkudan, tasadan, evhamdan delirmek üzereyim. Fakat bir yandan sevinç ve umut doluyum. Ne garip değil mi?

Bunca zaman hep dedim ki kalbim kupkuru. Güneşte bırakılmış deri parçası misali. Senden ve çocuklarımdan başka kimseyi sevemem dedim, emindim. Hele bir erkeği, zinhar. Fakat yanlış anlama, zannettiğin gibi değil. Eli elime değmedi. Dost oldu bana bu insan, gurbet elde yoldaş oldu. Nasıl yalnızım burada, bir bilsen.

Biliyor musun, o bir aşçı. Senin gibi, otların, baharatların dilinden anlıyor. Londra sokaklarında insanlar eylem yapıyor. Herkes herkese öfkeli. O hariç. Diyor ki yemek yapmak sabretmeyi bilenlerin harcıdır. Birçok memlekete gitmiş. Kaplumba-

*ğa gibi sırtında taşıyor evini. O da benim gibi yabancı.
Biliyorum, kızdın bana, içerledin. Biliyorum, duysalar ki
ben bu adamla görüşüyorum, neler derler arkamdan. Babam
geliyor aklıma: "Kızlarımdan biri şanımıza leke getireceğine
Fırat'ta cesedi yüzsün, yeğlerim." Hediye kaçtığında böyle söy-
lemişti, hatırlıyor musun? Söyle bana Cemilem, ne kötülük var bunda? Kime ne zararı
var? Hem insan kalbine nasıl söz geçirir? Bunca zamandır
kördüm, gözlerim açıldı, şimdi ise ışıktan korkuyorum. İsti-
yorsan çat bana; senin sitemin gül, azarın yasemin. Kız bana,
kabul, ama ne olur sev. Hep sev. Sonsuza dek...*

*Bacın, daim duacın,
Pembe*

Mektubu katlarken iç çekti Cemile. "Kim bu adam?" diye
düşündü. Neyin nesi? Evli barklı kadının elin crkeğiyle bu-
luşması, saf bir niyetle de olsa, arkadaşlık kabilinden de olsa,
yakışık almazdı. Âdem'in umurunda olmayabilirdi bu durum
ama Pembe'ye kara çalmaya dünden hazır insanlar vardı.
Derken bir şüphe düştü içine Cemile'nin: Yoksa âşık filan mı
olmuştu Pembe? Yapar mıydı böyle vahim bir hata? Diyelim
Âdem çekti gitti, evlenir miydi bu aşçı onunla? Vatansız ada-
ma güvenilir miydi? Üstelik yabancıydı. Düşündükçe eli ayağı
buz kesti. Kardeşi her ne kadar "aramızda bir şey yok, gur-
bette bana yol arkadaşı" dese de elâlem dedikodu yapacaktı.
Pembe'yi yaklaşan tehlikeden uzaklaştırmak zorundaydı.

Bunları düşünerek eve ulaştı, sırtında koca bir öbek kuru
dalla içeri daldı. Ocağın yanına bıraktı yükünü soluk soluğa.
Kaçakçının sedirde olmadığını fark etti göz ucuyla. Gülümse-
yerek etrafa bakındı. Derken adamı gördü, elinde tüfek vardı.

"Cemile hatun, gel hele... Gizlisi bol bir kadına benziyorsun"
dedi adam silahı doğrultarak. "Ne sakladığını merak ediyorum."

"Ne olacak? Yaptığım ebelik. Para pul ne gezer bende?"

"Göreceğiz bakalım. Önce beni şu mahzene indir hele."

"Nere...yee?" diye kekeledi Cemile. *Nereden biliyordu ki mahzeni?* "Bir şey yok orada. Ivır zıvır sadece."

"İyidir ıvır zıvır" dedi adam. "Hadi, göster yolu."

Cemile'nin kimseden emir almaya alışık olmayan bedeni gerildi, direndi.

"Yürü, yoksa kafanı uçurur, köpeklere yediririm" diye tısladı adam.

Cemile isteksizce kilimi kenara çekip kapağı kaldırdı, adam aşağıya bakabilsin diye bir adım geri çekildi.

"Yo" dedi beriki. "İkimiz beraber iniyoruz. Düş önüme."

Cemile önde, adam arkada, indiler basamakları.

"Pöf, bu ne be?" dedi adam mahzene ayak basar basmaz. Senelerdir ilk defa Cemile kokunun farkına vardı – keskin, baharlı, baygındı; tüm mekâna sinmişti. Bu arada adam etrafı kuşkuyla inceledi. "Vay, ne acayip şeyler var burda" diye homurdandı. "Tahmin ettim. Cadının tekisin zaar. De bakalım, ne hazine saklıyorsun?"

"Sadece otlar ve ilaçlar var. Devalar, merhemler. Seni de iyi ettim, unuttun?"

"Hani şifa yalnız Allah'tan gelirdi" diye terslendi adam. Sonra birden tüfeğin ucuyla dürttü Cemile'yi. "Hakkaten eline erkek eli değmedi mi? Vah yazık. Şu işimizi bitirelim, bir tadına bakayım ha, Kız Ebe?"

Arsızca her tarafı karıştırmaya başladı. Şişeleri boşaltıyor, kavanozları açıyor, her şeyi kırıp döküyordu. Cemile'nin kalbi deli gibi atıyordu. Kehribar Cariye oracıkta, rafın üzerindeki kutusunda uyuyordu. Tam adam elmasa yaklaşmıştı ki Cemile bir gayret atıldı: "Hadi gel, yukarı çıkalım."

"Ne varmış yukarıda?"

"Yemek yaparım sana, ayaklarını yıkarım."

Sözleri bıçak gibi yardı havayı. Kaçakçı durdu. "Sen beni aptal sandın?"

Paniğe kapıldı Cemile. "Yok, ne münasebet? Akıllı adamsın." "Ya ne demeye yağ çekiyorsun şimdi bana? Ne oldu birdenbire?" Cemile yaptığı hatayı fark etti. Gayriihtiyari rafa kaydı gözü. Bakışlarını takip eden kaçakçının elması bulması uzun sürmedi. "Üff, seni adi karı! Şuna bak! Servet lan bu. Nereden çaldın bunu?" "Hediyedir" dedi Cemile yılgınlıkla. "Külahıma anlat sen onu" dedi adam elması cebine atarken. "Hadi, dön bakalım. Yukarı çıkıyoruz. Sen önden. Numara yapmaya kalkma, pişman ederim." Tam merdivene doğru hamle etmişti ki Cemile, tüfeğin kabzasıyla kafasına vurdu adam. Öne doğru savrulurken alnını demir basamağa çarptı, bayıldı. Ancak saatler sonra kendine geldi. Başı dönüyor, midesi bulanıyordu. Şakaklarındaki ağrı öyle şiddetliydi ki gözünü açmaya cesareti yoktu. Sakat bir kedi yavrusu gibi yerde inildedi. Nice sonra usulca ayağa kalktı, gözlerinin karanlığa alışmasını bekledi. Aç biilaç bir ordu tarafından talan edilmiş gibi darmadağınıktı mahzen. Yana devrilmiş sedef kutuyu gördü. Kaçakçıya elmasın efsanesini anlatmaya fırsat olmamıştı. Lanetliydi halbuki. Kimse el koyamazdı ona, zorla alamazdı.

Her adımda yüzünü acıyla buruşturarak yukarı tırmandı. Üst kata ulaştığında dış kapının açık olduğunu gördü. Vadiden ne bir çıtırtı geliyordu, ne bir esinti. O durgunlukta birden her şey tehditkâr göründü gözüne. Bunca yıldır onu besleyip kollayan toprak, tuzaklarla doluydu şimdi; akreplerle, çıyanlarla, hırsızlarla... Ağlamaya başladı. Günün geri kalanı kahredici bir yavaşlıkta geçti. Dışarı çıkmadı. Namaz kılmadı. Tek lokma yemedi. Kucağında bir bardak suyla sedirde oturdu, kalakaldı. Dışarıda güneş batmaya başladı.

Nice sonra sesler geldi kulağına. Adamlar. Atlar. Köpekler. Avuçlarıyla sildi gözlerini, parmaklarındaki nasırların sertliğini hissetti. Tüfeğine bakındıysa da bulamadı. Onu da almıştı adam. Bir kama kaptı ama elleri öyle titriyordu ki kullanacak gücü olmadığı aşikârdı. Kamayı bırakıp kapıya yollandı, alın yazısı neyse yüzleşmeye kararlıydı. Alacakaranlığın içinden dört atlı çıkageldi. Aralarından biri atından inip Cemile'nin yanına vardı. Kaçakçıların elebaşıydı, hemen tanıdı onu. Karısının bir buçuk bebek doğurmasına yardım ettiği adamdı; yaralıyı getiren de oydu.

"Cemile... Bacım. Girebilir miyim?"

Bir şey demeden kenara çekilip yol verdi Cemile. Alnındaki morluğa, şiş gözlerine baktı kaçakçıların reisi. "Fazla kalacak değiliz. Kâfi rahatsızlık verdik. Olanlar için özür dilemeye geldim. Merhametine layık değilmiş o herif."

"Nerede şimdi o?"

"Artık sana zarar vermez, meraklanmayasın."

"Adı neydi ki? İsmini bile bilmiyorum."

"Harun" dedi adam. "Mezar taşına yazarlar gayri."

Sözcüklerin anlamını kavraması birkaç saniye aldı. Soluğu kesildi. "Ne?"

Ama adam cevap vermek yerine şalvarının cebinden iki ipek kese çıkardı; biri al, biri kara. Cemile'nin ellerine uzandı, bir uzun an gözlerinin içine baktı. Sonra sol avucuna kırmızı keseyi koydu. Sağ avucuna ise siyahı. "Sana getirdim" dedi. "Benden hediyedir." Ve kadının bir şey demesini beklemeden çıktı gitti.

Cemile korkuyla açtı al keseyi. Kehribar Cariye vardı içinde. Diğer keseyi çözdü sonra. İçinde bir çift kulak buldu. Acıklı, üzgün, kanlı. Ancak o zaman anladı Cemile aslında her iki kesenin de aynı kumaştan yapılmış olduğunu. Kandı bunun rengini koyulaştıran. Ve bunlar kaçakçı Harun'un kulaklarıydı. Onca mayından paçayı kurtarmış ama yine de bütün organlarıyla birlikte gömülememişti.

Birden dışarı fırladı Cemile. Bir an kaçakçıların reisinin

gitmiş olmasından korktu. Ama sonra patikanın aşağısında gördü onu ve adamlarını.

"Bekle! Beni bekle!" diye bağırdı Cemile boğazı düğümlenerek.

Elebaşı atının dizginlerine asıldı. Adamları da. Yanlarına varınca duraladı önce Cemile, ne diyeceğini bilemedi. Bir tutam saçı kulağının arkasına sıkıştırıp başörtüsünü düzeltti. "Yardımın lazım" dedi.

"Anlat hele."

"İngiltere'ye, bacımın yanına gitmek istiyorum. Bana ihtiyacı var."

Adamlar bakıştılar.

"Ne pasaportum var ne param. Başka yollardan halletmeli, sizin yollardan." Cemile avucunu açtı. "Kehribar Cariye'yi kalben vermeye iznim var. Gönlümün seçtiğine. Ben de seni seçtim. Zengin olursun; uğursuzluk getirmez, yemin sana."

"Seni yurtdışına çıkarmam karşılığında elması mı teklif ediyorsun?"

"Doğrudur."

Elebaşı kaşlarını çattı, posbıyıklarının uçlarını çekiştirerek düşündü bir süre. "Kolay değil. Suriye'ye geçmeye benzemez."

"Bu işleri ayarlayanlar var ama. Ahmet'in oğlunu hatırlarsın? O gitmedi mi? Hangi ülkeydi? İsviçre? Kamyona saklamışlardı, değil mi? Bir şekilde olmuştu."

Kelimeler birbiri ardınca döküldü ağzından. Bilmediği ve dizginleyemediği bir hararetle, ruhunun derinliklerinden gelen bir ivedilikle konuşuyordu. Bu arada elebaşı kıpırdamadan seyretti. Onun çukura kaçmış gözlerinde aynı anda birçok duygunun dolaştığını gördü Cemile: hayranlık, merhamet ve gizli bir sevda. "Elimden geleni yaparım" dedi adam. "Nasipse olur."

Cemile elması uzattı. "Al bunu. Allah razı olsun."

O zaman adam Cemile'yle değil rüzgârla konuşuyormuş gibi diğer tarafa çevirdi yüzünü. Boğuk bir sesle ekledi: "Sende kalsın. Senin hakkın sana." Ardından, başını hafifçe eğip atını mahmuzladı. Adamları onu takip etti. Onlar uzaklaşırken arkalarından baktı Cemile; nalların kaldırdığı toz bulutu, hüzünlü bir hatıra gibi dört yanını sarmaladı.

İskender

O cumartesi boksa gitmedi İskender. Kate ile buluşmadı. Başka planları vardı. Sabah dokuzu on geçe çıktı evden. Ilık bir rüzgâr yüzünü okşuyordu. Ceketinin yakasını kaldırıp tempolu bir yürüyüş tutturdu. Bir erkeğin yürüyüşünün onun hakkında çok şey söylediğine inanırdı – kusurları, zekâsı, cesareti adımlarından okunurdu. İleri doğru hamle eder gibi yürürdü o hep, gelip geçenleri tartarcasına omuzları dik ve çenesi havada.

Oğlanlar *Alâeddin'in Mağarası*'nda bekliyorlardı. Arkalarda plastik bir masanın etrafına toplaşmışlardı. Yaklaşırken bir selam çaktı İskender başıyla. Onlar da aynı şekilde karşılık verdiler. Gözlerindeki saygıyı fark etti – babasının kimseden, hatta kafa dengi kumar arkadaşlarından bile görmediği bir hürmetti bu.

"Selam" dedi İskender ortaya. "Arşad nerede?"

"Daha gelmedi" dedi Ferit – kısa boylu, güler yüzlü Faslı bir oğlan.

"Belki tırsmıştır" diye ekledi Aziz, aralık dişlerini ortaya çıkaran bir sırıtışla. "Geçen hafta olanlardan sonra haksız sayılmaz hani."

Gergin geçiyordu yaz. Her gün tatsız haberler geliyordu. Göçmen erkekler sokakta tehdit ediliyor, kadınlara laf atılıyor, çocukların üstüne tükürülüyordu. Geceleri karanlık eller evlerine taş atıyor, ipte kuruyan çamaşırlarını pisletiyor, posta kutularına çamur bırakıyordu. Ama en beteri altı gün önceki hadiseydi.

Haziranın on birinde, sabah erken saatlerde, üzerlerinde Ulusal Cephe* tişörtleri ve rozetleri olan Dazlaklar, Brick Lane'in** başında toplanmaya başladı. Öğlene doğru sayıları epeyce arttı. Kâh yürüyerek, kâh bisikletleriyle, kâh araba, kâh minibüslerle geldiler; kimi civardan, kimi uzaktan. Sonra gövde gösterisi başladı. İşin garip yanı etrafta tek bir polis bile yoktu. Göstericiler bağıra çağıra göçmenlerin dükkânlarına saldırıp camı çerçeveyi kırmaya, özel mülke zarar vermeye başladıklarında bile gelmedi polis.

Bunları düşünerek kafasını salladı İskender. "Gidişat iyi değil" dedi.

Kafenin sahibi Alâeddin'in yaklaşmasıyla bölündü sohbet. Ellilerinde, tıknaz bir adamdı. Gülümseyerek yaklaştı oğlanlara ama yalnızca İskender'le tokalaştı. Ona okulunu, annesinin nasıl olduğunu, bu zor günlerde amcasının işlerini sordu. İskender kısa kısa yanıtlar verdi tüm bu suallere.

"E, ne yiyeceksin?" dedi Alâeddin. "Arkadaşların seni bekledi sipariş için."

İskender'in hoşuna gitti bunu duymak. "Bir misafir bekliyoruz. O da gelsin."

Alâeddin'in topallayarak uzaklaşmasını izlediler. Âlicenap, diğerkâm adamdı, ağzından daima tatlı kelam çıkardı. Hep şükrederdi haline. Sağ bacağı soldan kısaydı. *Çocukken hastalanmışım,* derdi açıklama yapmak zorundaymış gibi. *Anam çok uğraşmış ama ilaç yokmuş, ne yapsın. Buna da şükür. Daha fena olabilirdi.*

İskender Aziz'e dönüp sordu: "Dazlakların yediği başka haltlar var mı?"

---

* *National Front:* İngiltere'de 1967'de kurulmuş aşırı sağcı, ırkçı parti.
** *Brick Lane:* Londra'nın Doğu Yakası'nda, daha çok Müslümanların, özellikle de Bangladeşli göçmenlerin yaşadığı sokak.

"Dün Bangladeşli bir çocuğu dövmüşler. Arşad'ın evinden biraz ötede kanlar içinde bulmuşlar. Son bir ay içinde dördüncü vaka!"

İskender dudaklarını kemirdi.

"En çok neye deli oluyorum biliyor musunuz" diye ekledi Aziz. "Bu ırkçıların tutup ırkçı olmadıklarını iddia etmelerine. Biz realistiz, diyorlar. Yalana bak!"

"Bütün ırkçılar yalancı olmak durumunda zaten..." dedi Sonny.

"Nasıl yani?"

"Ya başka nasıl inanır ki insan herkesten üstün olduğuna?" dedi Sonny. Adı Salvatore'ydi ama babası dahil herkes Sonny derdi ona. Ailesi Sicilya'da bir köyden göçmüştü. İngilizceyi öyle hızlı ve aksanlı konuşurdu ki ekseriya söylediklerinin yarısı anlaşılmazdı.

"E, ne zaman geliyor bu herif? Meşhur Çençen?" Çiko'ydu bu soruyu soran. Babası Faslı, annesi İspanyol'du.

"Öyle deme be" diye çıkıştı Aziz. "Sen de herkes gibi Hatip desene herife."

"Ha Hatip ha Çençen! Ne derler, bilirsin. Aptallar konuşur, akıllılar susar! Bu adam da ha bire konuşuyor."

Bu lafları dinleyen İskender yüzünü asıp arkasına yaslandı ve bu hareketiyle masadaki keyifli gevezeliğe son verdi bir anda. Ortam ciddileşti. Dedi ki, "Yarım saate Hatip burada olur. Biz erkenden toplanıp konuşsak iyi olur diye düşündüm. Sululuğun sırası değil."

Çiko gözlerini indirdi. Diğerleri de susup havaya girdiler.

"Dazlakların niyeti bizi bu ülkeden atmak" dedi İskender. "Araplar, Türkler, İtalyanlar, Jamaikalılar, Lübnanlılar, Pakistanlılar... Onların gözünde hepimiz düşmanız. Peki, oturup bekleyecek miyiz? Kurbanlık koyunlar gibi. Babalarımızın yaptığı bu. Ama biz koyun değiliz."

"Tabii ki değiliz" dedi Çiko.

"Şu Hatip denen adam bakalım ne diyor. Gelsin bir anlatsın. Beğenmezsek beğenmeyiz. Ama bilin ki herkes onu methediyor. En azından bu adama kimse koyun diyemez, orası kesin."

Tam o sırada kapı açıldı, Arşad içeri girdi, elleri ceplerinde. Onun ardından geleni görünce yüzü değişiverdi İskender'in. "Ne işi var bunun burda?"

"Bana kızma. Valla ben gelme dedim ama dinletemedim" dedi Arşad.

İskender delici bir bakış fırlattı kız kardeşine. "Derhal eve gidiyorsun."

"Hayır, gitmiyorum, ben de dinlemek istiyorum" dedi Esma. Oğlanlar ihtiyatlı gülümsemelerle izliyorlardı atışmayı. "Bıktım bu keçi inadından" dedi İskender. "Tartışmaya niyetim yok."

"Tamam peki, tartışma o zaman."

"Bana bak sinir etme beni. Burada işin yok. Kızlara göre değil bu."

Esma ayak diredi. "Nedenmiş o? Sokaklarda Dazlakların sadece erkeklere mi musallat olduğunu sanıyorsun? Yanılıyorsun. Kadınlara da saldırıyorlar. Benim yaşımda kızlara da. Madem hedef olabiliyoruz, neden mücadele edemeyelim?"

"Vay, haklı kız" dedi Aziz.

Destekten yüz bulup yalvarmaya başladı Esma: "Hadi be abi, ne olur."

İskender durakladı. "Peki, ama çıt çıkarmayacaksın. Tek kelime duymak istemiyorum."

"Tamam. Şuracıkta otururum mumya gibi" dedi sevincini yansıtmamaya çalışarak. "Tek soru: İskender hariç bu adamın neye benzediğini bilen var mı?"

"Yok" diye itiraf etti Arşad, "ama görür görmez tanırız, eminim."

Halbuki bu varsayım yanlış çıkacaktı. Hatip kafeye girdiğinde tanımadılar onu. Ne de olsa üzerinde yarı geleneksel, yarı egzotik giysiler olan heybetli, alımlı, yaşı belirsiz bir adam olarak canlandırmışlardı; saçlar dağınık, gözler feraset-li. O sebepten, kapıdan giren sıradan görünüşlü, solmuş kot pantolonlu, sıska genç adamın yüzüne bile bakmadılar, ta ki adam masaya yaklaşıp onları selamlayana kadar.

"Buyurun, oturun" dedi İskender. Kız kardeşi hariç herkesi kısaca tanıttı.

Yemekler ısmarlandı. Humus, babaganuş, kebaplar, fela-fel... İskender konuğun tabağını tepeleme doldurdu ama adam kuş kadar yiyordu. Onun iştahsızlığı herkesin hızını kesti – boğazına düşkün Sonny'nin bile.

Sıra çaylara geldiğinde anlatmaya başladı Hatip. Sesi tok değildi ama bir broşürden okur gibi dalgalar halinde yükseliyordu. Aralarda es verip yeniden başlıyordu. Burun kemeri boyunca uzanan yara izi onu çirkinleştirmekten ziyade ilginçleştiriyor, hikâyesi olan biri haline getiriyordu.

Geç kapitalizmin evrelerinden bahsetti Hatip, insanlığın Kıyamet Günü'ne yaklaştığını anlattı. *Hep beraber uçurumdan aşağı bakıyoruz. Bu bozuk düzenin düşüşüne tanıklık edeceğiz.* Sistemi sorgulamasınlar diye uyuşturuluyordu gençler. Uyuşturucu trafiğinin tamamı karanlık odakların elindeydi. Bütün ideolojiler –sosyalizm, nihilizm, feminizm, anarşizm, çevrecilik– gençleri sersemletmek ve edilgenleştirmek için uydurulmuş nafile icatlardı. Sahte "izm"ler kitlelerin uyku ilaçlarıydı.

"Benim teyzem de feminist" dedi Sonny istediği kadar yemek yiyememiş olmanın gerginliğiyle. "Saçları benden kısa. Sürekli pantolon giyiyor."

Hatip sordu: "Bize göre feminizm lüzumsuz bir uğraş. Neden dersin?"

"Kadınları çirkinleştiriyor, ondan. Kıllı bacaklarla dolaşmasınlar."

Oğlanlar gülerken Esma somurttu. Bu arada Hatip'e sabit gözlerle bakan tek kişi İskender'di. Bu çocukça tepkileri aşmış iki yetişkin havasında, ortak bir duyguyla bakıştılar. "Arkadaşınız haksız sayılmaz, feminizm kadınları doğallıktan çıkarıyor" dedi Hatip. "Ama bu bir sonuç, sebep değil. Oysa ben bu kof ideolojinin bizim gibileri neden ilgilendirmediğini soruyorum."

"Çünkü bu *onların* sorunu" diye yanıtladı İskender. Gözlerinde takdir pırıltısıyla başını salladı Hatip. "Açıklar mısın?"

"Batılıların meselesi bu" dedi İskender. "*Onları* ilgilendirir." Çay bardaklarıyla yaklaşmakta olan Alâeddin, kulak misafiri olduğu bu sözler karşısında şüpheyle kaldırdı kaşlarını. Hatip denen adamı duymuştu. *Bunun gibilerinin tek yaptığı nifak tohumları serpmek. Ne diye gelmiş, çocukların kafalarını karıştırıyor ki?* Hatip ise Alâeddin'in memnuniyetsizliğini hissetmiş gibi sustu ve çaylar dağıtılıp yeniden kendi başlarına kalana dek tek kelime konuşmadı.

"Feminizm *kendi* dertlerine *kendi* buldukları cevap" diye devam etti Hatip. "Üstelik sahte bir çözüm. Koskoca bir göl süngerle kurutulur mu? İşte feministlerin etkisi o kadar. Batılıların aile değerleri yoksa, kadınlara saygısı yoksa sokaklarda avaz avaz bağrışan bir avuç feminist ne yapabilir?"

Bu açıklamadan hoşnut olmayan Esma kıkırdamaya benzer bir ses çıkardı. İskender yan gözle soğuk ve tehditkâr bir bakış fırlattı kız kardeşine, o da hemen sustu. Bu arada Hatip, gerilimi anlamazdan geldi.

"Batı'da insanların kafası karışmış. Mutluluğu özgürlükle, özgürlüğü ahlaksızlıkla karıştırıyorlar. Oysa biz analarımıza, karılarımıza, kız kardeşlerimize saygı gösteririz. Barbi bebekler gibi giyinmeye zorlamayız onları. *Metalaştırmayız.* Heyula gibi bir sektör bu. Kozmetik, moda, ayakkabı tasarımı. *Anorexia nervosa* diye bir şey duydunuz mu?"

Oğlanlar kafalarını salladılar, Esma kıpırdamadı. "Kafayı kilolara takmak demek. Bu tür kadınlar durmadan diyet yaparlar. Her yediklerini zorla çıkarırlar. Avrupa ve Amerika'da her yıl düzinelerce kadın bu yüzden hastanelik oluyor. Bir kısmı ölüyor. Kalplerinin dayanacak hali kalmıyor. Yine de kendilerini şişman zannediyorlar.

Bu arada Asya, Afrika ve Ortadoğu'da el kadar bebelerin açlıktan ölmekte olduklarını unutmayın. Kemirecek bir parça ekmek bulamıyorlar. Şekerleme nedir bilmiyorlar. Batı'daki kadınlar şık restoranlarda yedikleri likörlü pastaları kusarken Üçüncü Dünya'da çocuklar açlıktan ölüyor.

Batı'nın en önemli iki sanayi kolu savaş makinesi ile güzellik makinesi. Savaş makinesiyle saldırır, hapseder, etkisiz hale getirir, öldürürler. Güzellik makinesinin de ondan aşağı kalır yanı yok. Bütün o pırıltılı elbiseler, moda dergileri, kırıtan erkekler, erkekleşen kadınlar. Beynimizi sulandırıyorlar."

Bir gerginlik çöktü masaya. İskender'in havayı dağıtacak bir şeyler yapmasını diledi Esma. *Vur şu adamın sırtına, bir espri patlat, bu kadar kafasına takmamasını söyle, güldür herkesi.* İstese yapardı. O tür bir deli cesareti vardı onda. Ama Esma kafasını kaldırdığında ağabeyinin yüzünde gördüğü ifade bambaşkaydı.

"Biraz çay söylesek Alex?" diye sordu Esma. "Bu kadar kuru laf susattı."

Hatip saatine göz attı. "Oo, gitme vakti gelmiş. Sizlerle tanıştığıma memnun oldum." Kalkarken İskender'e döndü. "Neden sana Alex diyor?"

"Aldırış etme, kardeşim o. Arkadaşlarım öyle der bana. İskender'in kısaltılmışı."

"Hayır, Alex İskender'in kısaltılmışı değil" diye tersledi Hatip. "Bir düşün. İngilizler rahat söylesin diye adlarımızı mı değiştireceğiz? Daha nelerden vazgeçeceksin? Aksi olmalı oysa. Herkes ismini öğrenmeli, saygı ile kullanmalı."

Sonra çıkıp gitti, ardında sıkıntılı bir sessizlik bırakarak.
İskender sinirle ayağa fırladı. "Esma'yı eve bırakıp geliyorum."
"Hey, ben daha gitmek istemiyorum."
Ama İskender kapıya varmıştı bile. "Esma, hadi çabuk.
Derhal!"
Homurdanarak boyun eğdi Esma. Sokağa çıktıkları anda
başladı söylenmeye: "Bu hımbıl herifi hiç gözüm tutmadı. Ha
bire ahkâm kesiyor, Bay Kibir."
"Sen sevsen de, sevmesen de o tam bir savaşçı."
"Fazla haşin."
"Dünya haşin ise sen de öyle olmak zorundasın" diye kesti-
rip attı İskender.
"Yapma be, herif maçonun teki. Yüzüme bile bakmadı."
"Sana saygısından bakmadı, dangalak! Oranı buranı sey-
retsin, bacaklarını dikizlesin mi istiyorsun?"
"Neyin var be senin?" dedi Esma ellerini havaya kaldırarak.
"Sakin olsana! Bütün bu saçmalıklar başına vurdu herhalde."
"Ağzını topla Esma."
Diklendi Esma. "Ay çok korktum. Altıma yapacağım korku-
dan!"
Ağaboyinin sesinin değiştiğini, yumruklarının sıkıldığını
fark edemedi. "Bir daha gelmiyorsun toplantılarımıza. Seninle
ilgilenemem ben."
"Ben kendi başımın çaresine bakarım, merak etme. Bütün
suç annemde. *Mala min, berha min.* Sen de kendini sultan
sanır oldun sonunda."
"Kes sesini!"
"Biz seninle bir ekiptik. Eğlenirdik. Şu haline bak, gülmez
oldun. Amma ciddiye alıyorsun kendini."
İskender omuzlarından tuttuğu gibi duvara itti Esma'yı. "Ba-
na bak, sokakta insanları dövüyorlar. Daha geçen hafta yaşlı bir
adamı taşlarla bayılttılar. Ne eğlencesinden söz ediyorsun sen?"
"N'apacaksın, kahraman mı olacaksın başımıza?"

Tokat. O kadar beklenmedik bir şeydi ki ağabeyinin ona el kaldırması, neye uğradığını anlayamadı Esma. Yanağını tuttu, hareket edemeyecek kadar şaşkındı. "Bir daha benim işlerime karışma" dedi İskender. "Bak, uyarıyorum."

Hışımla dönüp hızlı adımlarla kafeye yürüdü. Arkasından bakakaldı Esma. Bir zamanlar onu avucunun içi gibi bildiğini sanırdı ama artık değil. Eskiden ağabeyi onu korur kollardı, oysa şimdi ilk defa kendini ondan koruması gerektiğini hissediyordu.

Yunus

Haftalar boyu umutsuzca aradıktan sonra nihayet Tobiko'yu buldu Yunus. Ne var ki mutluluktan ziyade endişe hissetti. Sevdiği insanı yeniden kaybetme endişesi. İstiridyenin kabuğuna yapıştığı gibi sımsıkı yapıştı ona. Değişmişti Tobiko, hafif kilo almıştı. Yağmur altında siyah bir çakıl taşı gibi koyu ve parlak olan saçları hâlâ uzundu ama uçları yeşile boyanmıştı. Altdudağındaki gümüş halkanın yerine taşlı başka bir tane takmıştı. Her iki kulak memesinde, kan damlaları gibi yarımşar düzine kalp vardı. Kulaklarının ne kadar minik ve güzel olduğunu fark etti Yunus bir kez daha. Ketumdu kız. Bunca zamandır nerede olduğu ya da neden bir not bırakmadığı konusunda açıklama yapmadı. *Sağda solda takılıyordum işte. Bir hava değişikliğine ihtiyacım vardı.* Şu anda geçici olarak Kaptan ve annesiyle birlikte kaldığını anlattı. Başka işgalciler de vardı orada. Yunus'un canı sıkıldı bunu duyunca.

Kaptan'ın annesi Bayan Powell, emekli öğretmendi, duldu. Aslında çatısı altına sığınan bu delilere pek tahammülü yoktu ama biricik oğluyla biraz olsun yakınlaşabilmek uğruna bir süre orada kalmalarına izin vermişti. Televizyonunu ve sıcak su torbasını alıp üst kattaki yatak odasına taşınmış, evin geri kalanını Punklara bırakmıştı. Odasından nadiren çıkıyor, yemeklerini yatakta yiyor, aşağıdan gelen curcunayı ve esrar kokularını fark etmezden geliyordu.

Onları ilk kez ziyarete gittiğinde kanepeye, Tobiko'nun yanına oturdu Yunus.

"Geçici bir çözüm bu, evlat" dedi Kaptan açıklama olarak. "Eski evimize dönene kadar. Herkesi yeniden bir araya toplayacağız."

"Bu kez kimse bizi kapı dışarı edemeyecek. Dersimizi aldık" dedi Bogart, dudaklarının arasında bir sigara ve elinde yalnızca iki teli olan bir gitarla. "Ağızlarının payını vereceğiz." Yeni biri katılmıştı aralarına; tepesindeki turuncu püskül dışında hiç saçı olmayan bir delikanlı. Takma adı Yürüteç'ti, çünkü hayatta hiçbir şey için –kitaplar, plaklar, yiyecek, iç çamaşırı– para ödememek gerektiğine inanıyor, ihtiyacı olan her şeyi yürütüyordu. Bir keresinde ceketinin her koluna birer tekini sokarak bir çift çizme çalmışlığı vardı.

"Kedilerden farkınız yok be" dedi Yürüteç. "Yaralarınızı yalıyorsunuz."

Yunus onların zırvalarını dinlerken tuhaf bir huzur buluyor, yeniden yaşamına girmiş olmalarından mutluluk duyuyordu. Halini fark eden Bogart laf attı: "Ufaklık da kedi gibi, baksanıza. Kızın yanında kendinden geçti gene."

Tobiko gülecekti ama Yunus kırılmasın diye tuttu kendini. Konuyu değiştirmek için Bogart'a dönüp sordu: "Sen demin ne çalıyordun?"

"Kendi bestem. İşgal evimize düzenlenen baskını 'Kanlı Pazar'ımız* olarak düşündüm. Bir açıdan. Bu şarkıyı yazdım" dedi ve başladı şarkıyı söylemeye Bogart. Melodi berbat ve ahenksizdi, sözler daha da beterdi.

İşim yok, param yok, pulsuz çulsuz gamsızım,
Yuvarlanmış bir taşım,

* Kanlı Pazar: 30 Ocak 1972'de Kuzey İrlanda'nın Derry kentinde Britanya Ordusu askerlerinin yirmi altı silahsız insan hakları eylemcisini vurduğu, toplam on dokuz sivilin öldüğü olay.

Otoriteler acımaz, yararlar kafamı.
Kanlı Pazar, günlerin en karası,
Sisteme direniyorum, öyleyse varım. La la laaa...

Üzerine bir Afgan cepkeni, içine kısa, dar bir tişört giymiş Iggy Pop kulaklarını tıkadı. "Of, bir kapasan şu kahrolası ağzını!"

"Ne?" diye tepki gösterdi şarkısını yarıda bırakan Bogart.

"Vahim bi şey bu be abi" dedi Iggy Pop.

"Zaten pazar günü olmamıştı baskın" dedi Tobiko. "Pazartesi günüydü."

Yüzü asıldı Bogart'ın. "Kim demiş?"

"Öyle!"

Kafaları iyi olduğunda hep böyle çocukça kapışır, eğlenceden kavgaya çabucak savrulur, bir anda kapıları çarpmaya, bağırıp küfretmeye başlarlardı. Bunları bildiği için biraz kaygılansa da keyifle dinliyordu Yunus.

"Denyosunuz siz oğlum. Nereden bileceksiniz?" diye dudak büktü Bogart. Kaşlarını çatarak Tobiko'ya baktı. "Kızım senin hafızan anca balıklarınki kadar. Kahvaltıda ne yediğini sorsam hatırlamazsın be."

Sonra Iggy Pop'a döndü. "Senin beynin de turşusu çıkmış hıyardan beter. Hangi yılda olduğumuzdan haberin yok."

Iggy Pop yakındaki bir sehpanın üzerinden bir dergi kapıp Bogart'a fırlattı. Dergi havada takla atıp gitara çarptı, oradan sekip Yunus'un yanı başına düştü. Sessizce dergiyi yerden alıp ne olduğuna baktı Yunus. Eski bir *Vogue*. Şubat sayısı. Kapakta, parlak sarı bir saç bandı olan alımlı bir kadın vardı. Yanında *Kendinizi Bir de Gün Işığında Görün* yazıyordu. Kaptan'ın annesinin biriktirdiği dergilerden biri olmalıydı.

"Yunus'a soralım" dedi Tobiko. "Tarafsız o."

"Pabucumun tarafsızı" diye itiraz etti Kaptan. "Öyle bir yakmış ki sana abayı, kar siyahtır desen hemen katılır."

Kıpkırmızı oldu Yunus, dergiyi sehpaya bıraktı. Bir şey söylemesi gerektiğinin farkındaydı – dikkatlerini dağıtacak kadar fevkalade bir şey. "Ben de dövme istiyorum" deyiverdi. "Sahi mi?" dedi Tobiko. Yürüteç kıs kıs güldü. "Vaay! Süpersin evlat!" "Yaparız tıfıl" dedi Iggy Pop. "Sorun değil. Karşında şehrin en usta dövme sanatçısı duruyor." "Annen kızmaz mı?" diye sordu Tobiko şefkatle. Yunus bunu düşünmüştü. "Görürse kızar tabii. Ama sırtımda saklı bir yerlere yaparsanız haberi olmaz." "Akıllı bıdık" dedi Bogart. "Tamamdır" dedi Iggy Pop ellerini ovuşturarak. "Gidip takımı getireyim."

"Biz de gelelim yahu!"

Oturma odasında yalnız kaldı Yunus ile Tobiko. Mahcup bir sessizlik oldu.

"Sana bir şey sorabilir miyim?" dedi Yunus aniden. İkircikliydi.

"Tabii minnoşum."

"Sırlar hakkında... Ablam kimseyle paylaşma dedi de." Tobiko merakla baktı çocuğun yüzüne. "Anlamadım..."

"Diyelim ki sevdiğin biri var. Onun da çok önemli bir sırrı var ama kimse bilmiyor. Sen öğrendin. Ona söylemeli mi, söylememeli mi?"

"Vay, zor soruymuş. Bence sırlar boktan şeyler zaten. En iyisi şeffaflık!"

Tobiko başını çocuğun omzuna yasladı. Yunus'un yüreği hop etti. Bu anın sonsuza dek sürmesini diledi. Ama birazdan Kaptan ve diğerleri bir kutu içinde iğneler ve dövme tasarımlarıyla geri geldiler.

"Eveet. Hadi bakalım işe koyulalım" dedi Bogart.

"Yalnız biraz acıtabilir. İstiyor musun yine de?" diye sordu Yürüteç.

Yunus başını salladı, hem tedirgin hem nikbin. "Ne tür bir dövme istiyorsun peki? Bir söz mü? Yoksa sembol mü?" "Balina yapabilir misiniz?" diye sordu Yunus. "Hani Peygamberi yutandan."

Ama bittiği zaman balinadan ziyade, iri, kahverengi bir alabalığa benzedi dövme – seneler evvel başka bir hayatta, çoktan unutulmuş bir mazide Büyükanne Naze'nin dönüşmeyi dilediği balığa.

İskender

İskender'in Hatip'le dördüncü karşılaşması öncekilerden farklıydı. Bu kez onu yalnız başına görmek istemişti adam. Victoria Park'ta buluşmaya karar verdiler. İskender kararlı adımlarla randevu yerine yöneldi. Sırtını bir atkestanesi ağacına yaslamış, elleri cebinde, yüzünden ne düşündüğü anlaşılmayan Hatip'i görünce yavaşladı. İnce çerçeveli bir gözlük vardı bugün adamın gözünde. Giyinişi zevksizdi: hardal rengi sivri burunlu pabuçlar, solmuş bol ceket, ancak bir annenin oğluna alacağı türden bir kot pantolon. "N'aber?" dedi İskender selam niyetine bir elini kaldırarak. Hatip hafifçe gülümser gibi olduysa da karşılık vermedi. Bir yerde bir hata yaptığı hissine kapıldı İskender. Sürekli noksanları görüp not alır gibi bir hali vardı adamın. Sanki iki dil birden konuşuyordu – biri sarih, diğeri imalı. Ve her ne kadar dile hâkimiyetiyle tanınsa da ona o farklı havayı veren, söylediklerinden ziyade sessizce ilettikleriydi.

"Gel, yürüyelim biraz."

Yürüyüş havasında olmamasına rağmen itiraz etmedi İskender. "Elbette."

Sabahki hava tahmininin aksine gökyüzü berraktı. Az ötede göl, karşı kıyıda asılı solgun sis tabakasının altında tirşe bir halı gibi uzanıyordu. Ördeklere ekmek atan çocuklar, keyif yapan ana babalar vardı etrafta. Çimenlere uzanmış bir çift etrafa aldırış etmeden tutkuyla öpüşmekteydi. Hatip'in bakışlarını kaçırdığını ve kaşlarını belli belirsiz çattığını fark etti İskender. Nihayet yürümekten yoruldular; rahatsız edilmeden konuşabilecekleri bir bank buldular.

"Sağlam dostlukları olan birisin" dedi Hatip.

"Öyle. İyidir bizim oğlanlar" dedi İskender.

"Sen de liderlerisin, değil mi?" İskender tereddüt etti. Kendinden o şekilde söz etmezdi hiç.

"Anlıyorum" dedi Hatip aklından geçenleri okumuş gibi. "İdare sende ama göstermiyorsun. Soyluca."

"Sağ ol" dedi İskender. Daha önce kimse soylu dememişti ona; gururlandı.

"Arkadaşların düzgün tipler ama hâlâ çocuklar. Daha kırk fırın ekmek yemeleri lazım. Halbuki sen farklısın. Olgunsun."

"Babamın yokluğundan olsa gerek" dedi İskender. "O olmayınca benim hızlı büyümem gerekti."

Başını salladı Hatip. "Hmm. Şimdi anlaşıldı."

Takdir görmek sıcacık bir minnet duygusu yarattı İskender'de. Daha evvel bunu düşünmemişti ama hakikaten çabucak büyümüştü. Onun yaşındaki oğlanlar hâlâ çocukluğun patikalarında dolanırken o kestirmeden erkek oluvermişti.

"Benden küçük bir kız, bir de erkek kardeşim var."

"Kız kardeşini hatırlıyorum" dedi Hatip. Sesi gergindi.

"Ya, kusura bakma, kabalığı üstündeydi o karşılaşmanızda."

"Ziyanı yok. Kızmamak lazım. Daha çok genç. Kafası karmakarışıktır. Öbür kızlardan, okuduğu dergilerden bin tane şey kapıyordur. Televizyon var bir de. Propaganda bombardımanı."

İskender dudaklarını kemirerek dinliyordu.

"Kadınlar için daha zor doğru yolu bulmak. Akıllarını çelen, gözlerini boyayan o kadar çok tuzak var ki. Moda dünyası, güzellik yarışmaları, zengin koca hayali, pahalı mobilya hevesi... Bunların sonu yok."

"Öyle" dedi İskender.

"Ayıptır sorması, baban neden yok ortada?"

Aklına ilk gelen yanıtı yutmaya çalışır gibi çenesi sessizce oynadı İskender'in. Kendini büyüteç altında hissetmiş, huzursuz olmuştu. "Kendine başka yaşam kurdu, hepsi bu" dedi lafı uzatmadan. "Anlıyorum." "Nasıl oluyor da kendin hakkında zerre bir şey anlatmazken herkesin sana içini dökmesini bekliyorsun?" Gülümsedi Hatip, müstehzi bir pırıltı geçti gözlerinden. "Senin bu yanını beğeniyorum işte. Gözü peksin. Karşındakinin tavrını sevmezsen anında ağzının payını veriyorsun. Risk almaktan çekinmiyorsun. Kimse sana dayılanamaz." "Doğru" dedi İskender. "Zırvaya tahammülüm yok." "Saygım sonsuz. Sanırım ben de senin gibi kendimden bahsetmekten pek hoşlanmıyorum. Ama madem sordun, anlatayım." İskender'in yüzü yumuşadı. Anlık çıkışından ötürü biraz mahcup oldu.

"Babam Badşah 1951'de Bangladeş'ten gelmiş. Gece vardiyalarında kendi kendine İngilizce öğrenmiş. *Çalışmazsan bir hiç olursun.* En büyük korkusu bu, biliyor musun? Bir hiç olmak! Zamanla giyimini, yediklerini, alışkanlıklarını değiştirmiş ama aksanı hep aynı kalmış. İngiliz bir kadınla evlenmiş, ben dünyaya gelmişim. Kendi halinde insanlar. Yanlış anlama. Ama bu dünyaya fazla kapıldıkları için öbür dünyayı unutmuşlar. İnançları yok. Üzülüyorum onlar için."

Mor bir şort giymiş genç bir kadın paten kayarak geçti yanlarından. İskender bacaklarına baktı. "Evet, ama sonuçta onlar senin anan baban."

"Ben de seviyorum onları ama bu onlara saygı duyduğum anlamına gelmez. Farklı şeyler ikisi: sevgi başka, hürmet başka. İnsanın ana babası hata yaparsa onlara karşı durması gerekir."

"Babam..." diye söze başladı ama lafı nereye götüreceğinden pek de emin değildi İskender. "Biz büyürken yoktu ortalıkta. Hep başka yerlerdeydi. Sonunda evi terk etti. Pat diye!" Konuyu önemsemiyor gibi görünmek istese de sesinin titremesine mâni olamadı. Gözlüğünü geriye itip İskender'in yüzüne dikkatle baktı Hatip. "Demek ailenin reisi sensin. Zor iş. Güçlü olmak zorundasın. Boks yapman iyi. Ama aynı zamanda manen de kuvvetli olman gerek." "Anlıyorum" dedi İskender, anladığından pek de emin olmaksızın. Hatip yanında getirdiği çantayı açıp iki kitapçık çıkardı. "Al bunları. Okuduğunda gene konuşalım. Beğendiğin yerleri söyle bana. Tabii beğenmediklerini de."

"Esma kitaplara bayılır. Ben pek iyi bir okur sayılmam."

"Hata! Bir otomobilin benzine nasıl ihtiyacı varsa insan zihni de fikirlere gerek duyar. Fikirler de kitaplarda bulunur" dedi Hatip. Derken aklına bir şey daha gelmiş olacak ki ekledi: "Ha, yalnız bu kitapçıkları kimseye gösterme, tamam mı?"

"Bana güvenebilirsin" dedi İskender. Gözü saatine takıldı. "Gitmem lazım."

Hatip'in suratı asıldı. "Kız meselesi mi?"

"Hımm."

"İngiliz mi?"

"Hımm."

"Neden bizimkilerden değil?"

Böyle bir soru beklemiyordu İskender. Kate ile aralarındaki farkları hep kişilik ayrılıklarından ibaret görmüştü. Hem Hatip'in kendisi de İngiliz değil miydi yahu? Tekrar konuşmaya başladığında rahatsızlığı sesinden akıyordu. "Ne bileyim. Öyle oldu işte."

"Düzgün bir kız mı bari?"

"Düzgün" dedi İskender bununla ne demek istediğini pek bilmeden.

"Git o zaman, bekletme. Ben biraz daha kalıp Allah'ın sana doğru yolu göstermesi için dua edeceğim."

Tarık

Cumartesi günü yakası kalkık siyah deri ceketiyle İskender dükkâna geldi. Tarık yüzünde mağrur bir tebessümle ayağa kalktı onu karşılamak için. Bir yıl içinde çok değişmişti oğlan; boyu şimdiden babasını geçmişti. Üstdudağı boyunca incecik bir bıyık belirmiş, gözleri gençlik ateşiyle parlar olmuştu. "Vay vay, kimler gelmiş! En sevdiğim yeğenim!" İskender hafifçe gülümsedi. "N'aber amca?" "Hamdolsun" dedi Tarık. "Söyle bakalım, hangi rüzgâr attı seni buralara?" "Bu civarda arkadaşlarla buluşacağım, bir uğrayayım dedim." Cockney* argosuyla karışık bir Türkçe konuşuyordu. Aslında aksanı fena değildi ama kelime dağarcığı öyle sınırlıydı ki dönüp dönüp aynı sözcükleri kullanıyordu. Konuşmasını dinlerken onu bir süreliğine –hatta belki de temelli– İstanbul'a göndermeyi geçirdi aklından Tarık. Ya da daha iyisi, Pembe'yle konuşup Anadolu'dan namuslu bir köylü kızla nişanlamaktı oğlanı. "Okul nasıl gidiyor? Dersler iyi mi? Hocalar ne âlemde?" "Okul iyi be amca" diye yanıtladı İskender düşünmeden. "Ya bokstan ne haber?"

---

* Cockney: Londra'nın Doğu Yakası'nda daha çok işçi sınıfının yaşadığı bölge ve oralılara özgü aksan.

"Maçım var yakında" dedi İskender. "Ama annem korkuyor."

"Haksız sayılmaz. Bir yerini sakatlarsın diye endişe ediyor, ne yapsın."

İskender bir süre tespih tanelerinin şakırtısını dinledi.

"Amca, şey... bir arkadaşımın başı dertte."

"Akıl danışmak için sana geldi bu arkadaşın, ha?"

"Evet. Ağabeyleri gibiyim çünkü bizim çocukların. Bana saygı duyuyorlar, anlatabildim mi? O yüzden başı sıkışınca bana geldi."

"Neymiş peki bu arkadaşının derdi?"

"Paraya ihtiyacı var."

İşkillendi Tarık. "Ne kadar?"

İskender miktarı söyleyince Tarık sakalını sıvazladı: "Gencecik delikanlının ne işi var bu kadar parayla?"

Bir gölge geçti İskender'in yüzünden ama konuşurken serinkanlıydı. "Kız arkadaşı hamile kalmış anlaşılan. Para doktora lazım."

Tarık suratını buruşturdu. "Peki, kız İngiliz miymiş?"

"Tabii, tabii" dedi İskender.

Tarık derin bir soluk aldı. Kızın mahalleden ya da göçmen cemaatinden olmaması iyiydi. İşe aileler karışmayacak demekti: Babalar veya ağabeyler kapılara dayanmayacaktı intikam için. Ayağa kalktı ve dükkânın arka tarafındaki kasaya yöneldi. Geri geldiğinde elinde bir tomar para vardı.

"Arkadaşına bu seferlik ona yardım edeceğini söyle" dedi Tarık.

"Sağ ol amca."

"Ama bir daha onun pisliğini temizlemeye niyetin olmadığını da anlat. Kendine mukayyet olması gerekiyor. Yoksa başı daha büyük belaya girer. Benden de selam söyle kerataya."

"Hiç merak etme sen. Mesajını ileteceğim" dedi İskender paraları cebine koyup kapıya yönelirken. Bir an durakladı. "Amca?"

"Hmm? Bir şey daha mı var?"

"Yok. Yalnızca, benim için bir babadan farkın yok diyecektim."

Tarık'ın yüzü yumuşadı. "Ne zaman nasihate ihtiyacın olsa buradayım, evlat."

İskender belli belirsiz eğdi başını. "Göreceksin. Bir gün sana borcumu öderim elbet."

Tek kişilik hücreden döndüğümde burnumdan soluyordum. Baktım, Uçuk'un yerine biri gelmiş. Amma çabuk. Bu batak tıklım tıklım. Gidenin şiltesini hemen başkasına veriyorlar. Hapishane babamın çalıştığı fabrikayı hatırlatıyor. Şeritler üzerinde bisküviler misali öbek öbek geliyor mahkûmlar. Gardiyanlar da onları istif edip kutuluyor. Bu dam ağzına kadar dolu. Kimsenin yasını tutacak yer yok.

Fena birine benzemiyor yeni hücre arkadaşım, zararsız bir tip muhtemelen. Neden kodeste olduğunu sormuyorum. Bu bahisler durduk yerde açılmaz. Öğrenince öğrenirsin. Sıska bir adam; alnı genişçe, çenesi sivri, saçları seyrek, koyu. Uzakdoğulu belli ki, kısa boylu. Beni esas şaşırtan bakışları. Öyle güleç bir ifadesi var ki afallıyorum.

Hafifçe eğilerek konuşuyor: "Adım Zişan."

Benim de kendimi tanıtmamı bekler gibi duraklıyor. Ters ters bakıyorum. "İyi, aferin."

Bunun üzerine devam ediyor: "Memnun oldum."

Ne saçma bir laf! Aksanı da tuhaf. İngilizcesi felaket. Kırk yaşlarında olduğunu tahmin ediyorum. Hoşbeş etmek istiyor ama hiç niyetim yok muhatap olmaya. Yüz vermiyorum. Sınırı baştan çizmek en iyisi. Onun yerinde bir başkası olsa anında tırsardı. Benim hakkımda duyduğu dikenli lafların ne kadarının doğru olduğunu merak eder, gerilirdi. Ama Zişan rahat görünüyor.

"O oturduğun ranzanın sahibi var ya, öldü" diyorum.

"Ya, duydum" diyor Zişan. "İyi arkadaşmış senin. Çok üzgünüm. Özürlerimi sunarım."

"Taziyelerimi demek istiyorsun herhalde."

"Aynen."

Bir an ne diyeceğimi bilemiyorum. Merhamet hep hazırlıksız yakalar beni. Alışkın değilim. Nasıl davranacağımı bilemem bir türlü.

"Bana bak, kim olduğun, ne haltlar yiyip buraya geldiğin umurumda değil" diyorum. "Benim hücremde benim kurallarım geçer, kapiş? Ne kadar çabuk öğrenirsen o kadar iyi olur senin için. Kural bir: Benim alanımı işgal etmek yok. Kural iki: Nasırıma basmak yok. Kural üç: Sinirime dokunmak yok. Tamam mı?"

Şaşkın şaşkın gözlerini kırpıştırıyor. "Anladım" diyor.

"Aferin sana!"

Az sonra gürültüler geliyor. Bendini yıkmış sel gibi hızla yaklaşıyor sesler. Sabah sayımı, kilitlerin açılma saati. İki yandan aralanıyor hücre kapıları. Sessizce durup bekliyoruz itilip kakılmayı, sağımızın solumuzun yoklanmasını.

Memur Andrew beliriyor. Sol kulağı bandajlı. Ters ters bakışıyoruz. Herkesin önünde Uçuk'un mektubunu çiğneyip yutmamı affetmedi. Ben de onun bana dayılanmasını affetmedim. O da kalkıp kulağımı ısırmamı affetmedi. Ben de beni tek kişilik hücreye yollamasını affetmedim. Berabere sayılırız yani.

"Hey Alex, haberin olsun gözüm üstünde" diyor Memur Andrew. "Bir hatanı daha yakalarsam doğduğuna pişman ederim, bilesin."

Ağzımın içlerini kemiriyor, tek kelime etmiyorum. O kadar yakınımda duruyor ki adi herif, burun deliklerindeki kılları görebiliyorum. İyi bir mesafe bu. Bir kafa atsam burnunu dümdüz edebilirim. Açı mükemmel. Yazık, vazgeçiyorum.

Tekrar yalnız kaldığımızda Zişan kaygı dolu gözlerle bakıyor. "Kızmış bu adam sana, niye?"

"Adam değil o, insan kılığında dolaşan bir sıçan."

Hayatında duyduğu en komik şakaymış gibi gülüyor Zişan. "Fare-adam!"

Sonra durgunlaşıyor birdenbire. "Bu dünyada balık-adamlar, kuş-adamlar, yılan-adamlar, fil-adamlar var. İnsan-adam çok az."

Ne dediğini anlamadan bakıyorum. Bir tuhaflık var bu tipte ama kestiremiyorum. Devamlı gülümsemesi sinirime dokunuyor. Tam ben sırıtmayı kesmesini söyleyecekken konuşuyor: "Hep kızmak zor değil mi?"

"Ne?" diyorum. "Sürekli kavga etmek zorunda kalmanın zor olup olmadığını mı soruyorsun bana?"

"Evet, evet. Sana soruyorum. Kavga, kavga, kavga... yorulmadın?"

Bakakalıyorum yüzüne. Ya bir tahtası eksik ya da hakikaten merak ediyor.

"Bana bak, nerelisin sen?" diye soruyorum.

"Hmmm..." İmkânsız bir bilmece sormuşum gibi duraklıyor. "İlk doğum yerim Brunei. Önce orada doğdum."

"O da neresi be?"

Alınmış gibi iç çekiyor. "Brunei Darüsselam. Borneo Adası. İngiliz sömürgesi. Ama sonra Brunei bağımsız oldu."

"Kraliçenin memurları size pek İngilizce öğretememiş gibi."

"İngilizce öğreniyorum" diyor Zişan galiz lafımı duymazdan gelerek. "Yeni bir şey öğrenirim her gün. Zişan iyi öğrencidir."

"İlk seferinde Brunei'de doğdum dedin, ne demek o?" diye soruyorum.

Sevinçle gülümsüyor, tekmil dişleriyle – o minicik, daracık ve yabani pirinç tanelerine benzeyen dişleriyle. "İlk seferinde Brunei'de doğdum" diye yineliyor. "İkinci seferinde mekânsız. Memleketim her yer. Dünya evim. Bütün insanlar benim kardeşim."

Kesin kafayı yemiş bu herif. Birden düşüyor jeton. "Ah, bana bak, o dinci fanatiklerden biri misin yoksa?"

"Fanatik!" Yüzü ciddileşiyor. "Fanatik der ki, herkes hatalı, ben haklıyım. Zişan der: Herkes haklı bu âlemde, ben hatalıyım. Benim gibisi nasıl fanatik olabilir?"

"Peki, tamam. Ama hiç öyle dünyalı olduğunu söyleyen birine rastlamadım."

"Kulak duyabildiğini duyar" diyor. "Tabiatta çok ses var, biz duymayız."

"Nesin sen? Sağcı mısın, solcu musun? Kimlere yakınsın?"

"Oy, oy, oy" diyor ayağına basmışım gibi. "O musun, bu musun, hep soruyorsun?" Göğsüne vuruyor. "Halbuki bütün kâinat bir insanın içindedir."

"Hadi ya! O insan da sen misin?" diye gülüyorum alaycı.

"O insan sensin" diyor ciddiyetle.

Yeter artık. Eğlence buraya kadar. Sinirime dokunuyor bu herif. Her şeye verecek bir yanıtı olduğunu zanneden bilgiçlerden hazzetmem.

"Kâinat, ha? Bak ben sana orada ne olduğunu söyleyeyim. Kavga, dövüş, vahşet, savaş, terör, cinayet. Senin o bahsettiğin dünya felaketlerle dolu."

"Hmmm" diyor Zişan bunların hiçbirini daha evvel duymamış gibi hüzünle. Gözlerini kapatıyor. Bir an uykuya dalacak sanıyorum. Ama sonra konuşmaya başlıyor yeniden. "Tabiatı bakalım. Hayvanlar hayvanları öldürür. Büyük küçüğü yer. Kurt koyunu kovalar. Ama doğada sevgi de var, dayanışma da. Hayvanlar birbirini korur. Balıklar birlikte yüzer. Kuşlar sürüler halinde uçar."

"Sevgiden dolayı değil o" diyorum. "Çıkarları gereği öyle. Bir arada olursan hayatta kalma şansın artar. Peşine kaplan takılırsa seni değil, komşunu yer."

"Tabiatta uyum var."

"Pabucumun uyumu" diyorum. "Zırvalıyorsun."

"Zişan zırvalamıyor."

"Bana bak çömez, doğayı filan bırak, arkanı kollamaya bak sen. Burada adamın gözünün yaşına bakmazlar, haberin olsun."

Öne eğilip, içimi görmeye çalışır gibi gözlerini kısıyor. "Hapishane, tımarhane fark etmez. Ahenk varsa içinde en berbat yer bile sana vaha olur. Ahenk yoksa cennette bile rahat edemezsin."

Budala. Kestirip atmaya karar veriyorum. "Eğer iyi ile kötü birbirlerini dengeliyorsa, herkes canının istediğini yapabilir demektir."

"Yooo, öyle değil. Canının istediğini yapamazsın. Sen yalnızca Yaradan senin içine neler koyduysa onlardan bir şey yapabilirsin. Bende unsurlar var mesela. Sende unsurlar var. Zişan'ın çoğu su. Sen, ateşsin muhtemelen. Evet, alev. Aslolan su: Sana verilen özellikleri nasıl değerlendireceksin? Eğer içinde denge yoksa o kişi hep gergin olur. Patlamaya hazır bomba, yazık. Burası bir cehennem diyorsun. Olabilir. Ama cehennemin içinde kendi bahçemi yaparım ben."

"Kafayı mı yedin ulan? Ne bahçesi be?"

"Sevgili İskender" diyor Zişan, sanki bana mektup yazıyor. "Öfke bir kaplana benzer. Kaplanı görünce dersin ki, ah ne soylu hayvan, benim olsa keşke. Ama ehlileştiremezsin onu. Kimse yapamaz. Kaplan seni kontrol eder."

Diyor ki Zişan, "Bırak hiddeti, çirkefi, nefreti. Kaplanlardan sana zarar gelir. İnsanlardan öğreniriz. Başkalarından. Farklı olandan öğreniriz, aynıdan değil."

Diyor ki Zişan, "Nefs akbaba gibi. Vahşi kuş. Etinden et çeker. Senden çalar, o yer. Nefsin güçlüyse sen zayıfsın. Nefsin zayıfsa sen güçlü."

Yavaşça ama kendinden emin konuşuyor. Sırça çiçekler gibi davranıyor kelimelere, özen gösteriyor. "Merak ettiğim tek bir şey var..." diyorum.

"Nedir?"

"Acaba seni neden deliler tarafına koymadılar?"

Şen bir kahkaha patlatıyor. "Evet, evet, doğru. Herkes söyler Zişan az biraz kafadan çatlak diye."

❌ ❌ ❌

Aralık 1978. Polis Kate'in evine geldiğinde arka kapıdan kaçtım. Şansım yaver gitti. Önce bir bisiklet çalıp uzaklaşabildiğim kadar uzaklaştım, sonra otostop çektim. İki Fransız öğrenci beni arabalarına aldılar. Daha önce hiç eşcinsel bir çiftle karşılaşmamıştım. Sevmezdim öylelerini ama kimseyi yargılayacak halde değildim. Başımın belada olduğunu hissettiler. İyi davrandılar bana. Öğle yemeği ısmarladılar, sigara ikram ettiler. Sonra onlar yoluna gitti, ben kaldım. Bir başıma.

İki gün sonra tutuklandım – parkta uyurken yakaladılar. Açlıktan kıvranıyordum. Öyle bitik haldeydim ki neredeyse sevindim enselendiğime. Sorgu sırasında sakindim. Ne olacak ki azıcık hırpalarlar, sonra salıverirler sandım. Annem şikâyetçi olacak değildi ya? Öldüğünden haberim yoktu. Başta söylemediler bir müddet. Yarasının önemli olmadığından emindim. Sağ omzuna yakın tek bir bıçak darbesi. Ne kadar kötü olabilirdi ki? Sonra bir müfettiş geldi. Dedi ki, "Ulan bilmiyor musun? Öldürdün kadını."

Nutkum tutuldu. Dilim lâl oldu. "Nasıl?" diye sordum nice sonra.

"Öz anneni katlettin, ruh hastası! Bakalım nasıl kurtaracaksın yakanı."

Hâlâ inanmıyordum. Beni konuşturmak için numara yaptıklarını, gözümü korkutmaya çalıştıklarını düşünüyordum. Ama bir gazete getirip önüme koydular. Memur Andrew'nun kestiği kupürün bir benzeri. İşte anamın öldüğünü o zaman öğrendim.

Mahkeme sırasında uyuşmuş gibiydim. Hissiz. Sünnet olduğum gün ağacın tepesinde olduğu gibi donup kaldım. Basın. Fotoğrafçılar. Mahkeme salonunun dışında ellerinde dövizlerle aleyhimde gösteri yapanlar vardı, hiç tanımadığım tipler. Beni destekleyenler vardı, gene hiç tanımadığım. Kalabalığın içinde Esma'nın yüzünü gördüm, beti benzi sararmış. Sonra Yunus'u gördüm. Gözleri kocaman, bakışları yaralı. İşte o zaman soluk alamaz oldum. Ciğerlerim geçit vermedi. Solunum aygıtı kesilmiş hasta bir adam gibi olduğum yere yığıldım. Astım krizi sandılar. Doktor nazik adamdı. Beni muayene etti ama bir şey bulamadı. Sonra deli doktoru geldi. Kof herifin tekiydi, pişmemiş etten de çiğ. Saçma sapan sorular sordu. Kafasına bir kül tablası attım. Yazık ki isabet ettiremedim.

Kodesteki ilk gecemde ranzama yığılıp gözlerimi tavana diktim. Tam bir saat. Deli doktoru haklı olabilir mi, merak ediyordum. Gerçekten beynimde sorun mu vardı? Kafayı mı yiyordum? "Akli yetisi yerinde" demişti savcı mahkemede. "Bu genç adam tam cezayı hak ediyor."

Sonraki gece, yine gözümü kırpmadım. Böylece sürdü gitti. Sonu gelmez bir kâbus gibiydi o ilk yıllar. Çok arbede çıkarttım. Belaydım. Nice sonra, bir gece yarısı, gayet net hatırlıyorum; dışarıda yağmur yağıyordu. Berbat bir fırtınaydı, gök gürültüsü, şimşek. Derken yağmur durdu ama sessizlik daha beterdi. Tam o sırada tuhaf bir hisse kapıldım. Sanki anam yanı başımdaydı. Ne kızgındı ne de kırgın. Böyle şeyleri aşmıştı. Ağlamaya başladım. Hıçkırıyordum, göğsüm körük gibi inip kalkıyordu. Hayatım boyunca dökmediğim gözyaşları o gece sel olup aktı.

❌❌❌

Zişan'la iki hafta geçirince kendi kurallarımdan birini ihlal edip soruyorum: "Bana baksana, sen neden düştün buraya? Senin gibi biri ne yapmış olabilir?"

Suratı asılıyor. "Ah, Zişan korkunç bir suç işledi diyorlar. Kanıt yok. Ama bir beyfendi var. Mahkeme onu dinledi, çünkü meşhur bir soyadından geliyor. Diyor ki ben çantayı almışım, yaşlı kadını yaralamışım. Kadıncağız hastanede, komada."

"Yaşlı başlı bir kadına mı saldırdın? Hırsızlık... cana kast... vay be, amma kirli çıkıymışsın."

"Zişan yapmadı öyle fena şey" diyor. "O hanım gözlerini açınca hakikati söyleyecek. Bekliyorum. Dua ediyorum. Sabrediyorum."

"Et, et, daha çoook edersin" diyorum. "Şimdi sen diyorsun ki işlemediğin bir suçtan dolayı burdasın, ha? Öyle olsa bile, geçmiş olsun. Ayvayı yemişsin."

Dikkatle bakıyor yüzüme. "Polis evime baskın yaptığı andan beri düşünüyorum, bu neden oldu? Hiçbir şey sebepsiz olmaz hayatta. O'nun bir bildiği var muhakkak ama ne? Bir türlü anlamıyorum. Karakol, mahkeme, kodes... hep bir cevap bekliyorum. Ta ki senle aynı hücreye düşene kadar."

"Gene ne zırvalıyorsun yahu?"

"Dinle, Zişan buraya gelince her şeyi anladı. Senin sayende burdayım."

"Yahu, ne saçmalıyorsun?"

Duraklayıp iç geçiriyor. "Sen bana gelsen daha kolay olurdu tabii. Ama yo, sen gelmedin. Madem öyle ben gelmek zorunda kaldım. İşte böyle Zişan mahkûm oldu, hapse düştü. Seni bulmak için."

"Hiçbir kabahatin olmadığı halde kozmik bir güç tarafından buraya gönderildiğini mi söylüyorsun yani?"

"Evet, doğru" diyor heyecanla. Balon bulmuş bir çocuk gibi ışıldıyor yüzü.

Bu adam zırdeli. Her geçen gün yeni bir martaval uyduruyor; tabii eğer mahsus yapmıyorsa. Birden bir şüphe düşüyor içime. Yakasından tuttuğum gibi duvara yapıştırıyorum.

"Bana bak, yoksa seni buraya Memur Andrew mu yolladı? Beni delirtmek için seni mi kullanıyor? Bu mu planınız?"

Suratını buruşturuyor. "Ben sana beni Tanrı gönderdi diyorum. Sen diyorsun, Andrew. Senin Andrew'un küçük, Rab büyük."

Bırakıyorum onu, şakaklarımı ovuyorum – başım zonkluyor.

"Yaşın kaç senin?" diye soruyorum birdenbire.

Gözlerini yere indiriyor utanmış gibi. "Altmış yedi."

"Ne? Hadi ordan!"

"Doğru söylüyorum."

"Altmış yedi görünmüyorsun."

"Teşekkür ederim" diyor. "Zişan kendisine bakıyor."

Gene başlıyor laga luga etmeye. "Sana geldim" diyor. "Son zamanlarda bir işe yaramıyordum, Hak da beni buraya getirdi, çünkü O tembelliği sevmez. Hepimiz çok çalışmalıyız."

"Ne çalışacağız?"

"Kalp ehli der ki..."

"O da ne?"

"Kalp ehli insana bakar, surete değil. Özü görür, kabuğu değil. Ayrım yapmaz, kem bakmaz, gıybet etmez. İnsan eşref-i mahlukat. Farklılıklar sadece dışarıda; giysiler, pasaportlar. Ama yürek hep aynı. Her yerde."

"Al işte yine başladık. Bir çuval zırva daha."

Ya "zırva" kelimesinin ne olduğunu bilmediğinden ya da beni takmadığından gülümsüyor Zişan. Diyor ki: "Her birimiz öldükten sonra uyandığımızda O bize dört soru soracak: Vaktini neyle geçirdin? Paranı nereden edindin? Gençliğini nasıl harcadın? Ve dördüncü soru, çok önemli: Sana verdiğim bilgiyi ne yaptın?" Susup bakıyor. "Anladın mı ne kastettiğimi?"

"Bir şey anlamadım."

"Diyorum ki bende bilgi var. Ben bir öğretmenim..."

"Öğrenciyim diyordun hani?"

"Her öğretmen öğrencidir aynı zamanda" diyor. "Ben öğretmenim, ilim sahibiyim, seninle paylaşmaya geldim. O yüzden yolladı O beni buraya."

Mahpusta her çeşit adam tanıdım. Hem gardiyanlar hem de mahkûmlar arasında. Psikopatı, azıcık çatlağı, kafadan kontağı, en zavallısı, en zayıfı ve en zalimi... Ama Shrewsbury Hapishanesi'ne ne daha önce Zişan gibi biri geldi ne de bundan sonra gelir. Zişan – doğum yeri Brunei, memleketi dünya. Ya soytarının teki bu adam, ya hakikaten ermiş. Hücremde ne aradığını bilmiyorum. Ne yapacağım ben onunla?

İskender Toprak
Shrewsbury Hapishanesi, 1991

Tarık

Cuma günü her zamanki saatte dükkâna giren Meral kocasını telefonda hararetli hararetli konuşurken buldu. Tarık, tepesinin atmak üzere olduğu zamanlarda hep yaptığı gibi çenesini öne çıkarmış, sakalını çekiştiriyordu. Aralarına "ama"lar ve "evet ama..."lar serpiştirilmiş kısa ve sert cümlelerle konuşuyordu. Hattın öbür ucundaki her kim ise konuşmanın çoğunu o yapıyor gibiydi. Meral sessizce geçip arka tarafa seğirtti. Sefertasını açıp kocasının öğle yemeğini hazırlamaya başladı. Mantı getirmişti bugün ama tereyağlı sosa her zamankinden fazla pul biber koyduğu için Tarık'ın beğenmeyeceğinden endişe ediyordu.

Sofrayı kurduktan sonra eline bir bez alıp rafların tozunu almaya girişti. Kolundaki altın bilezikler her hareketinde şıngırdıyordu. Hazır makarnaları, konserve etleri, soya sosunu, akçaağaç şurubunu, arpacık soğanı kavanozlarını inceledi – tekini bile ağzına sürmüşlüğü yoktu.

"Kim alır ki böyle şeyleri?" diye sormuştu bir keresinde.

"Modern kadınlar" diye yanıtlamıştı Tarık. "Mutfağa girecek zamanları yok. Akşam geçerken uğrayıp iki kutu ton balığı alıyorlar. Evde göbek salatanın üstüne koyuyorlar, adına da yemek diyorlar."

Meral bunların nasıl kadınlar olduklarını merak ediyordu. Nasıl ailelerden geliyorlardı acaba? Erkek dergilerindeki cıbıl kadınlar bile onu kocalarına karılık etmeyen bu modern kadınlar kadar şaşırtmıyordu. Birileri o dergilerdeki kızları kandırıyor olmalıydı anadan üryan poz vermeleri için. Düşmüş kadınlardı onlar. Ama modern kadınlar farklıydı. Para kazanıyor, araba kullanıyor, şık şıkıdım giyiniyorlardı; kimileri çocuk bile doğuruyordu, ama kocalarına bir biber dolması yapmayı bile bilmiyorlardı.

İçten içe, eltisinin de onlar gibi olduğundan şüphelenirdi. Tam adını koyamadığı, başına buyruk bir yan vardı Pembe'de – sakin bir denizin dibindeki akıntı gibi. Pembe'nin kocası da hayırsızın tekiydi ya. Bunca zamandır eve gelmiyordu. Zaten ondan önce de pek etrafta göründüğü yoktu. Kendi kocası öyle değildi. Her an başlarındaydı çok şükür.

"Hanım!" diye seslendi Tarık, ahize hâlâ elinde.

"Ne var?"

Kafasını yana doğru eğerek kapıyı işaret etti Tarık. Üç müşteri gelmişti. İki oğlan bir de kız. *Ne kadar gençler*, diye geçirdi aklından Meral. Oğlanlardan birinin kaşlarında gümüş hızma, tepesinde de egzotik bir kuşun yuvasını andıran bir tutam turuncu saç vardı. Diğer oğlan zayıf ve uzundu; Afgan cepkeninin altına hiçbir şey giymemiş, kılsız bağrını açmıştı. Kızınsa kuzguni siyah saçları, kâğıt gibi solgun bir teni, yırtık çorapları ve onlarca dövmesi vardı.

Meral onları görmek istemiyormuş gibi gözlerini kapattı.

"Bizi sevmediğine bahse girerim" diye mırıldandı Yürüteç.

"Vah vah! Korkuttuk mu sizi hanım teyze?" dedi Iggy Pop tezgâha yaslanıp. Ses tonu yarı suçlayıcı, yarı alaycıydı.

Genç adamın soluğunda bira ve tütün kokusu çarptı Meral'in burnuna. Elinde olmadan geriledi. Yan gözle kocasına baktı. Tarık hâlâ telefondaydı. Kapatacakmış gibi durmuyordu.

"Evet, ne istiyorsunuz?" diye sordu Meral temkinli bir şekilde.

"Zencefilli bira var mı?" diye sordu Yürüteç.

"Yok zencefil bira." Sesi titrek ve güvensizdi. Ne istedikleri hakkında hiçbir fikri olmadığı için baştan yok demek işine gelmişti. Ama bu arada Iggy Pop gazlı ve alkollü içeceklerin bulunduğu dolabı keşfetmişti bile.

"Hey bayan, burası bira dolu. Ne diye 'Yok' diyorsun?"

"Belki de hepsini kendisi içecektir" dedi Yürüteç burnunu kırıştırarak.

"Salaklık etme" diye araya girdi Tobiko.

Hâki başörtüsü ve delici bakışlı, koyu gözleriyle Yunus'u getirmişti bu kadın Tobiko'nun aklına. Ne kadar da düşünceliydi ufaklık son zamanlarda. Neydi acaba o sözünü ettiği sır diye meraklandı ve daha fazla soru sormadığına pişman oldu. Belki de çocuğun sırrını ona açmadığı daha iyi olmuştu. Aslına bakılırsa, bazen bir daha görüşmemenin Yunus için daha hayırlı olacağını düşünüyordu.

Tezgâhın arkasındaki rafları göstererek, "Bir paket fındıklı gofret alabilir miyim, lütfen?" dedi Tobiko.

Meral, Tobiko'nun ardından Iggy Pop'la ilgilenirken Yürüteç iki nugat bar, bir diş fırçası ve bir kutu ayakkabı boyası yürütmüştü bile. Ayrıca bir paket dondurulmuş sosisi ceketinin içine sokuşturmuştu ama buzlar çözülmeye başlayıp her yerini ıslatınca pişman olmuştu yaptığına.

"Koy onları geri" diye fısıldadı Tobiko.

"Kafayı mı yedin kızım?" diye isyan etti Yürüteç.

"Bu insanları soymanı istemiyorum. Bana Yunus'u hatırlatıyorlar."

"Hayda. Saçmalama..."

"Hayır dedim!"

Kavgaları Tarık'ın davudi sesiyle bölündü. Ellerini arkasında kavuşturmuş, tespihiyle oynayarak yaklaştı yanlarına. "Buyursunlar, buyursunlar" dedikten sonra karısına dönüp en kibar İngilizcesiyle sordu: "Evet, ne var bakalım burada?"

"Fındıklı gofret" diye açıkladı Meral paketi küt diye tezgâha bırakırken.

Tarık başını salladı. "Tamam, ben hallederim."

İsteksizce toz alma işine geri döndü Meral. Gazetelerin yanında bulduğu iki nugat bar, bir diş fırçası, bir kutu ayakkabı boyası ve bir paket sosise bir anlam veremedi. Bunları yerlerine koyarken bir yandan da müşterilerle keyifli bir sohbete girişmiş olan kocasını izliyordu. Zencefilli bira ve fındıklı gofrete ek olarak, bir paket sigara, kibrit ve çubuk kraker aldı Punklar. Çıkarken el salladılar. Meral de el sallayarak karşılık verdi gayriihtiyari.

"Şunlara bak" diye homurdandı Meral arkalarından. "Ne biçim kılıklar!"

Tarık omuzlarını silkti. "Gençler, kanları kaynıyor, ne yapacaksın."

Genç ve İngilizler, diye geçirdi aklından Meral. Eğer kendi çocuklarından biri böyle giyinecek olsa küplere binerdi kocası. Meral tutarlıydı hiç değilse. Evde, sokakta ya da dükkânda hep aynı kişiydi. İnsanın derisini nasıl küpelerle delik deşik ettiğini, çengelli iğnelerle tutturulmuş lime lime giysilerle dolanabildiğini anlaması mümkün değildi.

Karısının aklından geçenlerden habersiz, ayakta yemeğine yumuldu Tarık. "Of, çok acıymış."

"Şöyle oturup yavaş yavaş yesene."

"Zamanım yok. Dükkânı birkaç saatliğine sana bırakmam gerekecek."

"Nasıl yani? Duramam ben burada. Ocakta yemeğim var."

"Kızlar evde değil mi? Onlar baksınlar" dedi Tarık. "Bu iş mühim, hanım. Dağıtımcılarla bir pürüz çıktı. Bugün bu meseleyi halletmezsem yarın satacak bir şey olmaz. Ne süt gelir, ne tereyağı, ne yumurta, anlıyor musun?"

"Nereye gidiyorsun peki şimdi?" diye sordu Meral.

"Londra'nın ta öbür ucuna" dedi Tarık hoşnutsuzca.

🞖🞖🞖

Metrodan hoşlanmadığı için otobüse bindi Tarık. Ölünce zaten girecektik yerin altına, daha yaşarken girmenin ne âlemi vardı?

Gitmekte olduğu bölgeyi hiç bilmiyordu. Yol uzun, otobüs yavaştı ama hiç değilse şoförler grevde değildi yine. Ufacık bir anlaşmazlıktan öte olmayan bir hususu çözmek için bunca yol gitmek, için için zoruna gidiyordu. Vardığında müdürle yapacağı konuşmayı planlıyordu kafasında. Telefonun diğer ucundaki adam onlarla artık sözleşmesi olmadığını iddia etmişti. Geri zekâlı! Tarık cebinden katlanmış bir kâğıt çıkarıp kontrol etti. Kontratı gözlerine soktuğunda nasıl mahcup olacaklardı. Kim bilir, belki de gönlünü almak için özel bir indirim teklif ederlerdi. Ne olursa olsun bu karışıklığı bir an önce çözmesi şarttı. Bulunduğu yere tırnaklarıyla kazıya kazıya gelmişti; yılların alın teri ve göz nurunun ciğersiz bir memur tarafından bozulmasına izin veremezdi.

İki otobüs değiştirdikten sonra Richmond semtine ulaştı. Hava serindi ama beklenmedik şekilde güneş açmıştı öğleden sonra. Ana cadde üstünde, hazır bulmuşken ılınmanın tadını çıkaran insanlar vardı. Tarık, minik kırmızı burunları, solgun tenleri ve her zaman fazla ince görünen kıyafetleriyle İngiliz çocuklarına baktı. Türk anneler sokağa çıkarmadan önce bebeklerine hırka üstüne hırka giydirir, bir de battaniye örterlerdi. Halbuki İngiliz anneler için alta bir şort, üste ince bir ceket yeter de artardı bile. Bazen çorap bile olmazdı çocuklarının ayaklarında. Nasıl oluyor da donmuyorlardı? Soğuğa dayanıklılık da mı kültüreldi yani? İşte bunu bir türlü almıyordu Tarık'ın aklı.

Bir kafede durup bir çay içmek iyi olurdu şimdi ama para harcamak istemiyordu. Kara günler için kenara iki kuruş koyma fikrine ve iradesine sahip tek kişiydi koca sülalede. Halil kendi derdindeydi. Avustralya'da yaşamını kurmuştu; hiç arayıp sorduğu yoktu bir şey lazım mı diye. Âdem desen, ondan çoktan umudu kesmişti. Kumar oynuyor, kazandığını o Rus dansöze yediriyordu.

311

Azimle yürüyerek sıra sıra birbirinin aynı tuğla evleri geçti. Ana caddenin aksine burada hiç yaya yoktu; terk edilmiş gibi görünüyordu. Yokuşun sonundaki sinema bile başka bir çağdan kalmış bir emanet gibi duruyordu. Çok eskiydi bu şehir, çok. Geçmişin izleriyle doluydu. Bir keresinde arka bahçedeki çiçek tarhlarını çapalarken şarapnel parçaları bulmuştu Tarık. Meral'in dükkânda ne yaptığını merak etti. Eğer kocasına yardım edecekse İngilizcesini ilerletmesi gerekiyordu. Belki de ona bir cep sözlüğü alıp her gün beş-on sözcük ezberlemesini sağlamalıydı. Bunca yıldır kendi ufak dünyasında yalnızca Türkçe konuşarak idare etmişti karısı. Ama artık bundan daha fazlasını yapması gerekiyordu. Ne de olsa yaşlanıyordu Tarık, üstelik artık iki aileye birden bakıyordu – hem kendi ailesine hem kardeşininkine.

Güneş, kalın, gri bulutların ardında kayboldu. Tarık kaşlarını çatıp gökyüzüne bakınca fırtınanın yaklaşmakta olduğunu fark etti. Adımlarını hızlandırdı.

⊠⊠⊠

Toplantı gergin geçti. Müdürü görmesine izin verilmedi. Hayal kırıklığına uğrayan Tarık sözleşmesini müdür yardımcısına gösterdi mecburen. Onlar da şirketin anlaşmayı tek taraflı lağvetmesine izin veren maddeyi işaret ettiler. Tarık başka bir dağıtımcı bulmakla tehdit etti, onlar da "Nasıl isterseniz" dediler.

Yirmi dakika sonra binadan çıktığında asabı bozuktu. Sağa sola sorması, diğer dükkân sahiplerine danışıp yeni bir dağıtım şirketi bulması gerekecekti. Bu ruh haliyle sokağın ucundaki sinemaya yaklaştı. Afişe bakmak için yavaşladı. Harry Houdini hakkında bir film oynuyordu, siyah beyaz.

Yedinci sanata pek düşkün değildi ama bu meşhur sihirbazı merak ediyordu. El ve ayak bileklerinden zincirlenmiş halde baş aşağı sarkıtıldığı su dolu havuzdan sağ salim çıkmayı başaran biri nasıl ilgisini çekmezdi ki? İçeri girip etrafa bakındı. Birkaç fotoğrafın, eleştiri yazısının asılı olduğu bir pano vardı duvarda. Bunları incelerken filmin sessiz olduğunu öğrendi, düş kırıklığına uğradı. Bu eski püskü şeyleri kim seyrederdi ki? Bu soruya yanıt verircesine tam o anda salonun girişindeki perdeler açıldı, bir İngiliz çift yürüdü dışarı. Film bitmişti. İçerideki bir avuç seyirci çıkıyordu. Çiftin hemen ardında bir kadın gördü Tarık. Gözlerini yere dikmiş, çıkışa doğru süratle ilerliyordu. İnanması güçtü ama yengesiydi bu.

Tarık gayriihtiyarı bir hamle yaptı Pembe'ye doğru. Tam seslenip burada tek başına ne işi olduğunu soracaktı ki bir adam dikkatini çekti. Orta yaşlı, uzun boyluydu. Pembe'ye yaklaştığını gördü. Bir şeyler mırıldanıp bir kâğıt uzattı ona. Pembe de gülümseyerek alıp cebine attı notu.

Tarık arkalarından bakakaldı, şaşkın ve suskun. Kimdi bu adam? Türk ya da Kürt değildi, orası kesin. Ne mahalleden biriydi ne de akrabadan. İngiliz'e benziyordu sanki. Kesin ecnebiydi. Ne oluyordu yahu?

Sinemanın kapısına ulaştığında Pembe'nin sağa, yabancınınsa sola yönelmiş olduğunu gördü. Kafası karmakarışık halde öylece kalakaldı. Hemen arkasındaki ilan tahtasında *Dünyada Hiçbir Şey Houdini'yi Mahkûm Edemez* yazıyordu.

İskender

Cumartesi sabahı Kate ile buluşacakları mekâna gelen İskender, kafenin önünde, sakalını çekiştirerek volta atan Tarık'ı görünce şaşırdı. "Amca, burada ne işin var?"

"Seni bekliyordum. *Alâeddin'in Mağarası'na* uğradım, arkadaşların burada olabileceğini söylediler." *Tarık Amca iş saatinde dükkânı bırakıp onu aramaya mı çıkmıştı?* Midesinin düğümlendiğini hissetti. "Hayırdır? Bir şey mi oldu?"

Dilinin altındaki baklayı çıkarmaya hem gönülsüz hem kararlıydı Tarık. "Konuşmamız lazım yeğenim. Erkek erkeğe."

"Ama bir randevum vardı."

"Bırak şimdi randevuyu filan" diye tersledi Tarık.

İskender ancak o zaman fark etti amcasının ne kadar gergin olduğunu, hava sıcakmış gibi kazağının içinde ter döktüğünü. Sıkıntılı bir suskunluk içinde bir bahçe duvarının üzerine oturdular.

"Oğlum" dedi Tarık. "Sana kötü haberlerim var."

"Tahmin ettim."

Tarık sigarasından titrek bir nefes çekti önce, duman kıvrılarak süzüldü burun deliklerinden. Sonra da alçak bir sesle konuştu: "Annenle ilgili. Hiç hoşuna gitmeyecek duydukların."

☒☒☒

On dakika sonra kafeye girdiğinde İskender'in dudakları

büzülmüş, gözlerinin feri kaçmıştı. Önünde bitmeye yüz tutmuş bir çörek ve yarılanmış bir bardak muzlu-çilekli sütle oturan Kate'e doğru yürüdü.

"Yine geç kaldın" dedi Kate iç geçirerek.

"Affedersin."

"Alıştım artık. Ama bugün farklı olacağını ummuştum. Bir kerecik olsun kendinden başkalarını düşünürsün sanmıştım." İskender elini tutup parmak uçlarını öptü. "Neden bu kadar aksisin?"

"Neden mi? Bilmiyorsun sanki neden olduğunu." Bir şey daha söylemek üzereymiş gibi durakladı Kate ama ağlamaya başladı. İskender cebinden bir tomar para çıkarıp kızın avucuna koydu. "Bak, bu yüzünü güldürür."

Kate yanıt vermeyince ekledi: "Bir hafta önce aldım bunu amcamdan. Ama bir türlü veremedim sana, çünkü benimle görüşmek istemedin."

"Bu konuyu düşünmem gerekiyordu. Kendi başıma."

"Ee?"

"Ee'si, koy o parayı cebine" diye tersledi Kate, hızla geri çekti elini.

"Ne demek oluyor bu?"

"Fikrimi değiştirdim, Alex."

"Ne yaptın?"

"Öyle bakma. O pislik yuvasına gelmiyorum senle. Doğuracağım bu bebeği."

"Kafayı mı yedin yahu?" diye çıkıştı İskender. Sonra sesini bir parça kıstı. "On beş yaşındasın. On beş yaşındayım. Annen kalpten gidecek."

"Bir şey olmaz. Biliyor zaten."

İskender'in suratı döndü. "Ha, şimdi anlıyorum. O yıkadı değil mi beynini?"

"Hiç de bile! Hem neden annemden her söz edişimde bu kadar öfkeleniyorsun?"

"Bu konuyu konuştuk. Karar verdik! Amcama gittim, para aldım. Doktor buldum. Randevu aldım. İki kere! Erteleyip durdun. Tam karar verdik bu işi halletmeye, şimdi de prenses fikrini değiştirdiğini söylüyor."

Kate yine ağlamaya başladı. Bir damla gözyaşı yuvarlanıp meyveli sütün içine düştü; tuzlu bir damlacık oldu pembemsi yüzeyde.

"Bu bir aşk çocuğu. Doğmaya hakkı var."

"Zırvalıyorsun."

"Hayır, zırvalamıyorum" diye itiraz etti Kate. "Zaten çok geç artık kürtaj için. Üç ayı geçti bile."

"Ne? Neden söylemedin bana?"

"Ben de bilmiyordum" dedi hiddetle. "Ama fark etmez. Bebeğimiz doğduğu zaman gelip annemle ve benimle yaşamanı istiyorum."

Kaşlarını kaldırdı İskender. "Keçileri kaçırmışsın."

Kate sandalyesini gürültüyle geriye itip kalktı ve tiz, kırgın, neredeyse tanınmaz bir sesle konuştu: "Burada durup benimle bu şekilde konuşmana izin verecek değilim. Gidiyorum!"

"Nereye?"

"Eve. Gidip yatacağım. Annem kendimi yormamam gerektiğini söylüyor."

İskender masaya vurdu; çıkan ses öyle ani ve yüksekti ki birkaç müşteri onlara doğru baktı. Ama Kate etkilenmişe benzemiyordu. Çekip gitmeden önce diklendi: "Bak ne diyeceğim. En iyisi sen biraz sakinleş ve isim düşün tamam mı? Birkaç kız ismi, birkaç da oğlan ismi hazır olsun kenarda."

Derin bir soluk aldı İskender, başı ellerinin arasında, midesi düğüm düğümdü. Kaldırmadı kafasını. Şu anda canı ne arkadaşlarını görmek istiyordu ne de eve gitmek. Kate'in çöreğinden kalan parçayı ısırdı, dökülen kırıntıları silkeledi. Tarık Amca'nın ima ettiği o korkunç şeyi de aynen böyle silkelemenin bir yolu olsaydı keşke. Sıkıntıyla etrafa bakındı. Derken

Hatip'in bir zaman önce vermiş olduğu ve o gün bugündür ceketinin iç cebinde taşıdığı ama hiç okumadığı kitapçıklardan birini çıkardı. Garsonu çağırıp yiyemeyeceği kadar çok yemek ısmarladı. Ne de olsa parası vardı.

Okumaya başladı.

Yunus

Yunus bisikletini sürerek Tobiko'yu görmeye gidiyordu. Üzerindeki kolalı beyaz gömleğin yakasını öyle sıkı düğmelemişti ki boynu kızarmıştı. Buna rağmen tek bir düğmeyi bile açmaya niyeti yoktu, çünkü böyle daha yakışıklı göründüğüne inanıyordu. Ayrıca üzerinden dökülen bir deri ceketi vardı, hayatında giydiği en havalı şeydi. Bu ganimeti nasıl ele geçirdiğini düşündükçe utançtan yanakları kızarıyordu. Bu sabah erkenden kalkmıştı yataktan. Koridorun loş ışığında ağabeyinin odasına gitmişti. İskender'in bir gece önce boks maçı vardı ve eve geç saatte, yorgun argın gelmişti. Başı yastığın altında, bacaklarını karnına çekmiş, hafifçe horlayarak uyuyordu. Annesinin ona geçen doğum gününde aldığı deri ceket fırlatıldığı sandalyenin üstünde parlıyordu, tıpkı siyah buz gibi. Duvarlar posterlerle kaplıydı. Yıldız Savaşları, Muhammed Ali, Bruce Lee-Ejder, Manhattan semalarında uçan Süpermen, bir motosikletin üzerinde James Dean, Arsenal-Nottingham Forest maçından bir fotoğraf.

Kendine bir dünya kurmuştu burada İskender. Karışanı görüşeni yoktu. İstediği saatte gelip istediği saatte gidiyor, kimseye bir açıklama yapması gerekmiyordu. Haksızlıktı bu ve Yunus böyle düşünen tek kişinin kendisi olmadığını biliyordu. Kollarını deri cekete sokarken hem huzursuzluk hem heyecan hissediyordu. Huzursuzdu, çünkü ağabeyine ait bir şeyi alıyordu; akşam geri getirecek olsa da düpedüz hırsızlıktı bu.

Ama Tobiko'nun onu böyle beğeneceğini düşündükçe de heyecanlanıyor, hatta beş-on santim uzamış hissediyordu kendisini. Ceket çok havalıydı, son modaydı. *İsyankârdı.* Tobiko'nun hoşuna gideceğine emindi. Tam o sırada yatakta döndü İskender, başı yastığın altından kaydı. Soluğunu tutup bekledi Yunus. Ağabeyinin uykusunun derinleştiğinden emin olmadan kılını bile kıpırdatmadı. Babalarının, yaptığı her ufacık hata için İskender'i azarlayıp cezalandırdığı, binlerce kez payladığı zamanları hatırladı ama bunlar eskide kalmıştı. İskender artık başına buyruktu, sürekli öfkeli ve ulaşılmazdı. Keşke anneleri ona rest çekip kuralları kendisinin koyacağını söyleseydi ama o da öyle ilgisiz ve uzaktı ki.

Şu sır. Yunus ne kadar istese de annesinin yanında gördüğü o adamdan nefret etmeyi başaramıyordu. Kimdi acaba? Artık kimsenin gülümsetemediği annelerinin yüzünü öyle güldürmeyi nasıl başarmıştı? Onu alıp götürmeye kalkar mıydı acaba? Ah, soramıyordu ki Yunus bunları. Söyleyemiyordu. Hiç kimseye.

Bisikletin pedallarını çevirirken asla evlenmemeye karar verdi Yunus. Fazla girift ve ıstıraplıydı bu işler. Evli kalmayı başaran, ama gerçekten başaran bu kadar az insan varken ne diye herkes evleniyordu ki? Komün hayatını sevmişti Yunus. Beğenmediği tek yan etraftaki dağınıklık ve pislikti. Onun dışında, işgal modelinin insanları daha mutlu ettiğine inanıyordu. Büyüdüğü zaman bir yuva kurmak yerine Tobiko ile birlikte bir bina işgal edip komün kuracaktı. Bir sürü arkadaşları, dolapta bolca yiyecek olacaktı ve eğer bebekleri olursa onları hep birlikte büyüteceklerdi. Ortalarda olmayan bir baba ve sürekli mutsuz bir annedense yirmi annesi ve on beş babası olması daha iyiydi bir çocuğun.

Bisikletini zincirleyip Kaptan'ın annesine ait olan iki katlı tuğla eve yöneldi. Kapı açıktı. Birinci kattaki odalara, mutfağa ve banyoya baktı. Punklar ortada yoktu. Belki dükkânlardan bir şeyler aşırmaya ya da çöplükten eşya toplamaya gitmişlerdi. Damlayan bir musluk ve çatırdayan borular dışında hiç ses yoktu evde. Yunus oturma odasında oturup fanzinleri, dergileri karıştırdı. Birinin üzerinde yazan sözler dikkatini çekti: *Devletin İdeolojik Aygıtları*. Yunus, bunun ne olduğunu bilmiyordu ama "devlet"in ne olduğuna dair bir fikri vardı: İri göğüslü, kabarık topuzlu, çekici bir kadındı devlet. Annesi ne zaman bir kadının gücü ve becerisini övecek olsa "Devlet gibi hatun yahu!" derdi. Yunus'un anlamadığı şey, Punkların bu tür kadınlar ve onların *aygıtları*'yla ne alıp veremediklerinin olduğuydu.

Çocuk hâlâ buna kafa yorarken ani bir müzikle yerinden sıçradı. İşgalcilerin nefret ettiği o hareketli pop şarkılarından biriydi çalan. Yukarıdan geliyordu. Punklar asla böyle müzik dinlemezdi. Onların bu tür neşeli, oynak parçalar dinledikleri vaki değildi.

Merakla merdivenleri tırmandı. Yaklaştıkça şarkıya eşlik eden hafifçe detone bir kadın sesi gelmeye başladı kulağına. Yatak odası kapısının önünde durup kapıyı çaldı. Bekledi, tekrar çaldı. Yanıt gelmeyince kapıyı aralayıp içeri baktı.

Orada, odanın orta yerinde, gözleri yarı kapalı, iki eliyle sımsıkı tuttuğu saç fırçasını mikrofon yapmış, kıvırtarak çılgınca dans eden biri vardı: Tobiko. Mobilyaları sağa sola itip yer açmıştı kendine. Sıkıca kapatılmış jaluziler gün ışığının odaya yalnızca incecik çizgiler halinde sızmasına izin veriyordu. Bu loş ortamda ince, uzun ve her zamankinden tamamen farklı görünüyordu Tobiko.

Melodi biter bitmez odada birilerinin varlığını hissedip gözlerini açtı Tobiko. "Ah! Ödümü kopardın."

"Özür dilerim" diye mırıldandı Yunus. "İstemeden oldu."

Yüzünde çekingen bir ifadeyle baktı Tobiko. Fırçayı tuvalet masasının üstüne bırakıp kasetçaları durdurdu, jaluzileri açtı.

"Ne işin var burada?"

"Seni görmeye gelmiştim. Kapı açıktı" dedi Yunus. "Neydi o dinlediğin?"

"Ha, o mu? Vakit geçsin diye dinliyordum. Bayan Powell'ın kasetleri."

"Nerede o?"

"Doktora gitti. Üçü bulur gelmesi." Tobiko sesini fısıltı seviyesine indirerek ekledi: "Psikoloğa gidiyor sanırım."

"Sahi mi?" dedi Yunus düşünceli bir tavırla ama hemen ardından başka bir şey geldi aklına. "Demin çalan müzik, ABBA'ydı değil mi?"

"Nereden bildin?"

"Annem de sever" dedi Yunus gülümseyerek.

"Benim tarzım değil. Beş para etmez."

Tobiko'ya hayretle baktı Yunus. Onun içindeki küçük kızı gördü ilk kez. Ve anladı ki olduğundan daha büyük ve katı görünmeye çalışan tek kişi kendisi değil.

"Ceketin de pek güzelmiş" dedi Tobiko.

"Teşekkürler" dedi Yunus ama konuyu bırakmaya niyeti yoktu. "Deminki şarkıyı bir daha çalar mısın?"

Muzipçe gülümsedi Tobiko. "Bana bak, yoksa benimle dans mı etmek istiyorsun? Eh, peki, tamam. Ama madem sen bunca zahmete girmişsin, bari ben de güzel bir şeyler giyeyim üstüme."

İkisi birlikte gardırobu açtılar. Giysiler, aksesuarlar, ayakkabılar ve şapkalarla ağzına kadar dolu olduğunu görünce şaşırdılar.

"Bu kadın bütün parasını giysiye yatırıyor olmalı" dedi Tobiko.

"Tek bir siyah giysisi yok" saptamasında bulundu Yunus.

Her zaman yırtık pırtık kotlardan başka bir şey giymeyen Tobiko frapan kıyafetlerle fazlasıyla ilgili görünüyordu. Camgöbeği fulara, kavuniçi şifon eteğe, lila bluza baktı. Parlak pullarla süslü şarabi bir gece elbisesi, yakasında tilki kürkü olan bir ceket, ayak bileklerine kadar uzanan, yumuşacık bir kürk manto buldu.

"Tahmin etmeliydim" diye homurdandı. "Hayvan katili! Sprey boyayla boyamak lazım bu kürkleri."

Onun yerine gök mavisi saten ve taftadan bir elbiseye uzandı. Bele oturan bir kesimi ve yüzlerce taşla bezeli, incecik askıları vardı.

"Sana çok yakışır" dedi Yunus kepçe kulaklarına kadar kızararak.

"Beni biraz yalnız bırakabilir misin? Ben çağırana kadar gelme, anlaştık?"

Koridordaki bekleyiş bir ömür gibi geldi Yunus'a. Odaya geri çağrıldığında karşısında bambaşka bir kadın buldu. Tobiko saçlarını açıp yüzünü yıkamıştı. Siyah rujunun yerini pembe bir ton almıştı; o dumanlı göz farını da silmişti. Yırtık file çorapları çıkarıp ten rengi naylon çorap giymişti; ayaklarında platform topuklu lamc ayakkabılar vardı. Kulaklarındaki sallantılı küpeler, yüzündeki utangaç gülümseme ve havadaki parfüm kokusu büyüleyiciydi.

Yunus, İskender'den öğrendiği gibi ıslık çaldı. "Devlet gibi hatunsun yahu!"

Tobiko bastı kahkahayı. Sonra iki saç fırçası kaptı; birini kendisine, diğerini Yunus'a. Kasetçaların düğmesine bastı ve müzik başlayınca el ele, gülümseyerek süzüldüler sahneye. Bu gece binlerce kişi gelmişti onları dinlemeye. Bütün biletler haftalarca öncesinden satılmış, bir o kadar insan kapıda kalmıştı. Deri ceketinin içinde son derece havalı olan Yunus piyano, gitar, saksofon ve davul çalıyordu. Tobiko ise şarkı söylüyor, etekleri uçuşarak dans ediyordu. Her nakaratta sırt sırta verip birbirlerine yaslanıyorlardı. Seyirciler çılgın gibi alkışlıyordu.

Müzik bitip de ikisi de soluk soluğa kaldıklarında hayal sona erdi. Tobiko kollarını Yunus'a doladı. "Bir ara bana sırlardan bahsediyordun ya. ABBA da bizim sırrımız olsun. Kimseye söyleyelim, olur mu?"

"Niye?"

"Gülerler bize. Basit bulurlar."

Oysa ne kadar asi görünürdü Tobiko. Düzene başkaldırmaktan dem vuran bu kızın başkalarının fikirlerine köle olması şaşırtıcıydı. O öğleden sonra Tobiko hakkında hiç bilmediği şeyler öğrendi Yunus. *Kendimden nefret ediyorum, ufaklık. Hayatımı harcamışım gibi geliyor.*" Eski erkek arkadaşı Toby'yi terk etmediğini itiraf etti. Aslında tam tersi olmuştu. Durup dururken onu bırakıp gitmiş, kalbini paramparça etmişti Toby. Sonra Kaptan'la tanışmıştı ama âşık değildi ona. Sevmiyordu ama bırakamıyordu da. Eskiden daha cesurdu ama gün geçtikçe daha bağımlı, yapışkan oluyordu. Erkekler sevmezdi halbuki böyle kadınları. Boğucu bulurlardı.

"Bana yapışabilirsin" dedi Yunus.

"Ah, sen yok musun..."

Sonra yazdığı deneysel şiirleri paylaştı Yunus'la. Ama tam okumaya başlamıştı ki aşağıdan ayak sesleri duydular. Bayan Powell gelmişti. Tobiko paniğe kapıldı. "Allah kahretsin, yakalandık!"

"Meraklanma" dedi Yunus. "Sen üstünü değiştir. Ben gidip onu oyalarım." Şiiri ceketinin cebine koyup hızla aşağıya indi.

◼◼◼

Akşam yemek masasında Yunus'a pis bakışlar atsa da ceketinin bütün gün nerede olduğunu sormadı İskender. Durgundu. Suskundu. Biraz yürüyeceğini söyledi sofradan kalkınca. Gidip çocuklarla takılacak, bilardo oynayacaktı. Kafasını toplamaya ihtiyacı vardı. Annesinin itirazlarına kulak asmadan çıktı. Tarık Amca'yla yaptıkları konuşmadan beri soğuk davranıyordu Pembe'ye ama *o mevzuda* hâlâ yüzleşmemişti onunla. Hava serindi. İskender ceketinin yakasını kaldırıp ellerini ceplerine soktu. Sol cebinde bir şey vardı, ne olduğunu bilmediği bir kâğıt. Çıkarıp bir sonraki sokak lâmbasının ışığında okudu. Sonra tek bir hareketle buruşturup çöp kutusuna attı. Birileri oyun mu oynuyordu ona? Mesaj mı yolluyordu? Bütün gece bunu kimin yapmış olabileceğini düşünüp durdu ama işin içinden çıkamadı.

Bilmiyordu ki gizli mesaj sandığı aslında Tobiko'nun karaladığı bir şiirdi. Ne kadar unutmaya uğraşsa da ilk dizesi yer etti aklında:

Daha ne kadar dayanacaksın yalanlarına annenin?

YÜREĞİNDEKİ BOŞLUK

İskender

İskender'in düşündüğünden zor oldu Hatip'i bulmak. Bir sürü kafeye gitti, telefonlar etti ama nafile. Adamı ne kadar az tanıdığı kafasına o zaman dank etti. Bütün bu zaman zarfında hep Hatip olmuştu haber gönderip buluşmaları ayarlayan. Ne yaşadığı yeri biliyordu, ne de boş zamanlarında tam olarak ne yaptığını. Şehirdeki bir fakültede öğrenci olduğunu söylediğini hatırlıyordu ama her şey gibi bu da muammaydı.

Sonunda bir arkadaşının arkadaşı sayesinde, Uzakdoğu dövüşleri yapılan bir spor merkezinde onu bulmayı başardı. Etrafında yarım düzine genç erkekle oturuyordu Hatip. Gençlerden bazılarının göğüslerinde ter izleri ve boyunlarının etrafında havlular vardı. Zorlu bir antrenmanı geride bırakmış, duşlara yönelmeden önce önemli bir mevzu konuşuyor gibiydiler. İskender'in yaklaştığını görünce susup, saklamaya gerek duymadıkları bir güvensizlikle onu süzdüler.

"Sorun yok" dedi Hatip diğerlerine göz kırparak. "Tanıyorum arkadaşı."

İskender o göz kırpıştan da, Hatip'in ses tonundan da hoşlanmadı. Yine de bozuntuya vermedi. "Selam, n'aber!"

Hatip ayağa fırlayıp sağ elini göğsüne koydu. "Aleykümselam. Bize katılmak ister misin?"

"Yok, sağ ol. Bir yere yetişmem gerekiyor. Verdiğin kasetleri bırakmak için uğradım."

Arkadaşlarına dönüp anlaşılmaz bir şeyler mırıldandıktan

sonra İskender'in yanına gitti Hatip. Üzerinde palto, kazak olmayınca ne kadar ufak tefek olduğu ortaya çıkmıştı. Omuzları dar, bilekleri kemikli, bacakları hafif çarpıktı. "Bunun için ta buralara kadar gelmene gerek yoktu" dedi. "Dert değil" dedi İskender. Neden burada olduğundan kendi de emin değildi.

"Konuşmak ister misin?"

"Olur. Birkaç dakika."

Bir köşeye gidip spor salonunun tahta zeminine oturdular. Karşılarında çeşit çeşit ağırlık aleti vardı. Dökme demirler, halterler, bençler. Kas yapma sevdasına büyükçe bir ağırlığın altında oflayıp poflayan tıknaz bir adamı seyrettiler.

Yan gözle Hatip'e baktı İskender. "Sporla ilgilendiğini bilmiyordum."

"Tekvando yapıyorum. Benden dövüşçü olmaz ya. Fikir adamıyım ben."

"Niye geliyorsun o zaman buraya?"

"Çünkü bizim gibilerin kendini savunmayı bilmesi gerekiyor" dedi Hatip. "Kuzey Yakası'nda olanları duydun mu? Dört Dazlak, Bangladeşli bir bakkala saldırmışlar. Dörde karşı bir."

"Haberim olmadı."

"Yere yatırıp saçlarını tıraş etmişler. O salak sembollerini çizmişler adamcağızın kafasına. Zavallı korkudan hastalanmış. Karısı durmadan ağlıyor."

"Hadi ya."

"Sen tabii kendini savunmayı iyi biliyorsun" dedi Hatip birden.

İskender başını salladı ama boksa başlama nedeninin bu olduğundan emin değildi. Kendini sokakta korumak değildi onu bu spora yönelten. Ringde olmayı seviyordu; dövüşün kendisini, adrenalini. Danışıklı ve sahte bulduğu birçok sporun aksine hakikiydi boks. Hayatın bire bir yansımasıydı. Ringde yapayalnızdın. Takım çalışması filan yoktu. Ne de kenarda bekleyen yedekler. Herkes kendi başının çaresine bakmak zorundaydı.

İyi ve kötü, asil ve sefil. Hepsi oradaydı. Bir adamın gerçek karakterini görmek için onu boks yaparken izlemek yeterliydi. "Müthiş bir boksörsün sen" dedi Hatip. "Doğuştan yeteneklisin, belli."

"Nereden biliyorsun? Hiç seyretmedin ki beni?"

"Aslına bakarsan seyrettim. İki kere. Riskli dövüşlerden kaçmıyorsun, sol yumruğun bayağı kuvvetli. Bir sonraki darbenin nereden geleceğini bilir gibisin. Az insana kısmet olan bir yetenek bu." Hatip bir es verip, gözlerini İskender'den ayırmadan ekledi: "Sana ne zamandır sormak istiyordum bunu. Bizimkilere dövüşmeyi öğretir misin? Arkadaşlar senden çok şey öğrenebilirler."

İskender bir an durakladı. "Yalnız dövüşmeyi seviyorum ben." Hatip'in yüzü asılıverdi. "Evet, belli ki başına buyruksun. Yalnız kurt gibi. Bağlanmayı sevmiyorsun. Ama unutma, büyük dövüşçüler hem manen hem maddeten büyüktür. Manevi değerlerin daha güçlü olsa yenilmez olursun."

"Yenilmez olmak istemiyorum ki."

"Ne istiyorsun peki?" diye sordu Hatip açıkça meydan okuyan bir sesle. "Neden buraya geldin o zaman beni görmeye? Çünkü bir yanın durumun farkında. Bir yere ait olmaya ihtiyacın var. Vaaz veriyor gibi göründüğümün farkındayım ama niyetim bu değil. Bir ağabey olarak selametini düşünüyorum. Hayatta bir amaç, bir yön lazım sana. Gel, katıl bize."

İskender bir şeyler söylemeye çabaladı ama yapamadı. Montunun cebinden ödünç aldığı kasetleri çıkardı.

"Dinledin mi bari?" diye sordu Hatip.

"Sayılır."

Bu yanıt Hatip'in suratının daha da asılmasına neden oldu. "Sana verdiğim kitapçıkları okumadın. Bir tekini bile. Şimdi de kasetleri dinlememişsin."

"Kardeşlerimden sıra gelmiyor ki. Kasetçalar sürekli onlarda. Yunus Punk müzikler dinlemeye başladı. Ama kısım kısım dinledim. Beğendiğim yerler oldu. Birbirini koruyup kollamak kısmı iyiydi mesela. Bir dal hemen kırılır ama dallardan oluşan bir demete kolay kolay bir şey olmaz."

"İyi ya, katıl bize."

"Ya... ne bileyim. Kafam çok meşgul bu aralar. Kız arkadaşımın başı dertte. Bir de... eee, halletmem gereken bazı ailevi meseleler var."

Yorum yapmadı Hatip. İskender'in ne kadar az soru sorulursa o kadar çok anlatan tiplerden olduğunu biliyordu.

"Geçenlerde söylediğin bir şey aklıma takıldı" dedi İskender. "Eğer annen baban yanlış yoldaysa onlara karşı durabilmelisin demiştin hani."

Hatip kaşlarını kaldırdı. "Evet, ama bazı hususları birbirine karıştırmamak gerek. Demek istediğim şuydu: Eğer ebeveynin Allahsızsa sen onlardan değil, Allah'tan yana olmalısın. Çünkü O, anne babandan yücedir. Ama dikkat! Eğer sen de inançsızsan ve anne babana başkaldırırsan, tutunacak dalın kalmaz. Dayanacak ilkeleri olmayınca ayağı yerden kesiliverir adamın. İşte bize bu yüzden ihtiyacın var."

"Peki diyelim ki ailemden biri..." diye araya girdi İskender. "Farz edelim ki biri günah işliyor. Anlamaya çalıştığım, bu durumda bana ne görev düştüğü..."

"Kim mesela?"

"Diyelim ki annem."

Sıkıntılı bir sessizliğin ardından konuştu Hatip. "Babanla konuş. Senden çok ona düşer. Ama şayet o karışmazsa, o zaman sana kalmış. Ben olsam annemin, kız kardeşim ya da karımın, kimsenin şerefimi iki paralık etmesine izin vermezdim."

"Ne yapabilirim ki?" diye sordu İskender.

"Cevabı biliyorum ama söyleyemem. Bana güveni olmayan birine ben nasıl itimat edeyim? Gel bize katıl, daha yüce bir şeyin parçası ol. Doğrusu bu."

"Hmm, düşüneceğim."

"Tamam, git biraz kafa yor teklifime. Ama çok açma arayı. Sen düşünürken hayat devam ediyor."

☒☒☒

Aynı akşam İskender daha önce hiç gitmediği bir gece kulübünün kapısındaydı. Ama bu sahneyi kafasında öyle çok kurmuştu ki sanki burada daha önce bulunmuş gibi bir rahatlık hissediyordu. İçeri doğru adım atmasıyla iri cüsseli bir bar fedaisi tarafından durdurulması bir oldu. Gri takım elbise, aynalı gözlük, kel bir kafa, kısa ve kalın bir boyun.

"Yaşın kaç evlat?" diye homurdandı fedai.

"Yeterince büyük" dedi İskender.

"Benim kitabımda böyle bir cevap yazmıyor."

"Kitabını bilmem ama benim içeri girmem gerekiyor."

Kızmaktan ziyade şaşırmış görünen fedai gözlüğünü çıkardı. Gözleri yüzüne göre fazla küçüktü, birbirine fazla yakın. İfadelerini okumak imkânsızdı.

"Sabrımı mı deniyorsun lan? Haberin olsun, çoktan taştı bile."

İskender'in yanaklarına al bastı. Fedainin onu kolayca haklayabileceğinin farkında olsa da adamın göründüğü kadar tehditkâr olmadığını düşünüyordu. Sadece bir histen ibaretti ama sokak kavgalarına gelince hislerine güvenirdi.

"Bak, tek istediğim babamı bulmak, tamam mı?"

Bir merak bulutu gezindi fedainin yüzünde. "Baban burada mı çalışıyor?"

"Hayır. Ama burada çalışan bir kadınla düşüp kalkıyor."

Derin bir soluk aldı fedai. "Sen de buraya bela çıkarmaya geldin, öyle mi?"

"Yok be! Ne diye isteyeyim ki bunu?"

"Ne yapacaksın babanı peki? Paylaşacak kozunuz filan mı var?"

"Ne alakası var? Sadece pederle iki kelime konuşmam gerekiyor, hepsi bu."

332

Fedai gözlüğünü yeniden taktı. "Üç dakikan var. Bir saniye bile geçirmek yok. İçeri girecek, babanı bulup dışarı çağıracaksın. Eğer üç dakika içinde burada olmazsan gelir bacaklarını kırarım. Anlaşıldı mı?"

"Tamamdır abi, budur işte. Sağ ol."

Sırtını dikleştirip içeri daldı İskender. Striptiz kulübünün girişindeki tünel boyunca ilerlerken cebindeki cam şişeyi yokladı. Fedainin üstünü aramamış olması bir mucizeydi. Kezzap taşıyordu. Pratik ve etkili. Tek yapması gereken kadının yüzüne nişan almaktı. Bir daha onu görmek dahi istemeyecekti babası. Güzelliği tarih olacak, artık hiçbir erkeği baştan çıkaramayacak, başka yuvalar yıkamayacaktı.

Kaç kez hayal etmişti bu sahneyi... Gürültülü, dumanlı, kalabalık ve boğucu olacaktı mekân. Doğruca bara gidip kendine bir içki ısmarlayacaktı. Muhtemelen viski. Sek, buzlu. İçkisini iki yudumda bitirip boğazı hâlâ yanarken kalkıp sahne arkasına sıvışacaktı. Ter, sigara ve parfüm kokan dar koridorlarda ilerleyecekti. Kadının odasını bulmakta zorlanmayacaktı. Üstünde Roksana yazan kapıyı vuracak ama yanıt beklemeden içeri dalacaktı.

"Sen de kimsin?" diyecekti Roksana. Sesinde panik belirtileri. Yüzünde koyu bir makyaj, dudaklarında kan kırmızısı ruj olacaktı.

"Ailesinden ayırdığın adamın oğluyum!"

Sahneyi her düşündüğünde değişiyordu bu cümle. "Sen beni tanımazsın ama ben seni gayet iyi tanıyorum" diyordu bazen. Ya da: "Bu soruyu esas sorması gereken benim. Kim olduğunu sanıyorsun da ailemizi yıkmaya kalkıyorsun?"

Kadının tepkisi duruma göre değişiyordu. Çoğunlukla utanıp özür diliyordu. Ama bazen sinirlenip olay çıkarıyordu. Duvara fırlatılan bir topuklu ayakkabı. Kırılan bir şampanya kadehi. Her ihtimali düşünmüştü İskender. Eğer kadın çirkefleşirse o da cebindeki şişeyi çıkaracaktı. Yok, eğer pişmanlık gösterirse o zaman sakin olacak, bir şans daha verecekti. Bazen de hayalin tam burasında kadın gözlerinde yaşlarla kendini yere/koltuğa/kanepeye atıyordu. Bütün olası senaryolar arasında İskender'in en çok hoşuna giden buydu. "Ah, bilmiyordum evli olduğunu" diyecekti hıçkırarak. "Ailesi olduğundan haberim yoktu. Bana hiç söylemedi." Hikâyenin bu versiyonunda şişeyi çıkarmayacaktı İskender. Bilakis, kadını teselli edecekti. Her şey talihsiz bir yanlış anlamadan ibaretti. İki arkadaş gibi veda edeceklerdi. Âdem'le bir daha görüşmeyeceğine söz verecekti Roksana ve ölene dek tutacaktı sözünü.

Kafasında bu düşüncelerle bir yandan yürüyor, bir yandan etrafı inceliyordu İskender. Az insan vardı içeride. Garsonlar, çalışanlar. Müşteriler için vakit erkendi daha. Bara yaklaştı. Arkada neon ışıklarla bezeli, büyük, oval bir ayna, önde parlak bir ahşap tezgâh. Sert yüzeye kazınmış harfler ve sembollerin üzerinde gezdirdi parmağını. Kim bilir kaç müşteriden, kaç gösteriden artakalan izlerdi bunlar.

Barmen –saçları sıkıca örülmüş, Karayipli siyah bir adam– bardakları kuruluyordu. Gözlerinde alaycı bir kıvılcımla baktı. "Yaşın kaç senin?"

"Yeterince büyük" dedi İskender gene.

"Kimlik görebilir miyim, Bay Yeterince-büyük?"

"Bak, burada olduğuma göre burada olacak yaştayım demektir. Yoksa kapıdaki ızbandut beni dünyada içeri sokmazdı, değil mi?"

"İyi denemeydi" dedi barmen. "Karşılığında bir bardak su veririm sana. Hadi madensuyu olsun. Daha fazlasını koparamazsın, haberin olsun."

İskender madensuyunu içerek sahnenin önünde durdu. İki yandaki perdeleri inceledi. Arkada mıydı acaba Roksana? Gidip bulsa mıydı onu? Cebindeki kezzabı yokladı bir kez daha. Hâlâ bir sonraki adımı tasarlarken, fedaiyi gördü az ötede,

334

onu arıyordu belli ki. Gülümsemeden, taviz vermeden parmağıyla saatine vurdu adam. İskender madensuyunu bitirdi, barmene teşekkür etti ve istemeye istemeye çıktı. Hiçbir şey planladığı gibi gitmiyordu. Kaldırımda oturdu. Hiç bitmeyecekmiş gibi gelen bir bekleyişin sonunda ona doğru gelen karaltıyı fark etti. Saçları dağınık, başı eğikti yaklaşan adamın; dizlerinin bağının her an çözülmesinden korkar gibi titrekti adımları. Yanından geçerken fark etmedi bile delikanlıyı.

"Baba..."

Âdem durup döndü. Yüzü içten bir gülümsemeyle aydınlandı ama hemen ardından kaygıyla baktı. "İskender... Kardeşlerine bir şey mi oldu yoksa?"

"Hayır. Gayet iyiler."

Bir an rahatlamış göründü babası. Ama bunu kuşku, kuşkuyu da asabiyet izledi. "Ne arıyorsun sen burada? Sana göre yerler değil buralar."

İskender'in yüzü bulutlandı. "Sana göre yerler mi peki?"

Ağzı sarktı Âdem'in, gözleri alaz alazdı. "Bana bak, keserim o dilini."

"Eve gelmeni istiyorum baba" dedi son kelimeyi vurgulayarak.

Kinayeyi kaçırmadı Âdem. "Git annenin yanına, kırmayayım kemiklerini."

"Ne varsa bugün kemiklerimde? Her önüne gelen kırmaya kalkışıyor."

Bir süre sessizce dikildi baba oğul, gözlerini birbirlerinden ayırmadan. Her ikisi de önce ötekinin konuşmasını bekliyordu. O anda, sanki aynaya bakıyormuş, karşısındaki oğlu değil de kendi gençliğiymiş gibi tekinsiz bir hisse kapıldı Âdem. İskender hem ona benziyordu, hem alabildiğine farklıydı. Korkudan, yılgınlıktan eser yoktu bu oğlanda. Hayata meydan okumayı seviyordu.

"Zamanı gelince dönerim" dedi Âdem sonunda.

"Peki ne zaman? O sürtükten bıktığında mı..."

Tokat! Anında geldi. Babasının tepkisinden ziyade kendi ağzından çıkanlara afallamış gibiydi İskender. Bu şekilde konuştuğuna inanamıyordu. Ona öğretilen her şeye aykırıydı yaptığı. Tokada tanık olan fedai hızla onlara yöneldi. "Hey, siz ikiniz. Sakin olun, yoksa polis çağırırım."

"Ta...mam, tamam" diye mırıldandı İskender kendi kendine konuşur gibi. Anlaşılmaz bir bakış vardı gözlerinde, yeni bir ışıltı. Babasına döndü ve gayet durgun, gayet soğuk konuştu: "Bana bir daha vurursan ben de sana vururum. Benim yumruğum seninkinden kuvvetli, haberin olsun!"

Âdem'in benzi attı. Göğsüne öyle bir ağrı saplandı ki bir an nefes alamadı. Oğlunun onu yabancıların önünde aşağılamasının şoku, kederi ve utancı değildi tek hissettiği. Daha derin, daha ıstıraplı bir şey vardı genzinde. Gecikmiş bir farkına varış. Kendi babası (Sarhoş Olan) onu dövdüğünde bir kez olsun diklenmemiş, hep alttan almış, sinmişti. Oğluyla arasındaki karakter farkı, kendi ezikliğini daha net görmesini sağladı. Dayanamadı buna. Hiddetlendi. İskender'e doğru bir adım atıp bir tokat daha patlattı. Bu seferki daha sertti.

İşte o zaman beklenmedik bir şey oldu. Yaralı bir hayvan gibi uluyarak babasına doğru hamle etti İskender. Ama ona vurmak yerine gidip kulübün duvarına kafa attı. Bir kere, iki kere, üç kere. Küt, küt, küt. Âdem onu tutmaya çalıştıysa da nafile.

"Dokunma bana" diye böğürdü İskender. Kendinden geçmiş gibiydi.

Fedai zor zapt etti, duvardan uzaklaştırdı onu. Ama şiddete susamışlığı öyle fazlaydı ki duramadı İskender. Dişlerini fedainin omzuna geçirip kanatana kadar ısırdı. Adam soğukkanlılığını kaybetti, yüzü öfkeden kıpkırmızı halde İskender'i yumruklamaya başladı.

"Hayır, dur." Âdem araya girmeye çalıştı. "Yapma, oğlum o benim."

Etraflarına insanlar toplanmıştı. Müşteriler, garsonlar, dansçılar, yoldan geçenler. Roksana da seyirciler arasındaydı, kocaman açılmış gözler ve sıkışmış bir yürekle izliyordu. Nihayet onları ayırmayı başardıklarında fedai o kadar sinirliydi ki sesinin titremesine mâni olamadı: "İkinizi de bir daha görmek istemiyorum. Anlaşıldı mı? Buralarda dolaştığınıza rastlarsam pişman ederim."

"Kalk, gidelim." Âdem temkinli ama kararlı bir hareketle kolundan tutup çekti oğlunu. Sessizce yürüdüler. Kulüpten yeterince uzaklaşınca bir sokak lâmbasının altına çöktüler. Ağzında kan tadı, kesik kesik solumaktaydı İskender.

"Buraya gelmemeliydin" dedi Âdem bezgince.

"Annem bir adamla buluşuyor."

"Ne?"

"Duydun işte" dedi İskender. "Eve dönmek zorundasın."

Âdem bir sigara çıkarıp yaktı, oğluna uzattı. İskender'in yüzündeki şaşkınlığı görünce buruk bir sesle ekledi: "Al hadi. Biliyorum içiyorsun." Kendine de bir tane yaktı. "İyi bir adam mıymış bari?"

İskender kulaklarına inanamadı. "Ne diyorsun baba?"

Âdem elini oğlunun dizine koydu. "Bak evlat, biliyorum anlamıyorsun. On yıl önce olsa öfkeden çıldırırdım. Bu işin önüne geçmek için her şeyi yapardım. Ama artık kimseye kendimi zorla sevdiremeyeceğimi bilecek yaştayım. Tıpkı kendimi de birini sevmeye zorlayamayacağımı bildiğim gibi. Kaç kez boşanmak istedi annen. Kulak asmadım ama doğrusu oydu aslında."

"Sevgi" kelimesini babasının dudaklarından duymak afallatmıştı İskender'i. Doğru, geçmişte annesiyle babasının nasıl evlendiklerini merak ettiği olmuştu ama ailelerinin namusuydu burada söz konusu olan. Babasıydı Âdem, ailenin reisiydi. Romantik bir ergen değildi ki. "Ama baba..." dedi.

"Dinle beni. Eskiden tanıdığım bir muhtar vardı, bana bir erkeğin aşkının, karakterinin aynası olduğunu söylemişti. Ne demek istediğini anlamadım o zaman ama artık biliyorum." Sigarasından bir nefes aldı. "Annene kızgın olmadığımı mı sanıyorsun? Ama kendime daha çok kızgınım. Hataydı evliliğimiz. Benim hatam. Gene de pişman değilim, çünkü sen geldin dünyaya ve Esma ve Yunus."

İşte o zaman, Âdem'in pek ciddiye almadığı ama seneler sonra bile elemle hatırlayacağı bir şey oldu. İskender sigarasını bir fiskeyle karanlığa fırlattı ve dişlerinin arasından belli belirsiz mırıldandı: "Madem sen halletmeyeceksin bu meseleyi, o zaman ben hallederim."

Pembe

Pür telaş, adımlarını hızlandırarak artık çok iyi bildiği sinemaya yaklaştı Pembe. Alçak topukları kaldırımda düzenli tıkırtılar çıkarıyordu. Bakışlarını yerden ayırmıyor, etrafa bakmıyordu. Adeta yeniden küçük bir kız olmuştu, bu da kendi kendine oynadığı bir oyundu. Sanki o dünyayı görmezse dünya da onu göremeyecekti.

Her seferinde mahsus geç kalıyor, film başladıktan beş-on dakika sonra sinemaya ulaşıyordu. Böylesi daha güvenliydi. Birlikte görülme olasılıklarını azaltıyordu. Ama şu da var ki son zamanlarda eskisi kadar dikkatli değildi. Hatta sokakta birlikte yürüdükleri bile olmuştu; bir seferinde çiçek almışlardı beraber. Hâlâ huzursuzdu ama içinde bir itki, dışarı çıkıp kendini duyurmak için çırpınan bir ses vardı. Daha önce hiç böyle bir şey hissetmediğinden bu duyguyla nasıl baş edeceğini bilemiyordu.

Gişedeki tıknaz kadına yan gözle bakarak tarihi binanın kemerli girişinden geçti. Paltosundan bir hav döner kapıya takıldı; ha bire uzaklara uçup hiçbir yere konamayan hindiba tohumları gibi havalandı rüzgârda. Tanıdık görüntüleri ve kokuları içine çekti binaya girince. Yıpranmış halıların sarmal desenleri, kirli metal küllükler, patlamış mısır, çerez ve aromalı sakız dolu büfe. Garip bir huzur buldu bunlarda. Lobiye ayak basar basmaz bir hafifleme geldi üstüne. Sanki birden duruverdi dünya; telaşa, evhama gerek kalmadı. Gelecek için zerre kaygı duymadan anın onu sarmalamasına izin verdi Pembe. Girişteki genç görevli biletini kontrol edip perdeleri araladı. Film başlamıştı. Aydınlık sahnelerde perdeden yansıyan gümüşi ışığa rağmen hayli karanlıktı. Pembe el fenerini takip ederken şöyle bir etrafa bakındı. Takriben on kişi vardı, her zamankinden fazla. Aniden bir gerginlik hissetti, bir huzursuzluk. Elias hep aynı yerde otururdu. Orta sırada, orta koltukta. Bir keresinde bir başkası oturmuştu o koltuğa, Pembe de gidip yabancının yanına oturmuştu yanlışlıkla. *"Selam tatlım"* demişti adam sırıtarak. Ödü kopan Pembe fırlayıp ön sıraya geçmişti. Yüreği ağzına gelmişti.

Tökezlememeye çalışarak birbiri ardınca boş sıraları geçiyordu şimdi Pembe. Yıllar önce seyretmiş oldukları filme kendilerini kaptırmış, aradan geçen koca bir ömrü hatırlarcasına el ele oturan yaşlı bir çift vardı. Elias'la kendisini de ihtiyarlamış, takatsiz ama hâlâ sinemaya gelirken tahayyül etmeye çalıştı bir an. Yapamadı. Hayali bile zordu. O kafa dağınıklığıyla ilerlerken arka sırada oturan kişiyi fark etmedi. Koltuğunda aşağı kayıp saklanmıştı beriki; sadece bir gölgeydi. Orada, karanlığın içinde oturmuş bekliyordu. Seyrediyordu; filmi değil, onları.

G sırasına gelince durdu el feneri. Orada, sıranın ortasında oturuyordu Elias. Görevliye teşekkür edip soluk soluğa yerine ilerledi Pembe. Elias gülümseyerek döndü. Uzanıp işaretparmağını kadının bileğinde gezdirdi, ancak dokunarak tanıyan bir âmâ gibi. Sevgiyle sıktı Pembe'nin elini. O da aynı şekilde karşılık verdi. Geride bıraktıkları aylar boyunca birçok jest ve sınırlı kelimelerle örülü bir dil geliştirmişlerdi. Pembe'nin kalbi deli gibi atıyordu göğsünün içinde. Hâlâ bakamıyordu Elias'a. Bu da bir oyun gibiydi. Ona bakmadığı sürece görünmez oluyordu Elias; görünmez olursa hiç gitmezdi belki, hiç kaybolmazdı.

İyi, *Kötü ve Çirkin*'i seyrettiler birlikte. Pembe daha önce görmemişti filmi. Beraber izledikleri ilk sesli filmdi. Yıldız Sineması sessiz film serisini bitirip klasik kovboy filmleri serisine başlamıştı geçen hafta. Burada buluşmayı önceden kararlaştırdıkları ve burayı sevdikleri için planlarını değiştirme gereği duymamışlardı. Ketum karakterleri ve seyrek replikleriyle namdar bu filmi Pembe'nin zorlanmadan seyredebileceğini düşünmüştü Elias. Tek sorun bir iki hafta üst üste aynı sinemaya gitmiş olmalarıydı. Ama mekân yeterince uzak ve güvenli görünüyordu; bir de galiba bu aralar tedbiri elden bırakmaya başlamışlardı.

Kendini hemen filme kaptırdı Pembe. Kahramanlar perdede nice badireler atlatırken, bir o tarafı tuttu, bir diğerini. Son zamanlarda hiç yapmadığı kadar kafa yormaya başlamıştı iyi ile kötünün anlamlarına. Kız kardeşinin mektubu takılmıştı zihninin kancasına. Cemile hep saygıdeğerdi; iffetli, temiz, duru. Pembe onun gibi olamıyordu. Her şey ne kadar çabuk değişmişti. Hiçbir şey kalıcı değildi, bitmeyen bir akış içinde durmaksızın evrilip değişiyordu hayat.

Tuko boynunda yağlı halatla eşek sırtında oturmuş asılmayı beklerken Pembe'nin yüzü aniden döndü. Sahneyi izlememek için başını çevirdi. Bir an için arka sıralarda ona bakan birini gördüğünü sandı. Tekrar baktığında zifiri karanlıktı. Çirkin'in şöyle dediğini duydu: "Meraklanma, her boynunda halat olan asılmaz."

Pembe gözlerini kapattı. Başka bir yerdeydi o an; başka bir zamanda.

"İyi misin? Dalıp gittin sanki" dedi Elias kulağına; şakacı bir tonla ekledi: "Yalnızca bir film, gerçek değil."

Kafasını salladı Pembe. Yalnızca bir filmdi, biliyordu. Çünkü gerçek hayatta, boynunda halat olan herkesi asarlardı.

◪◪◪

Yaşları dokuzla yirmi arasında değişen sekiz kız kardeştiler. En büyüklerinin adı Hediye'ydi. İlk çocuktu, Yaradan'ın armağanı; kız da olsa kıymetliydi. Kalp şeklinde bir yüzü, kalkık bir burnu, fırtına bulutlarını andıran grimsi, iri, badem gözleri vardı. Yoksul bir ailede bunca kardeşin en büyüğü olmak, oyuncak bebekler yerine hakiki bebeklerle oynamak demekti. Hediye temizlik yapar, yemek pişirir, yerleri siler, çamaşır yıkar, küçükleri besler uyuturdu. Durmaksızın çalışırdı. Avuçları kınalı, bilekleri bileziklerle bezeliydi, kulaklarında ipten küpeler. Altın değildi süsleri ama hiçbir şey sahte durmazdı onda. Herkes her an mızıldanırken, bir kez olsun şikâyet etmezdi Hediye. Üstüne düşeni kabullenmişti; bitmeyen sorumluluklarının altında zamanından evvel olgunlaşmış, gençliğini tadamadan yaşlanmaya başlamış bir kız-kadındı. Naze öldüğünde herkesin bakımını üstlenmişti, özellikle de henüz ufak olan ikizlerin. Berzo yeniden evlendiğinde kızlar analıklarını *babalarının karısı* olarak görmüştü sadece, çünkü anneleri Hediye idi artık.

"Ben hiç evlenmeyeceğim" derdi sık sık. "Hepsini everene dek bacılarıma bakacağım. Zaten o zamana kadar yaşım geçmiş olur, kız kurusu olarak ölür giderim."

Ama sonunda bu sözler doğru çıkmadı. 1955 yılının kışında biriyle görüşmeye başladı Hediye. Sağlık görevlisiydi adam; verem aşısı yapmak üzere devlet tarafından gönderilmiş, köylülerin pek güvenmediği, çocuklarınsa öcü gibi korktuğu biri. Her şeyin nasıl başladığını, nasıl karşılaştıklarını, hele nasıl olup da konuşabildiklerini Pembe hiçbir zaman öğrenememişti.

Belki de bir illetti aşk; insana hayat verse, ruhunu şenlendirse de bir marazdı yine de. Ansızın değişmişti Hediye, hiç olmadığı kadar gözü pekti; bir isyankârlık gelmişti üzerine. Üvey anaları bile çekinir olmuştu ondan, varlığından huzursuzdu. Hediye azimkârdı. Acelesi vardı. Gençliğine geç kalmıştı. O güne dek kendine ayıracak bir dakikası dahi olmamıştı ama

kaybettiği zamanı kapatmaya niyetliydi. Ayın gökte altın bir
orak gibi ışıldadığı bulutsuz bir gece aslında çok az tanıdığı bu
adamla kaçıverdi. Ertesi gün aşı yapacak kimse yoktu ortalık-
ta. Köyün çocukları bayram ettiler. Köylüler kalan aşıları atıp,
hayatlarına müdahil olan, canlarını yakan, aralarından birini
çalan bu davetsiz yabancıdan kalma tüm izleri yok ettiler.
Bir anda hem bomboş kalan hem kaya gibi ağırlaşan hane-
lerine çöken kederi hatırlıyordu Pembe. Bir ölünün ardından
yas tutuyorlardı sanki. Ölmüşten beterdi Hediye. Kimse sor-
maz olmuştu onu, ağza alınmaz bir küfürdü adı. Üvey anaları
bilhassa, kin doluydu. Her yanda Hediye'nin hayalini görüyor-
muşçasına "Cehennemde yanasıca!" diye sövüyordu ikide bir.
İçinde birikmiş, sirkeleşmiş dargınlıklar, onunla yalnızca bir
oğul sahibi olmak için evlenmiş bir adama çocuk verememe-
nin utancı, ıstırabı ve bir başka kadının sekiz çocuğuna bak-
manın angaryası birbirine karışmış, Hediye'ye yönelik keskin
bir nefrette vücut bulmuştu.

Babaları Berzo ise sessizliğe gömülmüştü. Gözleri çukurla-
rına kaçmıştı, fersiz; dalıp gidiyordu hep, istemsiz. Kahveye
uğramaz olmuştu. Bütün gün başı eğik evde oturup, ucundan
uzun küller sarkan sigaralar tüttürüyordu.

Kış çetindi o sene, yollar hepten kapalı. Aradan dört ay
geçti. Bahar başlarında bir akşamüstü geri döndü Hediye.
Önden bir haber gönderip babasının onu kabul etmeye hazır
olup olmadığını yoklasa iyi ederdi ama yapmadı. Bir otobüse
atlayıp geliverdi pat diye. Sağlıkçı korkağın teki çıkmıştı.
Onunla evleneceğine söz vermiş olmasına rağmen ailesinin en
ufak itirazında derhal fikrini değiştirip, koca şehrin ortasında
bir başına bırakıvermişti kızcağızı.

Pişmandı Hediye. Korkuyordu. Ama yuva diye bildiği tek
hane burasıydı. Gidecek başka yeri yoktu. Geri döndüğünde
kapıyı açık bulmuş, bir gölge gibi içeri süzülüvermişti. Ne Ber-
zo evdeydi ne de karısı. Ama ikizler oradaydı ve onu görür gör-

mez sevinçten havalara uçtular. Ne var ki Hediye değişmişti. Tedirgin, içine kapanıktı. Dizlerini büküp, divanın kenarına iğreti oturmuş, gözlerini yere dikmişti; hoş karşılanacağından emin olmayan bir misafir gibiydi kendi evinde.

Bir süre sonra üvey anaları geldi sırtında koca bir yün yumağıyla. Kamburu çıkmış, yanaklarına al basmıştı yükün altında. Hediye'yi fark etmedi başta. Ama odadaki sıkıntılı sessizliği ve ikizlerin huzursuzluğunu hemen hissetti. "Ne oluyor? Dilinizi kedi mi kaptı?" Tam cümlesini bitirmişti ki köşedeki kıza takıldı gözü. Kaçak dönmüştü demek. Hediye'nin karşısına dikildi, neredeyse donakalmıştı şaşkınlıktan. Sonra öne doğru bir adım atıp hınçla yere tükürdü. Hediye'nin benzi attı.

Akşam kız kardeşler yan yana dizilip Hediye'ye gülümsediler ama üvey analarını kızdırma korkusundan hiçbiri cesaret edemedi halini hatırını sormaya. Ne çay ikram ettiler ne bir lokma. Kızlar da pek bir şey yemediler. Böyle huzursuz geçen birkaç saatin ardından Berzo belirdi kapıda. İçeri girdiği anda anladılar zaten bildiğini. Haberi almış, oturup elâlemin söylediklerini dinlemişti. Keşke kulak asmasaydı. İnsanlar başka aileler konusunda ahkâm keserken hep katı, hep acımasızdı.

Hediye ayağa fırlayıp koştu babasının elini öpmeye ama Berzo oralı olmadı.

"Allah bana oğul vermedi" dedi herkesin duyacağı bir sesle. "Bir tane bile. Hiç anlamadım neden. Ta ki bugüne dek."

Kızlar soluklarını tutmuş dinliyorlardı, Hediye'nin omuzları sarkıktı.

"Artık bildim" dedi Berzo. "Oğlum olsaydı, ailemizin adını temizlerdi şimdi. Kardeşin hapse girecekti senin yüzünden. Ömür çürütecekti dört duvar arasında."

Hediye ne ağladı ne feryat etti ne af diledi. Gözlerini pencere pervazında bir örümceğe sabitleyip öylece durdu; sessiz, hareketsiz.

Takip eden sessizliği bozan yine Berzo oldu. "Bunu söyleyeceğim hiç aklıma gelmezdi ama iyi ki oğlum olmamış."

Akşam kızlar yer yataklarında yatarken babalarının yan odada karısıyla tartıştığını duyabiliyorlardı ama söylenenleri çıkartamadılar. Çözülmüş örgüleri, kaygılı gözleri, kalın pazenden, uzun kollu gecelikleriyle baktılar birbirlerine ve hâlâ divanın köşesine tünemiş Hediye'ye. Derken aniden Pembe ayağa kalktı sessizce.

"Nereye gidiyorsun?" diye fısıldadı Cemile.

"Acıkmıştır, yazık."

"Delirdin mi? Babamla analık uyumadılar daha."

Omuz silkti Pembe. Parmak uçlarında odayı kat edip mutfağa girdi; elinde peynir, ekmek ve suyla geri geldi. Kız kardeşlerinin hayret dolu bakışları altında bunları Hediye'ye götürdü ama o yalnızca suyu kabul etti.

Ertesi sabah her zamankinden daha geç yaptı kahvaltısını Berzo. O çayını içerken kızlar kenarda beklediler. Nihayet "Ben kahveye gidiyorum" dedi Berzo kimseye bakmadan.

Bunu duyar duymaz yüreği hop etti Pembe'nin. Hediye'nin kaçtığı günden beri kahvehanenin kapısından içeri adımını atmamıştı babaları. Şimdi ne değişmişti de gidiyordu oraya?

"Ben ne yapacam bununla?" dedi üvey anaları.

"Biliyorsun ne yapacağını" diye kestirip attı Berzo, başka bir şey demedi.

Az sonra kadın geniş yüzünde anlaşılmaz bir ifadeyle hepsine hazırlanmalarını söyledi. Yapacak çok iş vardı, halılar dokunacaktı. Kız kardeşleri ayakkabılarını giyerken içini tırmalayan huzursuzlukla geride kalmış, oyalanıyordu Pembe. Bir şeyler oluyordu ama tam olarak kestiremiyordu. Evden çıkmadan önce üvey analarının, üstünde yemek yedikleri pirinç siniyi içeri taşıdığını gördü. Sofra bezini yere yaydı kadın, tahta altlığı üstüne koydu. Bir an için onun Hediye'ye yemek vereceğini sandı Pembe. Ama tuhaf bir yemekti bu. Ne tabak vardı, ne su, ne ekmek. Hediye hiç kıpırdamıyordu bu arada. Tuzdan bir heykeldi sanki.

Pembe'nin son gördüğü şey içeri getirilen kazan oldu. Kazanın içinde ne olduğunu merak ettiğinden hemen bir yalan uydurdu. "Kendimi pek iyi hissetmiyorum. Boğazım ağrıyor. Acaba evde mi kalsam?" Başını salladı üvey anası. "Babanızın buyruğu. Kimse kalmayacak."

Komşuya gidip halı dokudular bütün gün. Deseni ezbere biliyorlardı. Safran sarısı, filizi, cevizi, nefti, tarçın rengi. Boya yapmaya bayılırdı Pembe. Çivitotundan mavi, kekik yapraklarından gri, soğan kabuklarından kahverengi. Bir çile yünü tirşe yeşili çanağa bastırırken ikizine açtı derdini.

"Ne, demek önüne boş bir kazan koydu, öyle mi?" diye sordu Cemile.

"Vallahi öyle" diye fısıldadı Pembe. "Belki de boş değildi. Bir garipti ama. İçinde aş olsa dumanı tüterdi, değil mi? Ya da kokusu gelirdi."

"Hadi işine bak" dedi Cemile başka ne diyeceğini bilemediği için.

Öğleden sonra yer değiştirdiler. Bu sefer Pembe dokurken Cemile boyayı hazırladı. Yorucuydu. Gözleri acıyor, parmak uçları sızlıyordu. Bedenlerinde varlığından habersiz oldukları yerler ağrımaya başlamıştı.

Gizlice, desenin dışına çıkıp ufacık bir motif ekledi Pembe. Analığı fark edecek olsa kızardı. Ama elinde değildi. Minicik bir H harfiydi yaptığı, ablasının ismine ithafen. Bittiğinde halıyı bir tüccar satın alacak ve daha paralı bir tüccara satacaktı. Oradan İstanbul Kapalıçarşı'da şık şıkıdım bir dükkâna götürülecekti. Derken, bir iki günlüğüne şehre gelmiş bir turist çift vitrinde görüp alacaklardı. Sonra çiftin yaşadığı yere, Paris, New York ya da Amsterdam'a yollanacaktı halı ve H harfi sonsuza dek yaşayacaktı.

Akşam karanlık çökerken eve döndü aile. Bahçe duvarına yaklaşırlarken bir tedirginlik dalgası sarmaladı Pembe'yi. Koşmaya başladı. Karanlık bir his vardı içinde; dehşetten çok hiddet, başkasına değil, kendisine karşı. Ne demeye daha erken eve gelip bakmamıştı ki sanki? Ne demeye ablasını yalnız bırakmıştı? Hediye'yi bulan o oldu. Tavandan, eskiden bebelerin beşiklerini asmak için kullandıkları pirinç halkadan sallanıyordu; bedeni bezden bir bebek gibi gevşek, boynu kırıktı. Üvey analarının kazanın içinde getirip önüne koyduğu iple kendini asmıştı.

❌❌❌

Kovboy, boynunu saran ilmiğe rağmen gülümsemeye çalıştı. "Dalga geçiyor olmalısın" dedi sesi çatlayarak. "Bana... böyle bir oyun oynayamazsın."

Sarışın aktör gözlerini kıstı. "Şaka değil, halat bu."

Dudaklarını ısıran Pembe bu sahneleri daha fazla seyredemeyeceğini fark etti. Yerinden doğruldu. "Ben gideyim."

"Ne? Ama neden?" diye sordu Elias. "Neden erken çıkıyorsun?" Cevap gelmeyince üsteledi. "Film yüzünden mi? Sevmedin mi?"

"Hayır... Evet... Üzgünüm."

"Seninle geleyim mi?"

"Yok, sen kal lütfen."

Hemen ayağa kalktı Pembe, bir açıklama yapmadan onu orada bıraktı. Hızlıca çıkışa doğru giderken arka sıralarda oturan karaltının yüzünü sakladığını fark etmedi.

❌❌❌

Film bitip de ışıklar yandığında herkesle birlikte kapıya yöneldi Elias. Pembe'nin ani gidişine anlam veremiyordu. Buruk bir yürekle ilerledi lobiye doğru. Birisi omzuna vurdu hafifçe.

"Affedersiniz, ateşiniz var mı?"

Genç bir çocuktu, bir yeniyetme. Sigara içmek için fazlasıyla gençti.

"Maalesef, sigara kullanmıyorum" dedi Elias.

"Sahi mi? Hayret!"

Delikanlının bakışlarında tehditkâr bir pırıltı vardı; tepkisi öyle tuhaftı ki irkildi Elias. Ama bir şey söylemesine fırsat vermeden beriki başıyla selam verdi. "Peki o zaman, iyi günler."

"Sağ ol. Sana da."

Hâlâ arkasından pis pis bakmakta olan İskender'i orada bırakıp döner kapıdan dışarı çıktı Elias. Pembe'nin yalnızca birkaç saat önce orada bıraktığı kül rengi hav parçası değdi, takıldı saçlarına. Tesadüf olmayan nice tesadüflerden biriydi bu da.

Âdem

Kulübün önündeki kavgadan bir hafta sonra Roksana, Âdem'i bir başka erkek için terk etti. Eskimiş bir ayakkabı gibi attı onu başından. Ballı bir kısmet yakalamıştı – Körfez'de yatırımları olan Avustralyalı bir işadamıydı yeni âşığı. Bölgeye yaptığı seyahatlerde kendisine eşlik etmesini önermişti Roksana'ya, o da kabul etmişti tereddütsüz. Ama sıra bunu Âdem'e söylemeye gelince bir hayli zorlandı; alışmıştı galiba ona, hatta biraz sevmişti bile. Bir gece o uyurken oturup bir mektup yazdı Âdem'e. Sabah nasılsa bakacağından emin olduğu kahve kavanozunun içine koydu, o çıktıktan sonra bulsun diye. Bir yanı üzgündü, vedalaşmaya içi elvermiyordu. Bir yanı korkuyordu Âdem'in vereceği tepkiden. Onda saldırgan bir taraf görmemişti ama erkeklerin terk edildiklerinde ne yapacakları belli olmazdı. Değişiyordu çoğu, Roksana bunu gayet iyi biliyordu.

Bu ayrılığın kaçınılmaz olduğunu ikisinin de bildiğini yazdı mektubunda. Böyle bittiği için kendini berbat hissediyordu ama bunun Âdem için daha hayırlı olacağına inanıyordu. Ailesine geri dönmeliydi Âdem; onların gönlünü almalı, layık olduğu düzgün, mazbut hayatı yaşamalıydı artık. Onu unutmalıydı. Olabildiğince kadife bir dille ve dikkatlice kaleme aldı her şeyi Roksana. Fakat bir hata yaptı. Nereye gideceğini söyledi son paragrafta: Abu Dabi.

Roksana'yı kaybedince eridi Âdem. Hayaletli bir vadinin üstüne inen gece gibi atalet çöktü üstüne. Hem buradaydı hem hiçbir yerde; zihni kayıp gidiyor, özgüveni tavsıyordu. Her şeye rağmen eve dönmedi. Roksana ile yaşadığı ve kontratı onun üstüne olan dairede kalamazdı artık. Ağabeyi Tarık'a da gidemezdi. Arkadaşı Bilâl'in yanına sığındı. Günler dayanılmaz bir yavaşlıkta geçiyordu. Kursağına bastıran demir bir külçe yutmuştu adeta. Midesi ağrıyordu. İştahsızdı. Soluğu kesilene kadar öksürüyordu ama yine de günde üç, bazen dört paket sigara içiyordu. Çocukluk hastalığı astım nüksetmişti; eskisinden de beterdi. Bunun böyle devam edemeyeceği çevresindeki herkesçe anlaşılınca Bilâl evine dönmesi için baskı yapmaya başladı.

"Yapamam" dedi Âdem. "Daha değil. Şimdi dönersem yarın yine bırakırım."

"Neden kaçıyorsun ki ailenden?"

"Neden?" Âdem'in ne kendine ne de başkalarına yönelttiği bir sualdi. "Nasıl?" (bisküviler kutulara nasıl yerleştirilir, makineler nasıl çalıştırılır) ve "Ne?" (rulet masasında ne yapılır, para neye yatırılır) sorularıyla baş etmeyi biliyordu ama "Neden?" sorusu fazla soyut ve semeresizdi onun için.

Yakınlardan gelen bir polis sireniyle dikkati dağıldı. Yeniden konuşmaya başladığında sesi ciddi, omuzları düşüktü Âdem'in. "Bak ben enine boyuna düşündüm bu meseleyi. Çinlilerin yakamı bırakacağı yok. Kumar borcum zerre kadar azalmıyor. Buradan gitmem gerek, bu şehir beni öldürecek."

"Nereye gideceksin ki?" diye sordu Bilâl şaşkınlıkla.

"Abu Dabi'yi düşünüyorum aslına bakarsan."

"Sahi mi?" dedi, Roksana'nın da oraya gittiğinden habersiz olan Bilâl. "Çok para var o şeyhlerde, nehirleri petrolle doldururlar valla."

"Bu bir fırsat" dedi Âdem, son sözcüğü vurgulayarak. "Yeni bir şehir inşa ettiklerini duydum. Plazalar, apartmanlar, alışveriş merkezleri... Eh, bu da ne demek? İşçiye ihtiyaçları olacak. Binlercesine. Hem de öyle bir iki yıllığına değil, uzun vadeli."

"Oralar çöl değil mi? Nasıl dikecekler gökdelenleri yumuşak kum üstüne?"

"Kum olmazsa banknotlar tutar, merak etme."

Birlikte enine boyuna düşündüler, her ayrıntıya kafa yordular. Ayda kaç para kazanacaktı; bal renkli, gıcır Mercedes'ini ne zaman alacaktı, İngiltere'ye başarılı bir adam olarak, eli kolu çocuklarına aldığı hediyelerle dolu dönmek nasıl güzel olacaktı. Öyle renkli, albenili bir hayal yarattılar ki, neredeyse Bilâl de özenmeye başladı: "Keşke Londra'da ailem işim olmayaydı da ben de geleydim seninle oralara."

"Sonra gelirsin. Sana yazar adresimi veririm."

"Bak, Araplar başka davranır. Orada ikinci sınıf olmazsın, el üstünde tutulursun valla!" dedi Bilâl. "Onlar da Müslüman, biz de Müslüman."

Güneşin tadını çıkaran bir misafir olacaktı. Düşüncesi bile içini ısıtıyordu Âdem'in. Sekiz yıl olmuştu şu Londra'ya geleli ama İngilizlerin güvenine mazhar olmak şöyle dursun, hâlâ yabancıydı burada, hâlâ fazlalıktı. Tanıdığı bütün göçmenler ondan daha mesuttular. Onlar nasıl başarmışlardı uyum sağlamayı, tutunmayı? O neden kotaramamıştı? Yepyeni bir kuşak yetişmekteydi, biliyordu. Ne kadar şanslı olduklarının farkında olmasalar da göçmenlerin çocukları gayet eğitimli, kabiliyetliydi. Ama şayet burada parlak bir gelecek varsa bile, Âdem bunun bir parçası gibi hissetmiyordu kendini.

Hayal etmeyi sürdürdü. Ne Araplar İngilizlere benzeyecekti ne Abu Dabi Londra'ya. Bardaktan boşanırcasına sağanak yağmayacaktı orada; domuz sosisleri satılmayacak, bir adımlık mutfaklarıyla kasvetli evler, tatsız domatesler, saçlarını mora boyayıp caddelerde naralar atan sarhoş gençler olmayacaktı. Her zaman kibardı İngilizler, kızıp eleştirirken bile bunu öyle zarifçe yaparlardı ki. Bir İngiliz beyefendisiyle yumruk yumruğa gelmek mümkün değildi, çünkü dövmek yerine imalı imalı överlerdi. Kelimelerle incitebilirlerdi. İngilizlerin, insanı ne zaman takdir edip ne zaman yerin dibine batırdıklarını anlamak yıllarını almıştı. Araplarla daha dolaysız olacaktı işler. Bir süre sonra çocukları da alabilirdi yanına.

Ne var ki güneşli Abu Dabi'deki yeni hayatına dair tozpembe hayallere kapılmışken bile çocukları yanına almasının mümkün olmadığının farkındaydı Âdem. Esma Londralıydı artık; seviyordu bu ülkeyi, *medeniyeti*. Yunus desen fevkalade bir çocuktu ama gidip Punklarla takılıyordu. *Büyümüş de küçülmüş,* derdi Pembe onun için. Yunus, Toprak ailesinin en bilgesiydi lakin aşk karşısında zayıftı. Ve İskender... Aralarındaki kavgayı hatırladıkça utanıyordu. Büyük oğlunun beklentilerini karşılayamamış olmak ağırına gidiyordu.

İnsan ilk kez baba olduğunda evladını kendi uzantısı gibi görmek istiyordu. Bir iyimserlik, hatta saklı kibir geliyordu üstüne, ta ki çocuğun senden ayrı bir varlık olduğunu idrak edene dek. Her ne kadar onun senin ayak izlerini takip etmesini istesen, bunun için uğraşsan, hatta zorlasan da o kendi yolunu çiziyordu nihayetinde. Bu hakikati keşfettiğin an hayal kırıklığına kapılıyordun elinde olmadan. Ne de olsa sen böyle davranmamıştın yeniyetmeliğinde. Babanı dinlemiş; saygılı, itaatkâr olmuştun. Kanatların olduğunu, ayrı bir mahluk olduğunu bilseydin belki sen de uçabilirdin. Ama artık çok geçti. Senin vaktiyle babandan koparamadığın hürriyeti şimdi kendi evladın senden talep ediyor, söke söke alıyordu.

Londra'yla işi bitmişti Âdem'in. Çocukları bırakmak canını yakıyordu ama yine de gitmek istiyordu, bir süreliğine de olsa uzaklaşmak. Abu Dabi yepyeni bir başlangıç demekti. Morali düzelecekti. Vardığında Roksana'yı bulacaktı; o da yaptığı hatayı anlayıp ona geri dönecekti. Tek mesele seyahat için parasının olmamasıydı. Ne tuhaf, para kazanmaya başlayabilmek için evvela para lazımdı.

Bilâl'in önerisiyle Mamut Baba adında bir cemaat önderini görmeye gitti. Tüy gibi keçisakalı, çıkık elmacık kemiklerinin üzerinde parıldayan koyu renkli çekik gözleri ve sert hatlarıyla, heybetli olmadan kudretli görünebilen insanlardandı. Buhara'da doğup büyümüş, Ruslardan kaçıp yıllarca Avrupa'nın çeşitli yerlerinde dolaştıktan sonra Londra'ya gelmişti. Bir sürü dil biliyordu; Özbeklere, İranlılara, Araplara, Türklere, Çinlilere, Meksikalılara, Portekizlilere yardım ediyordu. Dediklerine göre tuttuğu insandan yardımını esirgemezdi. Nüfuzluydu. İş bulamayan gençler, kızları kaçmış babalar, kan davası olan aileler, dükkân kirasını ödeyemeyen esnaf, hayatın onlardan esirgediği destek için Mamut Baba'ya gelirlerdi.

Yerde, halının üstünde oturmuş, alçak sesle sohbet eden her yaştan erkekle doluydu oda. Başköşede, omzunda zarif, hardal rengi peleriniyle sırtını duvara vermiş oturuyordu Mamut Baba. Herkesle tek tek ilgileniyordu. Dokuz yaşındaki oğlu –kara kaşlı, sıska bir velet– Mamut Baba'nın yanına tünemiş, gözleri elindeki elektronik oyunda, başparmaklarını oynatıp duruyordu. Zaman zaman, oyunda kazandığında yüzü dalgalanıyor, dudakları sessiz bir çığlığın üstüne kapanıveriyordu.

"Şuna bakın hele" dedi Mamut Baba. "Bu yaşta benden iyi teknolojiyle arası. Evde bir makine bozulunca annesi benden değil, ondan yardım istiyor artık."

Odadaki adamlar hürmetle dinliyordu.

"Böyle olmalı zaten. Her nesil zamane teknolojisine ayak uydurmalı. Batı'nın değerlerini değil ama ilmini almalıyız. Çağın gerisinde kalmamalıyız."

"Ama..." kelimesi çıkıverdi Âdem'in ağzından. Derhal sustu.

Üstadın sözünün kesilmiş olmasına belli ki bozulan çelimsiz, sakallı bir adam Âdem'e dik dik baktı. Bu kişi aylardır İskender ile buluşan Hatip'ten başkası değildi.

Bu arada Mamut Baba sağa sola bakınarak konuşanın kim olduğunu tespit etmeye çalışıyordu. "Neydi o? Tam duyamadım."

Kendini öne çıkmak zorunda hisseden Âdem boğazını temizledi. "Şey, kusura bakmayın, bölmek istememiştim."

"Canın sağ olsun. Devam et" dedi Mamut Baba babacan bir tavırla. "Söyle bize aklından geçenleri."

"Şey, ben yıllarca bisküvi fabrikasında çalıştım. Bisküviler üretim bandında birbiri ardınca gelir, durmak olmaz" dedi Âdem, elinde olmadan Hatip'e bakarak ve ondan yüreklendirici bir işaret bekleyerek. "Orada, bandın başında durur, aynı şeyi yaparsın tekrar tekrar. Beynin uyuşur. Çocuklarımızın oynadığı bu oyunları görünce merak ediyorum, tekrarlar yararlı mı acaba onlar için?"

Mamut Baba, sabır ve hoşgörü karışımı bir ifadeyle inceledi Âdem'i. Ardından bilim ve teknolojinin önemi üzerine uzun bir konuşmaya girişti. Âdem dinlemez oldu, sohbetin ucunu kaçırdı.

Ne var ki bir saat sonra herkesle birlikte çıkmaya hazırlandığında Mamut Baba onu ve aralarında Hatip'in de olduğu birkaç kişiyi daha yemeğe davet etti. Kabul ettiler. Beş adam halının üstünde bir yer sofrasının etrafına oturup yemek servisini beklediler. Ancak o sırada fırsat buldu Âdem konuyu açmaya.

"Abu Dabi'ye gitmek için krediye ihtiyacım var" dedi. "Orada yeterince para kazandığımda döner, borcumu öderim. Yokluğumda büyük oğlum İskender evle ilgilenir. Koca adam oldu artık."

İskender'in ismini duyan Hatip ilgiyle baktı Âdem'e. *Çocuğun sözünü ettiği kayıp baba buydu demek.* Tam o sırada kapı açıldı ve elinde yemek dolu bir tepsiyle bir kadın girdi içeriye. Yalnızca ellerini ve peçesindeki incecik aralıktan görünen gözlerini açıkta bırakan tarçın rengi bir çarşafa bürünmüştü. Nohut çorbasını kâselere bölüştürdükten sonra pilavla kuzu etini ortaya koydu, ekmekleri dağıttı, su bardaklarını doldurdu ve ortadan kayboldu.

"Karın kapanıyor, değil mi?" diye sordu Mamut Baba bir parça ekmek koparırken.

Gerildiğini hissetti Âdem. İskender, Pembe'nin bir adamla buluştuğunu söylediğinden beri karısı hakkında kimseden tek kelime duymak istemiyordu.

"Hayır, kapalı değil."

Mamut Baba çenesini kaldırdı. "Hep söylerim" dedi. "Eğer açık bir kadınla evlenir, sonra kapanmasını talep ederseniz, hayat boyu size dargın kalabilir. Nice erkek bu hataya düşer. En iyisi halihazırda örtülü biriyle evlenmektir."

"Valla, Londra'nın bu tarafında İstanbul'da gördüğümden fazla peçeli kadın gördüm" dedi Âdem. "Bizim ailemizde yok böyle alışkanlık."

"Şayet bir gün Allah sana bir evlilik daha kısmet ederse kapalı, halim selim bir kadın al. Sadık olurlar. Gözleri yalnızca yuvalarını görür."

Midesi düğüm düğüm oldu Âdem'in. Yutkunmaya çalıştı, olmadı. Bir ima mıydı bu yoksa? Pembe'ye âşık olmayabilirdi ama seviyordu karısını. Kimse onun hakkında nahoş laf etsin istemezdi. Gözlerini kapadı.

"Yanlış anlama" dedi Mamut Baba, Âdem'in rahatsızlığını hissederek. "Senin iyiliğin için konuşuyorum."

Âdem, hiçbir zaman kimseye tepki vermeyen adam aniden ayağa kalktı. "Artık gideyim ben. Çorba için teşekkürler."

Kimsenin onu durdurmasına fırsat kalmadan, doğru dürüst veda bile etmeden çıktı odadan. Giderken mutfağın önünden geçti. Mamut Baba'nın karısı ile oğlu orada küçücük bir masada yemek yiyorlardı. Oğlan bir elinde çatal, bir elinde oyun, yeni bir rekor kırıyordu. Kadınsa sessizce tabağına bakıyordu.

☒☒☒

"Ortadoğu'nun İncisi" denecekti yıllar sonra. Ama Âdem 1978 Kasımı'nda Abu Dabi'ye vardığında şehrin mücevherle ilgisi yoktu. Geçiş dönemindeydi ülke, dümdüz bir arazi olmaktan çıkıyor, orada burada gökdelenler yükselmeye başlıyordu. Âdem'in ayağını yerden kesen rüzgâr oldu. Çölde yel dile geliyordu. Gülüyor, ağlıyor, sövüyordu. İnşaatta amele oldu Âdem. Sayıları her ay katlanarak artan yabancı işçiler ordusuna katıldı. Değişmek ve ilerlemek için yanıp tutuşan bu şehirde, yalnızca geçmişi olan bir adamdı o. Abu Dabi'deki ilk haftalar zordu. İş ağır olduğundan değil sadece, beklentilerini birer birer terk etmek zorunda kaldığından. Bilâl'le kurdukları hayaller buhar olup uçtu. Tek hakikat, tenini kavuran güneşti. Akşamları yorgun argın ve tozla kaplanmış bir halde dönüyordu yedi işçiyle paylaştığı barakaya. Farklı kökenlerden gelen, benzer mahzunlukları olan adamlardı hepsi. Olur da boş zaman bulursa aklına gelen her yerde Roksana'yı arıyor, alışveriş merkezlerinin, restoranların ve butiklerin önünde dolaşıp duruyordu.

Birkaç hafta sonra bir yer keşfetti. Çölde vaha gibi. Kimilerinin kolay para kazanmak, hayatlarına renk katmak için kurduğu derme çatma bir mekân. Kırk elli erkek bu havasız barakaya doluşup bağırarak, sigara üstüne sigara içip küfrederek horoz dövüşü izliyorlardı. Bazen örümcek ve çekirge yarışları düzenliyorlardı. Ama esas bahisler tahta bölmelerin arkasında yapılıyordu. Âdem hep oraya yöneliyordu.

Mamut Baba, Âdem'in sofradan kalkıp gidişinden hemen sonra kuryeyle ona para göndermişti. Âdem zarfı iade edebilirdi ama yapmamıştı. Gururunu yitirmişti çoktan. Londra'dan ayrılma ihtiyacı ağır basmıştı. Şimdi maaşını çocuklarına göndermek üzere bir kenara koyuyor, Mamut Baba'nın parasıyla zar sallıyordu. İstisnasız her gece kumar oynuyordu. Herkes ağırdan alırken o bastırıyordu. Çoğu amatördü zaten. Yetkililere yakalanmaktan, sınır dışı edilmekten korkuyorlardı. Âdem ise hiç olmadığı kadar cevval, cesur bahislere girip duruyordu. Para bitince maaşından tırtıklamaya başladı. Çok geçmeden haftalığını bir gecede kaybeder olmuştu.

Kendine sahte bir Rolex saat aldı. Yürüyüşü değişmiş, aksak bir hal almıştı. Ya güneşten ya da içindeki irinden, elemden olacak, yüzündeki kırışıklara yenileri eklenmişti. Göğsündeki hırıltı anbean kötüleşiyordu. Her geçen gün daha fazla ağrı kesici alır olmuştu. Örümcekler ve horozlar gibi o da kanlı bir kavganın içindeydi, ama bir başkasıyla değil, salt kendisiyle. Manzara büyülüyordu onu. Çölün çorak bir yer olmadığını, bilakis gizli güzelliklerle bezeli olduğunu keşfetmişti. Bazen yürüyüşe çıkıyor, ayaklarının akışkan kumlara gömülüşünü hissetmeyi seviyor, ceplerine taşlar dolduruyordu. Doğanın bu sıradan harikaları onu cezbediyordu. Âdem de bir kum taşıydı bu âlemde, bir fiskede dağılıp toza dönüşüyordu. Çöllerin bir zamanlar deniz olduğunu öğrenmişti. Su bile kaskatı toprağa dönüşebiliyordu da insan neden kolay kolay değişemiyordu acaba? Zira filmlerde, romanlarda söylenenlere rağmen, dünyanın neresine gidersen git bazı kalıplar, bazı kaderler değişmiyordu işte: Galipler kazanmaya devam ediyor, mağluplar ise bir türlü belini doğrultamıyordu. Hayat da bir kumardı sonuçta. Ve Âdem Toprak hızla kaybediyordu.

Esma

10 Kasım 1978
Londra

Cinayetten birkaç hafta önceydi; sakin bir akşamüzeriydi. Pembe sofrayı kurmuştu. Üç tabak, üç çatal, üç bardak. Son zamanlarda yemekler iyice küçülmüş, sessizleşmişti. Kocasının yokluğuna alışkındı Pembe ama İskender'in sık sık ortadan kaybolmasını kabullenmekte zorlanıyordu. İlk kez o akşam iki yakayı bir araya getirmenin zorluğundan yakınmıştı. Evlatlarını hep kendi başına büyütmüş, evi geçindiren o olmuştu ama son zamanlarda birilerinin de ona bakmasını istiyordu.

"Kardeşin nerede?" diye sordu Pembe ekmek sepetini getirirken.

"Hangisi?" diye homurdandı Esma. "Büyüğünü soruyorsan, nerede olduğunu Allah bilir. Yunus ise odamı işgal etmekle meşguldür eminim."

"Onun da odası."

"Ama anne ya, bütün arkadaşlarımın kendi odaları var."

Tek kaşını kaldırdı Pembe. "Sen İngiliz kızı değilsin."

"Komşularımız Türk, Yugoslav, Portekizli. Kızlarının hep ayrı odaları var."

"Biz komşularımız değiliz."

"Haksızlık ya! İskender'in niye kendi odası var o zaman? Sırf oğlan olduğu için ona ayrıcalık tanıyorsun. Bıktım usandım."

"Yeter artık! Gene tartışmayalım bu konuyu. Yorgunum zaten."

O sırada kulaklarına bir müzik çalındı, sustular. Pembe koridor boyu yürüdü. Esma da arkasından. Annesinin ardı sıra ilerlerken kuğunun peşine takılmış çirkin ördek yavrusu gibi hissetti kendini.

Kapıyı açmalarıyla, Yunus'u dünyanın en haşin müziğini dinlerken bulmaları bir oldu. "Ne yapıyorsun sen?" diye sordu Pembe.

Yunus başını kaldırıp bakmadı. Yüzünün bir şeyleri açık etmesinden korkar gibiydi. Bu arada Pembe merakla yerdeki albümü inceledi. Kapakta at üstünde bir karaltı vardı, uğursuz bir tip; yerde yatan ve akbabalar tarafından didiklenmekte olan başka bir adam göze çarpıyordu. Üst tarafta kırmızı zemin üzerinde büyük harflerle THE CLASH yazıyordu. Onun hemen altında bir satır vardı: *Give'em Enough Rope.*[*]

"Ne bu?"

"Bir grup işte" dedi Yunus. "Müzik."

"Bu müzik filan değil" diye tersledi Pembe. "Güm-güm-güm."

Yunus kırgın kırgın baktı. Esma da kardeş dayanışması içinde gözlerini devirdi.

Pembe albümün ismine takılmıştı. "Ne anlama geliyor bu?"

"Eğer birisi umutsuzsa, hayattan bıkmışsa ona bir ip ver, kendini assın."

Pembe'nin benzi atıverdi. "Öyle şey olur mu? Zamanını bunlara mı harcıyorsun? Beynini mahvediyorsun."

Yunus mızıldandı. "Aman be anne, amma ciddiye aldın..."

"Alırım tabii. Kimse kimseye ip filan vermesin! Çocuklarımın böyle saçmalıklar dinlemelerini istemiyorum!"

Onu hiç böyle görmemişlerdi. Bu kadar endişeli, telaşlı, asabi.

"Anne" dedi Esma usulca. "Bir Punk grubu bunlar. Tarzları böyle. Kötü bir şey değil, inan bana."

Dinlemedi Pembe. Şaşkın bakışlar altında gitti fişi çekti.

[*] *Give'em Enough Rope* (Yeterince İp Verin Onlara). İngiliz Punk rock grubu The Clash'in 1978 tarihli albümü.

359

Ardından Yunus'u çenesinden tutup yüzüne bakmaya zorladı. "Bu hayırsız şeyleri dinleme artık. Hem sen neden kaçıyorsun benden? Sen de mi değişeceksin İskender gibi, hı?" Yunus yüzünü buruşturdu. "Değişmedim ben." İfadesi aniden yumuşayan Pembe, Yunus'u bağrına bastı; sıcacık, sımsıkı kucaklaştılar. Oğlunun kafasını öpüp, yanaklarındaki bebek kokusunu içine çekti. Tam o anda beklenmedik bir şey oldu. Pembe'nin bakışları çocuğun boynu ile gömleğinin arasındaki boşluğa, oradan da sırtına kaydı.

"Bu leke de ne?"

Yunus anında dikleştirdi sırtını. Bir panik havası esti yüzünde. Ama çok geçti. Hem o asla yalan söyleyemezdi. "Dövme yaptırdım."

"Ne yaptın? Ne yaptın?"

Esma bir süredir haberdardı kardeşinin dövmesinden. Hemen söze karıştı. "Dert etme anne ya, herkes yapıyor artık."

Duymazdan gelen Pembe, Yunus'u tuttuğu gibi banyoya sürükledi. Hırkasını, gömleğini ve pantolonunu çıkartıp külotuna kadar soydu, başını duşun altına soktu. Sırtını ovalamaya başladı, önce elleriyle, sonra da süngerle.

"Dur ya" diye feryat ediyordu Yunus. "Acıtıyorsun."

Arkadan atıldı Esma. "Anne, dövme bu. Yıkamakla çıkmaz."

Çılgın bir dürtünün pençesindeymiş gibi ovmaya devam etti Pembe. "Ne zamandır var bu?" diye sordu burnundan soluyarak.

Yunus'un yerine Esma yanıt verdi. "Aylardır" dedi, içinde var olduğunu bilmediği bir öfkeyle. "Bizimle daha çok ilgilenseydin daha evvel fark ederdin."

"Ne diyorsun sen?"

"Aklın hep başka yerde" diye bağırdı Esma. "Kafan o kadar dolu ki bize yer yok. Doğru dürüst oturup konuşamaz olduk. Bana tek söylediğin şunu yapma, bunu yapma. Başka da bir şey yok."

"Öyle değil" dedi Pembe. Yenilgiyi kabul etmiş olmalı ki gözleri alev alev, süngeri yere attı. Döndü, Yunus'a bağırdı: "Lekeye bak!"

"Ben değilim lekeli olan" dedi Yunus birdenbire. Islak, küçük bir fareye benziyordu gözyaşları içinde. "Sensin! Seni sokakta bir adamla gördüm. Asıl sen lekeledin kendini!"

Bunu söyler söylemez elleriyle ağzını kapattı Yunus. Gözlerinden okunuyordu pişmanlığı. Nasıl da ağzından kaçırmıştı? Bu arada Esma dehşetle baktı kardeşine. Sözünü ettiği sır demek buydu! Şimdi anlıyordu. Çekinerek annesine döndü. Pembe'nin yüzündeki ifadeyi daha önce hiç görmemişti. Gözleri iki donuk cam gibiydi. Ağlıyordu. Bir sessizlik çöktü üstlerine. O mızraksı durağanlıkta hâlâ incecik akmakta olan suyu dinlediler.

O gece odalarında hikâyenin tamamını Yunus'tan dinledikten sonra yatakta oradan oraya dönüp durdu Esma, kafası karmakarışık. Pencereden süzülen ay ışığı huzmesi dışında karanlıktı oda. Bir süre sonra Yunus'un fısıltısını duydu: "Abla, uyuyor musun?"

"Hayır canım."

"Babam gitti, annem de gidecek mi?"

"Yok be şapşal. Onun bir yere gittiği yok, merak etme." Gariptir, annesine kızgın değildi artık. Onu bir sürü başka şey için kınıyordu ama kendine ait bir dünya kurmaya çalıştığını keşfetmek Esma'da bambaşka bir duyguyu tetiklemişti. Korumak istiyordu anasını; kurbağalardan korumak bu salyangozu.

"Yunus can" dedi usulca. "Bu meselenin İskender'in kulağına gitmemesi gerekiyor, anladın mı? Sakın ha, ona bir şey anlatmayalım."

Yavaş, yavan bir gün daha. Zaman geçmek bilmiyor. Saat 12.30'a dek çamaşırhanede çalış. Yemek niyetine bulamaç kaşıkla. Öğleden sonra kitap oku, avluda volta at, Zişan'ın zırvalarını dinle. Saat beşte akşam sayımı. Yarım saat sonra Memur Andrew beliriyor kapıda.

"Yakında bir ziyaretçin olacak" diyor.

"Kimmiş o?"

"Gelince görürsün."

Teknik olarak bir mahkûmun bir ziyaretçiyi reddetme hakkı var ama belli ki Memur Andrew kuralları uygulamak zorunda hissetmiyor kendini. Bana sataşmak için fırsat kolluyor zaten. Esma dışında en son ne zaman bir ziyaretçim olduğunu hatırlamıyorum bile. Bu sene o da gelmez oldu ya. Beni esas şaşırtan Andrew hıyarının onay vermiş olması. Geçmiş performansıma dayanarak hemen reddedebilirdi halbuki. Akşamın geri kalanını arpacı kumrusu gibi düşünerek geçiriyorum. Sonunda dank ediyor kafama. Beni görmeye gelen her kimse, dengemi sarsacağını biliyor olmalı. Kimsenin kolay kolay aşamadığı koruyucu bir kabuğum var ama beni altüst edebilecek insanlar yok değil. Yalnızca birkaç kişiler. Onlar, tıpkı bir hayaletin duvarlardan geçtiği gibi kalkanımı delip geçebilirler.

"Endişelisin" diyor Zişan.

Soru mu, tespit mi? Her ne ise inkâr etmiyorum. "Öyle, ziyaretime kimin geleceğini bilmemek geriyor beni."

"Yarın ne getirir hiç bilmeyiz ama her yeni güne umutla başlarız."

Bu saçmalıkları dinleyecek havada değilim. Ranzama uzanıp kendimi dış dünyaya kapatıyorum. Feci bir gün daha beni bekliyor. Hayatım boyunca çoğunu atlattım bunların. Ama bir tanesi var ki, aralarında en beteri oydu: Ertesi gün. Korkunç bir suç işledikten sonraki günün sabahı dipsiz bir karanlıktan uyanır insan. Beyninin bir yerlerinde alarm çalar, kırmızı bir ışık yanıp söner. Görmezden gelmeye çalışırsın. Hani her şeyin bir rüya, bir kâbus olma ihtimali vardır, ufacık da olsa. Düşerken ilk gördüğü ipe tutunan bir adam gibi sarılırsın o ihtimale. Bir dakika geçer. Belki bir saat. Zamanı ölçemez, gerçek dünyaya dönemezsin. Ta ki hakikat bütün ağırlığıyla kendini gösterene kadar. İp tutamaz seni, düşüverirsin.

Lavanta Sokağı'ndaydım, elimde bıçak. Çığlıkları duyuyordum. Tiz, keskin. Feryat ediyordu birisi. Gariptir, annemin sesini andırıyordu. Ama o olamazdı çünkü yerde yatıyordu, kanlar içinde. Sesi zihnimde yankılanıyordu. Sol elime baktım. Daha güçlü olan elime. Pelteleşmişti birden, başkasına aitmiş de bedenime geçici olarak iliştirilmiş gibi duruyordu. Elimden gelse fırlatıp atardım sol elimi.

Koşmaya başladım. Ceketim kan içindeydi. Nasıl oldu da kimse beni durdurmaya kalkışmadı bilmiyorum. Dar sokaklardan, arka bahçelerden geçtim nereye gittiğimi bilmeden. Caddeler kat etmiş, yayalara toslamış olmalıyım. Hayal meyal anımsıyorum. Sonraki yarım saat bulanık. Bir telefon kulübesi bulduğumu biliyorum ama.

Tarık Amca'yı aradım. Yaptığım haltı itiraf ettim. Sıkıntılı bir sessizlik oldu. Beni duymadığını sandım. Tekrarladım. Anneme hak ettiği cezayı verdiğimi söyledim. Bir daha asla böyle bir namussuzluk yapamazdı. Yarasının ağır olmadığını ama iyileşmesinin zaman alacağını anlattım. Göğsünün sağ yanından bir kez bıçakladım, dedim. Bu ona işlediği günahın vahametini anlatmaya yeterdi. İyileşirken hatasını düşünüp nedamet getirirdi. Bu arada görüştüğü herif korkudan tabanları yağlardı. Bundan sonra yanımıza yaklaşamazdı. Ailemizin şerefi temizlenmişti.

"Ne yaptın oğlum?" dedi amcam. Sesi boğulur gibi çıktı. "Felaket bu."
Şaşırdım. Kekelemeye başladım. "Aa...ma... b...büz... ko...ko...konuş...muşş...tuk."
"Yanlışın var" dedi amcam. "Benimle böyle bir şey konuşmadın."

Annemin bir adamla buluştuğunu bana anlatan, acilen bir şeyler yapmam gerektiğini söyleyen, beni dolduruşa getiren, aile namusu üzerine nutuklar atan adam o değildi sanki. Donup kalmıştım.

"İskender, oğlum, gidip teslim olmalısın. Polis bana sorarsa aynen sana bunu söylediğimi anlatacağım. Kanunlara riayet eden bir vatandaşım ben."

Birden kuşku düştü içime. Tarık Amca bu anın provasını yapmıştı sanki. Bekliyordu. Lafları hazırdı. Telefonda bana ne diyeceği, polise ne anlatacağı, mahkemede tanıklığına gerek olursa ne açıklayacağı... Hepsine idmanlıydı. Kendimi maşa gibi hissettim. Beni kullanmıştı.

"Orada mısın oğlum? Yerini söyle bana."

Telefonu kapattım. Ceketimi çıkarıp bir çöp kutusuna attım. Sonra Kate'in evine gittim. Onunla birçok kez kapıya kadar yürümüş ama hiç içeri girmemiştim. Zili çaldım. Neyse ki kapıyı Kate açtı.

"Alex, bu ne sürpriz!" dedi. Yüzü kocaman bir gülümsemeyle aydınlandı. "Ah tatlım, geleceğini biliyordum."

Beni içeri davet etti. Bebeğimizi beraber büyütmek için onlarla yaşamayı kabul ettiğime ne kadar sevindiğini söyledi. Bana sarıldığında, karnı yuvarlak ve sertti. Beş aylık hamile gibi görünmedi gözüme. Top yutmuş gibi duruyordu.

Banyoyu göstermesini istedim. Ellerimi yıkadım. Aynadaki yüzüm diğer günlerde gördüğümden farksızdı. Oysa gözlerimde sıra dışı bir şeyler olacağını sanmıştım. Yoktu. Ellerimi bir daha yıkadım, ovalayarak. Gül kokuluydu sabun. Dolabı açıp çamaşır suyu şişesini buldum. Dişleri bembeyaz, saçları yapılı bir ev kadınının fotoğrafı vardı şişenin üstünde. Çamaşır suyunu ellerime döktüm. Avuçlarımdaki kesikler beter sızladı, canım yandı. Ovalamaya devam ettim. Tırnaklarımın altında bir şey vardı. Kir? Boya? Kan? Bir türlü temizlenmiyordu.

Az sonra Kate her şeyin yolunda olup olmadığına bakmak için içeri girdi. Bana sarıldı, aynada ikimizi inceledi. Tebessümle baktı bu çifte. Çamaşır suyunun üstündeki kadınınkine benzer bir gururla. Bir zafer edasıyla. Suyu kapattı. "Yeter artık yıkadığın. Yeterince temizsin aşkım." Oturma odasına gittik. Kate'in annesi pencerenin yanındaki koltuğa oturmuş bekliyordu. Üzerinde bir elbise vardı. Televizyondakiler gibi. Fıstık yeşili. Göğüsleri belli oluyordu. Çillerle kaplıydı gerdanı. Saçları yeni taranmıştı. Dudakları cart kırmızı boyalıydı. Yüzüne odaklanmaya gayret ettim. Başından aşağısına bakmamaya çalıştım. Porselen fincanda çay ikram etti. Ve meyveli kek. Sessizce yedik. Duvarda çerçeveli fotoğraflar vardı. Düzinelerce. Her hareketimi izliyordu. Tırnaklarımın altını kontrol ediyor gibi geldi bana. Ellerimi sakladım.

"Kate'çiğim bebek kız olursa adını Maggie, erkek olursa Tom koyacağınızı söylüyor."

Kate'e döndüm. Böyle bir karar almamıştık. Gözlerini kaçırdı benden.

"Evet, olabilir" dedim.

Sorumluluk sahibi bir baba olacağıma inanıp inanmadığımı sordu. "Bilmiyorum" dedim, "elimden geleni yaparım."

"Bazen elinden geleni yapmak yetmez ama" dedi.

Belki de televizyondan duymuştu bu lafı. Ya da bir zamanlar birileri ona söylemişti. Kendi ayaklarımız üstünde durana dek bize yardım edeceğini anlattı – geçici bir düzenlemeydi. Bunu bebek için yapacaktı. İlk torunu.

Gece Kate, ayrı odalarda kalmamız gerektiğini söyledi. Oturma odasındaki kanepede yatacaktım. Şimdilik. Yakında evlenecektik ve aynı yatağı paylaşacaktık nasıl olsa. Öyle dedi ve ekledi: "Sonsuza dek."

Temiz çarşaf ve yastık kılıfı getirdi. Yavaşça yukarı çekti kazağını. Memeleri şişmiş, uçlarındaki halkalar koyulaşmıştı. Damarları görünüyordu – mavi, iri, pörtlek. Kulağımı karnına yaslamamı istedi. Bir süre hiçbir şey duymadım. Sonra bir hareket hissettim, birisi gerinerek derin uykudan uyanıyordu. Bebek tekmelemeye başladı. Bir, iki, dört kez. Annem bana hamileyken karnını babama dinletmiş miydi, merak ettim. Annem... Ne haldeydi şimdi? Hastanede miydi?

Kate'i itip uzaklaştırdım kendimden. "Üzgünüm, uyumam gerek" dedim.

"Elbette, sevgilim."

Yalnız kalınca etrafa bakındım. Dantelli perdeler, çiçek desenli minderler, duvar kâğıtları, şöminenin üstündeki süslü vazo, guguklu saat. Uyuyamayacağımı sandım ama başım yastığa değer değmez dalmışım. Sabaha karşı sıçrayarak uyandım. Kate yanı başımda dikiliyordu. Yüzü kireç gibi, gözleri fal taşı misali açılmıştı.

"Alex" dedi. "Kapıda iki polis var."

Ayağa kalkıp başını avuçlarım arasına aldım. Öptüm onu. Tuzluydu ağzı. Paniğin tadı. "Seni soruyorlar sevgilim" dedi.

Koridora çıktım. Kate'in annesi geceliğiyle dikiliyordu. Yüzünde bir batman kremle. Altdudağı titriyordu. Bulaşıcı bir hastalığım varmış gibi kızını tutup kendine çekti. Arkada bir polis arabasının ışıklarını gördüm. Beni görmemişlerdi henüz. Onlara giyindiğimi söylemesini istedim Kate'ten.

Kaçma fikri aniden geldi. Düşünmeden, planlamadan. Mutfağa gidip kapıyı açtım, bahçeye sıvıştım; komşunun bahçesine atladım, oradan bir sonrakine. Kate polislerle konuşurken ben yan sokağa geçmiştim bile.

❌❌❌

1978 senesi, Kasım'ın son günü. Tam fikrimi değiştirecektim ki köşeyi döndüğünü gördüm. Alışverişten geliyordu, elleri doluydu. Acele etmeden, ağır aheste yürüyordu. Kanım tepeme sıçradı. Ben ona evden çıkmayı yasak etmiştim. Ama belli ki talimatlarımı umursamıyordu.

Adımlarını yavaşlatıp bir sokak müzisyenini dinledi, sırtı bana dönük. Profiline baktım. Gülümsüyordu. Bir öfke dalgası kabardı içimde. Ben ona sokağa çıkma dememiş miydim? Bacaklarını ortada bırakan, dizinin üstünde elbiseler giymesini yasaklamamış mıydım? Kurallarımı hiçe sayıyor, düpedüz alay ediyordu benimle.

Takip etmeye başladım. Vitrinlere baktı, eve varmak için acele etmiyordu. Belki o adamla buluşmak için oyalanıyordur diye düşündüm ama öyle bir şey olmadı. Bizim sokağa yaklaşırken tökezleyip çantasını düşürdü. Daha önce hiç görmediğim haki renkli eski püskü bir çantaydı. Yerden alırken beni fark etti.

"İskender..." diye fısıldadı ismim bir sırmış gibi.

İskender Toprak
Shrewsbury Hapishanesi, 1991

Pembe

Akşamın yedi buçuğu. Uzun bir günün sonu. Özensizce toplanmış saçları ve hafiften ağrıyan sırtı ile sabahın köründen beri ayakta olmasına rağmen kendini yorgun hissetmiyordu Pembe. Kalıp temizlik yapacağını söylemişti Rita'ya. "Sen bir meleksin" demişti Rita onu iki yanağından öperek. "Sensiz ne yapardım?"

Ona henüz haber vermemişti Pembe. Patronuna işi bırakacağını söylemeye dili varmamıştı. Yarın gelmeyecekti *Kristal Makas*'a. Ne de sonraki gün. Bir not yazacaktı Rita'ya. Öylesi daha kolaydı. Kendini iyi hissetmediğini, biraz zamana ihtiyacı olduğunu söyleyecekti. Doğru değildi tabii. Ama büyük oğlunun artık çalışmasını istemediğini itiraf edemiyordu. Utanıyordu.

Canından çok seviyordu İskender'i ama gayrı ulaşamıyordu ona. Tez öfkeleniyordu oğlan. Haklı nedenleri vardı. Çok fazla dedikodu çıkmıştı. Arkasından, kapalı kapılar ardında, bakkalda, kahvede, kebapçıda, balıkçıda, kuru temizlemecide elâlem fısır fısır konuşuyordu. İpeğe damlayan mürekkep kadar hızlı yayılıyordu fesatlık; koyu, kıvamlı. Hayatı boyunca kir pas temizlemişti Pembe ama bu tür bir lekeyi temizlemek için bildiği bir çare yoktu.

Tuhaf bir histi suçluluk. Bit kadar minik bir tohumla başlıyordu. İnsanın derisine yerleşiyor, kanını emiyor, her yana yumurtluyordu. Sen ne olduğunu anlayamadan kafanı sarıyordu. Bugünlerde hep suçlu hissediyordu Pembe kendini. Evde, işte, yemek pişirirken, alışveriş yaparken, hatta uykusunda bile, ruhunu sarmıştı bu duygu.

Çocukken birkaç kez bitlenmişti. O hep Cemile'den kaptığını iddia ederdi, Cemile de ondan. İlk sefer en fenasıydı. Anneleri ikisini sıcak su dolu bir leğende saatlerce tutmuş, aktardan aldığı pis kokulu bir maddeyle ovalayıp durmuştu. Sonunda bitleri defetmeyi ve tekmil sirkeleri yok etmeyi başarmıştı ama az kalsın kızları da telef ediyordu bu arada. O günleri hatırlayıp içini çekti Pembe.

Herkes çıkalı bir saatten fazla olmuştu. Yeni birini işe almayı düşünüyordu Rita, *saç tasarımcısı* – İngilizler "berber" ya da "kuaför" yerine böyle diyordu. Burada insanlar bayılıyordu süslü sözcüklere. Yemeklerine verdikleri isimler hâlâ afallatıyordu Pembe'yi. *Baharatlı, leziz kuskus üstü mayhoş tavuk.* Elias'ın onu götürdüğü bir lokantanın mönüsünde görmüştü. İlk ve tek yemek randevuları olmuştu. Hayatında hiç o kadar huzursuz hissetmemişti kendini. Kimselere görünmeden konuşabilecekleri bir yer bulmaya çalışmıştı Elias, ama sinema dışında rahat ettikleri bir yer yoktu. Orada da kelimelere yer yoktu.

Yemek yerlerken, Elias'a doğduğu topraklarda özel bir misafirin önüne kuskus konsa herkesin güleceğini anlatmıştı Pembe. Fakir fukara yemeğiydi kuskus. Böyle fiyakalı restoranlarda sunulması tuhaftı. Pembe, onu güldürmek için anlatmıştı bütün bunları. Oysa Elias, gene öyle yarı hüzünle yarı özlemle bakmıştı yüzüne. Ona nicedir yarenlik eden ama başka hiçbir şey talep etmeyen bir tuhaf adam.

"Yani sen beni evine davet etsen kuskus yapmazsın, öyle mi?" diye sormuştu.

"Elbette yapmam" demişti Pembe.

Ona muazzam bir sofra donatırdı. Önce dumanı üstünde bir çorba olacaktı. Midesi ısınınca bütün yemekler daha lezzetli gelirdi insana. Naneli ve tarhunlu, buğdaylı yoğurt çorbası, nar ekşili salata, közlenmiş kırmızı biberli, baharatlı humus, mercimek köftesi, hünkârbeğendi ve kaymaklı ev yapımı baklava. "Seninle aynı mutfakta yemek pişirmek ne hoş olurdu" demişti Elias. Beraber bir gelecek hayal ettikleri nadir anlardan biriydi.

☒☒☒

Pembe son kez baktı kuaför salonuna. Burası sadece saç kestirmek, fön çektirmek için gelinen bir yer değil, bir muhabbet mekânıydı. Bazı kadınların bu kadar sık gelmesinin nedeni illa da saç modellerini değiştirmek değildi. Kimisi de çene çalmaya hasretti. Bir çift tatlı söze. Pembe konuşkan değildi. Ama müthiş bir dinleyiciydi. Kalabalık bir ailede büyüdüğünden hep başkalarına öncelik vermeyi öğrenmişti. Müşterilerin kocaları, çocukları, patronları, ev hayvanları, hatta can sıkıcı komşuları hakkında çok şey biliyordu. Onları dinliyor, anlıyordu. Ve bütün bunları o kısıtlı kelime dağarcığı ile yapıyordu. Arada bazı sözcükleri atladığı olsa da özü asla kaçırmıyordu.

Akşam güneşi çoktan batmış, sokak değişmeye başlamıştı. Yolun her iki yanındaki dükkânlar kapanmıştı. Hint sarileri satan dükkân, Lübnan kafesi, helal et sunan kasap, tütsü kokan hippi dükkânı... Çalışanlar ve müşteriler evlerine gitmişti artık. Bir saate kadar onların yerini başkaları alacaktı. *Gececiler.*

Sabahları bu mahalle *Gündüzcüler* ile dolup taşardı – pusetlerde bebekler, alışveriş arabalarıyla anneler, postaneye giden ihtiyarlar, otobüs durağında takılan gençler. Çoğunlukla bir yerden bir yere koştururlardı. *Gececiler* farklıydı. Daha bir ağır, telaşsız olurdu onlar; daha fazla parfüm, daha fazla makyaj, daha fazla cesaret taşırlardı. Restoran, bar ve kulüpleri doldururlardı. Hep bir arayış halindeydiler. Gülerlerdi

– öyle kibar ve kontrollü kıkırtılarla değil, derinden gelen, taşkın kahkahalarla.

Pembe gıpta ederdi *Gececiller*'e. Dipsiz bir göle benzetirdi onları. Ruhlarını göremezdi. Elias da onlardandı. Öyle değilmiş gibi yapıyordu ama nafile. Bazı açılardan kocası da öyleydi. Ama Âdem başka bir türdendi. Belki de gece insanları kendi aralarında ikiye ayrılıyordu: Baykuşlar ve köstebekler. Baykuşlar yemeyi, içmeyi, eğlenmeyi ve dünyayı değiştirecek devasa fikirler üretmeyi severdi. Gürültücü, ateşli, talepkâr, tutkuluydular. Köstebeklerse karanlığı kaynaşmak için değil, saklanmak için kullanırlardı. Baykuşlar keşfetmeyi severlerdi. Köstebeklerse gecenin gölgelerinde saklanmayı. Kocası bir köstebekti. Şehrin altında kendine yollar açan. Çoğu kumarbaz gibi deşiyordu altını, kör bir inatla.

Saat sekiz buçukta Pembe yerleri süpürmeyi, fırçaları yıkamayı bitirdi. Ovmaya, silmeye öyle alışkındı ki elleri, çalışmadan duramıyordu. Yapacak başka bir şey kalmadığında mantosuyla çantasını aldı ve dükkâna son bir kez baktı.

"Hoşça kalın saç kurutma makineleri" diye mırıldandı. "Hoşça kalın bigudiler, makaslar, renk açıcılar..."

Ağlamayacağına söz vermişti kendine. Yanaklarının içlerini ısırarak kapıyı açtı, sokağa çıktı. Basbayağı çakırkeyif görünen orta yaşlı İngiliz bir çift yalpalayarak yanından geçti. Öpüştüler. Onlardan yana bakmamaya çalıştı Pembe ama kendine engel olamadı. Bu ülkeye geleli bunca zaman olmuştu ama hâlâ insanların herkesin içinde öpüşmesine alışamamıştı.

Pembe aceleyle kapıyı kilitleyip anahtarı Rita'nın posta kutusuna attı. Ona bir not yazmayı unuttuğunu fark etti ama belki de böylesi daha iyiydi. Açıklamaya çalışsa bile başarabileceğinden emin değildi.

Şimdi yapması gereken, Elias'ı bulmak ve ona bundan böyle dışarıda buluşmalarının imkânsız olacağını söylemek, veda etmekti.

İskender

14 Kasım 1978

Londra

O salı okulda, öğlen teneffüsünde her zamanki gibi form-daydı İskender. Her şeyle alay ediyor, dalgasını geçiyordu. Yemeğini yerken etrafındaki boş gevezeliklere kulak kabarttı. Çocuklar ertesi günkü maçtan bahsediyorlardı. Chelsea, Dinamo Moskova karşısında. Az sonra Arşad İskender'e dönüp sırıttı.

"Alex be, şu tatlıyı bana versene."

"H...ha...yattt...ta o...ol...m...maz! Ha...di i...kiii...ki...le."

Konuşma bıçakla kesilmiş gibi durdu; herkes durup İskender'e baktı. Daha önce hiç tanık olmamışlardı kekelediğine. Ya da yüzünün kızardığına. O an bir şekilde gelip geçti, laklaklarına geri döndüler ama İskender'in keyfi kaçmıştı.

Sınıfta gözlerini önündeki öğrencinin ensesine kilitleyip kıpırdamadan durdu. Önüne buruşmuş bir kâğıt parçası düşene kadar öyle kaldı. Alıp açtı. Kate'tendi.

Maggie, Christine, Hilary. Oğlan olursa, Tom

Şakakları zonklamaya başladı. Birkaç dakika sonra nesi olduğunu soran bir kâğıt daha geldi. İskender sırf Kate'in merakını yatıştırmak için kısa bir mesaj karalayıp geri yolladı:

Sonra söylerim!

Ama ders biter bitmez sırt çantasını kaptığı gibi fırladı, izinsiz ayrılmanın başına ciddi dert açacağını bildiği halde. Bir süre ortalıkta amaçsızca dolaştı. Okul saatlerinde formayla sokakta dolaşmaktan rahatsız oldu, bir an evvel eve gitmeye karar verdi. Metro istasyonunun rutubet kokan rüzgârı bir kıymık gibi battı tenine.

Tren gelince etrafına pek dikkat etmeden girdi vagona. İlk bakışta bayağı kalabalık görünüyordu içerisi. Ne tuhaf, ortalarda bir sürü oturacak yer olduğu halde insanlar kapıların etrafına toplaşmış, ayakta duruyorlardı. Hemen anladı nedenini. Orada bir başına oturmuş, kendi kendine konuşan bir berduş vardı, delinin teki. Yüzü pis, üstü başı pasaklıydı; botlarını çıkarmış, dünyanın en kıymetli hazineleriymiş gibi özenle ovalıyordu kirli, nasırlı ayaklarını. Sıcakta günlerce kalmış çöpü andıran boğucu bir koku sarmıştı her yanı.

Ani bir dürtüyle gidip adamın yanına oturdu İskender. Berduş, ne zoru olduğunu anlamak istercesine baktı ona. İskender diğer insanların da onu incelediğini fark etti. Umurunda değildi. Artık kekelemeye başladığına göre o da biraz toplum dışı sayılırdı ne de olsa.

Trenin camındaki kendi yansımasına takıldı gözü. Tünelin karanlığında solgundu yüzü. On beş yaşından büyük görünüyordu. Vaktiyle okuduğu bir resimli roman geldi aklına. Bir dedektif on sene sonraki kendisiyle karşılaşıyor, ondan yardım alıyordu. Belki İskender'in şimdi gördüğü buydu –gelecekteki hali.

Şu kekeleme işi takılmıştı zihnine. "Bir virüs mü kaptım acaba?" diye düşündü. Annesi bilirdi ne yapmak gerektiğini; boğazını yumuşatıp dilini çözecek bir bitki çayı hazırlardı. Kendi bilemezse, Cemile Teyze'ye yazıp sorardı. İkizinin bölgenin gelmiş geçmiş en yaman ebesi olduğunu ve otların dilinden anladığını söylemez miydi hep? Nihayet rahatlayarak arkasına yaslandı İskender. Annesine duyduğu sevgi canlandı yüreğinde. *Tarık Amca'nın dedikleri saçmalığın daniskasıydı.* Keşke bir zaman makinesi olsaydı da bebekliğine geri dönebilseydi. Esma doğmadan önceye. Yunus doğmadan önceye. Yalnızca annesi ile kendisinin olduğu ve birlikte som bir sevgiyle sarmalandıkları günlere. Tren ineceği durağa ulaştığında İskender'in ruh hali aşağı yukarı buydu.

"Birilerinin acelesi var galiba" dedi berduş. İskender adama dönüp başıyla selam vermekle yetindi.

"Hadi! Koş! Anneciğini bekletme."

Bu lafı duyunca sırtından soğuk ter boşanıverdi İskender'in. İstasyondan dışarı yürürken hâlâ kulaklarındaydı adamın kahkahası. Lavanta Sokağı'ndaki eve ulaşıp da zile bastığında saat üç buçuktu. Kapı açılmadı. Bir kez daha çaldı; sonra anahtarını çıkarıp açmaya çalıştı ama kapı içeriden sürgülenmişti. Derken ayak sesleri duyuldu koridordan. Ve fısıltılar... Her şeyin yıkıldığı andı.

Elias

Cinayeti öğrendiğinde evindeki hava bitkisine banyo yaptırmakla meşguldü Elias. Hava bitkileri tuhaf yaratıklardı, bir nevi hilkat garibesi. Yapraklarındaki gözeneklerden emdikleri nemle yaşar, köklere ihtiyaç duymazlardı. Diğer nebatlar gibi toprağa bağlanmak yerine herhangi bir nesneye tutunup adeta havada yaşarlardı. Göçebe varlıklardı onlar. Elias kendi çiçeğini mutfak tezgâhının üstünde, irice bir deniz kabuğunun içinde büyütüyordu. Baharda *duş* aldırmak yetiyordu bitkiye ama kışın kaloriferler yanıp evin havası kuruduğunda on günde bir suya sokmak, *banyo* yaptırmak gerekiyordu.

Kendini işine öyle kaptırmıştı ki kapının çalınışını duymadı. En son elektrik kesintisinden beri zil doğru dürüst çalışmıyordu, tamir edecek zamanı bulamamıştı. Birkaç saniye içinde yeniden vuruldu kapı, bu kez daha sertçe. Bu saatte kimin geldiğini merak ederek ellerini kuruladı. Gözü masanın üstünde duran hediyeye kaydı. Belki Pembe idi gelen. "Acaba paketi saklasa mıydım?" diye düşündü bir an. Böyle çat kapı gelme huyu yoktu gerçi ama belki boş bir vakit bulup ona sürpriz yapmaya karar vermişti, kim bilir. Ne de olsa bugün doğum günüydü Pembe'nin.

Birlikte sinemaya gidemez olunca bu dairede buluşmaya başlamışlardı. Dört kez gelmişti buraya Pembe, uçup gidecek gücü toplayana dek bir dala konuvermiş kuş gibi çekingen ve telaşlıydı her seferinde. Kucağında kediyle kanepede sessizce oturmuş, etrafı incelemişti. Elias'ın açık mutfakta çalışmasını seyretmiş, gevezeliklerini dinlemişti. Gözlerindeki endişe kadar hakikiydi tebessümü.

En başından beri bir çelişkiler yığını olarak görmüştü Elias Pembe'yi. Ne kadar çekingen, hatta kırılgan olduğu barizdi ama bunun altında saklı, dirençli bir katman olduğunu görebiliyordu. Sinemada el ele oturup *Yumurcak*'ı birlikte ilk kez seyrettikleri günden beri onu öpmek istiyor, yapamıyordu. Pembe'nin, gittiği her yere beraberinde götürdüğü telaş ve suçluluk duvar gibi dikiliyordu önünde. Onunla beraber olmayı düşünüyor, düşlüyor, arzuluyordu. Ama ne zaman yalnız kalsalar kendini tutuyor, irade gücü gösteriyordu.

Pembe bir bilmeceydi, bir türlü çözemediği. Elias'ın esas istediği onu mutlu etmekti. Kulağa diğerkâm gelse de özünde bencil bir arzu olduğunun farkındaydı. Aşkının sihirli değnek gibi dokunduğu şeyi dönüştürmesini, güzelleştirmesini istiyordu. Pembe'yi yeterince kalpten severse, onu bir Külkedisi olmaktan çıkarır, göz kamaştırıcı bir prensese dönüştürebilirdi sanki. İşte Elias'ın aklını çelen şey buydu – Pembe'yi yeniden yaratma hayali.

Kimi açılardan genç bir kız gibi davranıyordu Pembe. Başını Elias'ın göğsüne yaslayıp bedeninin sıcaklığını hissetmekten hoşlanıyor ama asla bundan öteye gitmiyordu. Elias çizgiyi aşmak için yapacağı her hamlenin Pembe'yi rahatsız edeceğini ve girdabımsı bir suçluluk duygusuna iteceğini anlamıştı. Evli ve çoluk çocuk sahibi bir kadın olarak kendinden yaşça büyük bir adamla gizli gizli buluşmak yeterince utandırıyordu onu zaten. Birçok kez kocasından boşanmak istediğini itiraf etmişti. Üstelik muhtemelen kocası da istiyordu bunu, ama çocukları, özellikle hâlâ küçük olan Yunus'u üzmekten korkuyordu. Onun bu fiziksel ulaşılmazlığı Elias'ı soğutacağına daha da yakınlaştırıyordu. Olduğu gibi kabul etmişti Pembe'yi. Hayatında ilk defa birini, verebileceğinden daha fazlasını talep etmeden seviyordu.

Her şeye rağmen, yüreğinin ta derinlerinde bir yerlerde emindi Elias, bir gün, bir şekilde, parmak uçlarının kendiliğinden buluşacağına. İşte o zaman yepyeni bir dönem başlayacaktı hayatlarında. Birbirlerinin gözlerine içtenlikle bakabilecek, duygularından utanmayacaklardı. Kaygı olmayacaktı artık. Suçluluk olmayacaktı. Aşk yetecekti onlara, gerisi kendiliğinden gelişecekti. Ona gelecekti Pembe, hafif ve özgür. Elias çocuklarını büyütmesine yardım edecek, daima yanlarında olacaktı. Sevecek, sevilecekti; yüreğindeki boşluk sonunda dolacak, bu yara kapanacaktı.

Şimdi koridorda ilerlerken elinde olmadan bunları düşündü heyecanla. Ama kapıyı açınca karşısında bir yabancı buldu, düş kırıklığına uğradı. Yeniyetme bir kızdı bu. Bol paçalı kot pantolon, geniş kollu kızıl-kahve bir gömlek, boynunda ipek bir fular. İri dalgalı saçları ortadan ayrılmıştı, alnı geniş, çenesi çıkıktı.

"Elias'ı arıyorum" dedi Esma.

"Buyurun, benim" dedi Elias temkinli bir gülümsemeyle.

"Demek o sensin?"

Afalladı. Beklenmedik bir soruydu, bir o kadar tehditkâr.

"Annem..." dedi Esma.

"Efendim?"

Esma başını kaldırdı ama adamın gözlerine bakamadı. "Annem öldü."

Dönüp gitmeye yeltendi. Uzanıp dirseğinden yakaladı Elias. Gözleri dehşet ve acı doluydu. "Ne diyorsun? Kimsin sen?" diye sordu. "Annen kim?"

"Kimden söz ettiğimi anlamadınız mı?" dedi Esma sitemle.

Bocalıyordu. "A...anlamıyorum. Ama nasıl... nasıl oldu?"

"Ağabeyim bıçakladı. İlişkiniz yüzünden."

Elias'ın gözleri büyürken yüzündeki bütün kan çekildi. İşittiklerinin mahiyetini algılaması için yüreğinin bir kez daha sessizce atması gerekti. Duvara yaslandı. Esma, tuhaf bir şekilde adamın ıstırabına tanık olmaktan zevk aldı. O, felaket habercisi.

"Bize yalnızca utanç getirdiniz" dedi Esma. "Umarım tatmin olmuşsunuzdur."

Karşısındakinin âciz ve kindar bir kız olduğunu gördü mü acaba Elias? Annesini ne kadar sevdiğini ama aynı zamanda içten içe nasıl kıskandığını ve kimselerle paylaşmaya niyeti olmadığını anladı mı?

"Sizi görmek istemiyoruz" dedi Esma. "Cenazeye gelmeyin, artık ailemize karışmayın. Bizi rahat bırakın. Anladınız mı?" Yanıtsız bırakılamayacak kadar yaralayıcı bir soruydu. Başını salladı Elias. "Evet" dedi. Sonra usulca yineledi: "Evet."

Genç kızın ardına bakmadan merdivenlerden koşar adım inişini seyretti. Bir yanı hâlâ reddediyordu duyduklarına inanmayı. *Anne babasının evliliğini kurtarmak için uydurmuş olmalı bu korkunç yalanı.* Çocuklar yapardı böyle şeyler. Telaşa kapılmaya gerek yoktu. Her şcy açıklığa kavuşurdu nasılsa bir iki saate.

O öğleden sonra bir mazeret uydurup işe gitmedi Elias. Evde oturup Pembe'nin gelmesini bekledi. Epeyce içti, bir ara sızdı, ağzında pas tadıyla uyandı. Sabah ilk yaptığı şey gazeteleri almak oldu. Oradaydı. Baş sayfada. *Delikanlı "namus" uğruna annesini öldürdü.* Sözcüklere baktı gözlerini boş boş kırpıştırarak; her birini görüyor, tanıyordu ama bir araya geldiklerinde ortaya çıkan anlamı kavramayı reddediyordu.

☒ ☒ ☒

Elias kendisini takip eden delikanlıyı ilk kez mahalledeki Hint marketinde fark etmişti. Baharatlı turşular alıyordu o esnada. Çeşitli yemeklerin yanına yakışıyordu bunlar. Tam bir kavanoza uzanmıştı ki birisinin ona baktığını hissetti. Gayriihtiyari başını çevirdi; oradaydı oğlan, dışarıda, camın önünde durmuş, vitrindeki kutular ve konserveler üstünden onu seyrediyordu. Hasmane bir ifade vardı yüzünde. Yanan kömürlerden sıçrayan kıvılcımlar gibi parıldıyordu gözleri. Alışverişini bitirince dükkândan çıkıp sağa sola bakındı; delikanlı hâlâ orada olsaydı onunla konuşacaktı. Ama kaybolmuştu ortadan. "Başka birine bakmış olmalı" diye düşündü. Paranoyak olmaya lüzum yoktu. Halbuki onun sinemada yanına gelip ateş soran çocuk olduğunu hatırlamış ve Pembe ile aralarındaki fiziksel benzerliği fark etmişti. İki gün sonra yine gördü İskender'i. Bu kez *Eflatun Lokantası*'nın önünde durmuş sigara içiyordu. Geç saatte çıkarken kendini en vahim olasılığa hazırlamıştı Elias ama takipçisi yine sırra kadem basmıştı.

Bu böyle devam etti. Daha sonraki haftalar boyunca İskender, yolunu kaybetmiş bir hayalet gibi kâh görünüp kâh kaybolarak günün farklı saatlerinde peşine takıldı Elias'ın. Gizlenmeye çalıştığı yoktu ama gerektiği an toz olabileceği mesafede duruyordu hep.

Elias, büyük bir hata yaptı. Bu hadiselerden Pembe'ye hiç söz etmedi. Aslına bakılırsa İskender'in davranışlarından kısmen kendini sorumlu hissediyordu. Ne de olsa takipler Elias'ın Lavanta Sokağı'ndaki eve gidişinden hemen sonra artmıştı.

"Nerede yaşadığını bilmek istiyorum" demişti Elias sınırı aştığını bile bile.

"Ne? Neden?"

"Sen benim nerede yaşadığımı, evimi, işimi, geçmişimi biliyorsun. Oysa ben senin hakkında hiçbir şey bilmiyorum. Benim için hâlâ bir muammasın."

Ne diyebilirdi ki Pembe? Doğruydu bu.

"Zamanımızın çoğu birbirimizden ayrı geçiyor zaten" diye devam etmişti Elias. "Evde, benden uzakta olduğunda neler yaptığını gözümde canlandırabilmek istiyorum. Seni mutfağında yemek yaparken tahayyül etmek istiyorum. Yaşadığın sokağı, mahalle bakkalını. Seni kendime yakın hissedebilmek için kafamın içinde bir resme ihtiyacım var."

"Resim mi?"

"Bak, yalnızca kısacık gelip baksam – beş dakika bile yeter. Başka bir şey istemiyorum. Kedi gibi gelip, kedi gibi giderim. Kimseye görünmeden. Sadece bir kez. Olur mu?" Tedirgin mırıldanmıştı Pembe: "Yalnızca beş dakika ama. Sonra hemen gideceksin."

"Söz!"

Aynı hafta, çocukların okulda olduğu sakin bir öğleden sonra, Lavanta Sokağı'ndaki eve ilk defa ayak basmıştı Elias. Eşiği geçer geçmez pişman olmuştu bu fikri ortaya attığına. Pembe'nin gönülsüz olduğu açıktı. Yalnızca onu memnun etmek için kabul etmişti bu planı. Ama öyle gergindi ki en ufak ses bile ödünü koparmaya yetiyordu. Yalnızca o sırada orada bulunmaktan değil, Pembe'nin hayatına girmiş olmaktan ve bu kadar tasaya yol açmaktan dolayı kendini kötü hissetmişti Elias. Bu aşkın mucizeler yaratmasını istemişti ama belki de tek yaptığı sorun yaratmaktı. Onu daha da huzursuz etmemek için paltosunu bile çıkarmadı, en ufak işaretinde fırlayıp gitmeye hazırdı.

Öte yandan bu daire, sevdiği insanın varoluşuna dair öyle çok ipucu barındırıyordu ki. Pembe'nin ürkek, çekingen hallerinin nedeni, zamanının çoğunu bu loş mekânda bir başına geçirmesiydi. Sehpaların, rafların ve koltukların üzerine konmuş dantellere, Pembe'nin yapmakta olduğu tığ işine, camın önünde ipe dizip kuruttuğu dolmalık biber ve patlıcanlara, ponponlu terliklerine baktı. Detayları ezberlemeye çalıştı. Her yer birbiriyle yarışan kokulara bürünmüştü: ev yapımı hamur işleri, yeni yıkanmış çamaşırlar, tarçın ve gülsuyu. Bir yandan son derece yabancıydı bunların hepsi Elias'a ama bir yandan da ailesinin Lübnan'da bıraktığı hayatı öyle çok hatırlatıyordu ki, gözleri yaşardı.

Küçükken bir yaz tatilini Beyrut'ta anneannesinin yanında

geçirmişti Elias; deniz kıyısında, sıcak ve cömert kumlarda aylak aylak dolaşmıştı. Bir keresinde, bir fırtına sonrasında kumsala vurmuş birtakım deniz canlılarına rastlamıştı. Yerinden yurdundan olunca çaresiz kalan bu tuhaf varlıkları görmek şaşırtmıştı onu. Yıllar sonra çalıştığı Batı şehirlerinde ilk kuşak göçmenlerin halleri hep bu sahneyi hatırlatacaktı ona. Onlar da ne denetleyebildikleri ne görmezden gelebildikleri dev bir dalgaya kapılıp uzaklaşmışlardı doğal çevrelerinden. Huzursuz ve kırılgandılar yeni ortamlarında. Elias gayet iyi anlıyordu bu duyguyu çünkü o da hep başka kültürlerin kıyılarında yaşayan biri olmuştu. Ama bir temel noktada farklıydı o göçmenlerden. Hiçbir toprak parçasına bağlılık duymadığı için her yerde yaşayabilirdi o. Belki de farkında olmadan bir hava bitkisine dönüşmüştü. Kökleri olmadığından değil, ama topraktan ziyade havaya bağlı olduğundan.

Kapıya doğru yönelirken Pembe'ye onu kabul ettiği için teşekkür etti ve verdiği sıkıntıdan dolayı özür diledi. Gidiyor olması hem rahatlatmış hem kederlendirmişti Pembe'yi. "Kal" dedi alçacık bir sesle. "Çay iç. Sonra git."

"Emin misin?"

Başını salladı gülümseyerek.

Bronz bir semaver vardı masanın üzerinde. Bardağı doldururken öyle titriyordu ki Pembe'nin elleri, kaynar çay bluzuna döküldü.

"Hay Allah!" dedi Elias. "Yandın mı?"

Başını iki yana sallarken bir yandan da bluzunu teninden uzak tutmaya çalışıyordu Pembe. "Zararı yok. Sen burada iç. Ben gidip değiştireyim."

Kapının dışında ayak sesleri duyduklarında perdeleri yarı kapalı oturma odasında tek başına oturuyordu Elias. Birisi zili çaldı, önce kısacık, ardından uzun uzun, ısrarlı. Elias ensesindeki kasların gerildiğini hissetti.

Yanlış iliklenmiş beyaz bluzuyla yatak odasından fırlayan

Pembe dehşetle baktı Elias'a. Çocuklarının hiçbiri iki buçuk saatten önce evde olmazdı. Komşuları çalışıyordu, hem böyle çat kapı gelmezdi hiçbiri. Bir saniye sonra deliğe bir anahtar sokuldu. Dışarıdaki her kimse içeri girmeye çalışıyordu. Pembe'nin yüzünün rengi atmış, gözlerinin feri kaçmıştı. Kapıdakinin kim olduğunu anlamıştı. Kendi anahtarı olan bir tek kişi vardı: İskender. Elias saklanacağını işaret etti ama ne yapacağına dair en ufak bir fikri yoktu. Gergince bir fısıldaşmanın ardından bir kâbustaymış gibi masanın altına girdi.

Kapıya yaklaştı Pembe ve bilmiyormuşçasına sordu: "Kim o?"

Dakikalar sonra, oğlan odasına girip kapıyı kapattığında saklandığı yerden çıkıp evden ayrıldı Elias, içini kemiren suçlulukla. Sonraki günler boyunca o feci anı tekrar tekrar yaşayacaktı kafasında. Pembe'nin oğlunun hiçbir şeyden şüphelenmediğini umut etti. Ama İskender peşine takılınca onun aslında her şeyin farkında olduğunu anladı, korkuya kapıldı.

🗙🗙🗙

Ölüm haberini aldıktan sonra Elias, Pembe'nin evine en yakın hastaneye ya da morga gitmeye niyetlendiyse de, akrabalarına ya da komşularına rastlaması halinde patlak verebilecek olaylardan duyduğu endişe elini ayağını bağladı her seferinde. Esma'yla bir kez daha konuşabilmeyi isterdi ama kendisi doğru sözcükleri bulabilse bile karşı tarafın onu hoş karşılayacağından emin değildi. Polise gitmeyi düşündü ama onlara söyleyeceği hiçbir şey yoktu.

Sonraki günleri çoğunlukla mutfağında geçirdi; ne üstünü değiştiriyor, ne yüzünü yıkıyordu. Kimsenin yemeyeceği baharatlı soslar, kıvamlı çorbalar yaptı. Duyduğu pişmanlık ve keder kendi karışımlarını yaratıyordu içinde. İşlerin bu noktaya gelmesi onun kabahatiydi. Bunu nasıl öngörememişti? Nasıl bu kadar fütursuz olabilmişti?

Gazeteler, bir numaralı zanlı İskender Toprak'ın hâlâ yakalanmadığını yazıyordu. Elias her an kapıya dayanmasını bekliyordu onun, yüzleşmeye hazırdı. Bir cesaret gösterisi filan değildi bu. Yıllarca hep hızlı yaşamış, ileri bakmıştı, şimdiyse ilk defa durmuş, alın yazısına bir fırsat veriyordu ona yetişmesi için. Ama İskender'in yerine polis geldi. Bir sürü soru sordular. Evinin resimlerini çekip mesleğiyle ilgili bilgi topladılar; *maktul ile olan ilişkisi* hakkında sonu gelmez bir sorguya çektiler.

Nihayet gittiklerinde, Pembe'yle birlikteyken yaptıkları gibi perdeleri ve kapıları kapattı, bir mum yakıp dibine dek yanışını seyretti. Bu arada pikaba bir Feyruz plağı koydu. Bu muazzam kadın şarkıcının sunturlu sesi evdeki her aralığa sızıp, karayel gibi eserek havayı değiştirdi. *Seken el-Leyl'*i söylemeye başladığında daha fazla dayanamadı Elias, ağlamaya başladı.

Gece durgundur, perdesi saklar hayallerimizi...

Tüm bu yıllar boyunca Elias işinden ayrı tek bir gün bile geçiremeyeceğine inandırmıştı kendini; çalışmaktan bitap düştüğünde çareyi daha fazla çalışmakta bulmuştu. Oysa sonraki üç hafta boyunca eve kapandı. Neler olup bittiğini bilmeyen elemanları arayıp duruyor, ne zaman döneceğini soruyorlardı. Nedenini tam olarak bilmeseler de ıstırabının derinliğini anlıyorlardı. Bir ay sonra Elias yardımcı şefini terfi ettirip restoranın başına getirdi. Kendini sorumluluklarından azat ederek en acil işlerin bile ivediliğini yitirdiği bir rüya âlemine kayıp gitti.

1979 başlarında, mahkemede ifade verdikten sonra, itiraf edecek tek bir kelime kalmadığında, hiç ummadığı bir şey yaptı. İki bavulunu tıka basa doldurdu, geriye kalan her eşyasını çalışanları arasında pay etti. Giderek yaşlanan İran kedisini Annabel'e verdi. Pembe'ye almış olduğu doğum günü hediyesini –ucunda kalp şeklinde bir yeşim taşı olan gümüş zinciri– Esma'ya yolladı. Sonra da tıpkı yıllar önce yaptığı gibi tek yönlü bir bilet aldı.

Kırık ve kırgın Kanada'ya geri döndü.

Âdem

Bir şafak vakti kalkıp çalıştığı şantiyeye yürüdü Âdem. Gece bekçisi –koca, kara gözlü bir Pakistanlı– onu görünce şaşırmakla birlikte muhabbet edecek biri çıktığı için sevindi. "Erkencisin" dedi. "Uyku tutmadı." Anlayışla gülümsedi bekçi: "Hanımını özlemişsindir. Para gönder. Karının yüzü gülünce senin de moralin düzelir." Oysa Pembe artık yoktu. Onu düşünmek içini acıttı Âdem'in. Gözleri doldu. Tek yapabildiği başını eğmek oldu. Cebinden bir Marlboro paketi çıkarıp dudaklarının arasına bir sigara yerleştirdi. Bir tane de bekçiye ikram etti. Bir süre sessizce tüttürdüler. Âdem'in aklına bir zamanlar –İstanbul'da delikanlıyken– sokaktan izmarit topladığı geldi. Bir keresinde üzerinde ruj lekesi olan yarı içilmiş bir sigara bulmuştu. Onu iki yönden şaşkınlığa düşürmüştü bu keşif – hem insanların henüz bitmemiş bir sigarayı atabildiğine inanamamıştı hem de bir kadının sokakta sigara içtiğine.

Londra'ya geldikten sonra alışmıştı tütün tiryakisi kadınlara. Roksana ilk kez onunla bir sigara paylaştığında ise sevinçten başı dönmüştü.

"Al senin olsun" dedi neredeyse dolu paketi uzatarak.

"Bana mı veriyorsun?" diye sordu bekçi.

"Evet, kardeşime benden bir armağan."

Aniden, üzerlerinden onlarca göçmen kuş yekvücut kanat

çırparak geçti. Ta İstanbul'dan uçmuş olabilirlerdi buraya. Ya da belki Londra'dan geliyorlardı ve Âdem'in çocuklarından birini görmüşlerdi orada – *kolunun altında yeni kitaplarla kitapçıdan çıkan Esma ya da Punk arkadaşlarıyla birlikte duvarlara grafiti yazan Yunus veya bir hapishane penceresinden dışarı bakan, yağmurun avluya yağışını seyreden İskender...* Ama hayır, büyük oğlunu ve düştüğü o feci yeri düşünmek bile istemiyordu. Kendini suçluyordu Âdem. Yaptıklarından çok yapamadıkları yüzünden sorumlu tutuyordu kendini. Hayatı boyunca her şeyden kaçmış, bir ödlek gibi yaşamıştı; ona ihtiyaç duyan insanların yanında olmamıştı, bunu şimdi anlıyordu.

Pakistanlının bakışlarını yakalayarak kederle gülümsedi. Az bulunur bir masumiyet vardı bekçinin yüzünde. Âdem sanki ortak bir yanları, tanıdık bir kayıpları varmış gibi bir yakınlık hissetti adama karşı. Farklı şartlarda karşılaşmış olsalardı onun hikâyesini dinlemek, aile fotoğraflarını görmek isterdi.

Belki o da bekçiye gösterirdi çocuklarının fotoğrafını – İskender ve Esma, kucaklarında bebek Yunus ile yarı mağrur yarı şaşkın; İngiltere'ye ilk geldikleri zamanlardı hâlâ. Bir de Pembe'nin resmi vardı Âdem'de. İstanbul'dan ayrıldıkları gün çekilmişti; kimsenin bakmasına izin vermiyordu o fotoğrafa.

Ayağa kalkarak şantiyeyi işaret etti. "Bir mahzuru yoksa şurada biraz oturup düşünmek istiyorum" dedi.

Gece bekçisi omuzlarını silkti. "Olur, ama fazla yorma kafanı."

Çakıllı patikada yavaş adımlarla ilerledi Âdem. Gündoğumunun kızılımtırak ışığında hayalet gibi görünen binaya varmak üzereydi ki bekçi, elinde sapsarı bir cisim sallayarak arkasından koştu.

"Bekle. Baret takmayı unuttun."

"Evet ya. Sağ olasın kardeş."

Bareti kafasına takıp şakadan bir asker selamı çaktı ve içeri girdi.

⊠⊠⊠

Âdem yedi yaşındayken –yoksa sekiz miydi, emin değildi– annesi onu gezmeye götürmüştü, yalnızca ikisi baş başa. Ayrıcalıklı hissetmişti kendini. Dolmuşla tren istasyonuna gittiler. El ele yürüdüler. Bir sütunun arkasında yarı saklanmış bir adam bekliyordu. Koyu saçlarını briyantinle geriye taramıştı; alnı geniş, kaşları gürdü. Ne zamandır dikiliyordu orada? Adı neydi? Annesini nereden tanıyordu? Yanıtları asla öğrenemeyecekti Âdem. Kadının geldiğini görünce kendinden emin bir gülümseme yayıldı adamın yüzüne – ta ki oğlanı görene kadar. "Çocuk..." dedi. "Onu bırakamam" dedi annesi. "Lütfen." "Bu konuyu konuşmuştuk Ayşe. Sana söyledim." Canı sıkılmış görünüyordu adamın; acelesi vardı belli ki. Gözleri bir kadının yüzüne, bir trene gidip geliyordu. "En küçüğü" dedi kadın. "Anneye ihtiyacı var." Adam sigarasını yere atıp üstüne bastı, hamamböceği ezer gibi. Sonra başını kaldırıp kadının gözlerinin içine baktı. "Söyledim sana, başkasının çocuğuna bakmam. Bırak babasına. Öylesi herkes için daha iyi." Elini oğlunun omzuna koydu Ayşe. "Git birilerine sor bakalım, saat kaçmış." "Ne? Ama..." "Git sor dedim" diye yineledi Ayşe. Sorup geldiğinde –saat on biri yirmi geçiyordu– adamı annesine verip veriştirir, annesini de bir şey demeden yere bakar buldu. "Bu trene binmeyeceğiz" dedi adam. "Üçte bir tane daha var. O zaman gel. Yalnız." Giderken yine el ele tutuştular, Âdem ve annesi. İstasyondan çıktıklarında yağmur çiselemeye başlamıştı. Yakınlardaki simitçiden iki simit alıp basamaklara oturdular. Annesinin bakan ama görmeyen gözleri önünde simidinin yarısını güvercinlere yedirdi çocuk.

"O adam kimdi anne?"

"Bir arkadaş."

"Sevmedim" dedi Âdem dudakları titreyerek. Ağlayıp ağlamamaya karar vermemişti henüz.

Ayşe onu kendisine doğru çekip saçlarını karıştırdı. "Ben de sevmiyorum."

Bunu duyunca rahatlasa da yolunda gitmeyen bir şeyler olduğunun farkındaydı çocuk. Güvercinlerin peşinde koşup çamurlu sulara basmasına, ter içinde kalmasına bile kızmamıştı annesi.

"Gidersen beni de götür. Söz mü?"

Birden ciddileşmişti Ayşe. "Peki, küçük sevgilim benim."

"Hayır" diye düzeltmişti oğlan. "Büyük sevgilim."

✕✕✕

Âdem yük asansörüne girip en üstteki düğmeye bastı: yirmi iki. Sonra yirmi yedinci kata kadar merdivenlerden çıkması gerekti. Oradan daha yukarı çıkılamıyordu çünkü çubuk demirlerden oluşan bir iskeletten başka bir şey yoktu henüz. Bittiğinde Abu Dabi'nin en yüksek binası olacaktı.

Tepeye ulaştığında bir çimento torbasını kenara çekip üstüne oturdu. Ağzı kupkuruydu. Son günlerde hep olduğu gibi elleri titriyordu. Ama manzara mükemmeldi, ışık basmıştı her yanı. Zenginlerin çatı dairelerinden ya da ofislerinden gördükleri manzaralardan daha güzeldi. Tam çaprazında meşhur bir otel vardı, süslü balkonları ve gösterişli ön cephesiyle. Bir an için izlendiği hissine kapıldı ama geldiği gibi hızla kayboldu bu duygu.

Orada oturmuş, ayaklarını aşağı sallayarak bulutların geçişini seyrederken Baba'nın (Sarhoş Olan) anneleriyle ilgili dedikoduyu ilk ne zaman kimden duymuş olabileceğini tahmin etmeye çalıştı. Bir komşudan mı? Köşedeki kasaptan mı? Yoksa kahvede yanına oturup arkadaş geçinen ama salt iftira saçan birinden mi? *Senin gibi efendi bir adama yapılır mı bu?* derlerdi. Teselli eder görünüp başkalarının mutsuzluğundan beslenirlerdi. Yıldan yıla, kuşaktan kuşağa tekerrür ediyordu sanki bu hikâye. Geçenlerde, İskender'in işlediği cinayetten ve arkasındaki sebeplerden haberdar bir Türk işçi gelmişti Abu Dabi'ye. Adam boşboğazın tekiyse şayet, burada da yayılacaktı dedikodu. İş arkadaşlarının gözlerinde gene o meşum parıltıyı görecekti – acıma, istihza, merak. Ama önemli değildi. Şu an itibariyle artık hiçbir şeyin ehemmiyeti kalmadığına karar verdi. Eskiden olduğu adamın gölgesinden başka bir şey değildi. Ve bir gölgeye kimse zarar veremezdi.

Uzaklarda, kızıl-turuncu çizgilerle kaplanmıştı ufuk; öyle davetkâr, efsunkâr. Bu parıltının altında tuhaf bir sükûnete ve bilgeliğe bürünmüştü cümle kâinat. Orada oturup güneşin doğuşunu seyretti hayranlıkla. Durağan manzaranın orta yerinde alev alevdi uzaktaki binalar. Sanki gök yarılmış, bambaşka bir âlem ortaya çıkmıştı; herkes ve her şey Tanrı'nın kutsal fırçasıyla boyanmıştı.

🜲🜲🜲

O öğleden sonra saat üçte istasyona gitmedi Âdem'in annesi. Onun yerine oğlunun elinden tuttu ve birlikte şehirden uzaklaştılar. Yol boyunca karşılarına çıkan ve hepsi de "Girilmez" yazan tabelalara aldırmadan, poyraza karşı zar zor yürüyerek bir tepeye tırmandılar. Baraja bu kadar yaklaşmak yasaktı ama aldırmadılar. Ne gören olmuştu onları, ne de durduran. Dolgu duvarın üstüne oturdular, sular sihirli bir ışıltıyla parlıyordu aşağıda.

"Bak, terk etmiyorum seni" dedi Ayşe. "Mutlu musun?"

Mutlu olduğunu söyledi çocuk ama dişleri birbirine çarpıyordu, dudakları morarmıştı. Halbuki hava o kadar soğuk değildi. Büküp durduğu bir mendil vardı elinde, öyle düğümlenmişti ki istese de açamıyordu.

"Eve dönelim" diye yalvardı. "Gitmek istiyorum."

"Ne varmış evde?" diye tersledi annesi. Sesi bir yabancının sesiydi. Sonra tepkisinden mahcup olmuş gibi parmağını dudaklarına götürdü: "Sessiz ol."

Her şey susuverdi birden. Çayırlarda ağustosböcekleri, yoldan geçen kamyonlar ve hatta o hiç bitmeyen uğultusu ve gürültüsüyle İstanbul... Dünya duruvermişti. Herkes ve her şey onun arzusuna uymuştu.

"Anne..."

"Hmmm?"

"Nereye gidiyoruz?"

"Daha önce konuştuk ya tatlım."

"Unuttum."

"Harikulade bir yere gidiyoruz. Beraber."

"Elmaşekeri de var mı orada?"

"Hı hı. Elmaşekerleri, çikolata, kaymaklı dondurma..."

"Ama dişlerim çürür."

"Merak etme. Ne kadar istersen o kadar yiyebilirsin."

Bir sevinç kıpırtısı göstermeye yeltendi ama yapamadı. Annesinin bu yeni halinden hoşlanmamıştı. Anneler çocuklarını şeker yemeye karşı uyarmalıydı. Doğrusu buydu. Son zamanlarda kimse üstüne düşen görevi yapmıyordu sanki.

Oğlunun tedirginliğini hissederek gülümsedi Ayşe. "Gittiğimiz yerde kimse hasta olmaz. Senin dişlerin sapasağlam olacak, benim de başım hiç ağrımayacak."

Peki, neden ağlıyorsun o zaman? diye sormak istese de soramadı. Annesinin nefesinde –her zamanki şekerriz kokusunun altında– çürümekte olan bir şeyin ekşi rayihası vardı. Kadının sağ yanağında, gözünün tam altındaki morluğun üzerinde gezdirdi parmaklarını. Evden çıkarlarken belli belirsiz olan mor-

390

luk, makyajı akıp gidince olanca çirkinliğiyle ortaya çıkmıştı. Daha önce hiç hissetmediği bir korku hissetti Âdem. Annesinin dudakları durmaksızın oynuyordu; dua ediyordu, anlamıştı Âdem. Kenara yaklaştılar. Kadın tam bedenini ileri fırlatıp Âdem'i de beraberinde götürecekken, çocuk kendini yana attı. Kınından çekilen bir kama gibi sıyrıldı eli annesinin elinden. Bu ani hareket her şeyi karıştırdı, dengesini yitirdi Ayşe. Düştü ama aşağıdaki suların dibini boylayacağına yamaçtan aşağı yuvarlandı.

"Anne, iyi misin?" diye seslendi Âdem yukarıdan.

Çalılar ve taşlar yüzünü çizmişti annesinin; altdudağı yarılmıştı. Eve döndüler, kimseye bir şey anlatmadılar. Dört yıl sonra evdeki dayağa, içkiye daha fazla dayanamayarak onları terk etti Ayşe. Bir sabah kalktıklarında gitmişti. Mantosu portmantoda yoktu; yatağın altındaki eski püskü bavul da. Âdem annesinin onu almadan gittiğine inanmak istemiyordu; emin olmak için günde birkaç kez çekmeceleri açıyor ve kadının çeyizinden kalma gümüş aynasıyla saç fırçasına bakıyordu. Onlar orada olduğu sürece geri gelecek demekti Ayşe. Annesinin kendisini öldürmek ve onu da yanında götürmek istediğini kimselere, bilhassa babasına (Sarhoş Olan) söylemedi. Ne de tren istasyonunda gördüğü adamdan bahsetti. Annesinin birlikte kaçtığı adamdan.

⊠⊠⊠

Bir önceki gece, çöl kıyısındaki karanlık barakada yine kumar oynamıştı Âdem ve yine kaybetmişti – fazladan kaç vardiya çalışırsa çalışsın ödeyemeyeceği kadar okkalı bir meblağ. Şimdi gözlerini silerken elini ıslatan gözyaşlarına baktı şaşkınlıkla. Burnunu çekti. Ağladığının farkında değildi. Keder değildi aslında hissettiği. Ne de yenilgi. Derin bir aldırmazlık, değiştiremeyeceği şeyler –zaafları dahil– karşısında bir teslimiyet gelmişti üstüne. Kırılmasın diye dikkatlice çıkarıp kenara koydu saatini. Gerçek Rolex olsaydı oğullarından birine, muhtemelen Yunus'a yollamak isterdi. Ama çocuklarına sahte bir armağan bırakmak gelmedi içinden.

Son arzusu saati bulanın o tatlı dilli gece bekçisi olmasıydı.

Roksana

5 Mart 1982
Abu Dabi

Saçlarının uçlarında inci tanelerini andıran su damlaları, gözlerinin rengiyle uyumlu camgöbeği bir bornoza sarınmış vaziyette banyodan çıktı Roksana. En sevdiği losyonu sürmüştü. Cildi saten gibi parlıyor, turunç kokuyordu. Perdelerden süzülen loş ışıkta güzel ve alımlıydı, bunun da farkındaydı. Başı hafifçe yana eğik, salınarak gitti yatak odasına, dudaklarında haylaz bir gülümsemeyle. Bir eliyle kuşağını gevşetirken diğeriyle de sürgülü kapıyı açtı. Ama yataktaki adam onu beklerken uyuyakalmıştı. Hem düş kırıklığına uğradı, hem rahat bir nefes aldı. Bir an durup seyretti sevgilisini – ağzı hafifçe aralık, alçak perdeden, düzenli bir horultu tutturmuştu; gündüzleri pahalı takım elbiselerin içine gizlediği göbeği ortadaydı şimdi, penisi yorgundu. Böyle derin uyuyabildiği için kıskandı onu. Kendisi son zamanlarda giderek zorlanır olmuştu uykuya dalmakta. Haplar işe yaramıyordu artık. Ne kadar çok alırsa o kadar az etkili oluyorlardı sanki.

Şu anda uyumaya çalışmanın anlamsız olacağına karar vererek kapıyı kapattı. Yatakta dönüp durarak sinir harbi yaşamaktansa geceyi uyanık geçirmek yeğdi. Sabah gözlerinin altında torbalar olacak, yorgunluğu yüzüne vuracaktı ama umurunda değildi. Yalnız ve özgürdü şu anda. Geçici bir otel odasında geçici bir metres değil, kendi yazgısının hâkimiydi, birkaç saatliğine de olsa.

Masanın üstündeki tepside çeşitli çay ve kahveler ve bir kutu gurme çikolata vardı. Ağzına bir bonbon atıp kendine filtre kahve yapmaya girişti. Koyu ve sert. Âdem sayesinde Türk kahvesiyle tanışmış, pek de sevmişti. Âdem'in kahvesini, hatta kendisini özlediğini hissetti. Hâlâ onu düşünüyor olması tuhaftı. Genellikle bir erkek hayatından çıktığında zihninden de çıkardı halbuki. Bıraktığı veda mektubunu okuduktan sonra ne yapmıştı acaba? Berbat hissediyordu kendini bu konuda, anısı vicdanını rahatsız ediyordu. Ama Âdem gibi bir adamın Roksana'ya verebileceği bir şey yoktu. Haşin, hatta taş kalpli gelebilirdi kulağa ama başka türlü nasıl ayakta kalabilirdi ki? Zalim olan dünyaydı, o değil.

Elinde bir fincan kahve, dilinin üstünde erimekte olan ikinci bir bonbon ile odada geziniyor, etrafa bakınıyordu – gösterişli mobilyalar, mermer şömine, fiyakalı vazolarda egzotik çiçekler. Lüks kuşe kâğıda basılmış bir derginin sayfaları arasında yaşıyordu adeta. Bu fikir moralini düzeltti. Balkona çıktı, şehir uzaklarda ışıldarken meltem yüzünü okşadı. Yirmi beşinci kattaydılar. Yerden bu kadar yüksekte olmak bazı insanların başını döndürebilirdi ama Roksana onlardan değildi. Babasının rüyasında göremeyeceği irtifalara tırmanmıştı. Tatko yabana atmıştı onu. Cümle âlem yabana atmıştı. Nereden nereye gelmişti halbuki. Bulgaristan'da küçücük bir köyden Londra'nın ışıltılı gece kulüplerine, oradan Abu Dabi sosyetesine. Artık istiridye yiyor, şampanya içiyor, ünlü tasarımcıların etiketlerini taşıyan kıyafetler giyiyordu. Garsonların saygıyla *Hanımefendi* diyerek önünde eğilmesine alışmıştı. Onlar da biliyorlardı elbet yemek yediği adamın karısı değil metresi olduğunu ama bilmezden geliyorlardı. Sürdüğü hayat öyle ayrıcalıklı ve hissettiği yabancılaşma öyle derindi ki yatağa her yattığında ertesi sabah bambaşka bir gerçekliğe uyanmaktan korkuyordu – bir başkasının rüyasından uyanır gibi. Belki de bu yüzden uyuyamıyordu.

Abu Dabi'ye geleli neredeyse dört yıl olmuştu. Bu coğrafya,

işadamlarına gezilerinde eşlik eden kızlarla, genç rakiplerle doluydu. Uçaktan indiği andan itibaren müthiş bir etki bırakmıştı mekân Roksana'da. Şehrin giderek artan debdebesi değildi kalbini fetheden. Bir hiçlikten böylesi şaşaalı bir hayat yaratabilme ihtimaliydi onu büyüleyen. Şehrin kendisinden çok *fikrini* seviyordu – yaslanacak şanlı bir geçmiş olmamasına rağmen göz kamaştırıcı bir geleceğe erişme kararlılığını. Hâlâ striptiz yaptığı oluyordu ama yalnız bir erkek için. Sık sık gittikleri Londra'da, yatak odasının orta yerinde striptiz borusu olan bir dairesi vardı Avustralyalının. Tek bir izleyici için dans etmek daha iyiydi. Ne çift vardiya vardı, ne geç ödenen maaş ne de sapıklara denk gelme ihtimali. Ancak bu yeni pozisyonu ne kadar güvenli olsa da onun da kendine göre riskleri vardı. Adamı memnun etmeye devam ettiği sürece kazancı kesindi. Lakin onu tatmin edemediği noktada kapıya konabilirdi. O zaman kaybı büyük olacaktı. Bu yüzden sevgilisinin gözünün ondan başkasını görmemesi için elinden geleni yapıyordu Roksana.

Daha dün gece bir deniz ürünleri restoranında yemek yemişlerdi; işadamı onu birkaç arkadaşıyla tanıştırmıştı. Masada bir ilaç firmasının genel müdürü olan bir Alman vardı; altmışlarındaydı, uzun boyluydu, formda görünüyordu ve besbelli hoşlanmıştı Roksana'dan. Rus edebiyatına duydukları ortak ilgiden bahsetmiş, hemen ısınmışlardı birbirlerine. Daha ana yemekler bitmeden Roksana, göz kamaştırıcı gülümsemesi, müthiş enerjisi ve zeki yorumlarıyla herkesi kendine hayran bırakmıştı. Tatlı servisi esnasında Alman, Avustralyalıya yaklaşarak Roksana'nın duyabileceği bir sesle, "Bu vücutta bu zekâ. Böyle cevher az bulunur. Ne ballı herifsin" demişti.

Sevgilisi dudaklarında incecik bir gülümsemeyle başını sallamıştı ama Roksana onun bozulduğunu, hatta düpedüz kıskandığını görebilmişti. Makyajını tazelemek için normalden daha fazla zaman harcamıştı tuvalette. Aynada kendine göz

395

kırpmıştı. O güne dek aldığı en hoş iltifattı ve tüm gece göğsünde bir madalya gibi taşımıştı.

Şimdi bunu hatırlayıp gururlandı. Balkona göz attı. Orada iki şezlong arasına yerleştirilmiş bir teleskop vardı. Sevgilisi onlar gelmeden evvel odaya yollatmıştı. *Muhteşem çöl semasını seyretmek için.* Ama Roksana biliyordu ki –tıpkı otel müdürlerinin bildiği gibi– adam aslında Samanyolu'nun değil, daha dünyevi manzaraların peşindeydi. Berbat bir huydu ve besbelli yeni bir şey değildi. Adamın karısının haberi olup olmadığını merak etti Roksana. Biliyor muydu acaba kocasının nereye giderse gitsin –Şanghay, Paris, Delhi, Moskova– üç T'yi yanından eksik etmediğini: teleskop, tütün ve telekız.

Teleskopuyla, evinin mahremiyeti içinde soyunan bir kadını dikizlemek kadar onu tahrik eden bir şey yoktu. Bütün günü iş toplantıları ve resmi görüşmelerle geçirdikten sonra otel odasına –her zaman üst katlarda– gelir, bir bardak viski koyar; terasta, balkonda ya da pencerenin önünde oturup şehri dikizlerdi en az bir saat. Şoke edici bir sahne yakaladığı nadirdi ama her zaman bakmaya değer bir şeyler bulurdu – yarı kapalı perdelerin ardında sevişen bir çift, duş alırken banyo penceresini açık bırakmış bir dul, birilerinin mahrem dünyasına kaçamak bir bakış.

Yatakta çabuk, sert ve talepkârdı. Sevişirken ara verip puro içmeye bayılırdı – karısı olsa asla izin vermezdi. Saati saatine uymayan bir insandı. Ama onu tatlılıkla idare etmeyi, ruh haline göre alttan almayı gayet iyi biliyordu Roksana. "Yatak arkadaşım nasıl bakalım?" derdi adam işten dönünce, onun kalçalarını avuçlarken. Kendisine bu şekilde hitap edilmesinden nefret etse de her seferinde yıllardır duyduğu en komik espriymiş gibi kahkahalarla gülerdi Roksana. Küçük bir oğlan çocuğu gibi şakalara düşkündü adam, canı bariz şekilde sıkkın olduğunda bile. Roksana'ya numaralar yapmaya bayılır, zaman zaman bunları bayağı abartırdı.

Mesela bir keresinde, Roksana'yı karyolaya kelepçelemiş, sonra da tuvalete gidiyorum diye kalkıp resmi bir görüşmeye katılmak için sessizce çıkmıştı odadan. Üç buçuk saat sonra gelmişti – Roksana o süreyi çırılçıplak bekleyerek, endişe içinde geçirmişti. Avazı çıktığı kadar bağırarak yardım istemeyi düşünmüş, cesaret edememişti. Tuvalete gitme ihtiyacı artmış, sonunda altına yapmak zorunda kalmıştı. Kahvesini bitiren Roksana eğilip teleskoptan baktı Abu Dabi'nin kalbine. Birbirini takip eden binalar, yanıp sönen neon ışıkları, reklam panoları gördü ama ekseriya uykudaydı şehir. Bir binada masa başında çalışmakta olan kel bir adam seçti, yakınlarda bir otelde bir kat görevlisi elinde bir yığın havluyla merdivenlerden çıkmaktaydı. Teleskopu sağa sola kaydırarak kurcaladı bir süre.

Odaya döndüğünde, sevgilisinin kanepenin üstüne fırlatılmış giysileri dikkatini çekti. Ani bir dürtüyle adamın pantolonuna uzanıp cüzdanını aldı ve açtı. Bir sürü kart vardı –American Express, Mastercard, kulüp üyelik kartları, havaalanı bekleme salonlarının kartları– üstlerinde telaffuzu zor isimler yazılı kartvizitler ve çocuklarının fotoğrafı – kollarını birbirlerinin omuzlarına atmış üç şirin kız. Kıyafetlerine –mavili bejli kurdeleli hasır şapkalar, dantel yakalı tığ işi hırkalar, dizlerine kadar kar beyaz çoraplar ve rugan pabuçlar– bakarak annelerinin karakterini kestirmeye çalıştı. Ama belki de dadıları giydirmişti onları, öyleyse yanıltıcı olurdu ipuçları. Yine de en azından anneleri almış olmalıydı bu narin ve birbirinin kopyası giysileri. Bir gün çocukları olursa onları asla böyle süs bebekleri gibi gezdirmeyecekti Roksana.

Başka bir deri bölmeyi açtı. Orada ummadığı bir fotoğrafla karşılaştı. Görür görmez tanıdı adamın karısını. Anlattığından güzeldi. Bir kıskançlık sancısı hissetti; kadın değildi tam olarak gıpta ettiği, onun asla sahip olamayacağını bildiği hayatıydı. Fakat Roksana'yı esas şaşırtan kadının kendisiydi. İşadamının karısını tipik sosyetik ev kadını olarak tahayyül etmişti hep: şımarık, kaprisli ve bencil; hiçbir yere pedikürsüz gitmeyen, kataloglardaki modeller gibi her zaman "tak takıştır sür sürüştür" biri. Halbuki fotoğraftaki kadın sade ve saf görünüyordu, hırsları olmayan biriydi sanki. Utangaç tabiatlı olduğunu düşündüren bir sıkıntı vardı gülümseyişinde. Çılgın partiler verip sosyete sayfalarında boy göstermeye can atan birine benzemiyordu. Bilakis, yalnızlığına düşkün biri izlenimi veriyordu; kitap okuyup yürüyüş yaparak, arka bahçesinde kimsenin kıymetini bilmediği bitkiler yetiştirerek mesut olabilecek biriydi. Roksana'nın annesi gibi bir kadındı yani.

Böyle birini rakip olarak görmek mümkün değildi. Roksana'nın yüzü asıldı. Onun gibi birini kandırmanın, sırtından bıçaklamanın ne keyfi olacaktı? Bu tür kadınlar yalnızca suçluluk duygusu uyandırıyordu insanda.

"Yeterince baktıysan yerine koy karımın fotoğrafını!" dedi arkadan bir ses.

Roksana sıçradı, neredeyse cüzdanı elinden düşürüyordu. İşadamı uyanmıştı ve gözlerinde saklamadığı bir hiddetle bakıyordu.

"Üz...üzgünüm" diye geveledi Roksana titreyerek.

Yaklaşıp cüzdanı elinden aldı adam; kartlarıyla parasını kontrol ettikten sonra kanepenin üstüne fırlattı.

"Çok üzgünüm" dedi Roksana.

Onu tepeden tırnağa süzdü adam; dekoltesine, uzun bacaklarına, güzelliğine, sahtekârlığına baktı. "Neden yaptın bunu?" diye sordu.

"Affedersin... Bilmiyorum nasıl..." diye açıklamaya başladı Roksana ama adam sözünü kesti.

"Uzatma. Üzgün olup olmadığını sormadım. *Neden* yaptın diyorum sana."

Bakışlarını halıya indirerek kısık bir sesle konuştu. "Hayatını merak ettim."

"Neden?"

Roksana'nın bakışlarındaki pişmanlık yerini kızgınlığa bıraktı. "*Senin* neden teleskopun var balkonda?" dedi bildiği bütün İngilizceyi seferber ederek. "Neden seyrediyorsun başkalarını? Aynı şey. Ha sen ha ben... Ne farkımız var? Bırak bana maval okumayı. Paran var diye benden daha iyi olduğunu sanıyorsun ama değilsin." Tokat attı adam Roksana'ya. Roksana da ona tokat attı. Adam Roksana'yı itti. Roksana da onu. Tekinsiz bir kahkaha attı sonunda adam ve öptü onu. Altdudağını ısırdı öperken. Dün gece içtiği viski ve puroların tadı vardı ağzında. "Merak edecek bir şey yok" dedi. "Eş-çocuklar-ev. Fazlasıyla klişe. Esas olan senin dokunduğun erkek. Korkmuyor musun ondan?"

"Neden korkacakmışım?" dedi Roksana gergince, adamın kendinden bahsederken üçüncü tekil şahıs kullanmasına sinir olmuştu.

"Çünkü içimdeki şeytanı ortaya çıkarıyorsun" dedi beriki.

Başka bir gün olsa Roksana'nın hoşuna giderdi bunu duymak. Ama bugün riyakâr ve tehditkâr geldi kulağına. Adam parmağını Roksana'nın meme uçlarında gezdirip kasığını sürttü. Roksana'yı halının üstüne yatırdı, bornozunu çekip attı. Ateşli, hırçındı ikisi de. Birbirlerinin nefeslerini boyunlarında hissederek, başka odalardaki konukların duyabileceğini umursamadan gürültüyle soluk soluğa seviştiler. Ardından yana yuvarlandı adam; değişmişti, az önceki vahşi gitmiş, yerine uygar biri gelmişti.

"Sabah ofiste toplantım var, arkasından öğle yemeği" dedi. "Geri geldiğimde seni burada görmek istemiyorum."

"Ne?"

"Arkamdan iş çeviren bir kadının masraflarını karşılamaya niyetim yok. Hata yaptın bebeğim. Bugün gidiyorsun!"

"Ama..." Durakladı Roksana. Bu serüvenin sonuna geldiğini yavaş yavaş idrak ediyordu. "Seni adi herif!" diye bağırdı; masadaki çikolata kutusunu alıp duvara fırlattı. Kutu küt diye çarpıp geri sekti, içindekiler her yere dağıldı.

"Kendine gel" dedi adam.

Roksana ağlamaya başladı. "Gidecek yerim yok" dedi. "Bu şehirde kimseyi tanımıyorum. Londra'ya dönüş paramı ver bari." Yarım kalan uykusunu tamamlamak için yatağa dönerken yanıtladı adam, "Eminim bir yolunu bulursun tatlım. Bu vücutta bu zekâymış madem!"

⊠ ⊠ ⊠

Şafak sökmeden önce ağlayarak duş aldı. Kendini toparlamaya çalıştı. Dün akşam ona övgüler yağdıran Alman işadamının soyadı neydi acaba? Nerede kalıyorum demişti? Çalıştığı şirketi arasa yardım ederler miydi? Ne yapacaktı? Panikliyor, kendine acıyordu. On dakika sonra banyodan çıkan enkazın yalnızca iki saat önce orada dikilen kadınla alakası yoktu. Camgöbeği bornoz aynıydı, vücut losyonu da, ama bütün dünyası yerle bir olmuştu.

Bulgaristan'da, herkesin Elena diye tanıdığı bir kızken en sevdiği oyunlardan biri siyah bir kadifenin üstünde kar taneleri yakalamaktı. Her seferinde koşarak eve gelirdi hazinesini annesine göstermek için ama kumaşı açtığında kar taneleri gitmiş, geriye yalnızca ıslak izleri kalmış olurdu. Büyüdükçe ve peşinden koştuğu her emeli elinden kaçırdıkça bütün güzel şeylerin geçici olduğuna karar verdi. İnsanlar hoş bir kadın gördüklerinde zamanla saçlarının ağaracağını ya da cildinin sarkacağını düşünmüyorlardı, bunların olacağını bildikleri halde. Onun yerine seçili bir anın cazibesini alıp zihinlerinde ebedileştiriyorlardı. Kimse görmek istemiyordu güzelliğin, zamanın siyah kadifesinde erimeye mahkûm bir kar tanesi olduğunu.

Odada içi sıkılınca yeniden balkona çıktı. Semada sıra sıra

turuncular, kırmızılar çizerek ağarıyordu gün. Şezlonga oturup teleskoptan baktı. Kel adam masasında değildi artık; havlu taşıyan kat görevlisi ortalarda yoktu. Oynattı teleskopu düşünmeden. Yakınlardaki inşaatı incelemeye başladı. Çirkin görünüyordu – demir, çelik ve çimentodan oluşmuş devasa bir yapıydı. Şantiyeleri sevmezdi Roksana. Garip bir şekilde, yaşlılığı ve ölümü getirirlerdi aklına. Onları ileride dönüşecekleri gösterişli yapıların temelleri olarak görmez; aksine, bir son olarak, kuru ve çirkin kemiklerden müteşekkil bir iskelet olarak görürdü. O nedenle hızla kenara çekti teleskopu. Şayet o anda kartondan kesilmiş bir şekil gibi kaskatı duran bir karaltı gözüne çarpmamış olsaydı bırakacaktı. Lensi odaklayınca en üst katta oturan bir adam olduğunu fark etti; başını ellerinin arasına almış, bacaklarını boşluğa sallandırmıştı.

Roksana adamın yüzünü göremiyordu ama beyninin ücra bir köşesinde bir uyarı ışığı yanıp sönüyordu. Şaşkınlıktan teleskopu elinden kaydırdı bir an, odağı kaybetti. Yeniden bulduğunda sakince oturmuş ufka bakıyordu adam.

Ceketini çıkarıp yanına koydu, sağ eliyle bileğini ovuşturdu. Hayır, ovuşturmuyordu. Saatini çıkarıyordu. Sonra ayağa kalkıp bu güzel gündoğumunu kucaklamak ister gibi iki yana açtı kollarını. Boşluğa atlamasından ancak saniyeler önce anlayabildi Roksana onun kim olduğunu.

Sabah erkenden kaldırıyor beni Zişan. Meditasyon yapıyoruz.

"Şunu daha sonra yapsak olmuyor mu?" diye homurdanıyorum.

"Güneş doğarken edilen dua, yapılan meditasyon en makbulü" diyor.

Başka günlerin aksine şikâyet etmiyorum. Bağdaş kurup karşılıklı oturuyoruz. Işıl ışıl gülümsüyor. Bunca enerjiyi nereden buluyor, merak ediyorum.

"Zihnini boşalt" diyor her zamanki gibi. "Hava kirliliği şehirler için iyi değil. Beyin kirliliği de insanlar için."

On dakika boyunca sessizce oturuyoruz. Bana geçen ay öğrettiği bir egzersiz bu. Hiçbir şey düşünmemem gerekiyor ama katiyen başaramıyorum. Zihnim derhal başlıyor fokurdamaya. Çok geçmeden cadı kazanına dönüyor beynim. Esrarengiz ziyaretçimin kim olduğunu merak ediyorum mesela. Olası adayları kafamdan geçiriyorum. Tarık Amca, Hatip, eski dostum Arşad... Hiçbirini görmek gelmiyor içimden. Buralara düşmüş olmamdan sorumlu tutuyorum hepsini. Onlar özgür, hayatın tadını çıkarıyorlar, bense burada cayır cayır yanıyorum.

Böylece meditasyon fosluyor. Hep aynı şey oluyor. Ama Zişan bozulmuş görünmüyor. "İskender, başkalarını sitemle, kinle düşündüğünde içindeki bütün enerji onlara gider. Sana hiçbir şey kalmaz."

Zişan'ın dünyasında insanları, olayları ve mekânları birbirine bağlayan görünmez ağ sistemleri var. Bunlar aracılığıyla birbirimize ha bire bir şeyler gönderiyoruz. Çatlak bir bilimkurgu filminde yaşıyor mübarek sanki.

"İnsan yüreği soba gibi. Sıcaklık üretiyor, enerji yayıyoruz. Ama başkalarını suçlayınca, onları karalayınca, dedikodu yapıp kem konuşunca enerji kaybolur. Yüreğimiz soğur."

Zişan diyor ki, "Her zaman kendi içine bakmak en emin yol. Başkalarıyla uğraşmayı bırak. Her gazap, her kahır ağır bir çanta. Niye taşıyasın? At onları. Sıcak hava balonu gibi hayat. Yukarı mı gitmek istersin, aşağı mı? Hiddeti, intikamı, rekabeti bırak. Torbalardan kurtul."

Zişan diyor ki, "Evren yuvarlak; çemberde iki yay var. Biri yükselen, biri alçalan. Her insan durmadan hareket halinde. Bazısı iner, bazısı çıkar. Yükselmek istiyorsan, en çok kendini eleştir. Kendi hatalarını görmeyen asla iyileşemez."

Zişan hücreme geldiğinden beri kaç kez içimden suratını yumruklamak ya da çenesini kapatmasını söylemek geldi. Tuhaftır, yapamıyorum. Bu adama tahammül eşiğim yüksek. Onun bitmeyen zırvalarını dinliyorum sürekli, bazen eğleniyor, bazen neredeyse ikna oluyorum.

"Ziyaretçin gelince, söz ver Zişan'a, keçini kaçırmayacaksın."

Gülüyorum. "Ke-çi-le-ri."

"Evet, evet. Kimseye kin gütmek yok, kendine acımak yok. Sen şu anda inşaat halinde bir sırça saraysın, unutma. Nasıl binalar yapılırken, tabelalar koyuyoruz. Etrafa verdiğimiz geçici rahatsızlıktan dolayı özür dileriz, diye. Yüreğini inşa ediyorsun sen de."

Kafamı karıştırıyor bu adam. Bir solukta bana hem sıcak hava balonu, hem amele, hem soba demeyi başardı ya, bravo. Yine de itiraz ediyorum: "Ben saray maray değilim. Senden farklı olarak ben bir suç işledim, korkunç bir suç."

Gözlerini kapatıyor Zişan. Babamın astım ataklarını hatırlatan uzun, hırıltılı bir nefes alıyor. Tekrar bana baktığında ağladığını görüyorum. İnanamıyorum bu tipe. Kim bir başkasının acısına ağlar ki. "Bu dünyada çok insan düşer" diyor. "Ama çok azı ta en dibe iner. Alçalan yayın dibinde, biliyor musun ne var?"

"Hayır."

"Cehennem" diyor. "Sen oraya gittin. Ah, ruhun alev alev. Ama öyle olmalı zaten. Çünkü korkunç bir şey yaptın. Yanmalısın. Sonra yukarı çıkmaya başlarsın. Yükseliş yayı. Onun sonunda ne var biliyor musun?"

"Cennet mi?" diyorum.

"Evet, sevdiğimizde ve sevildiğimizde, bir insanın yüzünü güldürüp hayır duasını aldığımızda cennete yaklaşırız bir adımcık daha. Her gün bir ufak adım. Başaracaksın diye söz veremem. Ama deneyeceğiz. Çalışacağız."

Nihayet o hafta neyle karşılaşacağımı bilmeden ziyaret salonuna gidiyorum. Memur Andrew orada. Bana bakmıyor ama şayet seyredilecek bir dram olursa kaçırmak istemediğini tahmin edebiliyorum.

Derken görüyorum onu. Yunus bu! Yıllardır görmediğim kardeşim. İçeri atıldığım günden beri beni görmeye yalnızca iki kere geldi. İlki mahkemeden hemen sonraydı. Tek kelime konuşmadık. Gözlerini ellerine dikip oturdu öylece. Bir yıl sonra yine geldi. Yine suskundu. Bir daha da gelmedi.

Koca adam olmuş. Orta boylu, ince yapılı, bayağı yakışıklı. Ama ne kadar değişse de gözleri aynı. Yumuşak, nazik, uzun kirpikli.

"Selam ufaklık."

"Merhaba abi" diyor.

Birbirimize bakıyoruz. Önce ben kaçırıyorum gözlerimi. Esma'yla yüz yüze gelmek daha kolaydı benim için. Nefret ediyor kız kardeşim benden. Basit ve net. Arada sırada buraya öfkesini kusmaya gelirdi. Yüzüme karşı söylemediğini bırakmazdı. Yine de onun yanındayken şu anda olduğum kadar suçlu hissetmezdim kendimi. Yunus'un gözlerinde dayanamadığım bir şey var: anlama ihtiyacı. Hâlâ bir açıklama peşinde. Hâlâ insanların temelde kalbiselim olduğuna inanıyor ve benim nasıl böyle dehşetengiz bir cürüm işlediğimi an-la-mak istiyor.

"Müzik nasıl gidiyor?"

"Harika" diyor heyecanla. "İlk albümüm çıktı geçenlerde. Sana bir tane getirdim ama elimden aldılar. Sonra ileteceklermiş, öyle dediler."

"Elbette, merak etme" diyorum. O albüm asla elime geçmeyecek, biliyorum. "Hayırdır, Yunus, neden geldin buraya? Yanlış anlama. Seni gördüğüme sevindim. Yalnızca... Şaşırdım biraz."

Durakluyor. Bir gölge dolaşıyor yüzünde. "Yakında çıkacaksın" diyor. "Planlarının ne olduğunu bilmem gerek."

Ne saçma soru. Ne saftirik. Hayatı kaymış bir insanın ne planı olacak ki? Ama karşımdaki küçük kardeşim. Kalbini kırmaya niyetim yok. Ayrıca Zişan'a yükselişe geçeceğime dair söz verdim, her ne demekse.

"Düzgün bir iş bulmak. Sakin bir hayat sürmek. Kate razı olursa oğlumla arayı kapatmak." Bir an bekliyorum. "Seninle ve Esma'yla daha fazla zaman geçirmek. Tabii eğer isterseniz."

Yunus sırtını dikleştirip gözümün içine bakıyor. "Bunu sana söylesem mi, söylemesem mi diye çok düşündüm. Sonunda tek kelime etmemeye karar verdim. Bunca yıldır söylemedim. Esma da. Aramızda öyle anlaştık. Ama artık hapisten çıkıyorsun; ben de bu işi şansa bırakmak istemiyorum."

Gülüyorum hafifçe. "Bilmece gibi konuşuyorsun."

Alnı kırışıyor. "Annemi öldürdüğünde çocuktum. Durduramadım seni. Ama ona yine zarar vermeye kalkarsan bil ki durum farklı olur. Karşında beni bulursun."

Bir an kardeşimin aklını kaçırdığından korkuyorum. Gördüm böyle vakalar. Kaçıklar kanadında çok var kederden kafayı yiyen.

"Ne diyorsun be ufaklık?"

"Diyorum ki annemi seviyorum ve ona bir daha zarar vermene asla müsaade etmeyeceğim."

"Yunus, annemiz..."

"Hayır, sözümü bitirmedim daha" diye araya giriyor yüksek sesle. Memur Andrew gözünde bir pırıltıyla bizden yana bakıyor. Derken Yunus sesini alçaltıyor, fısıltısı öyle boğuk ki söylediğini duyduğumdan emin olamıyorum, duyduğumu bildiğim halde.

"İskender, dinle beni" diyor. "Senden sakladığımız bir şey var. Annem... annemiz ölmedi. O hayatta."

İskender Toprak
Shrewsbury Hapishanesi, 1991

Yunus

Yunus kahvaltı tabağından başını kaldırıp kanepede oturan iki kadına gülümsedi. Bir mucize olmuştu. Cemile Teyzesi Londra'ya gelmişti. En son üç yıl önce görmüştü çocuk onu. Daha önceleri her sene ziyaretine giderlerdi; öyle kısa ve duygusal olurdu ki bu temaslar, neredeyse başı dönerdi. Ama son zamanlarda tatil yapmaya güçleri yetmediğinden seyahat etmez olmuşlardı. Karşılıklı bunca hasret ve düzinelerce mektubun ardından bir kez daha aynı çatı altındaydı kardeşler: Pembe Kader ve Cemile Yeter.

Yunus arkasına yaslanmış, ilk bakışta tıpatıp aynı olan ikizleri inceliyordu; iki-resim-arasındaki-farkları-bul oyunu oynarcasına. Pembe solaktı, Cemile değil. Pembe'nin gamzesi sağ yanağındaydı, Cemile'ninki solda. Pembe'nin beni alnının sağındaydı, Cemile'ninki beri yanda. Saçlarını ters taraftan ayırıyorlardı. Cemile iki santim daha boyluydu; kolları, bacakları azıcık daha uzun, parmakları daha kemikliydi.

"Başka ne var fark anne?"

"Aslında bir tane daha var. En önemlisini unuttun."

Yunus atıldı hemen: "Sahi mi? Neymiş o?"

Yanıt Cemile'den geldi. "Kalplerimiz ters yerde atar."

"Nasıl yani?"

İkizlerde nadir rastlanan bir durumdu. Pembe'nin kalbi bedeninin solunda çarparken, Cemile'ninki sağ taraftaydı.

"Vay be!" diye bağırdı Yunus.

Onun heyecanını gören Pembe gülüverdi; uzun zamandır hissetmediği kadar zinde ve azade hissediyordu kendini.

Cemile ailenin diğer iki üyesini henüz görememişti. Biri, artık Londra'da olmayan ve Abu Dabi'den kartpostal yollayan Âdem'di, diğeri ise önceki gece eve herkes yattıktan sonra gelip sabah erkenden çıkan İskender'di. Pembe ona teyzesinin geldiğini söylemeye fırsat bulamamıştı. Bu akşam sürpriz yapacaklardı.

Teyzesinin dizinin dibinde oturan Yunus, evde kalmak için bahane aramaya başladı. Kendini iyi hissetmediğini söyledi, *boğazı ağrıyordu, hiç hali yoktu.* Söylediklerinde azıcık doğruluk payı varsa bile abarttığından emindi Pembe ama ikizinin şerefine oğlunun okulu asmasına izin verdi. Sadece bir günlüğüne.

Pencere önünde çaylarını yudumlarken iki bacı Kürtçe konuşmaya başladılar. Pembe başının dertte olduğunu anlattı Cemile'ye. Elias'la sinemalara gittiğinin kokusu çıkmıştı. Herkes bire bin eklediğinden, dedikodular, iftiralar başlamıştı. Üstelik İskender'in kulağına ulaşmış olmalıydı kem sözler. "Gayrı yüzüme bakmaz oldu" diye fısıldadı Pembe. İşe gitmesini yasaklamıştı İskender, yetmezmiş gibi evden çıkmasına da izin vermiyordu. Bütün bunları anlatırken içi kan ağlasa da ne kadar endişeli olduğunu Yunus'a fark ettirmemek için zoraki bir gülümseme yerleştirdi yüzüne.

"Çözülür elbet, Allah'ın izniyle. Hele ben bir konuşayım yeğenimle" dedi Cemile. Sonra neşeyle ekledi: "Bak ne diyeceğim, neden ben yapmıyorum bugün alışverişi?"

Sebzelerin en tazesini seçer, ekmeklerin en lezizini bulur, otların en âlâsını bilirdi. İngilizce bilmiyordu ama Yunus yardım ederse sorun olmazdı.

Hemen atladı fırsatın üstüne Yunus; teyzesiyle zaman geçirme fikrine bayılmıştı. "Evet, evet! N'olur gideyim anne!"

"Hani sen hastaydın?" dedi Pembe muzipçe. Sonra dayanamadı, kabul etti: "Gecikmeyin ama, olur mu?"

Başka günlerden bir farkı yoktu. 30 Kasım perşembe. Cemile ve Yunus ayakkabılarını giyerken Pembe onları durdurdu. "Bir dakika bekleyin!" Çantasından bir ruj çıkardı ve kardeşinin, yılların güneşi ve ayazıyla kupkuru olmuş dudaklarını boyadı. Sonra ikizinin başındaki eşarbı çekip aldı. Cemile'nin gür saçları kızılkumral bir çağlayan gibi omuzlarına döküldü. "Böyle daha güzelsin!"

Tereddüt etti Cemile. Antredeki aynada kendine baktı. Bu yeni elbise, yeni saç, yeni Cemile huzursuz etmişti onu. Ama Yunus sabırsızlanıyordu. "Hadi teyzecim, gidelim. Şahane görünüyorsun!"

Teslim oldu Cemile. Ayak uydurdu sevdiklerine. "Eh, madem öyle diyorsunuz..."

Gülümseyerek kardeşine bir miktar para uzattı Pembe, Yunus'a da bir avuç bozukluk. İkisini de öptü yanaklarından. "Kakule almayı unutmayın. Akşama et var. Kakule de kahveye lazım."

Böylece çıktılar evden — Yunus ve Cemile, birbirlerinin yoldaşlığından hoşnut. Yunus'la aralarda Kürtçe muhabbet etmeye çalıştı Cemile ama onun hiçbir şey anlamadığını gördü. İkisinin de Türkçesi gürbüz olmadığından çat pat konuşarak, el ele tutuşarak gezdiler Londra sokaklarında. Tam iki buçuk saat güle oynaya alışveriş ettiler. Eve dönmek üzerelerdi ki yolda tesadüfen Tobiko'ya rastladılar.

"N'aber ufaklık?" dedi Tobiko. "Bugün büyük gün, haberin var mı?"

Dediğine göre tüm ekip toplanmış, eski evlerini yeniden işgal etmeyi planlıyorlardı. Sonunda o an gelmişti. Uzun zamandır beklenen karşı saldırıyı gerçekleştireceklerdi gece yarısı. Belediyenin evin etrafına koyduğu tahta perdeleri kırmak için levye kullanacak, uyku tulumlarıyla içeri sızacaklardı. Ertesi sabah mahalleli uyandığında iş işten geçmiş olacaktı. Şayet belediye meclisi gene adam göndermeye kalkarsa, taşlar ve şişelerle onları kovalayacaklardı.

Tobiko'nun heyecanını gören ve ondan kopmak istemeyen Yunus, ani bir kararla teyzesine dönüp arkadaşıyla takılmak için izin istedi. Hem neredeyse eve varmış sayılırlardı; zaten alışveriş listesindeki her şeyi almışlardı.

"Bana bak, annenin bir şey demeyeceğine emin misin?" diye sordu Cemile.

"Oyalanmam ki" dedi Yunus. "Hemencecik yetişirim sana, merak etme."

Böylece onları orada bıraktı Cemile. Bir başına torbaları yüklendi. Yunus'un ona gösterdiği istikamete doğru aheste revan yürümeye başladı. Yolda birkaç kez durdu. Önce bir sokak çalgıcısına kulak verdi, bir sokak ressamını seyretti, vitrinlere baktı. Bu şehir, rüyalarında kendini kan ter içinde kovalanırken gördüğü o tuhaf yere ne kadar benziyordu. Öylesine aldı ki aklını bu fikir, peşine birinin takıldığını fark etmedi bile.

Pembe

Cinayetten sadece iki saat önce mutfakta *Suzan Suzi'*yi mırıldanıyordu Pembe. Şarkı kederliydi ama kendini bedbaht hissetmiyordu. Her ne kadar kaygılarından azat olmamışsa da kardeşinin gelişi hayata olan inancını tazelemiş, yepyeni bir umut vermişti. Bir süre önce Âdem'e bir mektup yazıp artık yollarını resmen ayırmaları gerektiğini anlatmıştı. Yanıt gelmemişti henüz. Gerekirse bir avukat tutacaktı Pembe. Boşanma davası açacaktı. Bunu ne Elias ne başka bir erkek uğruna yapacaktı. Bir kez geliyordu insan dünyaya. Ve muhabbetsiz bir yuva istemiyordu artık, dolu dolu yaşamak istiyordu, dürüst ve dobra. Âdem belki üzülecekti bu karara ama şaşırmayacaktı. Hatta bu zorlu adımı atan kendisi değil Pembe olduğu için rahatlayacaktı. İskender'i ikna etmek zor olacaktı kuşkusuz ama içtenlikle anlatırsa, oğlunun kendisini anlayacağına inanıyordu Pembe. Yalan söylemeyecek, yalnızca gerçekleri dillendirecekti. Her şey düzelecekti. Tüm kalbiyle inanıyordu.

Akşam yemeği için Elias'tan öğrendiği bir turta hazırlıyordu. Altı hamur: un, tereyağı, yumurta ve şeker. Üstü limonlu krema: beş yumurta sarısı, margarin, pudra şeker, mısır unu. Cemile'ye sürpriz olacaktı. Küçükken tuzlu limon yemeye bayılırlardı, hatta bir tekerlemeleri bile vardı: *Ekşiye tuz kat, yeme de yanında yat.* Ablaları Hediye hayatta yiyemez, ne zaman denese yüzünü buruştururdu.

Gerçi Cemile'nin eski iştahı kalmamıştı. Londra'ya geldiğinden beri ne doğru dürüst lokma yemiş, ne kendinden bahsetmişti. Değişmişti kız kardeşi. Koyu halkalar gölgeliyordu gözlerini, gülümseyişi ikircikliydi. Bir tek Pembe'nin fark edebileceği ufak tefek değişikliklerdi bunlar. Çocuklar bir şeyin farkında değillerdi. Onlar teyzeleri ile annelerinin birbirlerine hâlâ ne kadar benzediğine şaşırmışlardı. Hele Cemile giysilerini atıp Pembe'nin elbiselerinden birini giydiği ve saçlarını aynı şekilde taradığı vakit onları birbirlerinden ayırmak imkânsız olmuştu.

Yumurtaları şekerle çırpıp kar kıvamına getirdikten sonra fırını yaktı. Elias'ın bolca limon kabuğu rendesi eklemesini tembihlediğini hatırladı. Limon ve portakalları balkonda bir bambu sepette tutardı. Bir ara limon ağacı yetiştirmeye heves ettiyse de Londra ayazında donmuştu her biri. Hâlâ aynı şarkıyı mırıldanarak balkona çıktı. Bakışları gayriihtiyari balkon demirlerinden öteye, aşağıdaki sokağa kaydı. Aynı anda ikizinin, elinde torbalarla Lavanta Sokağı'na girdiğini gördü. Demirlerin üstünden uzanıp el salladı. "Cemilem... yukarıya bak! Buraya!"

Kardeşinin gözlerini balkona doğru kaldırmasıyla bir gülümseme yayıldı Pembe'nin yüzüne. Tavırlarının altında çocuksu bir saflık vardı, bir sis tabakası gibi incecik bir masumiyet, sonsuz bir sevgi, biraz da kıskançlık. Bu sonuncusu hep vardı aslında. Hep gıpta etmişti Cemile'ye. Birbirlerine ne kadar benzeseler de aynı değillerdi. Doğal bir cazibesi vardı Cemile'nin; çiçeğin arıyı çekişindeki gibi zahmetsiz bir albeniyle etkilerdi insanları. Pembe'den farklı olarak, hem hayat ve dirayet dolu, hem de kararlı ve soğukkanlıydı.

"Sana tatlı yapıyorum!"

"N'apıyorsun?" diye sordu Cemile; yanından geçen bir araba yüzünden söyleneni anlayamamıştı.

"Diyorum ki sana..." Aniden durdu Pembe. İskender'i o an fark etmişti.

Büyük oğlunun, kız kardeşinin peşinden gelişini seyretti. İskender'in gözleri kısılmış, çelik çentiklere dönüşmüştü; bakışları sertleşmiş, çenesi kasılmıştı; dudakları kendi kendisiyle kavga edercesine oynuyor, anlaşılmaz laflar ediyordu. Durumu kavrayamadı Pembe. İskender'in Cemile'ye doğru hamle edişini gördüğü, elindeki bıçağı seçtiği halde anlayamadı olup biteni. Ama gözleri önündeki perde sonunda kalkıverdi ve birden anladı gerçeği, yaklaşan tehlikeyi. Soluğunun kesildiğini hissetti. Limonlar hâlâ elinde, balkondan fırladı, oturma odasını aştı, merdivenleri soluk soluğa inip sokağa çıktı.

Koştu Pembe. Oğlunun kız kardeşini bıçaklayışına tanık olduğunda yalnızca iki buçuk metre uzaktaydı. Bu işi bir an önce bitirip yoluna gitmek istermişçesine özensizce ve aceleyle savurdu elindekini İskender. Çelik havada bir yarım daire çizip Cemile'nin göğsünün sağ tarafına saplandı. Arkalarda Pembe boğuk bir ses çıkardı. Anında anlamış, ta içinde duymuştu; bıçak, ikizinin yüreğine saplanmıştı.

İskender geri adım atıp durakladı; kaşlarını çatarak elindeki metale baktı. Ne yaptığını bilmez bir hali vardı. O ana dek iplerin ucunda dans eden bir kuklaydı adeta, ancak şimdi uykusundan uyanmıştı. Silkinerek bıçağı kenara attı ve ters yöne doğru koşmaya başladı.

Birilerinin çığlık attığını duyuyordu Pembe. Rüzgârda çoğalan, uzaklardan gelen bir ulumaydı; iç parçalayan, acı dolu bir feryattı. Sesin kendisinden çıktığını anlaması zaman aldı. Hareket edemiyordu, bedeni yoktu. Cismi yoktu. Yalnızca bir figandı. Kendi iradesinden bağımsız şekilde, sarmallar halinde birbiri ardınca yükselen, ruhunda dönüp durarak sonsuz bir yankıda eriyen çığlıklara indirgenmişti bütün varlığı.

Gözleri kocaman, boğazı düğüm düğüm, kardeşine doğru atıldı. Torbalardaki eşyalar sokağa saçılmıştı. Ekmekler, peynirler, mayhoş elmalar, bir saksı fesleğen, bir paket kakule...

Uyurgezer gibiydi bacısına sarılırken. Öptü Cemile'yi – alnını, boynunu, elmacık kemiklerini. Nabzına baktı, susmuştu atışı; bedeni gevşemiş, sıcaklığını yitirmeye başlamıştı. Yüzünün rengi uçup gitmişti; tek kalan, göğsündeki yarayla aynı renkteki rujuydu şimdi. Damla damla akıp gitmekte olan can onunmuş gibi tir tir titremeye başladı Pembe. Sessizce ağlayarak, belki yüz kere salladı ikizini kollarında; görünmez bir beşik oldu, bir öne bir arkaya. Yerde genişleyen kan gölü koyulaşıyordu. Koşuşturan ayak sesleri, dehşet dolu fısıltılar ilişti kulağına. Köşeyi dönen ambulansın sirenini duydu nice sonra. Araba kapıları, polis telsizleri... Suların içinden gelir gibiydi hepsi. Birisi ya da bir şey değdi tenine, elinden tutup ayağa kaldırdı onu. Kör bir insan gibi kollarını uzatarak ilerledi; asfalt sertti ponponlu terliklerinin altında. Gözlerinde yaşlardan bir perde, birilerinin yönlendirmesiyle uzaklaştı ikizinden.

İfade vermek için gidip polis arabasının yanında beklemesini söylediler. Ama Pembe anlamadı; anlasa bile muhtemelen dinlemezdi. Bir türlü uyanamadığı bir karabasandaymışçasına yürümeye başladı. Bu arada görgü tanıkları olanları anlatıyordu – kimi polise, kimi birbirlerine, kimi hiç tanımadıklarına. Arbedeyi yeni fark eden yaşlı bir kadın –iyi kalpli Arnavut komşu– sokağın diğer ucundan yaklaştı. Şaşkınlık ve dehşetle koştu yerde yatan bedene. Çığlıklar atarak, feryatlar ederek dizlerinin üstüne çöktü.

"Ah zavallı Pembecim! Ne oldu sana? Canım komşum!"

O esnada sokağın öbür ucuna varan Pembe tepeden tırnağa ürperdi. İsmine ağıt yakılıyor olması ne kadar tuhaf bir duyguydu. Tüyleri ürperdi ama aynı zamanda garip bir donukluk geldi üstüne. Ayakları külçe, dili lâl, kederi öyle baskındı ki ruhu ayaza kesti. Ne durdu, ne dönüp ardına baktı. Kollarını göğsünün üstünde birleştirip, kuvvetli bir karayele karşı yürüyormuşçasına kafasını öne eğerek süzüldü kalabalığın arasından.

Pembe o gün sokaklara sığındı, şehrin daha evvel görmediği yerlerine ayak bastı. İskender elini kolunu sallayarak dolaşırken, ne eve ne Elias'a gidebileceğini biliyordu. Oğlu her an hatasını fark edip peşine düşebilirdi. Yası öyle derindi ki kendini bir türlü düşünemiyordu, korkusu öyle keskindi ki kardeşinin acısına tam yanamıyordu. Sık sık durup derin nefesler alarak kendini sakinleştirmesi gerekti. *Kristal Makas*'ın etrafında çemberler çizdi; sonunda kendini girişin karşısında buldu. Bir aracın ardına saklanıp, Rita'nın pencereden görünen profiline baktı. İki müşteri, bir de yeni çırak olduğunu tahmin ettiği birisi –saçları patlıcan moruna boyalı bir genç kadın– vardı içeride.

Pembe, havlu ve önlükleri kuruttukları avluya girmek için dükkânın arkasına dolaştı. Şansı yaver giderse orada üstüne geçirecek bir şey bulabilirdi. Bluzuna bulaşan kanı, kollarını önünde kavuşturmak suretiyle gizlemeye çalışmıştı o ana dek. İnsanlar nasıl fark etmemişlerdi, hayret. Belki de görmezden gelmişlerdi. Avlunun kapısını açıp girmesiyle durması bir oldu Pembe'nin.

Ağzında koca bir sakız, içeride çalan müzikle salınarak havluları toplamaya çıkıyordu yeni çırak. Geriye dönmek için geç olduğu gibi saklanacak bir yer de yoktu Pembe için. Karşılaştılar. Durup şaşkınlıkla birbirlerine baktılar.

"Affedersiniz" dedi Pembe, yanakları yanarak. İleri atılıp önlüklerden birini kaptığı gibi koşarak uzaklaştı.

"Hey, n'apıyorsun?" diye bağırdı çırak. "Hırsız!" Ama Pembe gitmişti bile.

Sonraki birkaç saat boyunca, kış güneşinin hoyrat dokunuşunu ensesinde hissederek, dolaşıp durdu. Gidecek yeri yoktu. Polise teslim olsa sorguya çekerlerdi. Dillerini anlayamaz, sorularını yanıtlayamazdı; sonunda suçlu durumuna bile düşebilirdi. Hem ona iyi davransalar bile hikâyenin sansasyonel ayrıntılarını basına sızdırmaktan geri durmazlardı.

Komşulara sığınamazdı. Kim alırdı böyle bir riski? İskender'in kendi başına hareket ettiğinden emin değildi; birileri onu yönlendirmiş olabilirdi. Eğer öyleyse başka kimler dahildi bu işe? Tarık? Ya kocası? İki kardeş bir olup, öz anasının kanına girmeye ikna mı etmişlerdi İskender'i. Başı zonkluyordu. Elias'tan başka kimseye güvenemezdi. Ama onu düşünmek bile ürpermesine yetiyordu. Buraya kadardı. Bir daha görüşmeyeceklerdi. Pembe ondan uzak durduğu müddetçe güvendeydi Elias. Öldüğünü sanması daha iyiydi.

Suçluluk, aylardır koynunda beslediği, günbegün semiren o sinsi yılan artık olanca çirkinliğiyle dışarı çıkmış, ruhunu kemirmeye başlamıştı. Kendini suçluyordu. Başlarına bu belayı getiren, Elias'la olan ilişkisiydi. Aslına bakılırsa daha orada İskender'i aklamaya, kendini karalamaya başlamıştı. Diğer iki evladını görmeyi çok istiyordu. Ne yapacaklardı acaba teyzelerinin ölüp annelerinin ortadan kaybolduğunu öğrenince? Polis ne anlatacaktı ve onlar ne diyeceklerdi polise?

Hava kararınca, tehlikeli olduğunu bildiği halde mahallesine geri döndü. Elinden geldiğince saklanarak, arka bahçelerden, avlulardan, garajlardan geçerek, topukları çalılardan çizilmiş vaziyette Lavanta Sokağı'na ulaştı. Cemile'nin saatler önce düştüğü yerde tebeşirle çizilmiş bir siluet vardı. Olay yeri kordon altındaydı; yakınlarda iki üç kişi sigara içip konuşuyordu.

Evin kapısı ardına kadar açıktı. Başsağlığına gelenlerin biri girip biri çıkıyor, yiyecek dolu tepsiler taşıyorlardı. Ağlamalar, ilenmeler duydu ama sözcükleri çıkaramadı. Daha fazla yaklaşmayı göze alamadı; çarnaçar uzaklaştı.

Hayatı boyunca temizlik takıntısı olan Pembe o gece, bir banka şubesinin önünde, çerçöp dolu köşeye kıvrıldı. Yakınlardaki bir genel tuvaleti kullandı, bir lokantadan su ve yiyecek dilendi; ağlayarak uyuyakaldı.

"Uyan! Kalk oradan seni alçak!"

Evsiz bir adamdı tepesine dikilen. Uzun boyluydu, sarkmış bir bira göbeği ve gür kaşları vardı. "Allah'ın cezası! Ne işin var benim yerimde?"

Panikle yerinden fırladı Pembe, dudakları titriyordu. "Öz... özür dilerim."

Ona doğru sendeledi adam. Kokusu Pembe'nin yüzüne çarptı. Şarap, tütün, naftalin ve sidik karışımı. Hamleyi savuşturup dışarı attı kendini.

"Nereye gidiyorsun yavrum? Neden korktun?"

Pembe sokağı dönüp de gözden kaybolana dek ardından baktı adam. Sonra kendi bildiği bir şakaya güler gibi kıkırdayarak hâlâ sıcak olan köşeye yerleşti, iç geçirerek botlarını çıkardı ve ayaklarını ovalamaya başladı. Tıpkı bir başka gün metroda yaptığı gibi.

Esma

Mutfakta o kadar çok yemek vardı ki haftalar boyu yeseler gene bitmezdi. Ağzına kadar dolu kazan ve tencerelerdeki yemeklerden ağır ve keskin kokular yükseliyordu; tezgâh, masa, hatta yerler bile börek ve tatlılarla doluydu. Evde Yunus'la kendisinden başka kimse kalmadığına göre bu kadar şeyi kim yiyecekti bilmiyordu Esma. Ama başsağlığına gelenlerin ardı arkası kesilmiyordu ve her gelen tepsisini beraberinde getiriyordu. Oturma odasında her yaştan kadın yan yana oturuyordu. Kimi eski komşulardı, kimiyle yalnız göz aşinalığı vardı, kimilerini ilk kez görüyordu. Meral Yenge gelenleri karşılamak için her seferinde ayağa kalkıyor; her ziyaretçiyle birlikte bir kez daha dövünüyordu. Yunus'la Esma bir köşede oturmuştu, hem orada hem değillerdi – suları çekilmiş bir akvaryumda iki bitkin balık gibiydiler. Kapıdan giren herkes onlara bakıyor, onlara üzülüyordu. Çocuklarsa konukları görüp duyuyor ama etrafa donuk gözlerle bakıyordu. Yalnızca onların bildiği bir bilmeceyle meşguldü zihinleri. Ambulansa konup hastaneye götürülen Cemile Teyze'ydi, anneleri değil. Bunu hiç kimseye söylememişlerdi.

"Hepsi benim suçum" dedi Yunus kırılgan bir sesle.

"Ne demek istiyorsun?"

"Teyzemi yalnız bıraktım..."

Sarılıp elini tuttu Esma. "Suçlu olan İskender, sen değilsin."

"Peki, annem nerede?"

"Ben de onu merak ediyorum."

Bir saat geçmeden öğreneceklerdi yanıtı. Öğlene doğru kapı bir kez daha açıldı ve tepeden tırnağa yeşillere bürünmüş biri içeri girdi, kafasındaki tüylü şapka bile aynı renkti. Diğer misafirler ağızları bir karış açık bakakaldılar onun pırıltılı aksesuarlarına, boyalı tırnaklarına ve tuhaf hallerine. Ama Esma sevinmişti onu gördüğüme. "Ah Rita..." dedi gözyaşları içinde koşarken.

Mutfak masasında oturdular, meraklı gözlerden uzakta.

"Annem ölmedi" diye fısıldadı Esma.

Başını salladı Rita.

"Seninle mi?" diye sordu Esma.

Bir baş sallama daha.

Rita, o sabah işe gittiğinde eski çalışanını kapının önünde uyurken bulmuştu. Neler olduğunu sormuş ama pek bir şey öğrenememişti. Bunun üzerine Pembe'yi arka taraftaki ağda odasına alıp çay ikram etmiş, perdeleri çekip dükkânı tatil etmişti. Sonra da onun elini yüzünü yıkamasına, üstünü temizlemesine yardımcı olmuş, doya doya ağlamasını izlemişti.

"Bir süre seninle kalabilir mi?" diye sordu Esma. "Biz ne yapacağımıza karar verene kadar yani."

Rita bu kez olumsuz anlamda salladı başını. Erkek arkadaşı hayatta razı olmazdı Pembe'nin onlarla kalmasına; kaldı ki Rita onun sır saklayabileceğini sanmıyordu.

"Bir şey daha var" dedi Rita. "Pembe senden bu adrese gitmeni rica ediyor."

Üzerinde Elias'ın adı ve adresi olan bir kâğıt parçası verdi.

"Peki, ne diyeceğim ona?"

"Hayatta olduğunu bilmesini istemiyor. Böylesi daha iyiymiş."

Başka bir şey konuşmadılar. Az sonra onu kapıya kadar geçirdi Esma. Rolünün hakkını verdi Rita; ayrılırken gözyaşları içinde sarıldı genç kıza. "Başın sağ olsun, bir tanem. Anneni çok severdim."

Günbatımından sonra Yunus'la bir yolunu bulup evden çıkmayı başardılar. El ele *Kristal Makas*'ın arka kapısından girdiler. Hem ağlayıp hem gülerek annelerinin kollarına koştukları anı ölene dek unutmayacaklardı. Sarsılmış görünüyordu Pembe, yüzü çökmüştü, gözlerinin altında morumsu halkalar vardı.

Başını Pembe'nin göğsüne dayadı Yunus: "Herkes senin öldüğünü sanıyor."

"Öyle mi?"

"Hep benim suçum" dedi Yunus. "Teyzemi yalnız bıraktım. Arkadaşlarımla takıldım, eve yalnız gönderdim."

Pembe öptü onu. Sonra Esma'yı. Kızı sokuldu ona yavaşça. "Konuştun mu onunla?" diye fısıldadı Pembe onun kulağına. Elias'a yaptığı ziyareti anlattı Esma. Yarı rüyada yarı uyanık gibiydi dinlerken Pembe, omuzları düşük, avurtları çökük.

"Hakkında fena şeyler diyorlar" diye araya girdi Yunus.

Pembe böylece bütün mahallenin dedikoduyla çalkalandığını öğrenmiş oldu. Bazı insanlar onu aileye leke sürmekle, oğlunun böyle karanlık bir yola sapmasına sebep olmakla suçluyorlardı.

Esma kardeşine ters ters baktı. "Cenaze yarın kalkacak. Meral Yenge ayarlıyor her şeyi."

Tam o sırada Yunus, ya bunu bir süredir planladığından ya da az önce dilini tutamadığı için kendini fena hissettiğinden, annesine sımsıkı sarıldı.

"Hiç merak etme. Seni nereye götüreceğimi biliyorum" dedi. "Güvenli bir yer var. Orada kimse seni polise teslim etmez."

Anlamadan baktıklarını görünce, çocuk yüzünde kararlı bir ifadeyle ekledi: "Bana bırakın, tamam mı?"

İşte böylece, aynı günün sonunda, otuz iki yaşında ve resmi kayıtlara göre çoktan ölü olan Pembe Toprak kendini çılgın bir grup gencin işgal ettiği döküntü bir evde ikamet ederken buldu.

Pembe

Yatakta oturan Pembe'nin yüzü yorgun bir maskeydi. Kollarını dizlerine dolamış, parmaklarını birbirine kenetlemişti. Bir el kaburgalarına bastırıyormuş gibi giderek artan bir ağrı, bir sıkışma vardı göğsünde. Soluk almakta zorlanıyordu. Yutkunmak canını acıtıyordu. Keder bir bulut olup sarmıştı etrafını çepeçevre. Ve suçluluk. Faili olmadığı bir suçtan kendini sorumlu tutuyordu. Karanlığa gömülmüş salaş evin seslerine kulak verdi. Havada kekremsi bir koku vardı. Toz, ter, köhne mobilyalar, küflü çarşaflar, kirli çamaşırlar, boş şişeler, dolu küllükler. Bir sürü insanın yerde bir arada yattığı bir odada olmak çocukluk anılarını canlandırmıştı. Yedi kardeşiyle sarılıp birbirlerinin sıcaklığında ısınarak uyuyuşlarını hatırladı. Kaç battaniye olursa olsun illaki gecenin bir yarısı üşüyerek uyanır, üstünü açılmış bulurdu. En yakındaki örtüyü tuttuğu gibi başına çeker, kendini olabildiğince sarıp sarmalar, bu arada farkında olmadan bir başka kız kardeşini açıkta bırakırdı.

Şimdi, daha evvel bilmediği bir bitkinliğe teslim olarak, uyuyan gençlerden öteye, camın dışındaki kasvetengiz boşluğa baktı. Bir saat geçti. Belki daha fazla. Ölçmek mümkün değildi. Bir süre sonra ilk ışıklar belirdi ufukta. Ok gibi sivri kızıl ışınlar. Şehrin silueti üstünde şafak söküyordu. Acı bir yılgınlık sardı yüreğini. Çok geçmeden hepsi uyanacaktı. Kahvaltı yapıp, şakalaşacaklardı. Pembe'yi işgal evinde barındırmayı kabul etmişlerdi ve rahatsız etmemek için ellerinden geleni yapıyorlardı ama onun kim olduğunu, ne aradığını merak ediyor, soru sormadan duramıyorlardı. Gazete filan okumadıklarından hiçbir şeyden haberleri yoktu gerçi. Onlar sadece misafirlerinin kendilerine ayak uydurmasını bekliyorlardı. Bilmiyorlardı ki ikizini kaybettiğinden beri Pembe'nin ölüden farkı kalmamıştı.

⊠⊠⊠

İşgalcilerin çoğu geç vakte kadar uyumayı severdi ama belediye meclisi ile aralarındaki belirsizlik nedeniyle dikkatli olmaları gerekiyordu; yan gelip yattıkları günler geçmişte kalmıştı. O nedenle sabahın sekizinde herkes ayaklanmış, bir gün önceki giysilerine uzanıyor, günün ilk sigaralarını yakıyor ya da çatlak lavaboda akan sicim gibi su uğruna birbirlerini itip kakıyorlardı. Tembellikte bir numara olan Yürüteç bile kalkmış dolanıyordu.

Tobiko mutfaktaydı; bir orduya yetecek kadar krep yapan Pembe'yi seyrediyordu. "Of amma da güzel koktu be!" dedi takdirle.

Pembe hafifçe gülümsedi. İşine odaklanmış, hızla çalışıyordu ama aklı kilometrelerce uzaktaydı. Birkaç dakika sonra, üst üste dizilmiş kreplerle dolu bir tabak uzattı Tobiko'ya. "Gidin... Yiyin hadi..." dedi.

Tobiko durakladı. "Peki sen? Yani siz?"

"Ben sonra yerim."

"Biz senin oğlunu çok seviyoruz" dedi Tobiko durup dururken. "Maskotumuz o. Ve şey... Derdinin ne olduğunu bilmiyorum ama Yunus bir sorun olduğunu, bir süre burada saklanman gerektiğini söyledi. İstediğin kadar bizimle kalabilirsin, hakikaten. Belediye bizi toptan sokağa atmazsa tabii. Ama o zaman bile başka bir yer buluruz nasıl olsa, merak etme."

O anki kırılganlığıyla Pembe, Tobiko'ya karşı öyle güçlü

ve anaç bir sevecenlik duydu ki gözleri yaşardı. Sarıldı genç kadına. O da hiç beklemediği bu sevgi gösterisine aynı şekilde karşılık verdi. Anın büyüsünü, oturma odasından avazı çıktığı kadar bağıran Yürüteç bozdu. "Hey! Açlıktan öldük yahu. Halk yemek istiyor!" Kıkırdayarak tabağı aldı Tobiko ve içeri gitti.

Mutfakta yalnız kalınca bulduğu yoluk bir süpürgeyle ortalığı süpürmeye başladı Pembe. Her zaman yaptıklarını yapmazsa aklını kaybetmekten korkuyordu. Böylece saatler boyu, gençlerin şaşkın bakışları altında işgal evinin her köşesini sildi, süpürdü, yıkadı, duruladı, paspasladı, cilaladı. Öylesine cinnet halinde temizlik yapıyordu ki kimse ne alay edebildi ne de artık durmasını söyleyebildi. Üstelik gayreti bulaşıcıydı galiba, çünkü çok geçmeden başkaları da paspaslar, derme çatma süpürgelerle çılgınlığa dahil oldular.

Akşam olduğunda Pembe hâlâ harıl harıl çalışıyor, gençler ise bir başka kültürden, bir başka dilden, bir başka hikâyeden gelen bu kadının etrafında parmaklarının ucuna basarak dolaşıyor, onun durmaksızın ağlayıp temizlik yapmasını çaresizlikle seyrediyorlardı.

Hapisten çıkmama üç ay kala yakınlardaki bir hastanede yoğun bakımda yatan yaşlı bir kadın gözlerini açtı. Sırt ağrısından yakındı. Bunun dışında gayet iyiydi durumu. Doktorları "mucize" dedi. Konuşmaya hazır olduğunda, ifadesi alındı. Soğuk bir günde çantasını çalıp ona kırık bir şişe ile saldıran adamı sordular. Tarif etti saldırganı. Hafızası pırıl pırıl. Robot resmi yapılan kişinin Zişan'la en ufak alakası yoktu. Yine de ikna olmayarak hücre arkadaşının fotoğrafını verdiler. "Bu değildi" dedi kadın. Zişan'ı götürüp cam bir panel ardından gösterdiler. "Yok, bu değildi" dedi gene. Mahkeme davayı yeniden açmaya karar verdi.

"Sevinçten havalara uçuyor olmalısın" dedim. "Yakında özgür bir adam olacaksın."

"Zişan özgür adam zaten" dedi. "Havalara uçmak lazım değil."

"Özleyeceğim seni."

Mahzunlaştı yüzü, yutkundu. "İyi öğrencimdin sen."

"Sen de fena bir hoca sayılmazdın."

Omuzlarını hoplatarak güldü. "Ödevini yapmayı unutma."

"Ne ödevi?" diye sordum. Anlattı. Dinledim.

Zişan'ın gideceği gün son kez oturup meditasyon yaptık. Diğer günlerin aksine dalga geçmedim, oflayıp poflamadım. Sert zeminde bağdaş kurup içime baktım, yüreğime, bende sırlanmış bene. Ve ilk kez, kısacık bir an için de olsa zihnimi sabit ve sessiz tutmayı başardım.

O akşam, Zişan tahliye olduktan sonra ranzamda uzanıp düşündüm. Zoru-

424

ma gitti yokluğu. En son Uçuk ölünce böyle hissetmiştim. Yapmamı söylediği şeyi hatırladım. Ödevim! Denedim. O güne dek yaptığım en zor şeydi. Zişan benden, çıkınca götürüp elden vermek üzere anneme bir mektup yazmamı istemişti. Elimde kalem, karaladım durdum. Bazı mektuplar fena değildi ama çoğunu beğenmedim. Eksik kalan çok şey vardı. Her seferinde yırtıp attım, yeni baştan başladım ama bir yere vardığım yoktu. Zişan'a söz verdiğim gibi her gün bir şeyler çiziktirdim, az da olsa. Biraz meditasyon yaptım. Memur Andrew gelip gitti. Hâlâ hiç hazzetmiyorduk birbirimizden ama gırtlak gırtlağa değildik artık.

Derken bir gün diğerleri kadar feci görünmeyen bir şey yazdım. Ve bunu saklamaya karar verdim. Mektubumu tamamlayınca, baştan sona ezberleyene dek her gün boş bir sayfaya yazmamı söylemişti Zişan; temize çekmemi. Ben de öyle yaptım.

Sevgili anacım,

Bu mektubu postaya vermeyeceğim. Kendim elden getireceğim, inşallah. Bu yıl gözlerim açıldı. Çılgın bir hücre arkadaşım vardı. Tanısan severdin. Adı Zişan. Bana çok yardımı oldu. O gittikten sonra daha iyi anladım bunu. Ne yazık ki sahip olduklarımızın kıymetini hep onları yitirdikten sonra anlıyoruz.

Hani bir zaman makinesi olsa, yeniden on beş yaşında olsam, eskiden yaptıklarımı katiyen yapmazdım. Sonuçlarını biliyorum artık. Kimseye öyle acı çektirmezdim. Sana, kardeşlerime, rahmetli teyzeme. Fakat geçmişi değiştiremem. Bir anını bile. Zişan diyor ki "Bugünü düzeltebilirsin." Ondan da emin değilim ya. Fakat çabalıyorum. Hakikaten. Ve umuyorum ki, beni yeniden hayatına kabul eder, affedebilirsin. Elini öpmeye geleceğim anacım. Duanı benden esirgeme.

İskender Toprak
Shrewsbury Hapishanesi, 1992

Sonra...

Cumartesi sabahı, kahvaltı hazırlıyorum. Yeni yaptırdık bu mutfağı. Bize bir servete mal oldu, gücümüzün yettiğinden fazlasına. Ama kocam ısrar etti. "Her şeyin en âlâsı olsun" dedi. Bana evlilik yıldönümü armağanı. Taba rengi dolaplar, akçaağaç parkeler, dolap-altı aydınlatmalar, son model buzdolabı, fiyakalı meyve suyu sıkacağı. *Zarif, dingin ve gösterişli.* Broşürün dediğine göre. Laf salatası! Yumurtaları çevirip pişmiş kısımların üste çıkmasını seyrediyorum; insanın geçmişinin parça parça karşısına çıkması gibi. Maharetli bir aşçı değilim, beceriksizim. Belki de zamanla yarışıyorum hep. Ne dünden vazgeçebiliyor ne yarına odaklanabiliyorum. Kallavi fikirleri ve pırıltılı kelimeleri olan o kızdan pek bir şey kalmadı geriye. Eski hallerimi düşününce kendimi ihanete uğramış hissediyorum elimde olmadan. Ama kendimden başkası değil bana ihanet eden, onu da biliyorum.

Kızlarım masada oturmuş, en sevdikleri çizgi film hakkında atışıyorlar. Her zamanki gibi karşıt görüşlere sahipler. Kulağım onlarda ama beynim bir uçurtma. Rüzgâra kapılmış, sağa sola uçuyor. İpini ne kadar sıkı tutarsam tutayım sabit durmuyor.

"Anne şu öbür kızına çenesini kapatmasını söyler misin?" diyor Leyla.

"Hı-hı, tamam canım söylerim" diyor, tavayı ateşten alıyorum.

"Ama anne!" diye feryat ediyor Cemile.

"Pardon, ne dedin?" diye soruyorum ama çok geç. Arkama döndüğümde birini ağzı kulaklarında sırıtır buluyorum, diğerini ise bana bozulmuş halde. Neyse ki kocam yetişiyor imdada. "Annenizi rahat bırakın. Kafası meşgul."

"Neden?" diye soruyor Leyla.

"Daha evvel konuştuk ya tatlım" diyor Nadir sevecenlikle. "Büyük dayınız geliyor. Anneniz ağabeyini uzun zamandır görmedi. O yüzden heyecanlı."

"Haaa" diyor Leyla ama yüzünde hayretten eser yok.

Cemile'nin dikkatle babasına baktığını fark ediyorum, koyu badem gözlerinde meydan okuyan bir pırıltı var, adını aldığı kadının gözlerine hiç benzemiyor. Birden soruyor: "Siz ikiniz bize yalan mı söylüyorsunuz yoksa?"

Yumurtaları tabaklara paylaştıran elim havada kalakalıyor. Takip eden sessizliği dinliyorum, konuşmak içimden gelmiyor.

Nadir her zamanki gibi sakin, soğukkanlı. "Anne babayla öyle konuşulmaz."

"Paaardooon" diyor Cemile melodiyle.

"Peki, söyle bakalım ne demek istedin?"

İlgi çekmekten memnun, büzüyor dudaklarını Cemile. "İskender Dayı hakikaten Alaska'da mı çalışıyor? İnanmıyorum. Bence..." Gözleri masayı tarıyor bir ipucu arar gibi. "O bir Rus ajanı."

"Sen öyle san!" diye araya giriyor Leyla.

"Doğru söylüyorum. Buzdağlarını bombalıyor."

"Hiç de bile!"

"Aynen öyle!"

Tabaklara birkaç dilim domates ve birer yaprak fesleğen koyup masaya taşırken, ağabeyim Ruslar için çalışan bir ajan olsa hayatımız daha mı kolay olurdu acaba diye düşünmeden edemiyorum.

Daha sonra, kızlar bir doğum günü partisi için hazırlanmak üzere odalarına gittiklerinde Nadir beni kollarına alıyor. Başımı eğip bakıyorum ona. Gözlerini sevgiyle kısışı, yanaklarındaki çizgiler, alnındaki incecik kırışıklar. Kalın ve gür saçları yerçekimine meydan okurcasına yukarı doğru uzuyor, kulaklarını örtmeyi reddederek. Şakaklarındaki kırlar yaşını ele veriyor. Benden on dört yaş büyük. Neredeyse Elias'la annemin arasındaki yaş farkı kadar. Yalnızca bir rastlantı elbette, öyle diyorum kendime. Nadir'i seviyorum ama tutkulu bir birliktelik olduğu söylenemez bizimkinin. Başlangıçta ona sırılsıklam âşık olmadığımı ikimiz de biliyoruz. Yüreğimin derinlerinde, envai çeşit hislerden bir karışım ürettim onun için: saygı, bağlılık, hayranlık ve minnet. İçinde yuvarlandığım girdaptan beni çekip çıkardığı için şükran duyuyorum. Kimilerinin eşleri hakkında böyle laflar ettiğini duyarsınız; onlar tarafından sevilmenin kendilerini "daha iyi bir insan" yaptığını iddia ederler. Duyar ama pek de inanmazsınız, ta ki başınıza gelene kadar.

1978 Kasımı'nda ailemiz dağıldı, yakıcı güneş altında kardan adam gibi eriyip gitti. Birdenbire, eski hayatımızdan geriye çamurlaşmış bir kar yığınından başka bir şey kalmadı. Bir zamanlar sağlam ve sabit görünen ne varsa lime lime oldu. Yunus'la ben bir süre Tarık Amca ve Meral Yenge'nin yanında yaşadık. Bize karşı ne kibarlıkta ne cömertlikte bir kusur ettilerse de orada geçirdiğim her saniyeden nefret ettim. Cinayetten önceki haftalarda annem hakkında zehir zemberek dedikodular yaymış olmalarını asla affetmedim. Onların çatısı altında yaşar, onların yemeklerini yer, onların satın aldıkları giysileri giyerken bile nefret ettiğim insanlar listesinin başındaydılar. Babam Abu Dabi'den bize kartlar, armağanlar ve para yollardı ama yıllar içinde giderek azaldı temaslar. Sonunda ondan hiç haber alamaz olduk. Amcam ve yengem saklayabildikleri kadar sakladılar intiharını. Gerçeği örterek, bozarak ve çarpıtarak. Gayet iyi biliyorum bunu, çünkü ben de şimdi aynısını kendi çocuklarıma yapıyorum. Hakikati peçelere sarıp saklamak, ulaşılmaz yahut anlaşılmaz hale getirmek aile geleneğimiz olsa gerek.

O yıllara ait anılarım elem dolu. Umutsuzluk batağına yuvarlandığım sırada beni yukarı çeken ve hayatta kalmamı sağlayan tek halat, öfkemdi. Her şeye kızgındım, en çok da İskender'e. Başbakan Thatcher'ın ilk zamanlarıydı, büyük değişiklikler yaşanıyordu. Derin kış uykusundan uyanan bir dev gibi, olageldiği memleketten hızla uzaklaşıyordu İngiltere. Okulda notlarım her zamanki gibi yüksekti. Eğitim Bakanlığı durumumuza özel alaka gösterdi ve kısa süre sonra hem ben hem Yunus bir yatılı okula transfer edildik. Uzaklaşmak biraz olsun işe yaradı. Ama henüz öfkemi bırakmaya hazır değildim; beni hiçbir yere götürmediğini fark etmiyor, sımsıkı tutunuyordum hâlâ. Dargınlıklarımın içinde boğulmaktaydım. Sonra Nadir'le karşılaştım.

Tam bir bilim insanı o, evrensel kesinliklere ve nesnel doğrulara inanan bir akademisyen. Gazze'de doğup Filistin'de mülteci kampında büyümüş, yirmi yaşında, eğitimini üstlenen âlicenap bir akraba sayesinde vatanından ayrılıp İngiltere'ye gelmiş. Beatles'ın *Yellow Submarine* albümünü çıkarmasından, Nixon'ın başkanlık koltuğuna oturmasından ve Arafat'ın FKÖ'nün başkanı olmasından sonra ulaşmış Manchester'a. Suskun ve çekingen ama inançlıymış. Politikadan olabildiğince uzak bir kariyer seçmiş kendine: moleküler biyoloji. Dünya giderek artan bir hızla çatışmalar girdabına girerken, Nadir düzenli ve steril bir laboratuvarda hücre morfolojisi çalışmış.

Hısım akrabası hâlâ Gazze'de. Birçok kez karşılaştım onlarla. Geniş bir aile. Sıcak, mağrur, meraklı ve çenebazlar. Teyzeler, amcalar, dedeler, nineler, büyük teyzeler, yeğenler. Kocamı akrabalarının yanındayken inceler, o edepli ve sakin halinin altında bir kayma, bir karakter değişimi ararım kuşkuyla. Ama Nadir her yerde ve herkese karşı aynı nazik insan. Hırsla ya da anlık bir kızgınlıkla hareket ettiği vaki değildir. Düşünüp taşınmayı sever. Asla acele etmez, kalp kırmaz. Yunus'la anlaşmasına şaşırmıyorum. "İyi misin?" diye soruyor. Başımı sallıyorum. Yalnız kalmak. Şu an tek istediğim bu. Hiçbir şeyi ellemeden, tabaklardaki artıkları, masa örtüsündeki kırıntıları, fincanlardaki lekeleri ve geçmişimin parçalarını olduğu gibi bırakıp mantomu alarak kapıdan çıkmak, uzaklaşmak.

"Uzun bir gün olacak" diyorum.

"Bizi merak etme" diyor. "Canavarları ben alırım partiden. Sen ağabeyinle baş başa vakit geçirmelisin."

Kocamın aksanına kulak veriyorum. Gırtlaksı seslere, Arap tınılarına.

"Beni esas korkutan da bu zaten, onunla baş başa kalmak."

Yanaklarımı avuçlarının içine alıp dudaklarıma öpücük konduruyor. "Merak etme, her şey yolunda gidecek."

Bir an, keşke bu kadar anlayışlı ve mülayim olmasaydı diye geçiriyorum aklımdan. Nadir, fiziksel ya da sözel bir kabalığa maruz kaldığında bile alttan alan, kavga etmemek için her şeyi yapan bir adam. Birisi ona fena muamelede bulunduğunda (mesela meslektaşlarından biri vaktiyle haksızlık etmişti), durumu hemen kabullenir, hatta kendini sorumlu tutar. Birden anlıyorum ki, bilerek ya da bilmeyerek, ağabeyimin tam zıddı biriyle evlenmişim.

"Bilmem ki" diyorum. "Gitmesem mi? Amcam gelebilir. Ya da başkaları."

Kaşlarını kaldırıyor. Gergin olduğumu biliyor. Sözcükleri dikkatle seçiyor. "Yine de gidip görmelisin. Eğer biraz olsun değişmemişse, hâlâ o eski sert adamsa, görüşmek zorunda değilsin. Ama mutlaka gidip bir görmeli, emin olmalısın."

Sonra da gün boyu kulaklarımda çınlayacak olan o sözcükleri

söylüyor: "Unutma, o senin ağabeyin."

"Peki ne diyeceğim kızlara? Selam, bu daha önce hiç görmediğiniz dayınız. Neden mi görmediniz? Hapisteydi. Neden? Şey, çünkü anneannenizi öldürdü..."

"Yurtdışında biliyorlar zaten. Açıklama yapman gerekmiyor. En azından şimdilik."

Gözlerim doluyor, konuşurken zor çıkıyor sesim. "Sen ve Yunus her şeyin yalın, kolay olmasını istiyorsunuz. Ama dünya öyle değil. Her şey karmakarışık."

Dudaklarını büzüştürüp sevecenlikle taklit ediyor beni. "Boş ver sen dünyayı. *Yarın yel savuracak toprağımızı, içelim, hoş geçsin üç nefeslik ömrümüz.*"

Elimde olmadan gülüyorum. "Hayyam mı yine?"

"Elbette Ömer Hayyam."

Merhametli sözlerin ve nazenin şiirlerin insanı olan bu adam. Bazen beni çıldırtan bir saflık derecesinde dürüst, güvenilir ve iyi ahlaklı olan bu adam. Namusun insanların yatak odalarıyla değil yürekleriyle ilgili olduğuna inanan bu adam. Bende ne buluyor bilmiyorum, nasıl oluyor da beni seviyor hâlâ? "Gidip hazırlanayım bari" diyorum usulca.

"Tamam tatlım."

Bir zamanlar önemli işler için yaratılmış olduğuma inanırdım; büyük mücadeleler, devasa ide!aller. Dünya benim etrafımda dönsün isterdim. Bir yazar olabilirdim; ya da insan hakları savunucusu. Ezilenlerin ve mağdurların hakları için dünyanın dört yanını dolaşıp kampanyalar yapabilirdim. J. B. Ono – içinden aşk geçmeyen romanların meşhur yazarı...

Şimdi hatırlaması bile güç ama lise bitirme sınavlarımı verince bir süre yazdım. Üniversitede notlarım yüksek, öykülerimse yaratıcıydı; başaracağıma inanan insanlar vardı ama bir şeyler değişmişti bir kere. Kendime olan inancımı yitirmiştim. Dükkânda şahane görünüp eve gelince anlaşılmaz bir şekilde solan bir bitki gibi, bildik çevremden çıkar çıkmaz sönüp gitmişti yazarlık hevesim de.

Sonra senelerce bir şey yazmadım. Mektuplar hariç tabii, hem de ne çok mektup. Düzenli olarak hapishaneye yazdım; ayrı olduğumuz zamanlarda Yunus'a da. Elias (onunla temasa ben geçtim) ve Roksana (benimle temasa o geçti) ile de yazıştım; her ikisi de yardımcı oldular bulmacanın eksik parçalarını tamamlamama. Ve tam on iki yıl boyunca haftada iki kez aksatmadan anneme yazdım. Sonra geçen yıl, annem öldükten sonra oturup onun hayat hikâyesini kaleme almaya başladım. Bir an bile duraklayacak olursam şevkimi kaybederim ve her şey un ufak olur korkusuyla gece gündüz çalıştım. Yazdıklarım o kadar kişisel şeylerdi ki, ifşa etmek canımı yaktı. Yine de taslak bittiğinde bir yabancılaşma duygusu sardı içimi. Benim değildi bu öykü. Geçmiş, tavan arasında duran bir sedef sandık; içindekilerin kimi kıymetli, kimiyse ıvır zıvır. Bana kalsa hep kapalı tutarım ama en cılız rüzgârla açılıveriyor kapağı, içindekiler etrafa saçılıyor. Tek tek geri koyuyorum. Teker teker. İyisiyle kötüsüyle bütün hatıraları topluyorum, ta ki sandık beklemediğim anda bir kez daha açılana kadar.

Hamile olduğumu öğrendiğimde şaşkınlık, kaygı ve coşkuyu bir arada yaşadım. Saatlerce ağladım. İkiz kızlarım olacağını öğrendiğimdeyse, ne yaparsam yapayım, yaşamımın uzunca bir hikâyeler zincirinde bir halkadan başka bir şey olmadığını hissettim. O dokuz ay boyunca bedenim kilden yapılmış gibi yeniden şekillendi. Şimdi kızlarım yedi yaşındalar. Gecenin siyah satenini andıran saçlarıyla Leyla ve rahmetli büyük teyzesinin adını taşıyan Cemile.

Yukarıda, yatak odasından duyuyorum telefonun çaldığını. Kocam açıyor. İçimden bir his Yunus'tur diyor – peygamberlerin en gönülsüzünün adını taşıyan oğlan. Son zamanlarda kardeşim ve kocam her gün birbirlerini arıyorlar. Beni çekiştirdiklerini biliyorum. Patlamaya hazır durumda, sürekli tik taklayan bir saatli bomba gibiyim onların nezdinde; beni etkisiz hale getirmenin yolunu arıyorlar, o her zamanki aklıselim halleriyle.

"Hayatım, Yunus seninle konuşmak istiyor!" diye sesleniyor Nadir.

Telefonu açıp kocamın paraleli kapatmasını bekliyorum, sonra da elimden geldiğince gamsız bir sesle konuşuyorum: "Selam canım."

"Esmacım, nasılsın?"

"Gayet iyi" diyorum. "Senden ne haber? Havalar nasıl oralarda?"

Cevaplamaktansa meselenin özüne dalıyor. "Ne zaman gidiyorsun almaya?"

Prova yapan grubun sesleri geliyor arkadan. Piyano, gitarlar, ney. Kardeşimin Amsterdam'da konseri var bu akşam. Şaşaalı bir kültür olayı. Kraliyetten birilerinin de katılması bekleniyor.

"Bir saate kadar çıkarım."

"Bak, eee... Biliyorum kolay değil. Seni yüzüstü bıraktığım için üzgünüm. Keşke orada olabilseydim."

"Olsun. Yapman gereken şeyler vardı."

Sesimde bir dargınlık tınısı yakalıyorum. Yunus da fark etti mi bilmem ama karşılık vermiyor. "Bu sabah ne düşündüm biliyor musun, ağabeyimin ziyaretine gittiğim gün var ya, annemin hayatta olduğunu duyunca nasıl sevinmişti. Duygulanmıştı. Onu görüp af dileyemeyecek olması çok yazık."

Gözlerimi deviriyorum. "Ya, aman pek yazık..."

"Olabilirdi" diyor. "Elini öpebilse, helallik dileyebilse iyi olurdu."

Ağır bir sessizlik çöküyor, tam hattın kesildiğinden şüphe etmeye başlayacakken ekliyor Yunus: "Bence yeterince acı çekti İskender."

Kanımın damarlarımda kaynadığını hissediyorum. "Nasıl

söylersin bunu? 'Yeterince' diye bir şey yok. Daha çok sürünmesi lazım. Beter olsun. Teyzemizi öldürdü, hep bencildi, bencil bir adam olarak da ölecek."

"Çocuktu."

"Çocuk filan değildi! Yaşıyla ilgisi yok. Çocuk olan sendin. Onun yaptığını yapmadın. İskender'in kişiliği böyleydi."

"Ama en büyüğümüzdü" diyor Yunus. "Sen hep bir kız olarak farklı muamele gördüğünden yakınırdın, ben de en küçük olmaktan memnun değildim. Ama hiç aklına geldi mi, belki hayat İskender için de zordu o günlerde? Çok baskı vardı üzerinde."

"Ya, sultan olmak bayağı zor olmalı."

İç geçiriyor. "Abla, dinle. Şimdi kapatmam gerekiyor. Mümkün olsa orada olurdum, inan ki. Geldiğimde konuşuruz. Bir çıkar yol buluruz. Beraber. Her zamanki gibi. Tamam mı?"

Sesimin nasıl çıkacağından emin olamadığımdan kafamı sallıyorum, Yunus beni görebilirmiş gibi. Telefonu kapattıktan sonra banyoya gidip yüzümü yıkıyor, makyaj yapıyorum. Yunus'a unutmasa bile affedebildiği için garezim var, İskender'e ise bizleri normal bir çocukluktan mahrum bıraktığı için. İnsan, hayatın çalkantılı sularına atılmadan evvel ailesinde sevgi, istikrar ve güven bulmalı. Bizdeyse aile ortamı hayatın kendisinden fırtınalıydı.

▨ ▨ ▨

Bakımlı çayırları seyrederek hapishaneye doğru direksiyon sallıyorum. Zaman yavaşlıyor. Aklım Yunus'a gidiyor yine. Konser başarılı olur umarım. Giderek ünleniyor küçük kardeşim. Nadir, öğrencilerinin Yunus'un müziğini bildiklerini ve sevdiklerini söylüyor. Onunla gurur duyuyorum. Ve kendime karşı dürüst olduğum anlarda kıskanıyorum da. Sözde yaratıcı evlat olan ben, sonunda böyle vasat ve evcimen bir hayatı seçerken, hep sakin ve makul görünen Yunus'un, hayallerinin peşinde dünyayı dolaşıyor olması Tanrı'nın oyunlarından biri mi acaba, merak ediyorum. Kardeşler arası kıskançlığın sonu yok herhalde. Anne babanız artık ortada yokken bile onların takdiri için rekabetiniz bitmiyor.

Hapishaneye ulaşınca, binanın dışında benden başka kimsenin olmamasına şaşırarak bekliyorum. Ne Tarık Amca. Ne Meral Yenge. Ne komşular, arkadaşlar, akrabalar. Neredeler? İskender'in eski kankaları da gelmemişler.

Bir saat geçiyor. Bütün sesleri bastıran ve insanın içine işleyen bir serinlik var havada, biraz da susadım ama bir yere kıpırdamıyorum. Binanın içine girecek olsam görevliler bir bardak su, hatta belki çay ikram ederler. Onlara sorular sorar, İskender hakkında iki üç şey öğrenirim. Ama sonra İskender çıkagelince herkesin önünde sarılmamız ya da tokalaşmamız gerekir. Burada bir başıma beklerim daha iyi.

Nihayet açılıyor çift kanatlı kapı. Bu ışıkta, üzerindeki kot pantolon ve bej kadife ceketle onu en son gördüğüm zamankinden ne kadar farklı. Kendine iyi bakmış, sırım gibi formda. Yürüyüşü değişmiş. Eskisi gibi omuzlarını geriye atıp boynunu ileri uzatmıyor. Bir iki adım attıktan sonra durup soğuk ve bulutlu göğe bakıyor.

Sonra beni fark ediyor, sırtım duvara dönük, yüzüm donuk. Yavaşça yürüyor, adeta çekip gitmek için zaman veriyor bana. Yakına gelince ona doğru bir adım atıyorum. Ellerim ceplerimde. "Merhaba Esma" diyor.

Beni buraya gelmeye ikna ettikleri için Nadir'e ve Yunus'a sinirleniyorum birden. Ama karanlık düşünceleri uzaklaştırmaya çalışıyorum kafamdan. "Sana da merhaba *abi*."

"Geleceğini sanmıyordum."

"Ya, ben de geleceğimi sanmıyordum."

"Sevindim" diyor.

Arabada, aramızdaki boşluğu doldurmak için bir şeyler söyleme ihtiyacı hissediyorum. "Tarık Amca'nın burada olacağını düşünmüştüm."

"Gelecekti. Ben istemedim."

Direksiyonu sıkıyorum. "Sahi mi?"

İskender yorum yapmadan arkasına yaslanıyor. "Kızların nasıl? Ya Nadir?"

İkizlerin bu dönem okul müzikalinde rol aldıklarını söylüyorum. Leyla, Şarkı Söyleyen Balıklardan biri olacak. Muhtemelen kılıçbalığı ama ona kalsa yunus olmayı tercih ederdi. Küçük kızıma ise Balıkçının Karısı rolü verildi, şirret ve tamahkâr bir karakter ama önemli bir rol. Yani evde biraz rekabet var bu aralar. Şarkı Söyleyen Kılıçbalığı, Balıkçının Karısı'na karşı.

Bütün bunları Cemile'nin adını ağzıma almadan anlatıyorum, oysa biliyor elbette kızıma ne isim verdiğimi. "İkisi de çok heyecanlı" diye bitiriyorum lafı.

"Harika çocuklar" diyor gülümseyerek.

Huzursuz edici bir sessizlik geliyor ardından. Yanımda getirdiğim ABBA kasetini koyuyorum ama başlatmaya elim varmıyor nedense. "Sigara ister misin?"

İskender başını sallıyor. "Epey oluyor bırakalı."

"Öyle mi?" Yan gözle inceliyorum. "Ayıptır sorması, ne yapacaksın şimdi?"

"Mümkün olan en kısa zamanda oğlumu görmek istiyorum."

Kate'in beni birkaç gün önce aradığını söylemiyorum. Bir falcıyla evli. El falına bakıp geleceği gördüğünü iddia eden bir adam. Karısının belalı eski erkek arkadaşının hapisten çıkışını öngörebildi mi acaba, kuşkuluyum.

Aklımdan geçenleri okumuş gibi soruyor yavaşça: "Ne yapıyor Kate?"

"Mutlu bir evliliği var."

Canını acıttıysa bile belli etmiyor İskender. "Onun adına sevindim."

Gerçekten böyle mi hissediyor?

"Gelip beni aldığın için sağ ol" diyor. "Fazla kalmam. Bir yer bulurum kendime. Bir de iş. Benim gibilere yardım eden

Hayırsever Vatandaşlar var. Sonra da..." Duraklıyor. "Gidip annemi ziyaret etmek istiyorum." Sözlerinin ardından gelen bir beklenti var, annemin böreklerinin dumanı gibi tütüyor havada. Vites değiştirip gaza basıyorum ve boğuk bir sesle konuşuyorum: "Annem öldü." Boş gözlerle bakıyor bana. "Ama... Ama Yunus dedi ki." "Yunus'un ne dediğini biliyorum. Doğruydu." Gözümü siliyorum. "Bir yıl önce öldü."

"Bir başına mı?"

"Bir başına."

Nasıl olduğunu anlatmıyorum. Sonra.

"Elini... Elini ö...pecektim" diyor, gelip giden hafif bir kekeleme duyuyorum konuşmasında. "Beni görmeye razı geleceğini umuyordum."

"Eminim gelirdi" diyorum, çünkü doğrusu bu. "Mektupları var bende. Okursun bazılarını, görürsün nasıl hep seni sorduğunu." Dilimdeki zehre mâni olamıyorum birden: "En sevdiği evladı sen oldun hep."

İskender başını önüne eğip bileklerini inceliyor hâlâ kelepçelilermiş gibi. Sonra pencereye dönüp nefesiyle camı buğulandırarak iç geçiriyor. Başını dışarı çıkarıyor, derin bir soluk alıyor. Derken cebinden bir kâğıt parçası çıkarıyor. Yazdığı bir mektup. İpsiz bir uçurtma gibi salıveriyor havaya.

"Bir şey daha var" diyorum. "Nadir... Kocam bilmiyor."

"Nasıl yani?"

"Yalnızca Yunus ve ben. Bir de şimdi sen tabii. Annemin hayatta olduğunu başka kimse bilmiyordu ailede."

Bu bizim yeminimizdi, Yunus'la ikimizin. Herkesin Cemile Teyze'yi annemle karıştırdığını anladığımızda gerçeği kimseye söylemeyeceğimize dair Kuran üstüne yemin etmiştik. Ne babamıza. Ne Tarık Amca'ya. Ne Meral Yenge'ye. Ne Elias'a. Ne de evlendiğimiz takdirde eşlerimize. Bu sır yalnızca ikimizin olacaktı.

"Bana neden söylediniz o halde?"

"Yunus'un fikriydi, benim değil. Öğrenmenin vakti geldi diye düşündü. Tahliye olduğunda ikinizin barışacağınızı umuyordu. Kendini hazırlamanı istedi."

Ağaç çatkılı evleri ve ufak dükkânlarıyla miskin bir köyden geçiyoruz tek bir Allah'ın kuluna rastlamadan. Akşam olmak üzere; dünya tamamlanmış ve halinden hoşnut sanki. Kırmızı ışıkta dönüp gözlerimin içine bakıyor ağabeyim. "Çok fazla sırla yaşıyorsun Esma."

"Sır demişken..." Torpido gözünü açıyorum. "Şunu alır mısın?" Yavaşça çıkarıyor işaret ettiğim şeyi: Bir kitap. Alaska hakkında.

"Alaska'ya dair bir şeyler öğrenmek için bir buçuk saatin var. Kızlarıma bunca zamandır orada çalıştığını söyledim."

Hüzünle gülümseyip kitabı incelemeye başlıyor. Karlı dağlar, bozayılar, soğuk sularda zıplayan sombalıkları. Birden kötü bir yer gibi görünmüyor gözüne, hiç de fena olmayabilir hatta. Alaska.

Sonsöz

6 Mayıs 1991
Fırat Nehri yakınlarında bir köy

Sandığı açıp seccadeyi çıkardı, durup vadinin seslerine kulak kesildi. Burada yaşamanın bir cilvesi de buydu. Güneyden estiği sürece rüzgâr ta aşağıdaki köyden kulübeye taşırdı ezan sesini, ama yelin yönü değişti mi duymaya imkân yoktu. Londra'dan getirdiği saat de çalışmıyordu artık; yaşlı, bitap bir suret gibi duruyordu köşede. Oysa zamanı takip edebilmesi gerekiyordu namaz kılmak için. Ne de olsa Tanrı'ya söyleyecek çok sözü vardı artık. Hayatında bunca hayalet, matemi tutulup ardından rahmet okunacak bolca insan varken... Her gün, ikizinin cennette huzur bulmasını dilerdi. Duanın bir yerlerine Hediye'yi, tavandan sallanan şişmiş, morarmış bir et kütlesi olarak değil, o şen şakrak genç kız haliyle hatırladığı abla-annesini eklerdi. Kocasının ruhu için de niyazda bulunur, birbirlerine verebildikleri ve veremedikleri güzelliklere kafa yorardı. Çoktan göçüp gitmiş anne ve babası için dua ettikten sonra, yakın zamanda birbiri ardınca son nefeslerini veren köyün üç yaşlısını da yâd ederdi.

Ölülere karşı vazifelerini yerine getirdikten sonra sıra hayattakilere gelirdi. Yağmurlu Londra'da yaşayan ve yalnızca fotoğraflarından tanıdığı ikiz torunlarından başlardı. *Dik başlı kızıma ve o kadirşinas kocasına Sen daima yol göster* diye devam ederdi. Bunu, Yunus (ve müzik grubu) için bir dua izler; onun şöhretin nimetlerine kapılmamasını, yoldan çıkmadan başarılı olabilmesini dilerdi. Ardından Elias için yakarır, sağlık ve afiyette olmasını ve eğer hâlâ bulmadıysa tez zamanda sevecek birini bulmasını temenni ederdi. En uzun dua en sonuncusuydu, İskender'in duası. *Sultanının, aslanının, biricik gözbebeğinin...* Buraya dönmekle iyi edip etmediğini bilmiyordu. Ama her şafak vakti onu bir şal gibi sarıveren dinginlik yeterince ikna ediciydi. Bu kadar yalnız ve münzevi bir hayat sürmek ile deliliğin arası bir adımdan ibaretti yalnızca. Ona bahşettiği ve ondan esirgediği her şey için O'na şükrederek aklına mukayyet olmaya çalışıyordu. Zira biliyordu ki minnettar olunca daha zordu delirmek.

İngiltere'deki ilk zamanları, bir rüya içindeki rüya kadar uzaktı şimdi. Buğulu camlardan kraliçenin malikânesini ve yağız atlar üstünde heybetli askerleri ilk gördüğü anki heyecanını unutmuyordu. Yağmurdan ıslanmış sokakları, bitişik nizam tuğla evleri ve yüksük kadar bahçeleriyle Kuzey Londra'ya gelince bir yalnızlık sarmıştı içini. Kocasının bulduğu ev bakımsızdı; boya, tamirat istiyordu, ama saçak altında barınan kırlangıç gibi küçücük mekânlarda yuva kurmaya alışık olduğundan dert etmemişti bunu. Alışamadığı bir şey varsa, o da havaydı. Yağmur. Kasvet. O kurşuni bulutlar. Fırat kıyısında büyümek onu dondurucu kışlara ve kavurucu yazlara karşı aşılamıştı ama ilanihaye kapalı bir göğe uyanmaya alışmak kolay olmamıştı.

Trafiğin soldan akması ya da sürücülerin arabanın ters yanında oturması gibi tuhaflıklar, Londralıların hal ve tavırları kadar şaşırtmamıştı onu. Yaşlı hanımların şıklığı, gençlerin aymazlığı, ev kadınlarının rahatlığı, hiç sahip olmadığı ve olacağını sanmadığı o özgüven. Memelerini belli eden tişörtleri ve güneşte yanardöner pırıltılar saçan saçlarıyla kadınlara bakıp, dişiliklerini nasıl rahat bir elbise gibi üzerlerinde taşıdıklarına hayret ederdi. Sokakta öpüşen, sigara içen, içki içen, tartışan çiftler... Hayatlarını herkesin gözü önünde

440

yaşamaya bu kadar meraklı ve meyyal insanlar görmemişti
daha önce. Çocukluğunun köylüleri çenebaz sayılmadığı gibi
kendisi de ketum bir yapıda olmuştu hep. İngiltere ise bir
sözcükler memleketiydi; gizli anlamları çıkarmak, latifeleri
ve hicvi anlamak için epey çaba harcamıştı.

Ama Londra ve İstanbul gibi şehirlerde onu en çok şaşırtan
kuşlardı galiba – apartman aralıklarına sıkışmış, bir avuç
yem uğruna toplaşıp itişen, ölüp kaldırıma düştükleri zaman-
lar haricinde adeta görünmez olan kuşlar. Fırat kıyısındaki-
ler öyle değildi. Belki Londra Hayvanat Bahçesi'ndeki kadar
değişik tür yoktu buralarda. Ama özgürlerdi.

Londra'da kuşlar konup etrafı kirletmesin diye pencere
pervazlarına yerleştirilen kirpi dikenleri gibi sivri iğneleri
görmek üzerdi onu. İstanbul'da rastladığı, üstüne kırık cam-
lar yapıştırılmış bahçe duvarlarını hatırlatırdı bunlar. Dü-
şüncesi bile ürpertmeye yetmişti. O lüks evlerde yaşayanlar
hırsızları sadece durdurmak istemiyor, aynı zamanda onların
ellerini ayaklarını kesmelerini istiyorlardı. Ne iğneli pencere
pervazlarından ne de kırık camlı duvarlardan hazzederdi.
Şehir yaşamını sevememişti.

🗶🗶🗶

Düzenli olarak yazardı. Ne tuhaftır ki mektuplarında, yüzü-
me karşı dile getirmediği çok şey anlattı kendisiyle ilgili. On-
dan her hafta gelen masmavi zarflar vazgeçilmez oldu benim
için, hayatımın en kıymetli alışkanlığıydı anamın satırlarını
okumak. Onun sağ ve salim olduğunu bilmenin mutluğuyla
kendime bir çay demler, mutfak masasına oturup okurdum.

Cinayetten sonra bir yıldan fazla bir süre işgalcilerle kaldı
annem. Yunus ve ben dönüşümlü olarak ziyaretine gittik;
Tarık Amca ve Meral Yenge'nin kulağına kar suyu kaçırma-
mak için her zaman dikkatli, hep tetikteydik. İskender yaka-
lanıp hapse atılmıştı ama annemin ortaya çıkıp çıkmaması

konusunda kafamız karışıktı. İşgalcilerin onun neden saklandığını öğreneceğinden korktuysak da gazete okumuyor yahut mahalle dedikodusuna kulak vermiyor olmaları işimize yaramıştı. Başının göçmen yasalarıyla dertte olduğunu sanıyorlardı. Her türlü bürokrasiye karşı oldukları için onu saklamaktan kıvanç duyuyorlardı. Yunus, Punklardan annemin tipini değiştirmelerini istedi; onlar da seve seve atladılar fırsatın üstüne. Saçlarını kesip tatlı bir kızıla boyadılar. Kocaman yuvarlak gözlük takıp bir de kot pantolon giyince biz bile tanıyamadık onu.

Her şeye rağmen, şayet ikizinin yardımı olmasaydı sıyrılamazdı annem o günlerin karanlığından. Bir gece yarısı, işgalcilerin evinde bitkin bir halde oturmuş yalnızca kendisinin seçebildiği bir boşluğa bakarken bahçede bir siluet gördü. Cemile'ydi. Ne yaklaştı ne bir söz söyledi ama onu öyle görmek bile yetti annemin yüreğini eritmeye. Suda bir damla mürekkep gibi dağılıp gitti havada hayalet. Ama bu olay annemi, ikizinin ıstırap çekmediğine ve gittiği yerin o kadar üzücü olmadığına ikna etti. O günden sonra aynı hayalet zaman zaman görünecekti, hem anneme hem hapisteki ağabeyime.

Yaşananlardan bir yıl sonra Yunus ve ben yatılı okula gönderildik. Annem o esnada karar verdi köyüne gitmeye. Aniden, İngiltere'deki zamanını doldurduğunu sezinledi. Fırat'a dönecekti, doğduğu diyarlara, çünkü Elias'ın aksine bir hava bitkisi değildi o; köklerini bulması gerekiyordu. Yunus ve ben, bir an evvel geri gelmesi ve bizim de yazın onu ziyarete gitmemiz koşuluyla destekledik bu planı.

Teyzemin ayakkabısının topuğuna saklayarak getirdiği *Kehribar Cariye* hâlâ bizdeydi. Ne ederi ne de nasıl satılabileceği hakkında bir fikrimiz vardı. Sonunda Kaptan'ın annesi yardımımıza koştu. Elmas iyi bir fiyata satıldı, annemin seyahati ayarlandı. Yunus'un ve benim eğitimimize yetecek kadar para bankaya kondu. Kalan miktarla Punklar öyle çılgın partiler

442

düzenlediler ki aylarca şehrin dilinden düşmediler. Bilmediğimiz, elmasın yalnızca armağan olarak verilebileceği, asla satılamayacağıydı. Lanetinden haberimiz yoktu. Ancak yıllar sonra yöreyi ziyaret ettiğimde öğrenecektim bu mühim ayrıntıyı. Teyzemin bize söylemeye fırsatı olmamıştı. Kız kardeşinin kulübesine vardığında bulduğu harabe annemin moralini bozmamış. Zaman ve ihmal mahvetmiş Cemile'nin yarattığı huzurlu sığınağı. Çok uğraşmış annem. Bu taşınmanın geçici olacağına, yepyeni bir kadın olarak Londra'ya geri döneceğine dair bize söz vermişse de bir kez kardeşinin evine adım atıp ortalığı düzene sokunca, son nefesine kadar burada kalacağını anlamış.

Köylüler, neden artık doğumlara gelmediğini bir türlü kavrayamasalar da pek sevinmişler Kız Ebe'nin geri gelmesine. Kulübesini temizleyip onarmışlar. Yöre tehlikeli bir yere dönüşmüş bu arada. Devlete karşı isyancılar ve gece gündüz devriye gezen askerler varmış etrafta. İkizinin yerini alınca bu gerilimin ortasında kalmış benim politikadan zerrece anlamayan annem. Tehlikeden kıl payı kurtulduğu anlar olduysa da bunlardan bize bahsetmedi. Yalnızca güzel şeyler yazdı hep.

Sevgili kızım, iki cihanda nurum,
Hep sizi düşünüyorum. Lütfen ağabeyini ziyaret etmekten vazgeçme. Affet Esma. Dene bağışlamayı. Zor olduğunu biliyorum ama yapmalısın. İskender yalnız olmadığını bilmeli. Asla yalnız değiliz. Allah'a dua ediyorum, muhabbet dilini konuşan kalp ehli birini ona yoldaş yapması için. Böyle birini İskender'in yanına verir inşallah.
Çatma kaşlarını bir tanem. Gene onu kayırdığımı söyleme. Bir parmağını diğerine tercih edebilir misin? Anneler için de öyledir işte. Çocukları arasında ayırım yapamaz analar. İskender'i, Yunus'u ve seni eşit ve öyle çok seviyorum. Bugünlerde mektup yollamak zorlaştı. Olur da bir müddet

benden haber alamazsan meraklanma yavru ceylanım. Dün
gece ferah bir rüya gördüm. Hem buradaydım, hem kraliçenin
memleketinde. Hem kulübedeyim hem sırça sarayda. Uyandı-
ğımda düşündüm ki doğrusu bu zaten. Siz neredeyseniz ben
oradayım daima.

Seni seven annen Pembe

Ondan gelen son mektuptu. O kadar çok kez okudum ki
kâğıdın kenarları yıprandı, her satırı lekelerle kaplandı; tıp-
kı kesişen ve ayrışan hikâyeler gibi üst üste, iç içe annemle
benim parmak izlerimiz.

Daha sonra Türkiye'ye gittiğimde neler olduğunu etraflıca
anlattı köylüler. Onun hiç acı çekmediğine beni inandırdılar.
Bir virüs. Boyun ve kollarda pul pul döküntüyle başlıyormuş;
pek kaygılanacak bir şeye benzemiyormuş en başta. Ancak
çok geçmeden hasta titreyip terliyor ve şayet bu aşamada
tedavi edilmezse ardından gelen yüksek bir ateş ve koma
hali ciğerleri hızla zayıf düşürüyormuş. 1991 baharında çık-
mış ortaya, hayvanlardan insanlara bulaşıp bir ay içinde bir
düzine köylüyü öldürmüş, sonra da geldiği gibi kaybolmuş.
Annem muhtemelen erzak almak için *Dört Rüzgârın Evi*'ne
gittiğinde kapmış hastalığı.

Ancak mektupları gelmez olunca anladım onun ikinci ve
son kez öldüğünü.

DK'da yayımlanmış diğer kitapları

Pinhan

"Nicedir adını bekler dururdu. Velhasıl adı da onu. İşte bugün kavuştular birbirlerine. Adı Pinhan olsun bundan böyle" dedi.

Yazarın ilk romanı olan *Pinhan* 1998'de "Mevlâna Büyük Ödülü"nü aldı.

Şehrin Aynaları

Aynalar şehrine geldim çünkü benim hikâyemin önünü, benden evvel kaleme alınmış bir başka hikâye tıkıyor. Aynalar şehrindeyim çünkü bir kez şu bendi yıkabilsem sular çatlayacak, deli deli akacak; hissediyorum. Aynalar şehrindeyim çünkü ben bir korkağım; ve ne olduğunu bilen her korkak gibi, bu sırrı kendime saklıyorum.

Mahrem

Öyle güzel ki uçmak... Öyle güzel ki tüyden hafif, uçurtmadan serseri, buhardan oynak, toz zerresinden kıvrak, kar tanesinden savruk olabilmek gökkubbede. Niyetim daha, daha da yükseklere çıkmak. (...)

Mahrem 2000 yılında Türkiye Yazarlar Birliği Ödülü'nü aldı.

Bit Palas

Edebi ve yazınsal başarısı, Türk kimliğini ve ülkenin tarihine yaklaşımını edebiyat yoluyla yeniden tanımlayan genç kuşak yazarlar arasında Şafak'ı temsilci olarak öne çıkarıyor... Bu roman enerji dolu ve gizemli bir yolculuğa davet ediyor insanı; tutkuyla, gülmeceyle ve Türkiye'ye dair bir dolu fotoğraf karesiyle...

The Independent

Araf

İyi de bir insana neden ömür boyu geçerli olacak şekilde tek bir isim veriliyordu başka bir isim de verilebilecekken, hatta isminin harfleri karıştırılıp aynı isimden yenileri türetilebilecekken? Kendimiz de dahil etrafımızdaki her şeyi yeniden adlandırma şansı ne zaman alınmıştı elimizden?

Med-Cezir

"Elif Şafak'ı yalnız romanlarından tanıyanlara, kafalarındaki fotoğrafın eksik karelerini tamamlamak için *Med-Cezir*'deki yazıları okumalarını salık veririm. Burada kanlı canlı, öfkesiyle, inadıyla, kırılganlığıyla, tutkularıyla velhasıl renginin bütün tonlarıyla Elif Şafak var."

Ali Çolak

Baba ve Piç

"Son derece güzel kurgulanmış... Bu canlı ve
eğlenceli roman hem bir aile hikâyesi hem de
kolektif bir tarihe uzanıyor. Aile hikâyesine
güçlü ve nevi şahsına münhasır kahramanlar
yön veriyor. Şafak'ın karakterlerine can veren
güçlü dili, zihninizin kulaklarıyla duyabiliyor-
sunuz."

Alan Cheuse, *Chicago Tribune*

Siyah Süt

Bu kitap okunur okunmaz unutulmak için
yazıldı. Suya yazı yazar gibi...
Siyah Süt kadınlığın, kadınların hayatının
kasvetli ve karanlık ama son tahlilde geçici bir
dönemiyle ilgili. Birdenbire gelen ve geldiği
gibi hızla dalgalar halinde çekile çekile giden
bir haletiruhiye burada incelenen. Bu kitap bir
nevi tanıklık. Otobiyografik bir roman.

Aşk

"Cümlelerin güzelliği, dili inanılmaz bir yara-
tıcılıkla kullanıyor olması ve bunu şimdiye
kadar yazdığı her şeyden üstün bir şekilde
becermiş olması, bu romanı tek kelimeyle
olağanüstü yapıyor. Yazarın kişiliğini en saf
biçimiyle görebileceğimiz bir yapıt çıkarmış
ortaya."

Taha Akyol, *Milliyet*

Kâğıt Helva

(...) Derken o yolculukta bir an geliyor, durup geriye bakma gereği duyuyorum. Geçtiğim yolları, uğradığım durakları, güzergâh boyu karşılaştıklarımı anımsıyorum. Bu kitap dünden bugüne yazdıklarımdan ufacık bir seçkidir. Bir alıntılar kitabı. Karın doyursun diye değil, tadımlık niyetine.

Firarperest

İnsan ki eşrefi mahlukattır, içindeki semavi özü keşfetmekle yükümlüdür. Çıkacaksın yollara, kendine doğru git gidebildiğin kadar. Keşif boynumuzun borcudur. Kendimizi keşfetmek, aşkı keşfetmek, dünyayı keşfetmek, ötekini keşfetmek...

http://www.facebook.com/elifshafak
http://www.twitter.com/Elif_Safak